POUR L'AMOUR
DE CARLA

JOANNA HINES

POUR L'AMOUR
DE CARLA

FRANCE LOISIRS

Titre original :
IMPROVISING CARLA
publié par Simon & Schuster UK Ltd, Londres.
Traduit de l'anglais par Claire Mulkai.

Édition du Club France Loisirs,
avec l'autorisation des Éditions Belfond.

France Loisirs,
123, boulevard de Grenelle, Paris
www.franceloisirs.com

À ma sœur Penelope,
la première à nous avoir emmenés
sur les îles

Première partie

L'île

Ces jours-ci, je vois Carla partout.

En sortant de la station de métro Green Park, au milieu de la cohue du matin, j'aperçois une femme, juste devant moi, avec une masse de cheveux auburn qui tombent sur ses épaules étroites, cette démarche rapide, saccadée, qui était la sienne et, l'espace d'un instant, j'ai une envie insensée de crier : « Carla ! Attends-moi ! » Ou bien quand je cours dans les rues, le soir après mon travail, à la lumière des réverbères. Je cours, je cours sans fin, pas pour entretenir ma forme comme les autres joggeurs — la santé me paraît une préoccupation bien dérisoire, après ce qui s'est passé sur l'île —, mais pour survivre, pour échapper aux furies qui crient et hurlent dans ma tête ; seulement je ne leur échapperai pas, je ne leur échapperai jamais. Alors, au moment où je m'y attends le moins, me parviennent le bruit de ses talons qui claquent sur le trottoir, une bouffée du parfum qu'elle portait — un parfum musqué et sucré —, l'écho de son rire, entendu pour la dernière fois dans une taverne grecque du bord de mer. Chaque fois mon cœur se serre. Un bref instant, j'ai envie de croire que ces derniers mois n'ont été qu'une sorte de délire. Je viens de retrouver la raison et, quand la femme devant moi se retournera, son visage s'éclairera à ma vue. Elle s'exclamera : « Salut, Helen ! Il me semblait bien t'avoir reconnue. » Inévitablement, suivent la désillusion et la souffrance — une douleur plus aiguë chaque fois qu'elle survient.

Ce n'est pas Carla. Comment avoir été assez idiote pour l'imaginer ? Carla est morte. Rappelle-toi ce corps frêle, brisé, gisant sur la route déserte à l'heure où les rayons du soleil levant filtraient entre les oliviers. Aucune inconnue me frôlant dans la foule d'une rue de Londres ne sera Carla. Jamais.

J'ai beau savoir tout cela, je continue à la voir. Un timbre de voix semblable au sien, dans un bureau voisin, suffit à me distraire de mes occupations. Les mauvais jours, Londres me paraît peuplée d'une infinité de Carla. Mille femmes l'incarnent dans leurs traits, leur voix, lui prêtent leur souffle comme des éclats de miroir.

Est-ce la façon dont les morts hantent les vivants, dans le monde moderne ? Je lutte contre cette pensée ; elle confine à la folie.

Une explication plus prosaïque pourrait être que Carla a laissé derrière elle une cohorte de sœurs. Durant la période que nous avons passée ensemble sur l'île, elle n'a pas mentionné leur existence de sœurs mais cela ne veut rien dire, car nous n'évoquions jamais nos vies réelles. Je ne connaissais rien de Carla.

À l'exception de l'unique et terrible vérité qui constitue mon secret. La seule que jusqu'à présent personne n'ait découverte — je prie Dieu que cela continue —, contrairement à ce que croient les gens. Elle s'accroche à moi tel un succube, emplit l'air que je respire de son odeur pestilentielle.

Parce que je suis la seule à savoir comment Carla est morte. À l'instant où sa vie a pris fin, la mienne a changé pour toujours. Mon existence est désormais scindée en deux époques bien distinctes : l'avant-Carla et l'après-Carla.

Ce matin-là, l'air était si pur et si clair qu'on se serait cru au commencement du monde ; on avait l'impression d'avoir pénétré dans l'Éden, le jardin de l'espoir et de l'innocence perdue. J'étais une autre, alors, et je me trouvais avec elle sur cette route, à l'aube. Malgré ce qui est inscrit sur son certificat de décès, sa mort n'était pas un accident. Je suis bien placée pour le savoir : j'en ai été témoin.

Ce qui fait de moi... ?

À vous de tirer d'éventuelles conclusions.

Lors de notre première rencontre, rien ne pouvait laisser présager les horreurs à venir. Peut-être était-il inévitable que nos chemins se croisent — deux femmes voyageant seules, au milieu des familles et des couples au départ de l'aéroport de Gatwick, en ce morne matin gris, mais je ne me rappelle pas l'avoir remarquée avant la Grèce.

Pour moi, femme du Nord privée de soleil, le moment de l'arrivée sous des cieux cléments a toujours été très excitant. Ce jour-là plus que jamais. Un printemps long et pluvieux avait figé l'Angleterre dans un climat digne d'un mois de novembre et soudain, comme si l'on avait avancé d'au moins deux saisons, on se retrouvait au cœur de l'été en l'espace de deux heures. Quand j'ai descendu la passerelle, propulsée dans la lumière aveuglante et la chaleur de ce début de journée, je me suis sentie ridiculement trop couverte, avec ma jupe, mon pull, mon collant et mes chaussures fermées. J'avais envie de traverser la piste d'atterrissage en courant, d'arracher mes vêtements et de plonger dans la mer scintillante. Des bâtiments en béton de Gatwick, solides et sévères sous le ciel sombre du Nord, aux constructions branlantes mais inondées de soleil du Sud, ces premiers instants avaient un goût de paradis.

Tel un troupeau de moutons dociles, nous nous sommes traînés jusqu'à la salle des bagages. A suivi la période forcée d'attente désœuvrée, accompagnée d'un vague sentiment de malaise : l'angoisse des voyageurs séparés de leurs affaires. Puis le tapis roulant s'est mis en marche avec un grincement et tout le monde a fixé le rabat en plastique, jusqu'à ce que le premier bagage, un sac en toile fripée couvert d'autocollants, fasse une apparition triomphale. Un homme d'à peu près mon âge a traversé la foule, saisi le sac en toile et l'a balancé aux pieds de sa petite amie. Ensuite, ça a été la ruée : sacs et valises ont été portés jusqu'à la douane puis tout le monde s'est dirigé vers les pancartes indiquant *Soleil Vacances* ou *Hôtel Aphrodite*.

Tout le monde — ou presque. Tandis que s'éloignait la masse des heureux voyageurs ayant récupéré leur bien, quelques-uns sont restés en plan — dont moi. Ça m'a rappelé le lycée, quand on est la dernière à être choisie lors de la formation d'une équipe. Quelques autres parias erraient, désemparés : un couple âgé équipé de jumelles et de chaussures de marche ; et une famille de joyeuse humeur, à l'accent du Yorkshire, avec trois petits garçons aux cheveux filasse à qui on avait dû interdire formellement de courir dans l'aéroport et qui jouaient à cache-cache dans la salle des bagages déserte en avançant à pas de loup. Plus Carla. À ce moment-là, bien sûr, j'ignorais son prénom, je pensais juste qu'elle devait, comme moi, voyager seule.

Mince, l'air ombrageux, une impressionnante crinière de cheveux châtain-roux, elle demeurait stoïquement à l'écart de notre misérable horde. Elle paraissait sur les nerfs, tendue comme une corde de violon, ne cessant de triturer ses cheveux, la bandoulière de son sac, de lisser son pantalon. Elle portait

14

des vêtements adaptés à un été anglais : haut en coton tricoté noir, pantalon noir, sandales à talons hauts. Tout en noir, avec sa chevelure brillante et ses mouvements vifs, saccadés, elle me faisait penser à un oiseau élégant et nerveux.

Quand le tapis roulant s'est arrêté en grinçant, le silence a fondu sur la salle des bagages. Le monsieur âgé s'est dirigé vers le père de famille du Yorkshire et tous deux ont discuté d'un ton anxieux. Qu'était-il arrivé ? Nos bagages demeuraient invisibles, il n'y avait personne pour nous renseigner. Tandis que les deux hommes poursuivaient leur conciliabule, j'ai décidé qu'il était temps de me rapprocher de l'autre voyageuse solitaire ; j'ai donc esquissé un mouvement dans sa direction et affiché un sourire amical.

Elle s'est détournée ostensiblement et, d'un geste brusque, a sorti un poudrier de son sac. Elle a observé d'un air critique son visage, a passé sa langue sur ses lèvres, puis a recommencé à fouiller dans son sac, d'où elle a extrait un tube de brillant à lèvres qu'elle a appliqué en grimaçant.

Après cette rebuffade, j'ai tourné les talons et fait les cent pas. Mon impatience grandissait. L'île, avec ses bruits, ses odeurs, ses plaisirs enchanteurs, m'invitait, au-delà de ces portes, et j'étais coincée là ! Ma première journée de liberté, si précieuse, se délitait dans une attente frustrante. Je contemplais les autres avec morosité. L'aîné des petits garçons, profitant de l'inattention de ses parents, avait grimpé sur le tapis roulant maintenant immobile, et commençait à sauter dessus ; le benjamin avait réussi à s'agripper au rebord et agitait en l'air un pied chaussé d'une sandale rouge. C'est alors qu'à l'extérieur un homme a éclaté de rire ; le mécanisme du tapis s'est remis en route dans un grincement, et les deux gamins ont sauté — ou sont tombés — à terre juste au moment où leurs parents s'apercevaient de ce qu'ils faisaient et se précipitaient sur eux en les grondant gentiment. Ma valise bleu marine est apparue sur le tapis roulant.

Du moins l'ai-je cru.

Je ne m'étais pas plus tôt avancée, avec une joie extrême, que j'ai senti un mouvement près de moi et Carla a tendu le bras pour saisir, elle aussi, le bagage.

«Excusez-moi, ai-je protesté poliment, Anglaise jusqu'au bout des ongles, tandis que nos mains se heurtaient contre la poignée, mais...»

Elle m'a lancé un regard irrité, de ses yeux noirs très enfoncés dans leurs orbites. «Je suis désolée, a-t-elle murmuré, tout aussi Anglaise que moi, mais je suis sûre que c'est la mienne.» Sa voix était très tendue.

Pendant cet assaut de politesses, nous avions soulevé la valise.

«Peut-être devrions-nous l'ouvrir, ai-je suggéré d'un air résolu.

— Je ne vois pas pourquoi...»

Absorbées toutes deux par notre lutte courtoise mais féroce, nous avons failli ne pas remarquer la valise jumelle qui, après être passée devant nous, s'apprêtait à disparaître à l'autre extrémité du tapis roulant.

«Oh, regardez!

— Ça alors!»

Le soulagement a fait fondre la réserve de la jeune femme. D'un air joyeux, elle a filé récupérer le bagage et l'a traîné à côté de l'autre. Telles des mères fières de leurs rejetons et comparant leurs carnets de notes, nous avons identifié nos valises, nous sommes félicitées de l'heureuse issue de l'incident et avons suivi à la douane le couple âgé et la famille du Yorkshire.

«Heureusement que je n'ai pas été obligée d'ouvrir

la mienne, a commenté Carla d'un ton enjoué. Elle est pleine à ras bord de préservatifs. Plutôt gênant. »

Elle m'a lancé un sourire ravi, et je cherchais une réponse percutante quand elle a remarqué son reflet dans une vitre.

« Bon sang ! Vous avez vu mes cheveux ! J'espère qu'il y a des toilettes pas trop loin ?

— Il me semble en avoir aperçu près de la salle des bagages.

— Super ! Apparemment, je suis condamnée à m'attarder dans le secteur. À plus tard. »

Sur ces mots, elle a contourné sa valise avec prestesse et est retournée à l'endroit d'où nous venions.

J'ai été tentée de l'attendre. Il avait été agréable d'échapper à la bulle de silence oppressante du voyageur solitaire. Puis je me suis dit que sa cargaison de préservatifs indiquait des projets de vacances quelque peu différents des miens, et j'ai continué seule.

La douane, les chauffeurs de taxi, les guides guettant leurs touristes, et enfin, enfin, l'éclatant soleil de midi. J'ai marqué une pause pour savourer cet instant. La chaleur qui vibrait dans l'air méditerranéen, montant de la cour bétonnée du terminal et chauffant mes jambes pâles de Londonienne qu'irritait le nylon du collant, m'a enveloppée tel un bain voluptueux. J'ai remué les pieds dans mes chaussures. Patience, mes orteils, avant la fin de l'après-midi vous goûterez le sable, l'eau salée, la liberté de marcher sans entraves.

Le soleil se reflétait sur les vitres des centaines de voitures garées en face de moi, une lumière généreuse qui éclairait tout, infinie, éblouissante, magnifique.

J'ai mis mes lunettes noires. Les couleurs autour de moi ont pris une nuance de bronze. Je me suis passé

17

la main dans les cheveux, ai ajusté mon sac... et me suis sentie observée.

À l'abri derrière mes verres sombres, j'ai tourné lentement les yeux pour voir qui déclenchait ces frissons glacés sur ma nuque, malgré la chaleur.

L'homme, appuyé contre le capot d'une voiture blanche stationnée juste devant l'aérogare, était grand et portait des vêtements d'une élégance décontractée : pantalon de lin, chaussures en toile, chemise ample à manches longues. Sous son panama, il donnait l'impression d'avoir le teint pâle et les cheveux roux ; on distinguait un visage aux traits fins et délicats, une bouche charnue, et des mains aux longs doigts effilés comme ceux des anges sur les tableaux florentins.

Il a tiré de la poche de sa chemise une paire de lunettes de soleil ; mais ça ne masquait pas son regard insistant.

Je me suis demandé un instant s'il n'appartenait pas à l'agence de location de voitures. Hypothèse improbable. Il n'avait pas l'air d'un autochtone — ni d'un touriste, d'ailleurs. Il n'a pas souri, pas détourné les yeux, et a continué de me fixer. Un regard déroutant, impossible à déterminer, à cause du plastique noir.

Était-il amical ou concupiscent, exprimait-il de la méchanceté, du mépris, de l'ennui ou de l'amusement ? À moins que je ne rappelle à cet homme une femme qu'il avait connue ? Mystère.

J'ai fini par avoir envie de rire, mais le moment ne semblait guère choisi.

Machinalement, je me suis détournée et j'ai commencé à m'éloigner de l'homme avec autant de dignité que possible, le poids de ma valise déséquilibrant ma démarche, pour m'apercevoir au bout de quelques mètres que l'agence de location de voitures était située du côté opposé de l'aéroport. J'ai dû faire demi-tour et revenir sur mes pas. L'inconnu me fixait toujours des yeux quand je suis repassée devant lui avec ma valise, qui semblait s'être considérablement alourdie pendant le voyage, et je me suis sentie de plus en plus mal à l'aise.

Puis je m'en suis voulu de me laisser déstabiliser par le regard d'un homme curieux et mal élevé, et lui en ai voulu davantage encore.

Enfin j'ai atteint le guichet, où une femme énergique et efficace m'attendait avec impatience pour pouvoir fermer boutique une ou deux heures et aller déjeuner — sans doute en compagnie de l'homme qui m'avait observée. Du coup, j'ai complètement oublié l'agacement que ses regards importuns avaient provoqué en moi.

Dix minutes plus tard, je me trouvais au volant d'une élégante Fiat blanche — certainement pas aussi nickel sous le capot. Il m'a fallu toute ma concentration pour réussir à sortir de l'aéroport. Au début, j'ai cru avoir atterri sur la mauvaise île : la route qui partait du terminal était si belle et si large qu'elle devait conduire au moins à une autoroute à six voies. Mais la réalité a vite repris ses droits, sous la forme d'une série de profonds nids-de-poule dont le premier, auquel je ne m'attendais pas, a failli m'envoyer tout droit dans un superbe palmier. Après cela, j'ai redoublé d'attention ; je me suis rappelé qu'il fallait rouler à droite, je me suis accoutumée peu à peu à l'éclat aveuglant des autres voitures et au miroitement de l'asphalte presque liquide, tout en m'efforçant de déchiffrer les instructions compliquées qui devaient me permettre de gagner le petit hôtel où j'avais réservé une chambre pour quinze jours.

Ce trajet en voiture est le plus pénible dont je me souvienne. Sur cette route, j'ai cru cent fois que mes vacances allaient prendre fin avant même d'avoir commencé.

Aujourd'hui, évidemment, je regrette que cela n'ait pas été le cas.

L'avenue de palmiers qui partait de l'aéroport a bientôt cédé la place à une route côtière, où se succédaient une multitude de discothèques, de tavernes, de terrains de camping, de bars et d'hôtels bon marché. Ici, le danger principal venait des touristes, apparemment résolus à descendre des trottoirs pour se jeter sous ma voiture. J'ai ralenti jusqu'à rouler au pas pour éviter l'accident, et me suis fait doubler par des taxis klaxonnant avec fureur.

Enfin, la route a commencé à grimper. Les hôtels et les cafés se sont espacés. J'avais vaguement conscience d'avoir sur ma droite une grande étendue de mer bleue et de beaux panoramas, sur ma gauche des collines escarpées et encore de beaux panoramas, mais Jason et tous ses Argonautes auraient bien pu voguer à quelques mètres de moi que je n'aurais pas détourné une seconde les yeux de la route. Deux fois, des taxis fous m'ont dépassée dans des virages en épingle à cheveux, et une autre fois, c'est un autocar de tourisme qui a failli me précipiter dans un ravin à pic. Sans compter les camions chargés à ras bord de pierres et de graviers qui descendaient la pente et fonçaient à ma rencontre à une vitesse vertigineuse. Enfin, juste au moment où j'allais carrément abandonner la voiture et continuer à pied, j'ai aperçu le panneau que je cherchais : NÉAPOLIS. Au-dessous, peinte en bleu sur une planche de bois, l'inscription CHEZ MANOLI. Avec un cri de joie, j'ai bifurqué dans une petite route et, au détour d'un virage, j'ai découvert la baie, semblable en tout point à la photo de la brochure, mais cent fois plus belle encore.

Le spectacle a chassé le cauchemar de la route. Ma

peur s'est envolée. J'avais le souffle coupé, non de terreur cette fois, mais de pur émerveillement devant la beauté sublime du paysage. La mer d'un bleu profond, les oliviers argentés, le noir d'encre des cyprès... même les constructions voyantes d'un village de vacances moderne, qui s'étendaient jusqu'à l'extrémité du promontoire, ne réussissaient pas à altérer la magie de cette première vision.

Lentement, le cœur joyeux, j'ai entrepris de descendre la route goudronnée de frais qui menait à la mer et passait au milieu des oliviers et des prés comme décolorés par le soleil. L'air vibrait du chant des cigales, un vent chaud soufflait entre les arbres.

Après un dernier virage, j'ai aperçu en face de moi un ensemble de maisons blanchies à la chaux, leurs terrasses couvertes de vigne et, au-delà, plus magnifiques que sur n'importe quelle photo, la vaste étendue de sable et la mer.

J'étais arrivée.

2

À mon quatrième jour de vacances, l'éclat du paradis s'était quelque peu terni.

Non qu'il y ait eu le moindre problème à l'hôtel, qui répondait à toutes mes espérances, même si le nombre de chambres — cinq — et l'absence de restaurant ne lui conféraient pas vraiment le statut d'hôtel. Le rez-de-chaussée était presque entièrement occupé par un grand bar, deux énormes vitrines réfrigérées contenant des boissons non alcoolisées et des glaces, un ventilateur qui ronronnait au-dessus de la tête des consommateurs, des tables et des sièges en plastique qui débordaient sur la terrasse ombragée par une treille. Tout au long de la journée, le bar était fréquenté aussi bien par les gens du coin que par les touristes. Durant une ou deux heures le matin, le petit déjeuner y était servi aux clients de l'hôtel : pain frais, yaourt artisanal proposé avec un miel liquide et sombre, et toute une variété d'oranges et de pommes non calibrées, à l'allure naturelle. Le tout arrosé de grands pots de café fort et sirupeux.

Les propriétaires, Manoli et Despina, approchaient de la soixantaine. Manoli était longiligne et se tenait très droit. Il régnait sur son établissement avec une sorte de dignité désabusée qui laissait à penser qu'il avait été le témoin silencieux de toutes les folies et horreurs de l'humanité et que plus rien désormais ne pouvait le choquer. Dans les rares occasions où ses traits perdaient leur expression mélancolique, un sourire d'une douceur surprenante éclairait son visage. Despina présentait la silhouette d'un pot à tabac. Elle courait toute la journée, animée, aurait-on dit, par une colère perpétuelle qui n'était en réalité qu'une énergie débordante, et ponctuait son hyper-activité de remarques formulées d'une voix de sten-tor. Manoli s'est avancé pour m'accueillir, mais Despina est restée sur ses gardes ; à l'évidence, elle trouvait suspect mon statut de femme seule.

Les autres clients de l'hôtel étaient tous des couples : un couple âgé, un couple entre deux âges et deux couples plus jeunes que moi. Je n'ai vu aucun d'entre eux le premier jour ; une fois le petit déjeuner ter-miné, ils se sont éparpillés dans différentes parties de l'île. La plupart des restaurants étaient situés près du port de Yerolimani, à un quart d'heure de l'hôtel à pied comme en voiture. Soit on empruntait un sen-tier qui contournait le promontoire, soit on reprenait la grand-route pour bifurquer immédiatement sur une route plus petite.

Ma chambre, située à l'arrière du bâtiment, donnait sur un espace tenant plus de l'arrière-cour que du jar-din. Il était occupé en tout et pour tout par deux ou trois arbustes aux fleurs rose vif et aux feuilles étroites et argentées — des lauriers-roses, ai-je appris plus tard —, une bande de gazon déjà roussi par le soleil, une corde à linge, une remise où l'on stockait des caisses de boissons, et enfin un carré bien entre-tenu où poussaient divers légumes qui — exception faite des tomates et des courgettes — m'étaient incon-nus. C'était le domaine de la mère de Manoli. Elle l'arpentait vêtue de jupes longues, la tête couverte d'un fichu noir, et, quand elle parlait d'une voix normale, on devait l'entendre distinctement sur toutes les îles alentour. Souvent, elle poursuivait une conversation avec une femme invisible, soit Despina, soit la bonne, qui se tenait à l'intérieur de la maison. Au début, je croyais à une grave dispute susceptible de dégénérer en effusion de sang, mais l'une des deux femmes éclatait soudain de rire et, après ce bref répit, la harangue reprenait de plus belle.

Bien que petite, ma chambre était tout à fait correcte. Elle comprenait deux lits jumeaux qu'on avait rapprochés au milieu de la pièce, une armoire ouvragée mais branlante et, suspendue au plafond, une ampoule nue à peu près aussi lumineuse que trois vers luisants légèrement anémiques. Lire au lit n'était manifestement pas une activité encouragée par la direction. La salle de bains «particulière» était agrémentée d'énormes robinets dorés et décorés, mais quand on les ouvrait, il n'en coulait qu'un mince filet d'eau, et la bonde mesurait la moitié du diamètre du trou d'écoulement. À part cela, tout était parfait.

Je n'ai découvert ces défauts que plus tard dans la journée ; à mon arrivée, je m'en fichais pas mal.

À peine ma valise posée, j'ai enlevé mes vêtements trempés de sueur et ai enfilé mon maillot de bain tout neuf, un modèle très échancré, à la dernière mode. Un T-shirt ample, des sandales tout-terrain, un chapeau, mes lunettes de soleil, une serviette, et me voilà descendant l'escalier, traversant le bar et la terrasse, gagnant la plage et la mer. J'ai abandonné en tas chapeau, lunettes, T-shirt, sandales et serviette, et ai piqué une tête dans l'eau.

J'adore nager. Je ne suis pas mauvaise dans ce sport, mais il n'y a rien de commun entre un rectangle d'eau chlorée où s'entassent une foule de gens et l'étreinte voluptueuse de la Méditerranée. Tout en nageant, j'ai traversé plusieurs couches d'activité, un peu comme dans des fouilles archéologiques : près du bord, beaucoup de petits enfants et de matelas en plastique ; un peu plus loin, des gens qui jouaient au volley-ball et pagayaient sur des canots pneumatiques ; ensuite, une flottille de pédalos et de nageurs plus hardis ; mais, une fois ces derniers dépassés, la mer était relativement déserte. J'ai fait la planche pendant un moment ; les yeux fermés, je me suis concentrée sur les petits cercles roses et dorés qui dansaient sous mes paupières. Puis je me suis remise en mouvement, regardant vers le rivage pour me repérer, écoutant les bruits de voix, les rires, les cris excités.

Le cœur de l'île, avec ses escarpements, offrait un panorama spectaculaire. La montagne la plus haute possédait un sommet aplati qui, de là où j'étais, ressemblait un peu à une tête de vache ou de buffle ; plus tard, j'ai appris que les gens du coin l'appelaient « le Sanglier » — je ne me trompais donc pas de beaucoup. De part et d'autre, les pics étaient très déchiquetés. Des pentes abruptes, noires et dépourvues de végétation dans leur partie supérieure. Ce paysage sauvage et accidenté contrastait totalement avec la plage animée et joyeuse. Et cette petite tache, là-haut, qui dessinait des cercles dans le bleu du ciel ? Était-ce un aigle ?

Je me trouvais dans une anse plus petite que la baie de Yerolimani, laquelle abritait une ville ancienne avec un beau front de mer, un port et un complexe touristique. À part mon hôtel, on ne voyait ici que quelques maisons, cafés et tavernes, mais le tout donnait sur une plage de sable, ce qui expliquait sans doute l'afflux de touristes venus de Yerolimani, au rivage bordé de galets.

Je suis restée plus d'une heure dans l'eau avant de revenir vers le bord, en me faufilant au milieu des pédalos, des joueurs de volley-ball, des gamins qui pataugeaient. J'ai retrouvé mon petit tas d'affaires, enfilé mon T-shirt et, à ce moment-là, sentant la peau me piquer entre les omoplates, j'ai mis la main sur l'étiquette de mon beau maillot tout neuf, qui devait me donner l'allure d'une publicité ambulante.

Premier indice — oh, bien modeste! — des désagréments que l'on rencontre, à voyager seule.

Plusieurs autres devaient suivre.

Lorsque j'avais préparé ces vacances, mon programme semblait tout tracé. Telles ces intrépides voyageuses en solo que j'avais toujours admirées, je partirais le matin à la fraîche, munie de sandwiches et d'un carnet de croquis, ferais de longues randonnées dans les collines, dessinerais les troncs tordus des oliviers et m'efforcerais de rendre sur le papier la rude simplicité des fermes et du paysage. Après quoi je nagerais et flânerais, au gré de mes envies, échappant à ces pénibles négociations pour décider quoi faire et où manger, susceptibles de mettre en péril même la plus solide des amitiés. Durant deux semaines, je jouirais d'une totale liberté de mouvement. Les malheureux soumis aux contraintes conjugales et familiales envieraient ma liberté ; à coup sûr, en me regardant, ils penseraient : Voilà une femme qui ose faire ce qu'elle veut dans la vie !

Il me faut maintenant avouer la vérité. Quand m'était venue l'idée de ces vacances, en février, je comptais les passer avec un certain Mike Barrett. Vu mes antécédents, j'aurais dû me douter que cette relation ne durerait pas assez longtemps pour ça. C'était déjà un miracle qu'elle ait été assez longue pour nous permettre de franchir les stades du projet et de la réservation avant de commencer à nous haïr. J'aurais pu annuler, bien sûr, dès qu'il était apparu évident que notre goût commun pour les fruits de mer et les films de David Lynch ne nous mènerait jamais jusqu'au début de l'été ; cependant, à ce moment-là j'avais accumulé suffisamment de griefs contre Mike

Barrett pour refuser que, de surcroît, il fiche en l'air mes projets de vacances. J'aurais pu inviter une amie à sa place, mais elles avaient toutes choisi cette période pour découvrir — du moins provisoirement — les secrets de l'amour et du bonheur. Elles n'allaient pas abandonner l'«homme de leur vie» — si transitoire fût-il — pour deux semaines de vacances avec une copine!

J'ai donc envoyé Mike Barrett au diable et me suis persuadée que j'avais toujours rêvé de vacances solitaires. J'avais juste manqué de confiance en moi jusqu'alors, et voilà que le destin venait donner un coup de pouce opportun à mes ambitions. J'avais dû faire montre d'une remarquable autopersuasion, pour que la découverte des inconvénients du voyage en solo me cause un tel choc.

La magie n'a toutefois pas été rompue dès la fin de mon premier jour complet sur l'île. Je m'étais endormie de bonne heure, grâce à l'ampoule anémique, et réveillée à l'instant précis où le soleil se levait à l'horizon. Avant le petit déjeuner, j'avais marché, nagé. Puis j'ai esquissé sur mon carnet de croquis les branches tourmentées des oliviers, flâné, nagé à nouveau, heureuse. Ensuite, je suis allée à pied à la ville, me suis promenée entre les boutiques et les cafés, ai déambulé sur le port où les pêcheurs vendaient des poissons minuscules entassés au fond de leurs barques. Tout était parfait, idyllique. Je me suis dit que Mike Barrett avait raté tout — une forme de revanche? Non; impossible de nourrir des pensées vindicatives quand on est réellement heureux. Le lendemain a été encore plus enchanteur peut-être.

C'est seulement le troisième jour que les choses ont commencé à se gâter. La veille au soir, j'avais découvert le sentier menant, à travers les broussailles et au-delà d'un ruisseau à sec, jusqu'aux rochers plats que j'avais aperçus lors de ma première baignade. Personne ne semblait aller aussi loin, et j'ai pensé que ce serait agréable de m'y reposer une ou deux heures, avant que le soleil ne devienne trop brûlant.

Munie de mon attirail habituel — serviette, crème, livre, chapeau, lunettes noires —, j'ai escaladé les rochers et j'en ai trouvé un assez plat, idéal pour une séance de bronzage. Juste au-dessous, j'apercevais le sable blond du fond de la mer à travers l'eau transparente. Parfait. J'ai plongé et j'ai nagé.

Quand je suis revenue, une mince silhouette était assise sur le rocher juste au-dessus de celui où j'avais étendu ma serviette. Pour me lorgner ? L'individu avait posé à côté de lui un minuscule transistor au son horriblement métallique qui diffusait de la musique pop grecque. Pas vraiment mon genre préféré.

Il pouvait avoir entre douze et trente ans — difficile d'être plus précise, vu l'étrangeté de son visage. Des yeux globuleux qui louchaient, la mâchoire pendante, il était brun, très bronzé et très maigre. Il portait un short gris argent tellement large qu'on avait l'impression qu'il allait lui tomber sur les chevilles sitôt qu'il se lèverait. Perspective peu engageante.

L'inconnu regardait la mer — d'un œil, du moins ; l'autre errait vaguement sur le ciel. Rien dans son attitude n'indiquait qu'il avait remarqué ma présence. Je me suis installée sur ma serviette et me suis dit qu'il s'agissait sans doute d'une coïncidence. L'homme partirait sûrement bientôt ; et il ne m'importunerait pas. J'ai respiré à fond et j'ai senti l'eau salée s'évaporer de ma peau.

Je me suis allongée et j'ai fermé les yeux. Au bout de cinq minutes environ, la musique est devenue soudain sensiblement plus forte. J'ai rouvert les yeux. Le transistor et son propriétaire s'étaient rapprochés de plus d'un mètre de l'endroit où je me trouvais ;

pourtant, le type fixait toujours la mer et semblait inconscient de ma présence.

Quand j'ai ouvert les yeux pour la deuxième fois, il s'était encore rapproché. J'ai pensé qu'à ce rythme-là, dans moins de cinq minutes, lui et le hit-parade hellénique partageraient ma serviette. Il était temps de bouger, aucune loi, à ma connaissance, n'interdisait aux autochtones de s'asseoir sur les rochers de leur propre localité. J'ai donc rassemblé mes affaires, suis redescendue et ai repris le sentier en direction de la plage. L'homme est resté à contempler la mer, ses doigts battant la mesure sur son genou au rythme de la musique nasillarde, comme s'il n'avait pas remarqué mon départ. Je me suis interrogée : Avais-je imaginé sa progression vers moi ?

Je suis allée dans l'un des cafés du bout de la plage et ai commandé une *limonada*. Dans l'eau, deux couples mimaient une joute, les femmes — l'une brune, l'autre blonde, mon âge environ — à califourchon sur le dos des hommes. L'assaut semblait surtout prétexte à des cris et à des plongeons spectaculaires. Ensuite, les hommes ont tenté de grimper sur les épaules des femmes. Ce jeu avait l'air amusant. Plus amusant, en tout cas, que d'être assise seule devant une *limonada* à se demander quel bouquin lire quand celui-là serait terminé.

Et puis, enfer et damnation, un pied de chaise métallique s'est mis à racler le sol à ma droite. Pas besoin de tourner la tête pour deviner que don Juan avait rappliqué. Quelle surprise !

Je me suis sentie piégée et furieuse, mais le problème n'était pas nouveau. L'un de mes défis permanents, au travail, consiste à persuader mes interlocuteurs que, malgré mon allure de collégienne, je possède non seulement les qualifications nécessaires, mais aussi plusieurs années d'expérience durement acquise.

J'ai des cheveux raides et blonds, des traits fins et réguliers, et j'ai beau me percevoir comme une virago à l'intérieur, je n'en ai pas l'apparence. Si je me levais et, du haut de mon mètre soixante-deux, je criais à cet homme de ficher le camp et de me laisser tranquille, il me rirait au nez. D'ailleurs, dans ces cas-là, il vaut mieux éviter de se mettre en colère et recourir plutôt à des méthodes moins directes. Dans le cas présent, je suis retournée à l'hôtel et, une fois certaine que mon suiveur rôdait sur la terrasse, je suis ressortie par l'arrière et ai emprunté la route — plus longue — de Yerolimani.

Ce n'était pas la bonne solution. Le lendemain et une partie du surlendemain, je l'ai vu réapparaître chaque fois que je croyais m'être débarrassée de lui. Il ne faisait jamais un geste vers moi et ne m'adressait pas la parole, sinon j'aurais pu lui dire ce que je pensais de son attitude ; je me sentais harcelée, furieuse et désemparée. Une ou deux fois, je l'ai surpris à lorgner mes seins ou mes jambes mais, comme il ne regardait que d'un œil car l'autre balayait le ciel ou les collines à la manière d'un faisceau lumineux, impossible d'être sûre à cent pour cent.

Le soir suivant, j'ai cru qu'il avait abandonné. Je ne l'avais plus revu depuis le moment où, le matin, j'avais fini par fixer son bon œil assez longtemps pour lui lancer un regard féroce : à mon grand soulagement, le type avait filé.

Je me suis dirigée à pied vers une plage isolée, à environ huit cents mètres des rochers d'où j'avais été injustement chassée, et je me suis retrouvée parmi des nudistes. À Yerolimani et sur la plage de mon hôtel, quelques femmes audacieuses se baignaient les seins nus, mais ici, presque personne ne portait de maillot.

Cette découverte m'a enchantée : si je voulais rentrer en Angleterre avec un beau bronzage uniforme, mon maillot de bain à la dernière mode n'était pas l'idéal. Et, je me suis rappelé tout ce que j'avais entendu dire à propos du plaisir qu'il y a à nager nu. J'avais hâte de me déshabiller et de plonger dans cette mer bleue divine.

Au milieu de tous ces corps dénudés et heureux de l'être, je me jugeais ridicule et déplacée. J'ai enlevé mon sarong, me suis enduite de crème, puis ai dégrafé les bretelles de mon maillot et me suis tartiné les seins et le ventre ; après quoi je me suis mise debout et j'ai retiré complètement mon maillot. Je m'apprêtais à appliquer de la crème sur mes fesses blanches lorsque j'ai senti une présence familière. À cinq mètres environ, toujours affublé de son short gris argent trop grand, il était assis, ses genoux maigres repliés sous son menton. Et cette fois, aucun doute possible, l'un de ses deux yeux au moins regardait fixement.

Me regardait. À cette seconde, j'ai compris que mon soupirant pouvait mettre plus de lubricité dans un seul œil que la plupart des hommes dans les deux. Sa mâchoire s'est affaissée encore davantage et sa bouche s'est élargie en un sourire béat.

J'étais en colère. Plus que cela : furieuse. Je m'apprêtais à foncer sur le type pour lui dire ma façon de penser et l'envoyer à tous les diables, quand j'ai pris conscience du ridicule de la situation. Se faire houspiller dans une langue étrangère par une femme nue comme un ver risquait fort d'être pour le mateur un moment bien plus réjouissant qu'effrayant.

Je me suis détournée et j'ai gagné la mer d'un pas décidé. En temps normal, je n'éprouve aucune honte de mon corps ; sans avoir rien d'extraordinaire, il est tout à fait acceptable. Mais en parcourant les quelques mètres qui me séparaient de l'eau, avec le sable qui me brûlait la plante des pieds, j'avais conscience de chaque millimètre de ma peau nue comme jamais jusqu'à ce jour — mes fesses pâles, en particulier, me semblaient aussi voyantes que les feux arrière d'une voiture.

Je suis entrée dans l'eau en éclaboussant, ai inspiré à fond, plongé et nagé sous l'eau aussi longtemps que j'ai pu. Une fois revenue à la surface, j'ai crawlé avec rage, laissant derrière moi quelques baigneurs paisibles. Une vraie furie.

J'étais dans une telle colère que, sans m'en apercevoir, j'étais allée bien plus loin que les jours précédents. Je ne me suis arrêtée qu'après avoir dépassé l'embouchure de la baie, où seuls s'aventuraient les nageurs les plus intrépides — il n'y en avait d'ailleurs apparemment aucun en cette fin d'après-midi. Je me suis retournée et ai fait la planche pendant un instant en regardant du côté de la terre. Impossible, d'où j'étais, d'apercevoir les gens sur la plage, donc pas moyen de savoir si mon persécuteur avait renoncé et s'était lancé à la poursuite d'une autre proie.

Le soleil déclinant éclairait le sommet culminant de l'île, celui qu'on nommait « le Sanglier » ; les flancs des montagnes étaient plongés dans l'ombre et, pour la première fois, j'ai imaginé ce que devait être ce paysage en hiver : non plus un environnement aimable et rassurant, mais un spectacle sinistre, glacial.

J'ai frissonné. Pendant que je nageais, une légère brise s'était levée. Je me suis rappelé avoir entendu dire que des tempêtes se produisent parfois brusquement en Méditerranée, même au mois de juin. J'avais conscience d'être loin du rivage, et nue ; je

savais que la mer au-dessous de moi était extrêmement profonde. Un courant plus frais m'a enveloppé
les pieds. Étaient-ce des algues qui me frôlaient les
chevilles, ou bien autre chose?

Cette mer et ces courants m'étaient inconnus. La
colère m'avait propulsée là mais, maintenant qu'elle
était retombée, je me sentais inquiète. Avais-je réellement parcouru toute cette distance à la nage, ou
avais-je été portée par un courant puissant? À
supposer que je nage, encore et encore, mais que je
continue à dériver toujours plus loin, que se passerait-il? Me retrouverait-on avant la tombée de la
nuit? Entendrait-on mes appels au secours? Combien de temps pouvait-on survivre dans cette eau, la
nuit? Donneraient-ils l'alarme, à l'hôtel, en ne me
voyant pas revenir, ou bien Despina supposerait-elle
que, comme toutes les étrangères voyageant seules,
j'avais trouvé un soupirant et que je ne rentrerais pas
avant le lendemain matin?

Quelle distance me séparait du rivage? Un kilomètre? deux? trois? Combien de longueurs de piscine représentait un kilomètre? Et — mon Dieu! —
y avait-il des requins dans la Méditerranée?

Pas de panique, me suis-je dit. Tu peux y arriver
facilement, tu le sais. Il suffit de rester calme et de
prendre ton temps.

Je suis restée calme, j'ai pris mon temps et j'ai évité
de regarder la terre car j'avais beau nager, nager, elle
me paraissait toujours à une distance inconcevable...
et voilà que, dans le lointain, j'ai entendu le halète-
ment d'un hors-bord — un bruit faible mais qui se
rapprochait.

J'ai cessé de nager et j'ai regardé d'où cela pouvait
venir. Un petit bateau arrivait vers moi en pétara-
dant. Un sauveteur, peut-être? J'ai observé plus
attentivement, puis j'ai poussé un cri de rage, me suis

remise sur le ventre et ai crawlé vers le rivage plus vite que jamais.

Dans le bateau, là, c'était lui. J'ai reconnu sa carrure, sa coupe de cheveux inégale. Le salaud! Même ici, au beau milieu de la mer, je ne pouvais lui échapper.

J'ai paniqué. Était-ce le soleil, la déshydratation, l'épuisement? À cet instant, j'ai vraiment paniqué. Mes mouvements étaient le fruit d'une telle fureur qu'ils m'auraient sans doute portée même dans des sables mouvants, si une douleur fulgurante n'avait traversé mon mollet gauche et ne s'était propagée dans mon pied et mes orteils. Une crampe.

Le souffle coupé, incapable de reprendre ma respiration tant la douleur était violente, j'ai attrapé mon genou et ai massé avec vigueur mon mollet et mes orteils. Mes pieds étaient étrangement pâles et lumineux à travers l'eau transparente. Mes épaules me faisaient mal. Toute énergie avait déserté mon corps.

Dans mon affolement, j'avais dérivé sur la droite et me trouvais à une vingtaine de mètres seulement des rochers où je m'étais fait bronzer la veille. Il me suffisait de continuer pour rejoindre la plage de mon hôtel. La perspective de foncer droit dans ma chambre était très séduisante — sauf que j'avais laissé mes vêtements sur l'autre plage. L'excès de soleil et de fatigue me faisait peut-être plus ou moins délirer, mais pas au point de m'imaginer traversant le bar sous les regards désapprobateurs de Despina et de Manoli, couverte en tout et pour tout d'un bronzage irrégulier et d'une fine couche de sel marin.

La crampe disparue, je me suis dirigée vers les rochers, avec la vague intention de m'y reposer le temps de retrouver assez de forces pour regagner la plage. Mais, après avoir atteint le rocher le plus proche, j'étais trop faible pour me hisser hors de l'eau ; je me suis donc cramponnée à la pierre et me suis laissée flotter un moment, les yeux fermés. Le soleil passait obliquement entre le sommet en forme de tête d'animal et un pic moins élevé ; il avait beau briller encore, malgré l'heure, il n'était plus aussi engageant et semblait même hostile. Une soif atroce me taraudait, la migraine tenaillait mes tempes, et mon mollet était toujours douloureux.

Rassemblant le peu d'énergie qui me restait, j'ai nagé à grand-peine jusqu'à la plage. Il y avait moins de monde à présent, mais j'étais trop épuisée pour regarder où j'allais. J'ai nagé jusqu'à sentir le sable sous mes mains, me suis relevée puis à moitié écroulée sur un gamin qui faisait la planche. Une femme m'a crié dessus, mais je m'en fichais.

J'ai titubé jusqu'à mes vêtements. Dès que j'ai eu passé ma chemise, je me suis affalée sur ma serviette. Mais, avant de fermer les yeux à cause du soleil, j'ai bien vu que l'homme qui louchait se trouvait exactement à la même place qu'à mon départ.

Ce devait être quelqu'un d'autre, sur le bateau. Toute cette panique pour rien...

Tandis que l'eau séchait sur ma peau, j'ai pris conscience des risques encourus : trop longue exposition au soleil, nage effrénée à une distance invraisemblable du rivage, effort physique au-dessus de mes capacités. Tout cela, je le payais maintenant : j'avais mal à la tête, mal au cœur, et il me semblait que du sable m'emplissait la bouche.

Je n'avais pas emporté d'eau minérale, ce dont j'aurais eu bien besoin pour me réhydrater, et je gisais là, ne désirant rien d'autre que ne plus bouger. Mais les ombres projetées sur la plage s'assombrissaient, et il fallait que je regagne l'hôtel avant la tombée de la nuit. La peau me cuisait, mais à l'intérieur je frissonnais de froid.

Au prix d'un énorme effort, je me suis enfin levée, ai enroulé mon sarong autour de ma taille, enfilé mes sandales, et franchi avec une difficulté extrême le kilomètre et demi qui me séparait de l'hôtel, trop épuisée pour me retourner en quête d'un éventuel suiveur.

Quand je suis arrivée, plusieurs couples prenaient déjà l'apéritif au bar et discutaient du restaurant où ils iraient dîner. L'idée de manger me dégoûtait. J'ai acheté trois bouteilles d'eau minérale et suis montée dans ma chambre. Le moindre geste me coûtait un effort colossal, mais j'ai bu d'un trait une bouteille d'eau entière. Ensuite, je me suis douchée et ai couvert de lait hydratant mes fesses rougies et mes coups de soleil en patchwork. J'ai avalé la deuxième bouteille d'eau avec deux aspirines, après quoi je me suis écroulée sur le lit et ai sombré dans un sommeil de plomb.

J'ai dû dormir douze heures au moins. Au réveil, je me suis sentie revigorée, et j'avais une faim de loup.

En prenant mon petit déjeuner sur la terrasse ombragée de vigne, j'ai réfléchi aux événements de la veille. J'avais été stupide de nager seule aussi loin. Peut-être m'étais-je exagéré la lubricité du bigleux, peut-être aurais-je dû réagir différemment. La seule chose claire, c'était que ce type m'avait déjà causé assez d'ennuis et que je n'allais sûrement pas le laisser gâcher mes vacances.

Un changement de décor s'imposait. Conduire sur les routes de la région — ce que je m'étais juré trois jours plus tôt de ne jamais réitérer — m'a paru soudain moins pénible que d'être reluquée à longueur de journée ; j'ai donc entassé mes affaires dans un sac et suis partie pour la capitale de l'île. À la dernière minute, j'ai emporté un guide de conversation grecque. Après avoir visité les monuments antiques et le musée archéologique, je m'installerais dans la pénombre d'un restaurant et j'apprendrais à dire en grec : « J'attends mon mari qui va venir me rejoindre ici. Il est jaloux, et c'est un champion de boxe connu dans toute l'Angleterre pour ses tendances homicides. »

Quand j'y repense, il me semble qu'une éternité me sépare de cette époque où je pouvais encore plaisanter à propos de sujets comme les tendances homicides.

3

J'avais visité la ville et maintenant, peu après midi, j'étais attablée à la terrasse d'un café situé dans une rue très passante, avec devant moi un verre d'eau minérale, mon carnet de croquis et un tas de cartes postales à écrire.

Chère Miriam,
Cet endroit est encore plus beau que sur la photo. Hélas, les hommes sont nettement moins attirants...

Je me suis interrompue. Et si je complétais ces lignes banales par une esquisse de mon persécuteur ? L'année précédente, Miriam et moi étions parties ensemble en Sicile, et je me rappelais le plaisir éprouvé à partager les joies et les découvertes d'un voyage. Si Miriam avait été là, nous aurions dédramatisé par des plaisanteries les assiduités de ce ridicule don Juan atteint de strabisme...

« Bonjour ! Il me semblait bien que c'était vous ! »
Levant les yeux, j'ai aperçu une femme debout devant moi. Elle portait des lunettes noires, un immense chapeau de paille et une robe bain de soleil en tissu léger à fines bretelles. Après un moment de surprise, j'ai reconnu l'impressionnante crinière auburn.

« Le méli-mélo avec les valises, je me souviens... Bonjour.
— Ça vous dérange si je m'assieds à votre table ?
— Pas du tout. »

Elle a hésité. «Je veux dire, vous n'attendez personne?

— Non, je suis seule.

— Seule pour l'instant?

— Pour la durée des vacances... J'imaginais ça autrement.

— Moi aussi.» Quelque chose dans mon ton avait dû l'alerter car elle a ajouté : «Ce n'est pas toujours facile, n'est-ce pas?

— Oh non, alors!»

Elle s'est installée en face de moi, a retiré ses lunettes de soleil et m'a adressé un grand sourire.

«Mon nom est Carla Finch.

— Helen North. Enchantée.»

Enchantée, je l'étais vraiment, d'avoir, ne serait-ce que quelque temps, une compagne aussi solitaire que moi. J'étais ravie que le hasard l'ait fait passer devant ce café à ce moment précis, ravie qu'elle ait jeté un regard dans ma direction et deviné que la femme blonde assise seule à cette table en avait assez, en réalité, de sa solitude et mourait d'envie de parler et de rire de ses mésaventures. Je ne cessais de me répéter que c'était une chance que nous nous soyons rencontrées.

Désormais, bien sûr, je me répète cent fois par jour qu'il aurait mieux valu que Carla continue son chemin, qu'elle ne regarde pas de l'autre côté de la rue, ne me reconnaisse pas et ne vienne pas me parler. Jusqu'au jour de ma mort, je ne cesserai de regretter qu'elle n'ait pas trouvé quelqu'un d'autre pour briser sa solitude.

Parce que, dans ce cas, Carla Finch serait vivante aujourd'hui.

C'est curieux comme tout change dès que l'on a de la compagnie. Peut-être est-ce différent pour les gens qui aiment réellement voyager seuls et n'essaient pas juste de se persuader qu'ils aiment ça. Je me suis même surprise à choisir un autre menu. J'avais eu l'intention de commander une seconde bouteille d'eau minérale et une salade, ou peut-être — sans prendre beaucoup de risques — une pizza, mais pendant que nous bavardions, des hommes d'affaires du coin avaient investi les tables autour de nous, et presque tous commandaient des plats de poisson au fumet délicieux et des carafes de vin; nous avons décidé de les imiter.

Le vin est arrivé, puis le poisson. Il s'agissait d'une spécialité régionale dont je n'ai jamais pu savoir le nom en anglais — le menu indiquait *loacl fsih* — ni en français, où il s'était transformé en *poison de la réfion*. Grillé au feu de bois, imprégné d'herbes et d'huile d'olive, il possédait une peau fine et craquante, une chair délicate et savoureuse. Quant au vin, il avait un goût de résine, pas aussi prononcé que dans le résiné mais inhabituel tout de même. Il nous aurait sans doute paru infect si nous l'avions goûté dans un bar à vins en Angleterre; mais ici, dans ce petit restaurant typique donnant sur la rue, avec les éclats de voix autour de nous, il nous a semblé délicieux.

Carla et moi avons échangé des histoires sur les dangers du voyage en solo, et j'ai enfin pu rire de mon horrible Roméo bigleux.

« C'est parce que tu es blonde, a affirmé Carla. Moi, ce sont les touristes du Nord qui me harcèlent.

— Vraiment?

— Hier, j'ai rencontré une Française et nous avons décidé de sortir ensemble. Tout ce que nous voulions, c'était danser, mais impossible. Les Hollandais étaient les pires, suivis de près par les Danois. On m'a pincé les fesses si souvent que ça m'a donné envie d'accrocher un écriteau.

— Un écriteau ?

— Oui, tu sais, du genre : "Pincement de fesses sur rendez-vous uniquement". » Elle m'a adressé un sourire timide et a aussitôt détourné les yeux.

J'avais du mal à la cerner. Un moment elle paraissait très sûre d'elle, presque effrontée, et l'instant d'après, elle semblait craindre de ne pas faire suffisamment bonne impression sur moi, une parfaite inconnue.

Et puis, il y avait cette agitation perpétuelle que j'avais notée dès le début dans la salle des bagages à l'aéroport. Elle a dû mettre et enlever ses lunettes de soleil au moins vingt fois, ce qui en l'occurrence n'était guère un exploit puisqu'elle les relevait sur ses cheveux à la manière d'un bandana et les rabaissait ensuite sur ses yeux. Elle avait placé sa chaise de façon à pouvoir examiner les gens qui passaient dans la rue et ne cessait de scruter les visages comme si elle guettait quelqu'un.

Vers trois heures et demie, tous les clients étaient rentrés chez eux faire la sieste, ou avaient réintégré leur bureau ou leur hôtel, et même les serveurs se laissaient gagner par la torpeur de l'après-midi. Les coudes sur le bar, ils parcouraient les pages sportives du journal en bâillant et en fumant des cigarettes. Bientôt, il nous faudrait décider si nous repartions chacune de notre côté ou si...

« Il y a beaucoup de choses à voir en ville ? » ai-je demandé.

Carla a baissé ses lunettes sur son nez et a tiré nerveusement sur la bretelle de sa robe. « Le port est assez joli, a-t-elle répondu sans grand enthousiasme.

— Il fait un peu chaud pour se promener », ai-je constaté.

Elle a remonté ses lunettes sur la tête et a observé la foule qui déambulait devant la taverne — à cette heure de la journée, essentiellement, des touristes, qui, accablés par la chaleur, semblaient errer sans but, un peu inquiets, comme s'ils ne savaient pas trop ce qu'ils étaient supposés faire.

« Il n'y a pas vraiment d'endroit où se baigner ici, a dit Carla.

— À Yerolimani, la plage est superbe.

— Ah oui ?

— Je ferais mieux d'attendre que les effets du vin se soient dissipés avant de rentrer. Je n'ai pas envie de m'endormir au volant.

— Mon hôtel est juste au coin, si tu as envie de te reposer un peu.

— Tu es sûre que cela ne te dérangera pas ? me suis-je enquise, ne voulant pas m'imposer.

— Bien sûr que non. » Elle a tourné la tête et m'a fixée intensément, puis elle a souri. « Je n'ai pas de rendez-vous coquin avec un mec follement excitant, si c'est ça que tu crains.

— Dans ce cas, avec plaisir », ai-je accepté, soulagée.

Nous avons réglé l'addition et quitté le restaurant.

« L'hôtel est tout près », a indiqué Carla et elle a commencé à remonter la rue. La circulation avait diminué. Le vin et le soleil éclatant me donnaient le vertige.

Juste à l'instant où nous allions nous engager dans une petite rue, Carla m'a attrapée. « Vite, par ici ! » Ses doigts osseux crispés sur mon bras, elle m'a entraînée dans une minuscule boutique de souvenirs et s'est précipitée derrière un tourniquet de cartes postales. Avec son chapeau de soleil rabattu sur le visage, ses énormes lunettes noires, son visage caché par les rangées de cartes postales, elle ressemblait à une espionne dans un film comique.

« Que se passe-t-il ?

— Chhhuuuut ! »

Je me suis retournée pour savoir ce qui, dans la rue, lui causait une telle inquiétude, mais elle a enfoncé ses ongles dans ma chair et a chuchoté : « Ne regarde pas ! On risque de te voir ! »

Difficile de dire si elle plaisantait ou si elle était sérieuse.

« D'accord, d'accord, ai-je répondu en libérant mon bras. Pas de panique. » J'ai frotté ma peau rougie et ai examiné les cartes postales. Il y en avait une originale qui montrait l'île en hiver, ce qui changeait pour une fois des sempiternels ciels bleus. J'en ai acheté quatre exemplaires.

Carla a émergé lentement de derrière le tourniquet. Elle s'est avancée jusqu'au seuil de la boutique, a jeté un coup d'œil à l'extérieur, puis m'a regardée. « La voie est libre.

— Qu'est-ce qui t'a pris ?

— Oh, a-t-elle répliqué d'un ton nonchalant, juste des emmerdeurs rencontrés hier soir. Je n'avais aucune envie de les revoir. »

Son hôtel se trouvait à une cinquantaine de mètres de là — un bâtiment moderne, sans âme, mais aussi sans climatisation, qui réunissait le pire des deux civilisations.

« Je vais peut-être simplement prendre une douche, ai-je dit quand nous avons pénétré dans la minuscule chambre à l'atmosphère confinée.

— Pas de problème. » Carla a enlevé ses sandales et s'est assise au bord du grand lit double. « Fais comme chez toi.

— On doit étouffer ici, la nuit.

— Sans doute. » Elle n'avait pas l'air très sûre. « Mais c'est bon marché. Dommage que ce ne soit pas plus près d'une plage. Comment est ton hôtel ?

— Minuscule et pas moderne du tout, mais il donne sur la plage.

— Super. »

Sur une impulsion, j'ai suggéré soudain : «Tu pourrais venir avec moi à Yerolimani, si tu veux. Juste pour une nuit ou deux. Il y a un second lit dans ma chambre, et je suppose que Manoli n'y verrait rien à redire. Tu aurais seulement à régler le petit déjeuner.

— Hum, a fait Carla, absorbée dans la contemplation de ses ongles vernis. C'est une idée. Je vais y réfléchir. »

En prenant ma douche, je me suis interrogée : Pourquoi avoir lancé une invitation aussi imprudente ? Il aurait été plus raisonnable de proposer qu'on se revoie le lendemain et de décider alors. De toute façon, ai-je pensé, elle ne va probablement pas accepter. Mais quand j'ai émergé de la douche tiède, Carla avait presque fini ses bagages. Un sentiment de malaise m'a saisie : une inconnue allait mettre fin à ma précieuse indépendance.

«La valise manquante», ai-je commenté d'un ton léger en espérant qu'elle ne devinerait pas mes appréhensions. Tandis qu'elle faisait glisser la fermeture éclair du bagage bleu marine, je me suis souvenue de ce qu'elle avait dit, à l'aéroport, à propos de sa provision de préservatifs. «Mon hôtel est très tranquille, l'ai-je avertie. Tu risques de ne pas apprécier. »

Elle a jeté un coup d'œil sur sa chambre minable. «Ce sera forcément mieux que cet endroit à la manque. Allez, viens, fichons le camp d'ici. »

Carla s'est accrochée avec l'hôtelier, un homme ombrageux, au regard soupçonneux, qui voulait lui faire payer la nuit suivante puisqu'elle quittait l'hôtel après midi. Au début, elle a marchandé comme une furie, puis elle a soudain capitulé, et un compromis

44

a été trouvé, avec force grommellements de part et d'autre. Carla a accepté de régler la moitié du prix pour la nuit supplémentaire et elle a tendu quelques billets, que j'ai comptés machinalement.

Elle était encore contrariée par cet incident quand nous nous sommes dirigées vers la place où j'avais garé la voiture.

« Ça me fait vraiment chier de devoir payer pour rien.

— Cela dit, ça ne me paraît pas cher.

— Pas cher ? Ils se font un fric fou, oui !

— Pas s'ils prennent seulement 17 000 drachmes pour quatre nuits.

— Quoi ? Oh non, c'était juste le prix pour la nuit dernière plus la moitié du tarif pour ce soir où je ne serai pas là.

— Où logeais-tu avant ? »

Elle m'a lancé un regard étrange, puis a descendu ses lunettes de soleil. « Oh, j'avais réglé les premières nuits d'avance. Ta voiture est encore loin ?

— Au bout de la rue. »

La voiture était une fournaise. J'ai donc ouvert toutes les portières, attendant que l'intérieur se rafraîchisse un peu, mais Carla était de plus en plus agitée et, au bout d'un moment, elle s'est écriée : « Bon sang, ce n'est pas si terrible que ça ! Partons ! »

Puis, au fur et à mesure qu'on s'éloignait de la ville, sa mauvaise humeur s'est dissipée. « "Cyanara, cité antique"... Cité de merde, oui ! » s'est-elle exclamée en se retournant pour regarder l'enfilade de bars et de discothèques le long du front de mer.

J'ai feint d'être choquée. « Tu es en train de dénigrer l'un des principaux sites historiques de la Grèce.

— Possible. Moi, ce qui m'intéresse, c'est la mer et le sable. »

Nous avons entonné : *Il y a le sable, le soleil, la mer,*

et mon assurance au volant a augmenté de façon considérable. J'ai poussé l'audace jusqu'à doubler une voiture de tourisme — mais pas dans un virage en épingle à cheveux, tout de même.

Je me suis rappelé un bulletin scolaire envoyé à mes parents alors que j'avais environ huit ans et que je venais de changer d'école depuis peu : *Helen fait des progrès spectaculaires depuis qu'elle a trouvé une petite camarade.* Vingt ans plus tard, les choses n'avaient pas tellement changé.

Carla n'a pas manifesté pour la magnifique baie en fer à cheval l'enthousiasme que j'attendais. J'éprouvais déjà un orgueil de propriétaire pour « ma » plage. « Pas mal, a-t-elle dit, j'ai hâte de me baigner. »

Manoli et Despina, quant à eux, étaient ravis que j'aie ramené une compagne de vacances. Ils ont cru apparemment que nous étions des amies de longue date et que nous avions prévu de nous retrouver en ville ; il m'a paru trop compliqué de leur raconter la vérité. Despina a soudain manifesté une affection maternelle à mon égard et m'a tapoté la joue. Carla l'observait d'un air méfiant.

Nous sommes allées à la plage face à l'hôtel. Carla n'était pas une excellente nageuse : elle effectuait quelques mouvements de brasse, se laissait flotter un moment et barbotait dans l'eau. Elle prenait garde de ne jamais s'aventurer là où elle n'avait pas pied et, chaque fois que je revenais après avoir nagé, je la voyais installée dans une chaise longue, le walkman sur les oreilles. Elle avait insisté — avec raison — pour que nous louions deux chaises longues et un large parasol, à l'ombre duquel nous avions aménagé notre petit coin de plage. Explorer les lieux au-delà de cette limite ne la tentait guère. J'ai voulu lui montrer les rochers que j'avais découverts le lendemain de mon arrivée mais, loin de notre base, elle semblait inquiète, et nous nous sommes vite repliées sous notre parasol.

Elle a été un peu choquée par la plage de nudistes. «Quelle horreur!» s'est-elle exclamée, les yeux rivés sur les parties génitales de deux jeunes Scandinaves qui jouaient aux anneaux sur le sable à vingt mètres de nous. «Pas étonnant que les ados du coin soient tellement excités. Et ça ne me surprend pas que tu te sois fait harceler.»

J'ai éprouvé un léger agacement : tout juste si elle ne me rendait pas responsable des attentions du bigleux — lequel, depuis notre retour à mon hôtel, était parti en quête d'une autre proie. «Il n'est plus là maintenant, c'est l'essentiel, me suis-je contentée de répondre.

— Des types comme ça, on devrait les enfermer, a décrété Carla d'un ton véhément. C'est dégoûtant.»

Ce curieux mélange de réprobation vieux jeu et de hardiesse inattendue me déconcertait souvent.

Mais cela n'avait rien de surprenant, étant donné que je ne connaissais rien d'elle.

Le premier soir, nous pensions l'une et l'autre que, après notre copieux déjeuner, nous serions incapables d'avaler une bouchée au dîner. Nous avons donc décidé d'aller en ville à pied, de nous promener sur le vieux port et éventuellement de boire un verre quelque part.

Louables intentions. Nous nous sommes en effet promenées sur le port et avons bu un verre, mais nous nous sommes aussi laissé attirer dans la *Taverne de Ianni*, un restaurant du front de mer dont le patron — Ianni, justement —, une sorte d'ours amical, nous a assuré que bien sûr nous n'étions pas obligées de manger, tout en nous invitant à entrer, nous asseoir

47

et prendre tranquillement un verre. Puis il nous a apporté des olives et des cœurs d'artichaut, si bien que nous avons trouvé mesquin de ne rien commander du tout. Peut-être juste une entrée ou deux pour faire passer le vin...

Nous attaquions le plat principal, un beau morceau d'agneau accompagné de tomates et d'aubergines, quand nous avons remarqué deux couples d'Anglais à la table voisine de la nôtre.

Ils devaient avoir la soixantaine et, ainsi que nous l'avons vite compris, logeaient dans un village de vacances où ils s'étaient rencontrés un peu plus tôt dans la journée. Ils étaient liés par l'intime conviction que tous les Grecs étaient des bandits qui risquaient de les empoisonner, de les rouler ou de les voler s'ils ne restaient pas perpétuellement sur leurs gardes. La gentillesse exubérante de Ianni a aussitôt éveillé leur méfiance.

« Pourquoi est-il si content de lui-même ? a grommelé l'épouse numéro un en posant son ample derrière sur une chaise.

— Il doit gagner une fortune », a répondu l'époux numéro deux, qui pensait de toute évidence que le tourisme était une forme de charité. « Avec un emplacement de premier ordre comme celui-ci... Je me demande comment il a obtenu le permis de construire.

— Bakchich, a dit d'un air entendu l'époux numéro un, en tapotant sa poche de poitrine où se trouvait son portefeuille. En Grèce, tout se passe à coups de pots-de-vin.

— Scandaleux, a marmonné l'épouse numéro un. Ces gens, vraiment... »

Carla a croisé mon regard. Ianni, qui parlait un anglais impeccable, se tenait juste derrière l'épouse numéro un, qui n'avait pas fait le moindre effort pour baisser la voix. « Connasse », a murmuré Carla.

Les deux couples se débattaient maintenant avec le menu. « Il y a écrit "steak", ici, a remarqué l'épouse numéro un d'un ton geignard, mais je n'ai pas aperçu une seule vache sur cette île ; et toi, Warren ? »

Warren a fait non de la tête. « C'est du cheval », a-t-il affirmé.

L'épouse numéro deux, qui avait une voix particulièrement stridente, a pris tout à coup la parole. « Vous avez du merlan ? J'ai envie de merlan. »

Ianni, affichant une expression de profond regret, a croisé les mains derrière son dos, sans doute pour réprimer son envie de tordre le cou à la femme. « La *barboulia* est excellente. C'est du rouget-barbet, pêché aujourd'hui.

— Ah non, ça ne me dit rien.

— On devrait lui conseiller de goûter le "poison de la réfion" », ai-je chuchoté à Carla.

Les quatre Anglais étaient sans doute très déroutés par l'inconcevable étrangeté de l'étranger car, durant tout le dîner ou presque, quand ils ne se répandaient pas contre l'endroit où ils logeaient ou contre les tendances criminelles de la nation grecque tout entière, ils ne parlèrent que de leur vie en Angleterre.

Tandis que les deux hommes se régalaient de détails concernant les plaques en vitrocéramique et les carrelages pour terrasses, les femmes, elles, s'entretenaient des résultats scolaires de leurs progénitures respectives.

« On a d'abord placé Emily à l'école primaire du quartier, mais elle a vite dépassé les autres enfants. On a déposé une demande d'inscription à St Peter, seulement l'examen d'entrée est très difficile, comme vous le savez. On dépense actuellement une véritable fortune en cours particuliers pour la préparer à cet examen.

— Cela dit, ça vaut la peine. À sept ans, Alfie avait

le niveau de lecture d'un enfant de dix ans, et il a toujours réussi en tout. »

Carla et moi avons échangé un regard. Pendant les courts silences dans la conversation de nos voisins, nous entendions les vagues clapoter sur le rivage. Un petit bateau quittait le port et des lumières sur l'eau indiquaient la position des pêcheurs déjà au travail. J'étais sur le point de demander à Carla où elle vivait et ce qu'elle faisait en Angleterre, quand je me suis ravisée.

Se souciant comme d'une guigne du magnifique spectacle que la nuit méditerranéenne déployait à quelques mètres de là, l'époux numéro deux confiait à Warren : « On a fait installer une porte de garage basculante. Ça marche du tonnerre : une petite poussée, et hop ! ça y est. Mais j'ai eu des problèmes de dos, récemment, et je me demande si je ne devrais pas installer une télécommande... »

Carla écarquillait les yeux devant l'incongruité de tels propos. « Ça me paraît plutôt dangereux, si vous voulez mon avis, a-t-elle commenté d'un ton badin.

— Tout à fait, ai-je renchéri sur le même ton. Ces portes basculantes peuvent provoquer de graves accidents.

— Vous avez parfaitement raison, Helen. Une de mes amies a failli être décapitée le jour où la porte de son garage s'est rabattue sur sa nuque.

— Non ? Pas possible ! C'est affreux ! Remarquez, moi, j'ai pris une fenêtre à guillotine sur les mains, et après ça, je n'ai pas pu jouer du piano pendant un mois.

— Mon Dieu, cela a dû être atroce ! »

Mais Warren était déjà passé à un autre sujet passionnant : « On a fait faire spécialement un écriteau avec marqué dessus "Mon refuge".

— Et il l'a cloué sur la porte de son atelier dans le jardin », a précisé sa femme.

J'ai cru que Carla allait s'étouffer de rire. « Comment avez-vous appelé votre maison, Helen ?

— "À la cime des arbres", ai-je répliqué du tac au tac. Il s'agit en réalité d'un appartement au vingt et unième étage, avec une vue fabuleuse. Et vous ? Je parie que vous habitez dans un endroit merveilleux...

— Moi ? » L'espace d'un instant, une expression de tristesse non feinte est passée dans ses yeux, puis elle a souri. « Vous ne vous trompez pas. Nous vivons dans un ancien château, et nous venons justement de faire installer une grille basculante à l'extrémité du pont-levis. Ça a une allure folle. »

Nous avons toutes deux éclaté de rire. C'est sans doute à ce moment-là que nous avons, d'un commun accord, décidé de ne pas parler de nos vies réelles. Accord tacite basé sur des règles jamais énoncées, mais admises d'emblée. Au fond, nous étions venues en vacances pour nous changer de notre existence quotidienne, ce n'était pas pour nous y référer à tout bout de champ. Et puis, la fantaisie, dès lors qu'elle est assez outrée pour qu'on la reconnaisse clairement comme telle, n'a rien de répréhensible.

La plupart du temps, de toute manière, nous n'avions pas besoin de recourir à notre imagination. Parfois, j'avais l'impression que Carla vivait dans une adolescence perpétuelle. Ce qui aurait pu facilement m'agacer me reposait, dans ce contexte de vacances. Ma propre adolescence ayant été quelque peu troublée, c'est avec plaisir que je me laissais aller avec Carla à ces conversations intimes et apparemment futiles que je n'avais pour ainsi dire pas connues. Quand j'y repense, je suppose que cela faisait partie du jeu et m'a empêchée de pressentir le danger qui me guettait : je ne voyais alors dans ces bavardages

51

qu'un amusement innocent. Nous discutions de nos rêves et de nos peurs, des hommes et du sexe, de vêtements, de films, de musique, du genre de yacht que nous aimerions posséder, du type d'homme que nous choisirions pour nous tenir compagnie sur ledit yacht, et puis de nouveau de sexe... De temps à autre, nous abordions quelques-uns des problèmes du monde ou philosophions brièvement sur le sens de la vie, mais je changeais de sujet dès que se profilait un risque de désaccord. Nous décrivions dans les moindres détails notre appartement idéal à Londres, notre maison de campagne idéale, puis la personne idéale avec qui partager notre retraite — ce qui nous ramenait une fois de plus aux hommes et au sexe.

Il nous arrivait quelquefois de nous joindre à l'un des couples de l'hôtel pour boire un verre, mais dans l'ensemble nous ne nous mêlions pas aux autres. Nous avons ainsi appris à nous connaître d'une façon différente de celle qui prévaut dans la plupart des amitiés. Je n'ai jamais su la profession de Carla, ni même si elle en avait une, et je ne lui ai jamais parlé de mon métier. J'ignorais où elle vivait, et avec qui — du moins jusqu'au tout dernier jour. Ce terrible dernier jour. Je n'ai jamais rien su de ses parents, ni si elle avait des frères et des sœurs, quelles écoles elle avait fréquentées — aucun de ces indices qui permettent en général d'esquisser le portrait de son interlocuteur. Mais, de temps en temps, une information nous échappait par mégarde. Un soir, comme Carla mettait des boucles d'oreilles en forme d'oiseaux, je remarquai :

«Elles sont jolies.

— Oui, n'est-ce pas? C'est Daniel qui me les a offertes pour mon dernier anniversaire, lâcha-t-elle.

— Daniel?»

Une expression hagarde assombrit son visage,

puis, se rappelant notre pacte, elle expliqua : «Oui, tu sais bien, ce type dont je t'ai parlé, le surfeur que j'ai rencontré à Bondi Beach, qui voulait qu'on fasse l'amour sur une vague de six mètres de haut...

— Ah oui, je me souviens, maintenant.» Carla étant du genre à tousser et cracher pendant cinq minutes si elle avait par hasard mis la tête sous l'eau, on était de toute évidence dans le domaine de l'imaginaire.

Le plus curieux, c'est que ce refus d'admettre que nous avions une autre vie en dehors de ces quinze jours sur l'île nous donnait une liberté et une intimité que nous n'aurions jamais eues dans un contexte plus conventionnel. C'était rassurant de savoir que nous ne serions pas obligées de nous revoir au-delà de ces vacances. Je crois que nous devinions toutes les deux que notre amitié avait peu de chances de durer après notre retour en Angleterre. Je me suis souvent demandé ce qui se serait passé si l'horreur n'était pas survenue. J'ai essayé de m'imaginer, retrouvant Carla dans un café de Covent Garden pour évoquer des souvenirs... Mais c'est trop douloureux. Cela ne se serait sans doute pas produit, seulement je n'en aurai jamais la certitude.

Quand nous sommes revenues à pied du port à mon hôtel, après la première soirée que nous avons passée ensemble, la lune était aux trois quarts pleine et se reflétait sur la mer. Le sentier, traversant des broussailles et un champ d'oliviers, était par endroits fort accidenté, et on y trébuchait facilement. Jusqu'à l'arrivée de Carla, quand j'allais seule au port, je prenais toujours la précaution de rentrer avant qu'il fasse noir, mais cette balade nocturne en sa compagnie était magique. Les lucioles formaient des points lumineux dans l'obscurité, une chouette ululait, les aiguilles de pin craquaient sous nos pieds et l'odeur de résine montait dans la chaleur du soir.

Au fond, on approchait de la perfection.

J'avais proposé à Carla de partager ma chambre une ou deux nuits. De temps à autre, je me demandais quand elle allait décider que le moment était venu de repartir, mais cela ne s'est jamais produit et, malgré mes appréhensions du début, je m'en félicitais, en particulier parce que le bigleux semblait avoir déserté les parages. Bizarrement, Carla et moi étions plutôt bien assorties ; au bout de quelques jours, je me suis aperçue que notre arrangement lui convenait autant qu'à moi, peut-être même plus.

Une remarque de sa part, vers la fin du séjour, m'a confirmée dans l'idée qu'elle était encore moins faite que moi pour voyager seule. Un soir, nous revenions du port par le sentier et la nuit était déjà avancée. La lune, presque pleine, commençait à apparaître. Une heure tardive pour la plupart des vacanciers, déjà couchés. En notre qualité de clientes fidèles et régulières, Ianni nous avait offert quelques verres supplémentaires de *metaxa* pour clore notre repas. Chaque jour notre consommation de vin augmentait sensiblement, et ce soir-là nous en avions bu une quantité inhabituelle pour moi, avant même de passer au digestif. Je titubais gaiement sur le sentier tout en me jurant de me mettre dès le lendemain au régime à l'eau, quand j'ai entendu la voix de Carla derrière moi.

« Merde, j'ai envie de pisser.

— On est presque arrivées à l'hôtel.

— Je ne pourrai pas attendre jusque-là.

— Eh bien, arrête-toi ici, il n'y a pas un chat.

— Quoi ? Ici ?

— Personne ne te verra.

— Tu es sûre?

— Sûre et certaine.

— Oh, après tout, qu'est-ce que je risque? Monte la garde pour moi, Helen, s'il te plaît.

— D'accord, mais je ne crois pas qu'il y ait grand-chose à surveiller. »

Je l'ai entendue marcher dans les fourrés, sur les brindilles et les feuilles sèches.

« Ne t'éloigne pas! » a-t-elle crié.

Mais je n'ai pas pris très au sérieux mon rôle de chien de garde. Il n'était guère probable que quelqu'un emprunte le sentier à cette heure de la nuit, et les yeux de Carla avaient dû, comme les miens, s'accoutumer à l'obscurité. D'ailleurs, les lumières de l'hôtel étaient tout à fait visibles à travers les arbres. Si je marchais un peu plus lentement, elle me rattraperait sans peine.

Soudain, un hurlement a déchiré le silence. Un hurlement de Carla. J'exagère peut-être un peu. En tout cas, un cri de peur. De vraie peur. Le bigleux nous aurait-il suivies?

« Helen! Où es-tu?

— Ici. » Je me suis arrêtée et j'ai fait demi-tour.

« Où?

— Ici.

— Mais où? »

Elle courait vers moi à toute vitesse.

« Du calme, ai-je répondu, ce n'est pas la peine de... »

Elle m'a heurtée violemment. « Tu avais dit que tu m'attendrais! Espèce de menteuse! Tu es partie, tu m'as laissée seule! Tu n'as pas tenu ta promesse! N'importe quoi aurait pu arriver! Comment as-tu osé m'abandonner?

— Pour l'amour du ciel, qu'est-ce qui te prend? »

Elle était au bord de l'hystérie. « Espèce de sale

égoïste ! Tu as fait exprès de me laisser toute seule !
J'aurais pu être... n'importe qui aurait pu... Tu avais
promis de m'attendre, et je t'ai fait confiance !

— De quoi as-tu si peur ?

— De tout. Des cinglés, des vicieux.

— D'accord, d'accord, excuse-moi. Tout va bien, je
suis là. » J'ai passé mon bras autour de sa taille.
« Regarde, voilà l'hôtel. On distingue parfaitement le
sentier maintenant. Tout va bien. »

Elle s'est calmée peu à peu. Juste avant que nous
arrivions à l'hôtel, elle a déclaré d'une petite voix :
« Je suis désolée d'avoir flippé, Helen. Je ne suis pas
courageuse comme toi. Je déteste être seule dans le
noir. J'ai toujours détesté ça.

— Je ne t'aurais pas laissée, si j'avais su. »

Plus tard, elle a tenté de me faire croire que c'était
une comédie et qu'elle n'avait pas éprouvé la
moindre frayeur, en me persuadant qu'elle avait
échafaudé toute cette mise en scène pour m'inquiéter. « Tu t'es bien fait avoir, hein ? m'a-t-elle lancé au
moment où je me brossais les dents et ne pouvais
donc lui répondre. Je parie que tu as cru que j'étais
poursuivie par un type avec une hache ou quelque
chose comme ça. En réalité, l'obscurité ne me dérange
absolument pas quand je connais mon chemin. »

Inutile de discuter, mais il était évident pour moi
qu'elle avait eu vraiment peur. La preuve en était la
panique, alors, dans sa voix et le tremblement de sa
main quand elle m'avait agrippé le bras.

4

Si j'ai dit et répété que Carla et moi parlions beaucoup de sexe, c'est qu'il s'agit là d'une vérité. Carla
ne m'a jamais raconté si elle était allée à l'université
ou si elle avait suivi une formation professionnelle,
ni même où elle habitait, mais je savais par le menu
de quelle façon son deuxième amant lui avait fait
connaître son premier orgasme, et pourquoi cette
technique particulière ne produisait plus toujours ses
effets. Elle m'a avoué ce qu'elle regardait d'abord
chez un homme : la bouche et les hanches, et ce qui
lui coupait immédiatement toute envie : les mains
froides.

« Ça ne risque pas de se produire ici », ai-je commenté. Nous étions installées à notre place habituelle,
dans la petite oasis aménagée par nos soins, avec
livres, crème, walkman, bouteilles d'eau, chips (« pour
le sel », *dixit* Carla), serviettes, magazines, carnets de
croquis, cartes postales. « Les mains moites, a-t-elle
précisé, c'est encore pire que les mains froides.

— Ça élimine presque tout le monde sur cette
plage, alors.

— Sans doute, oui. »

Cachées sous notre parasol comme deux tortues à
l'affût sous leur carapace, nous avons épié la gent
masculine.

« Qu'est-ce que tu dis de lui ? » ai-je demandé en
désignant du regard un homme que nous avions sur-
nommé Hercule. Il était beau, le savait, et il passait le

57

plus clair de son temps à faire des tractions ou à examiner ses muscles, pendant que sa compagne, une femme sans éclat à l'air perpétuellement enrhumée, lisait jour après jour le même numéro de *Hello !*

Carla a baissé de quelques millimètres ses lunettes noires sur son nez et a étudié l'athlète un moment. «Bien trop vaniteux, a-t-elle décrété. Un cas désespéré. Il est tellement en admiration devant son propre corps qu'il ne ferait même pas attention au mien.» Elle a soupiré avec nostalgie. «Pour que je m'intéresse à un homme, il faut qu'il soit amoureux fou de moi.

— Il n'y a rien à répondre à ça.»

Je me suis allongée sur le dos et j'ai contemplé les baleines du parasol. «Eh bien, madame Finch, pour dix points maintenant, préféreriez-vous : a) un individu mâle modèle standard qui vénérerait jusqu'au sol sur lequel vous marchez, ou : b) un amant extrêmement beau qui vous trouverait à son goût mais ne vous considérerait pas comme la femme de sa vie ?»

C'était le genre de questions que nous nous posions mutuellement à longueur de temps. Au fur et à mesure que s'écoulaient les journées, toutes pareilles, entre ciel, mer et sable, nous régressions petit à petit à un état d'adolescence éternelle. Parfois, l'espace d'un instant, je regrettais le genre de vacances moins futiles que j'avais imaginées. Du jour où Carla s'est jointe à moi, il n'a plus été question de randonnées matinales dans les collines. D'une part, parce que nous nous couchions tard, après des excès de nourriture et de boisson, et qu'à l'heure où nous nous levions le soleil était déjà haut dans le ciel, et l'air brûlant. D'autre part, parce que Carla n'avait pas la moindre envie de dépasser les limites de notre plage et du port de Yerolimani ; sans compter qu'elle n'aimait pas rester seule. Jamais jusque-là je n'avais consacré autant de temps à ne rien faire. Si ces vacances avaient dû se prolonger, j'aurais risqué de sérieusement m'ennuyer.

Les yeux toujours fixés sur l'envers du parasol, j'ai réalisé que Carla n'avait pas répondu à ma question. « Alors, un homme beau mais indifférent, ou un homme quelconque mais qui t'adore ? » ai-je insisté en me remettant à plat ventre.

Elle a reniflé et remonté ses lunettes de soleil sur son nez. « Il n'y a rien entre les deux ? a-t-elle répliqué d'un ton léger, tandis qu'une larme roulait sur sa joue.

— Excuse-moi, Carla, je ne voulais pas te contrarier.

— Tu ne m'as pas contrariée. C'était une question à la con, voilà tout. Je ne comprends pas comment tu peux passer des heures à ces jeux idiots... Bon, je vais me chercher un coca. »

Elle s'est assise, m'a tourné le dos, a rajusté les bretelles de son bikini et a pris dans son sac de la monnaie et un mouchoir en papier. Son hostilité était tangible, et j'ai compris qu'elle n'avait pas envie que je l'accompagne. J'avais noté pour la première fois, la nuit où elle avait paniqué quand nous revenions de Yerolimani, sa façon de passer à l'attaque aussitôt qu'elle se sentait menacée ou blessée.

« Je nage un peu, ai-je décidé.

— Très bien. »

Nager était pour moi une évasion et un plaisir extrême. Pendant quelques instants, en me frayant un passage dans l'eau au milieu des baigneurs et des matelas en plastique, je me suis demandé pourquoi ma question, tout aussi futile que l'ensemble de nos propos des jours précédents, avait déclenché une réaction aussi vive de sa part. Elle me semblait bien innocente. Puis, comme je nageais à un rythme soutenu et régulier, mes pensées se sont dissoutes dans le mouvement de mes muscles et de ma respiration, et je n'ai plus eu conscience que de l'immensité du ciel, de la mer et du soleil.

Quand je suis revenue vers notre parasol, Carla me guettait d'un air anxieux. « Tu es restée longtemps ; je m'inquiétais, j'allais prévenir un maître nageur.

— Choisis-en un beau de préférence.

— Tu peux me faire confiance. »

Elle a esquissé un sourire timide. Notre curieuse amitié avait repris son cours.

Parfois, quand je resonge à ces journées oisives sous le soleil, je me dis que peut-être les inventions que j'ai entremêlées à la réalité de ma vie à Londres étaient aussi révélatrices que des faits réels. Pour quelques jours, laissant de côté la fille consciencieuse tenue d'obtenir la réussite professionnelle et le statut dont sa mère avait été privée à cause d'un caprice de l'Histoire, j'ai été libre de me créer une personnalité parallèle, de devenir une Helen North sans racines, bohème, vivant dans l'instant et n'ayant de comptes à rendre à personne. Souvent, je me demande si ce n'est pas cette Helen-là, cette Helen insouciante, la responsable de ce qui s'est passé à la fin.

Autre paradoxe, il était souvent possible de glisser dans nos fausses confidences, nos récits imaginaires, une parcelle de vérité — le genre de vérité gênante, trop humiliante pour qu'on l'avoue aux amis ordinaires qui ne manqueraient pas de l'interpréter, de la commenter, de l'inscrire dans leur mémoire. J'ai cru pouvoir révéler impunément à Carla des choses dont je n'avais jamais parlé à personne ; mais, comme je l'ai dit, il s'agissait d'une illusion de sécurité, et en rien de la réalité.

Je n'aurais jamais dû lui confier mon secret. Cela a

tout gâché. Pas immédiatement, mais plus tard, quand Glen et KD sont entrés en scène et que notre étrange intimité a commencé à s'effilocher. C'est alors que j'ai compris que ma confession avait été une erreur désastreuse.

Sur le coup, pourtant, cela semblait sans conséquence.

Il était tard. Nous étions allongées côte à côte dans nos lits jumeaux. Comme d'habitude, la nuit était chaude, mais une brise légère chuchotait parmi les oliviers et les lauriers-roses. Manoli entassait des caisses de bouteilles vides dans l'arrière-cour. Les derniers clients avaient quitté le bar depuis un moment, mais Despina et lui continuaient à s'affairer et à mettre tout en ordre pour le lendemain, ainsi qu'ils le faisaient chaque soir. Nous les entendions discuter à voix basse, sur ce ton calme et uni qu'ils adoptaient tous deux à cette heure de la nuit. Là-haut dans les collines, un chien enchaîné aboyait, mais trop loin pour nous déranger.

J'étais nue, avec juste un drap sur moi. Carla, dont j'avais noté dès le premier jour l'aversion pour la nudité, portait une chemise de nuit en nylon et se plaignait de la chaleur. Nous n'avions ni l'une ni l'autre envie de dormir.

«Est-ce qu'il t'est déjà arrivé quelque chose de vraiment affreux? m'a-t-elle demandé. Quelque chose qui t'a causé une telle honte que tu n'as jamais voulu en parler à personne?»

Tout mon corps s'est raidi. «Peut-être», ai-je répondu sans esquisser un mouvement.

Un silence s'est installé. J'ai cru qu'elle s'était endormie. Tout était si calme qu'il me semblait percevoir le clapotis des vagues.

Soudain, comme si elle avait pris une décision et

61

voulait la mettre à exécution avant de changer d'avis, elle a dit : « Tu veux que je te raconte la pire expérience sexuelle que j'aie jamais connue ?

— Oui, à condition que ça ne me donne pas de cauchemars. »

Je m'attendais plus ou moins à une fantaisie du genre : « J'ai été agressée par un extraterrestre, un bonhomme tout vert », mais le ton anxieux de sa voix dès qu'elle a commencé son récit m'a fait comprendre qu'une partie au moins en était véridique.

« Il s'appelait... » Elle a hésité, puis a continué avec détermination : « Il s'appelait Mark et il habitait à quelques kilomètres de chez moi. Tout le monde le connaissait dans le coin, il faisait partie du paysage. Difficile de lui donner un âge — tu sais, le genre d'homme qui paraît toujours jeune, un peu comme s'il n'avait jamais grandi, très humain, compatissant, avec un côté paternel : le conseiller avisé que tout le monde aime rencontrer sur son chemin. Bel homme, en plus : des hanches très étroites et une bouche parfaite, sensuelle, mais pas trop. Il était clair que je lui plaisais, mais il ne m'avait jamais fait d'avances. J'avais fini par penser qu'il était peut-être timide. Un jour où je l'ai rencontré en ville, je l'ai invité à prendre un café. Il a eu un mouvement de recul, comme si ma proposition était scandaleuse. Je me suis dit qu'il devait faire partie de ces hommes qui veulent toujours avoir l'initiative, et j'ai laissé tomber. Il était séduisant, d'accord, mais pas au point de tenter n'importe quoi.

» Un mois plus tard environ, il est passé à la maison sous je ne sais plus quel prétexte, m'a dit que des amis à lui louaient un cottage dans le pays de Galles pour huit jours et m'a demandé si j'avais envie de venir. Comme ça. Il n'a même pas suggéré qu'on prenne un verre ou qu'on mange ensemble d'abord, il m'a carrément proposé une semaine au pays de Galles.

— Et tu as accepté ?

— Au début, je ne savais pas quoi faire. Je t'avoue franchement que j'étais super-embêtée. Je veux dire, est-ce qu'il s'imaginait que j'étais le genre de nana qui répondait à un claquement de doigts de sa part ? D'un autre côté, je me sentais déprimée et coincée dans une situation qui ne me menait nulle part...

— Donc, tu as accepté.

— J'ai demandé à réfléchir, et il a répondu : "O.K. ! parfait, prends ton temps." Puis il a ajouté : "Il s'agit seulement de quelques jours au pays de Galles, Carla. Avec des chambres séparées, je te promets." »

J'ai poussé un grognement.

« Si, si, je t'assure, Helen. C'était quelqu'un de très doux, un peu démodé, timide aussi, mais honnête. Et j'ai pensé : Ça y est, peut-être que je suis tombée sur un vrai gentleman, un homme capable d'avoir des attentions pour moi. Alors j'ai accepté.

— J'en étais sûre.

— Il était extrêmement gentil et courtois. Tu aurais fait la même chose, Helen.

— Peut-être.

— Toujours pas de rendez-vous, même pas un verre dans un café. C'était plutôt bizarre, mais cela aurait créé des problèmes si on nous avait vus ensemble dans le coin, j'ai donc supposé qu'il voulait juste rester discret. À partir de ce moment, chaque fois qu'on se rencontrait par hasard, il souriait et me déclarait : "Je suis tellement content que tu aies accepté de venir, Carla. Tout est arrangé." Et mes soupçons s'évanouissaient aussitôt. Je n'avais jamais connu quelqu'un comme lui jusque-là, j'étais intriguée.

— Et les autres personnes qui devaient venir, elles

existaient réellement, ou bien Mark les avait-il inventées ?

— Mark ? » L'espace d'un instant, elle a eu l'air de ne pas savoir de qui je parlais. « Ah oui, Mark... Oui, elles existaient bien. Même si je m'attendais plus ou moins qu'on se retrouve seuls tous les deux. Il est venu me chercher à la gare en voiture et m'a emmenée au cottage, qui était d'une beauté incroyable, avec toutes les pièces principales donnant sur la mer. Les deux autres couples paraissaient sympa, et j'avais une chambre à moi. Il ne m'a pas fait la moindre avance, rien. »

Carla s'est absorbée dans le silence. C'était le genre de personne qu'on pouvait presque entendre penser.

« Et alors ? »

Silence toujours. Un moustique tournait autour de mon visage, et je m'interrogeais vaguement pour savoir si j'allais allumer la lumière, le pourchasser et l'écraser.

Carla a repris son récit d'une voix tendue. « Les deux premiers jours, tout s'est bien passé. Je m'ennuyais un peu car les deux autres couples étaient très renfermés sur eux-mêmes et n'avaient pas beaucoup de conversation. » Elle a hésité, puis a continué. « La moitié du temps, Mark semblait se demander ce que je faisais là. Puis, le troisième soir, les autres se préparaient à sortir et je supposais qu'on les accompagnerait mais, à la dernière minute, Mark a décrété : "En fait, Carla et moi avons envie de rester dîner ici, pour changer."

— Il ne t'avait pas demandé ton avis avant ?

— Non. Et je n'ai pas protesté non plus. Je t'avoue que j'avais les idées un peu confuses. Je le savais attiré par moi, je le sentais, et moi aussi je commençais à éprouver la même chose pour lui. Mais je ne comprenais pas ce qui se passait. Il réagissait bizarrement au contact physique : si par hasard je l'effleurais en m'approchant, il reculait comme si je l'avais brûlé ; on avait l'impression qu'il désirait ce contact et qu'en même temps ça le révulsait.

» Les autres sont donc partis, nous laissant seuls tous les deux. J'ai entendu la voiture s'éloigner, puis le silence a été total. Je ne m'étais pas rendu compte à quel point la maison était isolée, jusqu'au moment où je me suis retrouvée seule avec... Mark.

— Et qu'est-il arrivé ?

— Au début, rien du tout. Il a préparé le repas ; il était très maniaque pour la cuisine, et ça le dérangeait si on voulait l'aider. Il m'a servi un verre de vin et m'a suggéré de m'asseoir sur la terrasse pour admirer la vue, ensuite il a mis de la musique douce...

— Plutôt romantique.

— Oui, mais ça ne l'était pas. Quelque chose clochait. Il était attentif et courtois, il n'arrêtait pas de me demander si j'étais bien, si je n'avais besoin de rien, si j'étais contente, détendue... et plus il se montrait attentionné, moins je me sentais à l'aise. D'abord, il ne parvenait plus à me regarder dans les yeux ; son regard fuyait, chaque fois. J'ai commencé à éprouver un sentiment de panique. Impossible de mettre le doigt sur ce qui n'allait pas, mais ses manières étaient très impersonnelles et ressemblaient un peu à un rituel. Comme si j'étais juste un corps qu'il avait réussi à prendre au piège ; cela aurait pu être n'importe qui d'autre. Je n'ai jamais rien ressenti d'aussi désagréable ni d'aussi angoissant.

— Continue.

— La situation est devenue un peu confuse. Je me suis demandé s'il avait versé un produit dans mon vin, mais en fait j'ai dû vider verre sur verre sans m'en apercevoir pour essayer de me calmer, ce qui n'était évidemment pas la bonne méthode. On a dîné, mais je ne me souviens pas de quoi on a parlé. Ensuite, il m'a proposé : "Pourquoi ne t'installes-tu pas sur le canapé, Carla ? Je n'en ai pas pour long-temps." Il a disparu dans sa chambre, puis est revenu avec une sacoche noire — un genre de mallette comme celles des médecins, autrefois — qu'il a posée derrière le divan. Il s'est assis près de moi et a mur-muré : "Tu es si belle, Carla. Tu veux bien que je t'em-brasse ?" C'était tellement incongru — comme s'il m'avait tout à coup demandée en mariage. J'ai ri ner-veusement et j'ai répondu : "Je n'attends que ça." Il était si sérieux, j'éprouvais le besoin de détendre l'at-mosphère, mais il n'a même pas souri, le salaud. Après ça, il a pris mon visage entre ses mains. J'avais toujours trouvé qu'il avait de belles mains, des doigts longs et fins aux ongles d'un ovale parfait. Il a encer-clé mon visage avec ses mains, les pouces joints sous mon menton, l'extrémité des doigts à la racine de mes cheveux ; ça avait quelque chose de bizarre, mais aussi de terriblement sensuel.

» Il s'est penché sur moi et, juste avant de m'em-brasser, il a posé ses doigts sur mes yeux, si bien que je n'y voyais plus. J'ai dit : "Hé, qu'est-ce que tu fais ?", et là-dessus il m'a embrassée.

— C'était comment ?

— Quoi ? Oh, le baiser... Pas mal, mais pour être franche je ne me rappelle pas très bien ; ça m'embê-tait qu'il garde ses mains sur mes yeux, comme s'il ne voulait pas que je voie ce qu'il faisait, ou ne sup-portait pas que je le regarde. J'ai pensé qu'il était peut-être timide. Quand il a fini de m'embrasser, j'ai cherché à me dégager mais il m'a ordonné : "N'ouvre pas les yeux, Carla, ne regarde pas. C'est important que tu ne regardes pas." De toute façon je ne pouvais pas, puisqu'il avait une main toujours posée sur mes yeux, et en même temps il s'était allongé sur moi, tout en fouillant de sa main libre dans la sacoche derrière le divan. Je me suis dit : Le pauvre, ça le gêne sans doute que je le voie mettre un préservatif. Ça paraissait un peu curieux mais aussi plutôt mignon, cette timidité, ce côté gentleman à l'ancienne mode. Puis il a retiré sa main de mes yeux une fraction de seconde et, dès que j'ai aperçu son expression, j'ai compris que ce n'était pas une question de timidité, et qu'il n'était pas mignon du tout : je n'ai jamais rencontré quelqu'un avec un air si concentré, si absorbé, à la manière d'une bête de proie. J'ai marmonné : "Bon, ça suffit...", mais je crois qu'il ne m'a même pas entendue. Il manipulait toujours le truc qu'il avait sorti de la sacoche — je ne distinguais pas ce que c'était parce qu'il le tenait derrière ma tête. J'ai essayé de bouger mais il pesait sur moi de tout son poids ; au moment où j'ai commencé à me débattre, j'ai senti qu'il m'enfilait quelque chose sur la tête, une espèce de sac qui avait une odeur de cuir. C'était affreux. Il a tiré le truc sur mes cheveux et mes yeux, ça m'écrasait les oreilles, j'étais aveuglée ; il cherchait à me le rabattre sur le visage, la bouche et tout.

— Mon Dieu, quelle horreur !

— À l'idée de ne plus pouvoir respirer, j'ai paniqué, je suis devenue une vraie furie, je me suis tortillée dans tous les sens, je l'ai griffé, je lui ai flanqué des coups de pied. On n'imagine pas la force qu'on possède quand on a vraiment peur.

— Comment a-t-il réagi ?

— Il a riposté. Il était fou furieux. Il n'arrêtait pas de répéter : "Reste tranquille, espèce de garce, ça ne te fera pas mal. C'est juste les yeux. Tu peux respirer sans problème..." mais en même temps il me tirait les cheveux, il me giflait et il s'escrimait à enfiler le foutu machin sur ma tête. J'étais tétanisée, je hurlais, même si personne ne pouvait m'entendre, je continuais de

67

me débattre comme un beau diable, de le griffer, de lui envoyer des coups de pied, et finalement je lui en ai flanqué un bon, là où ça fait le plus mal, alors il s'est plié en deux de douleur et j'en ai profité pour m'échapper. J'ai enlevé cet horrible truc de ma tête et j'ai foncé à la salle de bains, où je me suis enfermée à clé. Il est devenu enragé. J'ai cru qu'il allait défoncer la porte, il tapait dessus et il me criait de sortir, mais au bout d'un moment il s'est calmé ; je l'ai entendu marmonner, puis aller et venir au salon, ranger, mettre de l'ordre. Ensuite, il est revenu à la porte de la salle de bains, il m'a dit que tout allait bien, qu'il regrettait que je n'aie pas aimé ses jeux, qu'il n'avait jamais eu l'intention de me faire du mal, qu'il s'agissait d'une blague et que maintenant je pouvais sortir, les autres ne tarderaient pas à rentrer. Il a ajouté qu'il allait me préparer une tasse de thé. Une tasse de thé ! Est-ce que j'avais envie d'une tasse de thé ? Le pire, c'est qu'il ait pu s'imaginer que j'entrerais dans ses jeux pervers. J'en étais malade — physiquement malade, je crois que jamais de ma vie je n'ai autant gerbé.

— Il avait peut-être en effet versé un produit dans ton verre.

— Peut-être.

— Que s'est-il passé après ?

— Finalement, ses amis sont rentrés et je suis sortie de la salle de bains. Il s'est enfermé dans sa chambre. J'ai demandé aux autres d'appeler un taxi et je suis partie aussitôt. Seigneur, j'espère ne plus jamais revoir ce pervers !

— Tu m'étonnes !

— J'ai horreur du noir. J'ai vraiment horreur du noir ! » Elle avait prononcé ces mots avec une soudaine véhémence.

« Tu as raconté à ses amis ce qui était arrivé ?

— Quoi? Oh, non!» Elle a frissonné. «Je voulais le leur raconter mais en les voyant je n'ai pas pu, je ne supportais pas l'idée d'évoquer tout ça.

— Tu aurais dû en parler à quelqu'un...

— C'est ce que je suis en train de faire, non? De toute façon, à quoi bon? Ça ne sert qu'à réveiller les mauvais souvenirs. Beurk, ça me rend malade, je ne sais pas pourquoi je te l'ai raconté. En réalité, Helen, j'ai tout inventé... Merde, revoilà ce foutu moustique! Écrasons cette sale bestiole.»

Elle a allumé la lumière et nous avons passé les dix minutes suivantes à tenter de localiser, traquer et exterminer deux énormes moustiques. On a fini par les terrasser avec un journal anglais vieux de trois jours roulé en cylindre. Carla a observé la tache rouge sur le mur. «C'est ton sang ou le mien?» a-t-elle interrogé. Nous avions été piquées toutes les deux à plusieurs reprises, le châtiment des coupables était donc satisfaisant — surtout pour elle, que son récit avait laissée troublée et oppressée.

«Je suis contente de t'avoir parlé, a-t-elle avoué en éteignant la lumière. Je sens que tu es quelqu'un à qui on peut confier ce genre de choses.

— Tant mieux, ai-je répondu, sans avoir envie de lui préciser que j'avais en effet une certaine expérience en la matière.

— À ton tour maintenant, a-t-elle insisté, une fois que nous avons été recouchées. Je parie que tu n'as rien d'aussi croustillant à raconter, tu n'as pas l'air de quelqu'un à qui il arrive des aventures désastreuses.

— Il ne faut pas se fier aux apparences.

— Vas-y, alors. Ta pire expérience sexuelle.

— Tu as vraiment envie de le savoir? Ça va te paraître ennuyeux.

— Eh bien, si c'est ennuyeux ça m'aidera à m'endormir.

— Tu es sûre ?

— Sûre et certaine. De toute façon, ce n'est que justice : je t'ai raconté mon histoire, à présent tu dois me raconter la tienne. »

J'aurais pu lui répliquer que sa confession avait été spontanée et que personne ne lui avait demandé de la faire. Mais je me suis abstenue. J'aurais pu imaginer une histoire. J'aurais dû. Cependant, après son récit manifestement véridique, il aurait été mesquin de me débarrasser d'elle en lui servant une pure invention. Une confidence mène facilement à une autre, cela faisait partie du jeu auquel nous nous adonnions depuis notre rencontre. La Helen North de Londres était une femme à qui les autres venaient demander de l'aide. Ici, sur cette île, je pouvais m'offrir le luxe de montrer mes faiblesses. Du moins, je le croyais.

L'histoire qui s'est présentée à mon esprit lorsque Carla m'a lancé ce défi m'accablait depuis des années. Beaucoup trop longtemps. C'est le problème avec les secrets : on tente de les refouler, on essaie de se dire que c'est fini, bien fini, et que ça ne sert à rien de s'appesantir sur le passé, rien n'y fait. L'horreur, si on la tient secrète, si on n'en parle pas, est censée s'estomper et disparaître, mais c'est l'inverse qui se produit : elle suppure, elle prolifère hideusement, comme nourrie par le silence et l'obscurité. Le poison s'étend, gagne tout.

En vérité, je brûlais de me libérer de ce fardeau. Tout à coup, j'avais l'impression que ces jours passés en Grèce avaient servi de prélude à ce moment — mon amitié improbable avec Carla, le fait que nous n'avions même pas encore échangé nos adresses. Deux jours plus tard, je repartirais pour ne jamais la revoir. Je savais qu'on ne se débarrassait pas aussi facilement d'une histoire aussi lourde, ç'aurait été trop demander. Je pouvais cependant espérer que mon fardeau s'allégerait un peu.

Si seulement...

« Appelons-la Sasha.

— Pas banal. C'est un prénom étranger ?

— On peut dire ça. Un prénom bilingue, pratique pour une famille qui a des racines dans deux pays.

— Mais dans la réalité c'est toi ? a interrogé Carla.

— C'*était* moi, ce n'est pas pareil.

— Raconte. »

Et j'ai raconté, à voix basse, comme on raconte une histoire à un enfant le soir avant de s'endormir. Ma voix semblait résonner, dans la petite chambre d'hôtel.

Quelque part dans le sud de l'Angleterre, dix ou douze ans plus tôt, vivait une jeune fille que nous appellerons Sasha. Elle avait seize, dix-sept ans, c'était une étudiante douée. Sa mère avait la foi des exilés dans l'éducation, et on attendait de Sasha qu'elle réussisse dans la vie. Une jeune fille au brillant avenir, sans aucun doute. Pour commencer, elle ne se laissait pas encore distraire par les garçons ; elle avait beaucoup d'amis des deux sexes, sortait avec eux le week-end, mais ne manifestait aucun intérêt pour l'un d'eux en particulier. Il y avait des gens qui la trouvaient un peu en retard sur ce plan, ou snob, ou tout simplement d'un romantisme incurable. Sasha savait à quoi s'en tenir mais ne disait rien à personne. Elle s'y connaissait en secrets, déjà à l'époque.

Elle ne risquait pas de tomber amoureuse d'un des *boys friends* que fréquentaient ses amies, pour la bonne raison que, depuis plusieurs années, elle éprouvait un amour passionné et secret pour un homme qui avait plus du double de son âge.

71

Gabriel Bostok, acteur à ses heures, était un voisin. D'une beauté énigmatique, drôle, compatissant, infiniment séduisant aux yeux de Sasha, il était imprévisible, charmant, et savait s'y prendre avec les enfants et les jeunes. Il avait une femme et deux enfants, que Sasha gardait quelquefois. Personne, à commencer par la mère de Sasha, n'ignorait que le mari et la femme sortaient rarement ensemble.

Anne Bostok exerçait la profession de contrôleur judiciaire. Sévère, intransigeante, elle n'avait rien du charme décontracté de son époux. La mère de Sasha disait qu'elle ne méritait pas ce mari talentueux et créatif ; d'après elle, la carrière de Gabriel avait souffert de l'incapacité d'Anne à lui prodiguer les encouragements dont il avait tant besoin.

À l'âge de dix ans, Sasha tomba de vélo, un jour. Gabriel la releva et la ramena chez elle dans ses bras. La mère de la fillette ne supportant pas la vue du sang, ce fut lui qui, délicatement, nettoya la plaie et en retira les gravillons. Dès lors, il n'y eut plus d'autre homme dans la vie de Sasha. À treize ans, alors qu'elle séchait les cours pour la toute première fois, elle tomba sur Gabriel devant chez Woolworth's. Il ne crut pas à son histoire de rendez-vous de dentiste annulé, l'emmena déjeuner dans un Burger King et lui fit promettre de ne plus jamais sécher un cours, même s'il s'agissait de celui de géographie, dont le professeur l'avait en grippe. Puis il la déposa au lycée.

Elle avait presque dix-sept ans quand il passa chez elle un après-midi. Elle était seule, victime d'une angine à quoi s'ajoutait une migraine. En robe de chambre et chaussettes de laine, installée à la table de la salle à manger, elle se débattait avec une dissertation concernant la tirade de Mercutio sur la Reine des Fées dans *Roméo et Juliette*. Gabriel lui prépara une boisson chaude, l'aida à rédiger son essai, et lui lut quelques-uns des monologues de Roméo qu'il préférait. Il les rendait vibrants de vie, et les mots s'en imprimèrent à tout jamais dans l'esprit de Sasha.

Oh, elle enseigne aux torches à briller splendidement !
On dirait qu'elle pend à la joue de la nuit
Comme un riche joyau à l'oreille d'un Éthiopien ;
Beauté trop riche pour qu'on en use et trop chère pour la
[*terre*[1] *!*

Pour Sasha, cette séance de travail improvisée aurait été le sommet du bonheur... si seulement elle s'était lavé les cheveux le matin et avait mis une chemise de nuit plus flatteuse.

Gabriel Bostok ne lui affirma pas moins qu'elle était la créature la plus belle et la plus merveilleuse qu'il eût jamais rencontrée, lui dit qu'il l'aimait d'un amour total et sans réserve, qu'il ne lui ferait jamais le moindre mal, que tout ce qu'il voulait c'était la chérir et la rendre heureuse.

Stupéfaite autant que troublée, elle le crut — bien sûr qu'elle le crut : elle rêvait de cela depuis des mois, sinon des années !

Il la prit par la main, la fit lever, l'étreignit et l'embrassa. Tout ce qu'elle avait lu dans les livres, tous les clichés qu'elle avait en tête, tout cela lui arrivait pour de vrai, là, dans la salle à manger de la maison familiale. Son être entier se consumait, son univers était sens dessus dessous.

Il lui raconta que son couple était mort depuis longtemps, que sa femme avait des amants, qu'ils ne continuaient à vivre sous le même toit que pour les

1. Traduction de Pierre-Jean Jouve et Georges Pitoëff, édition bilingue, Garnier-Flammarion, 1992.

73

enfants. Cela aussi, elle le crut — n'était-ce pas ce que sa mère racontait?

Il recommença à l'embrasser — des baisers tendres, ardents, brûlants, qui la transportaient autant que les déclarations enflammées de Roméo. Il lui affirma que l'amour physique entre eux serait un acte beau et merveilleux — aussi beau et merveilleux qu'elle-même —, un acte inoubliable.

Inoubliable il le fut, certes.

Gabriel se montra d'une douceur infinie, commençant par lui promettre qu'elle n'avait pas à s'inquiéter, que personne ne découvrirait leur liaison, et qu'il ne ferait ni ne dirait jamais rien qu'elle ne donnât d'abord son consentement.

Elle n'opposa aucune résistance, évidemment, l'emmena dans sa chambre à l'étage, débarrassa le lit des livres de classe qui l'encombraient, enleva sa robe de chambre, ses chaussettes de laine, retira sa chemise de nuit.

C'est alors qu'elle comprit qu'il devait réellement l'aimer: quand il la prit dans ses bras, il tremblait de la tête aux pieds, tout son corps frémissait de désir. «Mon Dieu, que tu es belle! répétait-il sans cesse. Quelle perfection! Je n'ose croire à ce qui m'arrive.»

Il savait qu'il était le premier et il craignait de lui faire mal, mais il avait tort de se tourmenter. Elle n'eut pas mal, pas du tout, éprouvant seulement une sensation étrange, fabuleuse. Dans des éclairs de lucidité, elle se disait: C'est donc ça... voilà ce que c'est pour de vrai... Cela évoquait un peu pour elle le plaisir de nager, de se laisser porter par l'eau, de flotter, de bouger librement, sans effort.

Mais ce qui arriva ensuite n'était sûrement pas normal.

D'abord, elle pensa qu'il avait joui trop tôt. Éjaculation précoce, elle avait lu des articles là-dessus dans les magazines. Puis, en le regardant, elle comprit que ce n'était pas cela. Il haletait, cherchait l'air tel un poisson au bout d'une ligne, et il la fixait avec des yeux exorbités, tous les muscles de son cou et de sa poitrine tendus et saillants.

« Gabriel, qu'est-ce qui se passe ? Tu te sens bien ? »

Questions stupides, paroles absurdes.

Il fit un effort colossal pour articuler : « Je suis... je suis... »

Plus tard, elle se demanda s'il avait voulu dire : « désolé ».

La tête de Gabriel s'affaissa brusquement et son front heurta celui de Sasha. Celle-ci poussa un cri de surprise et de douleur, et tenta de se libérer. Elle sentit le pénis de Gabriel glisser hors de son sexe. Il avait dû avoir une crise, une attaque, et...

Et s'il était mort ?

Elle se dégagea du corps qui pesait sur elle de tout son poids, s'assit sur le lit et effleura une épaule.

« Gabriel ? » fit-elle d'une voix étranglée. « *Gabriel !* » En proie à la panique, elle le renversa brutalement afin de voir son visage. L'horreur la fit reculer. « GABRIEL ! »

Dans son souvenir, elle se voyait ensuite au pied de l'escalier, dans l'entrée, sa robe de chambre enfilée à la hâte sur son corps nu — son corps encore chaud et palpitant de leurs ébats puis de la brusque intrusion de la terreur. La maison baignait dans un silence atroce.

Elle se précipita vers le téléphone, mais qui appeler ? Le médecin ? Une ambulance ? Une amie ? Un prêtre ? Elle ne se rappelait plus aucun numéro. Sasha, d'habitude si pratique, si efficace, ne voyait même pas les chiffres sur les touches de l'appareil. Elle dut s'y reprendre à trois fois pour composer l'indicatif de la police. Son interlocuteur — voix calme, impersonnelle, d'une personne dont le monde ne venait pas de s'écrouler — eut toutes les difficultés du monde à obtenir de la jeune fille des informations cohérentes. Sasha, tétanisée, resta cramponnée au combiné jusqu'à ce qu'elle aperçoive la première silhouette en uniforme à travers la vitre en verre dépoli de la porte d'entrée.

Ensuite, ce fut le chaos. La police d'abord, puis une ambulance. Son père, qu'on avait appelé à son travail. Sa mère, qui était rentrée toute guillerette, sans se douter de rien, et qui avait trouvé la maison grouillant de gens en uniforme très affairés. La femme de Gabriel, en proie à une violente crise de nerfs. Le corps de Gabriel qu'on descendait dans l'escalier, une espèce de couverture sur le visage. Les questions, l'incrédulité, le choc.

Et encore des questions. Comment était-ce arrivé ? Depuis combien de temps cela durait-il ? Où avais-tu la tête ? Comment est-ce que tu as pu faire une chose pareille ? Au milieu de l'horreur et de la confusion, une certitude, une seule, émergeait très clairement à la fin de cette interminable journée : tout était la faute de Sasha, elle était responsable de tout.

Normalement, quand un homme de quarante ans est surpris au lit avec une jeune fille de seize ans, il est tenu pour responsable des faits ; mais là, c'était différent. Gabriel était mort. Il avait payé effroyablement cher ce moment de faiblesse. Pauvre Gabriel, il ne méritait pas ça ! Quelle tragédie ! Mais une tragédie n'arrive pas toute seule, il faut bien que quelqu'un l'ait provoquée. En l'occurrence, c'était Sasha la coupable. Elle avait dû séduire Gabriel. Sous ses airs de bonne élève, de bûcheuse, elle avait prétendu un mal de tête pour manquer le lycée... Cette fille avait toujours été sournoise.

Plus tard, beaucoup plus tard, quand les dissensions

entre ses parents finirent par éclater au grand jour, Sasha se demanda si l'indignation de sa mère n'avait pas eu pour cause la jalousie : elle avait cru que, si Gabriel venait souvent chez eux, c'était parce qu'il s'intéressait à elle, non à sa fille. Cette hypothèse permettait d'expliquer son antipathie — sentiment inhabituel chez elle — pour Anne Bostok, une femme qui se démenait depuis des années pour subvenir aux besoins d'un mari irresponsable et immature.

Mais cette réflexion arriva plus tard. Juste après la mort de Gabriel, alors que Sasha avait le plus besoin de sympathie et de réconfort, elle se heurta à un mur de honte. De ce jour, ses parents ne furent plus jamais vraiment à l'aise avec elle. Tout le monde faisait de son mieux pour paraître «normal», mais la spontanéité avait disparu pour toujours.

On pouvait comprendre leur point de vue. Ils avaient quitté la maison un matin comme les autres, en laissant leur fille, douce, rêveuse, gentille et innocente — qui ferait un jour l'honneur de sa famille —, et à leur retour, quelques heures plus tard, ils s'étaient retrouvés face à une Lolita au visage dur, une briseuse de ménage hypocrite et libertine manquant singulièrement de remords.

Si seulement ils avaient su...

Mais il y eut pire encore que cette distance entre elle et ses parents.

Les plaisanteries que cela suscita.

C'est un tel lieu commun, n'est-ce pas ? le type qui meurt en faisant l'amour — sous le rire pointe la terreur ancestrale des hommes : la mante religieuse qui dévore le mâle après l'accouplement. On décelait cette peur dans les commentaires prétendument amusés du genre : «Il a tellement pris son pied qu'il s'est cru mort et arrivé au paradis... et il ne se trompait pas.»

77

Les garçons du voisinage, ou bien évitaient Sasha, ou bien la recherchaient, comme si elle représentait un défi particulier, une mise à l'épreuve de leur virilité.

« Il faut reconnaître que ça a un côté comique. Bien sûr, c'est terrible pour ce pauvre homme et sa famille, mais quand même... »

Mais elle ne put jamais rire de cette « histoire ». Car ce que tout le monde avait oublié depuis le début, c'est que Sasha avait été amoureuse de Gabriel Bostok, qu'elle l'avait aimé avec toute la passion, la ferveur, l'élan d'une jeune fille de seize ans qui aime pour la première fois et qui croit qu'elle n'aimera plus jamais. Le même jour, elle avait perdu son amant, ses parents et son enfance.

Alors, non, elle ne trouvait pas ça drôle.

Cependant, elle apprit à garder son chagrin pour elle. Elle apprit à ne jamais en parler.

Vous voyez, même maintenant je ne peux en parler qu'à la troisième personne. Et j'ai sans doute modifié quelques détails, omis certains faits, pour simplifier le récit. J'ai changé les noms, aussi. Je ne peux en parler que comme si c'était arrivé à quelqu'un d'autre, pas à moi. C'est vrai d'une certaine manière, de toute façon. Car la jeune fille prodige à l'avenir prometteur a cessé d'exister et, après cela, rien ne s'est plus vraiment déroulé comme prévu.

Je n'ai pas révélé tout cela à Carla. Je lui ai juste livré la trame du récit, en quelque sorte : la première fois que j'ai fait l'amour, mon amant est mort dans mes bras, et ma vie en a été bouleversée, mes repères ont disparu. Pendant des mois, je n'ai même pas su si j'étais encore vierge ou pas.

Silence dans la chambre. Manoli et Despina sont couchés depuis longtemps. Même le chien, dans le lointain, a cessé d'aboyer. Allongée dans le noir, crispée, j'attends. J'ai peur que Carla ne rie. Après dix ans de silence, je crois que je ne pourrai pas le supporter.

Mais non, elle ne rit pas.

«Oh, ma pauvre Helen! C'est l'histoire la plus terrible que j'aie jamais entendue.

— Oui, enfin...» Je suis obligée de m'asseoir pour me moucher.

«C'est bon, pleure.

— Je ne peux pas. Pas vraiment. J'aimerais pouvoir. Cela fait si longtemps. On pourrait penser que j'ai surmonté ça, maintenant.

— Je me demande: Est-ce qu'on se remet jamais d'une histoire comme celle-là?

— Seigneur, j'espère que oui.

— Pauvre Helen.»

Silence de nouveau. Je ne suis plus crispée, au contraire je me sens calme, paisible. Et très fatiguée.

«Carla?

— Oui?

— Merci.

— Pour quoi?

— Je ne sais pas. Pour ne pas avoir ri, je suppose.

— Pourquoi est-ce que je rirais?

— C'est ce que font les gens.

— Jamais je ne rirais d'une chose pareille.

— Merci. Tu ne peux pas savoir comme c'est important pour moi.»

Cette nuit-là, j'ai dormi d'un sommeil profond, tranquille. Je me sentais en paix. J'aurais dû me méfier. J'aurais dû savoir que c'est toujours quand on baisse complètement sa garde que la catastrophe se produit.

5

À deux jours de la fin des vacances, Carla ne tenait plus en place.

«Sortons en boîte.

— Non.

— Je t'en prie, Helen, juste une fois. J'en ai marre de traîner dans Yerolimani tous les soirs.

— Vas-y si tu en as envie, je ne t'en empêche pas.

— C'est toi qui as la voiture, je ne peux pas y aller seule.

— Désolée. Ça ne me dérange pas de t'accompagner en ville, mais je me refuse à mettre les pieds dans une boîte.»

Carla ne souhaitait pas retourner dans la capitale de l'île, elle la jugeait mortelle et moche; il ne me serait pas venu à l'idée de qualifier ainsi le labyrinthe de petites rues étroites qui se déployaient à partir du vieux port, un des plus pittoresques que j'aie jamais vus. Mais Carla ne s'intéressait pas aux sites historiques, elle recherchait des divertissements lui procurant une satisfaction plus immédiate.

«Qui désires-tu rencontrer?

— Un bel inconnu me conviendrait parfaitement.»

J'ai souri. «Les vacances sont presque finies, il va falloir te dépêcher si tu veux ramener un trophée.»

Il était presque midi et nous étions attablées à la terrasse d'un café sur le port de Yerolimani, après avoir passé une heure dans les boutiques de souvenirs. Carla avait fait preuve de plus d'imagination que moi pour ses cadeaux. Elle avait acheté une maquette de bateau — un caïque en bois, à une seule voile, avec une figurine penchée sur le gouvernail. «Pour Rowan», a-t-elle dit en saisissant l'objet d'un air triomphant, avant de choisir une poupée au visage inexpressif en costume hellénique. «Ce sera très bien pour Vi.

— Vi?

— Violet. Bon, maintenant, qu'est-ce que je vais prendre pour Lily? a-t-elle marmonné en tendant les objets à la vendeuse pour qu'elle les enveloppe. Lily est sacrément difficile à contenter.

— On croirait que tu achètes des cadeaux pour toute une tribu!» Carla était trop absorbée dans sa tâche pour noter ma remarque.

Elle a brandi un châle brodé à la main. «Qu'est-ce que tu penses de ça?

— Pour Lily?

— Oui.

— Je n'en sais rien.

— Tu pourrais au moins essayer de m'aider.

— Pas facile, alors que j'ignore qui est Lily.

— Une gamine que je connais.

— Quel âge?

— Douze ans.

— Laisse tomber le châle, alors. Pourquoi pas un bijou?»

Mais Lily, apparemment, ne portait pas de bijoux. Elle n'aimait pas non plus les éventails, les ombrelles, les poteries, les tableaux ni les vêtements. Au bout d'un moment, j'ai commencé à comprendre pourquoi Carla avait du mal à contenter cette Lily si difficile.

«Mais qu'est-ce qu'elle aime donc?

— Je n'en sais fichtre rien.

— Pourquoi ne pas lui acheter des savons, et puis basta?

— J'aimerais vraiment trouver quelque chose de bien. »

Pendant que Carla se torturait les méninges afin de dénicher le cadeau idéal pour une gamine de douze ans qui m'avait tout l'air d'une petite peste, j'ai effectué mon choix. Ayant toujours estimé plus pratique d'acheter les cadeaux en lots, j'ai fait l'acquisition d'une demi-douzaine de bols en bois d'olivier dont le grain formait des dessins aussi variés et inattendus que des peintures abstraites. Au cas où quelqu'un n'apprécierait pas les bols, ou dans l'hypothèse où j'aurais du mal à me séparer de la série tout entière, j'ai acheté également quelques savonnettes d'aspect étrange et d'un prix exorbitant. Carla n'avait toujours pas trouvé de cadeau pour Lily.

« C'est original, ai-je déclaré en examinant l'objet qu'elle tenait à la main. Peut-être que ça lui plairait. »

Il s'agissait d'une icône de quinze centimètres de hauteur environ, qui appartenait à un ensemble. Manifestement des œuvres produites en série, mais plus intéressantes que la plupart des objets en vente dans la boutique. Elle représentait le buste d'un saint au teint basané et à l'allure médiévale, fort séduisant. « J'aimerais bien rencontrer l'homme qui a posé pour ce portrait, ai-je commenté.

— C'est pour quelqu'un d'autre, a dit Carla en serrant l'icône contre elle dans un geste de protection.

— Pour Daniel ? »

Ces mots m'avaient échappé sans que j'aie pu les retenir, peut-être parce que la fin de notre séjour approchait et que je me préparais mentalement à la réalité de ma vie en Angleterre. Je supposais que pour Carla il en allait de même ; après tout, elle ne m'avait pas caché les destinataires de ses autres cadeaux.

J'ai regretté aussitôt ma gaffe. Carla s'est raidie, sa

bouche a pris un pli amer, son visage une expression maussade. « Peut-être », a-t-elle répondu d'une petite voix. Ensuite, elle a saisi une ombrelle en papier, celle-là même qu'elle avait déjà écartée au moins deux fois. « Il faudra bien que ça convienne. Si elle ne lui plaît pas, tant pis. » Elle a tendu l'ombrelle et l'icône à la vendeuse et a sorti quelques pièces de son porte-monnaie, puis elle s'est tournée vers moi. « Tu peux me prêter 10 000 drachmes, Helen, s'il te plaît ? Je passerai à la banque dès qu'on aura terminé ici. »

À la banque, je n'ai pu m'empêcher de remarquer, lorsque Carla a contresigné deux chèques de voyage de 20 livres sterling chacun, que c'étaient les deux derniers d'une liasse de dix ; une fois dehors, elle a jeté l'étui en plastique avec ce commentaire : « J'ai tout dépensé. Il va falloir que je fasse attention, à partir de maintenant. »

Les finances de Carla étaient un mystère. Puisque j'avais payé d'avance ma chambre d'hôtel, elle n'avait qu'une somme modique à dépenser chaque jour pour le petit déjeuner. Même nos gueuletons chez Ianni ou dans une autre des tavernes de Yerolimani étaient très bon marché. Elle n'avait proposé de participation ni pour l'hôtel ni pour la voiture mais, étant donné que j'aurais dû payer de toute façon, elle n'avait pas de raison de le faire. N'empêche qu'elle passait des vacances très peu chères, en fin de compte. De plus, elle ne possédait pas de carte bancaire : elle me l'avait dit, un jour où nous manquions d'argent liquide pour régler la note scandaleusement élevée d'un repas pris dans une *taverna panoramica*, un peu à l'écart de Yerolimani. Malgré moi, je m'interrogeais : Comment se serait-elle débrouillée pour payer sa chambre d'hôtel en ville si elle avait dû y rester quinze jours ? Espérer dépenser moins de 200 livres sterling pour deux semaines complètes sur une île grecque était singulièrement optimiste. Une chance qu'elle m'ait rencontrée. Cela avait-il constitué mon principal attrait? Difficile de poser ce genre de question.

Assises au café devant deux verres de limonade bien glacée, l'argent n'était plus la préoccupation majeure de Carla. Elle avait le bronzage, elle avait les cadeaux, il ne lui manquait plus qu'un souvenir d'un genre particulier, après quoi elle pourrait rentrer en Angleterre avec la satisfaction d'avoir passé des vacances totalement réussies.

J'ai fait un signe de tête en direction du quai où un bateau venait d'accoster, avec à son bord des touristes de retour de la ville. « Que dis-tu de celui-là? ai-je demandé à Carla. Il nous observe depuis dix minutes au moins, il doit être intéressé.

— Qui?

— Lui, là-bas. »

J'ai désigné un homme qui flânait là en regardant souvent de notre côté. Il était grand, habillé avec élégance et me rappelait vaguement quelqu'un; mais, à cette distance, on avait du mal à distinguer ses traits.

« Je n'arrive pas à bien le voir », a déclaré Carla après avoir essayé avec et sans ses lunettes de soleil. Elle avait besoin de ses lentilles de contact mais ne les portait pas souvent car elles la gênaient pour se baigner.

« Trop tard, il est parti. » L'homme s'était mêlé à la foule des touristes qui débarquaient, et sa silhouette s'est brouillée à cause de la lumière qui dansait sur la mer. « Je suis certaine de l'avoir déjà vu quelque part.

— On croit sans arrêt reconnaître quelqu'un au bout d'un moment, dans un endroit aussi petit », a fait remarquer Carla, puis elle s'est soudain raidie. « À quoi il ressemblait?

— À rien de spécial. Il avait l'air très présentable, c'est tout.

— De quelle couleur étaient ses cheveux ?

— Bruns, je crois. » À vrai dire, l'homme qui nous avait observées portait un chapeau, et comme en plus j'avais le soleil en face, impossible d'être affirmative, mais il était peut-être brun.

« De toute façon, un homme ne suffit pas, a décrété Carla. Il en faut un pour toi aussi.

— Ne t'inquiète pas pour moi, j'apprécie mes vacances en célibataire. »

Mais elle ne me croyait pas. Elle a siroté sa limonade, et s'est soudain exclamée : « Ah, parfait, j'espérais bien qu'ils referaient leur apparition.

— Qui ça ?

— Les deux Américains qui étaient chez Ianni hier soir. Tu leur tournais le dos, tu ne les as peut-être pas remarqués, mais moi, si. »

Elle a considéré les deux hommes par-dessus ses lunettes ; ses yeux sombres avaient un éclat particulier.

« Carla...

— Prête-moi ton carnet de croquis.

— Pourquoi ?

— Donne-moi cinq minutes, dix au maximum. Promets-moi de ne pas bouger d'ici.

— Dans dix minutes pile, je m'en vais. Il fait chaud ; j'ai envie de me baigner. »

Elle a fourré le carnet dans son sac, a jeté un coup d'œil à son reflet dans la vitre, s'est levée et a tiré sur sa robe. Elle mettait presque toujours des robes moulantes, de couleur vive — celle-ci, jaune, lui allait très bien.

« Souhaite-moi bonne chance.

— Mais, Carla... »

Elle a levé la main pour couper court à mes

protestations, puis s'est mise à marcher en direction du quai. En pivotant pour la regarder, j'ai repéré les deux Américains qui avaient attiré son attention. Tous deux portaient un short large, des baskets et un T-shirt ample — tenue habituelle du voyageur décontracté partout dans le monde. L'un était grand, athlétique, avec des cheveux blonds décolorés par le soleil; l'autre, brun et trapu. Comme ils me tournaient le dos, je ne pouvais voir leurs traits, mais leur démarche nonchalante trahissait l'ennui : ils s'arrêtaient pour contempler des vitrines qui ne présentaient sans doute aucun intérêt à leurs yeux, détaillaient des cartes postales exactement semblables à celles qu'ils avaient examinées quelques mètres auparavant. Il y avait toutes les chances pour qu'ils ne résistent pas à une Carla au mieux de sa forme, et cette idée m'a déprimée.

Je n'avais pas menti en affirmant que nos vacances en célibataires me convenaient parfaitement. Je n'avais aucune envie de me laisser entraîner par la farouche détermination de Carla à vivre une nuit de passion. Peut-être pourrais-je m'en tirer en prenant plein de photos d'elle en compagnie des deux Américains avant de rentrer me coucher.

Je l'ai examinée tandis qu'elle faisait claquer ses sandales à hauts talons sur les pavés et rattrapait les deux hommes. On sentait une grande résolution dans le balancement de ses hanches et de ses épaules et dans le mouvement de sa robe sur son corps. Je regrettais d'être trop loin pour l'entendre et connaître la tactique qu'elle emploierait.

Mais, à ma surprise, une fois parvenue à leur hauteur, elle les a dépassés sans s'arrêter et ne s'est même pas retournée pour les regarder. J'ai poussé un soupir de soulagement. Sans doute un détail — mauvaise haleine ou mains moites — l'avait-il rebutée. Dieu merci, nous allions pouvoir continuer à jouir de notre tranquillité. J'ai saisi deux ou trois cartes postales et j'ai commencé à écrire.

Quand j'ai relevé la tête, j'ai aperçu Carla sur le quai, assise sur une bitte d'amarrage. Elle tenait sur les genoux un objet plat et effectuait des gestes précautionneux avec la main : elle dessinait. J'en suis restée stupéfaite. Pas une seule fois, depuis que nous étions ensemble, je n'avais vu Carla prendre un crayon et du papier. Pour attirer les hommes, le carnet de croquis a opéré des merveilles : les deux Américains, déambulant nonchalamment sur le quai, ont observé Carla une minute puis se sont dirigés droit sur elle, l'air de rien. Elle a levé les yeux — étonnée, bien sûr, de les voir là —, avant de leur décrocher un sourire tranquille. Ils se sont rapprochés. Ils ont entamé la conversation.

« Regarde, Helen, avec qui je viens de faire connaissance. Glen, KD, voici mon amie Helen. KD ne veut pas dire à quoi correspondent ses initiales. Glen et lui arrivent de Pennsylvanie et ils ont entrepris un tour d'Europe de deux mois, les veinards. Ils ont déjà visité le sud de la Turquie et ils partiront pour l'Italie dans une quinzaine de jours. »

Trois ombres se projetaient sur ma table, trois silhouettes qui me bouchaient la vue du port et de la mer, et provoquaient en moi une montée de colère. Merde, merde, merde, je n'avais vraiment pas envie de ça. Je me suis sentie envahie, manipulée.

Je les ai regardés avec froideur. « Hello.

— Salut.

— Salut.

— Ça vous dérange si on se joint à vous ?

— À vrai dire...

— Bien sûr que non, ça ne la dérange pas, a assuré Carla avec aplomb. N'est-ce pas, Helen ?

— Euh...

— Attendez, je vais chercher d'autres chaises.

— J'espère qu'on ne vous interrompt pas dans votre tâche. »

J'ai rassemblé mes cartes postales et les ai rangées dans mon sac. Raclements du métal sur la terrasse tandis qu'on déplaçait sièges et tables pour installer tout le monde. Glen et KD ont commandé une bière. Carla les a imités. Moi, je m'en suis tenue à la *limonada*.

« Où logez-vous, toutes les deux ? Comment se fait-il qu'on ne se soit pas encore rencontrés ? » s'est étonné KD, le brun. Intérieurement, j'ai grogné ; extérieurement, je me suis contentée de siroter ma limonade. Inutile de me fatiguer, Carla faisait la conversation pour deux. Quand elle a proposé d'aller tous les quatre manger une pizza et peut-être disputer une partie de billard américain au café de notre plage, nous en avions fini avec les préliminaires habituels — Où habitez-vous ? Jusqu'à quand restez-vous ? Aimez-vous Yerolimani ? — et mon hostilité du début s'estompait. L'intuition de Carla avait été bonne, nos deux nouveaux amis de Pennsylvanie étaient décontractés, gentils et d'une politesse parfaite.

Glen, le blond, était extrêmement séduisant. Il avait des yeux très bleus, très écartés, un nez court et droit, et le bas du visage — mâchoire carrée, bouche virile — comme on n'en voit en général qu'aux héros de bandes dessinées. Le soleil avait décoloré ses cheveux, bruns à la base, formant des mèches blond doré et blond-blanc qui ajoutaient encore à son charme. Il avait des épaules larges, des hanches très étroites et des jambes immensément longues, bronzées et couvertes d'un duvet doré. Vu son physique, c'était plutôt surprenant d'apprendre que, après avoir abandonné ses études de droit pour des raisons sur lesquelles il ne s'est pas étendu, il travaillait désormais dans l'entreprise familiale de bonneterie. Il s'intéressait surtout au marketing, nous a-t-il dit de sa voix agréablement mélodieuse et un peu traînante. La vente de chaussettes n'était pas l'activité à laquelle on pensait dès l'abord en voyant cet homme au physique de Viking, mais il faisait sûrement très bien son travail. De toute façon, Carla ayant à l'évidence jeté son dévolu sur lui, il ne me restait plus qu'à trouver un terrain d'entente avec le brun.

KD était d'une beauté moins spectaculaire, mais plus intéressante par certains aspects ; il avait des yeux en amande couleur chocolat et un visage allongé qui évoquait un peu une tête de renard. Sous son T-shirt de marin à rayures, on devinait aisément la carrure imposante d'un homme qui s'entraîne régulièrement aux haltères. À l'inverse de Glen, il n'avait pas abandonné ses études de droit et on l'imaginait sans mal d'ici à quelques années en avocat d'entreprise impitoyable, au visage empâté par trop de repas d'affaires et trop d'après-midi passés à écluser des bières avec les clients.

Entre Glen et KD régnait la camaraderie décontractée de deux personnes qui ont plaisir à voyager ensemble et recourent sans cesse à l'humour pour limiter les risques de friction. Ils étaient donc d'une compagnie très agréable et distrayante, si bien qu'une fois de retour à notre petite plage et après une ou deux parties de billard, quand les pizzas sont arrivées, mon hostilité avait disparu. J'ai même délaissé mes habituelles limonades du déjeuner pour de la bière, plus conviviale. J'étais fascinée par l'imagination que déployait Carla pour éblouir nos nouveaux amis.

« En réalité, a-t-elle répondu quand KD nous a interrogées sur nos activités respectives, je suis chanteuse. »

J'ai haussé les sourcils.

« Vraiment ? » Glen paraissait plutôt impressionné. « On se doutait que tu étais une artiste.

— Je ne perds jamais une occasion de dessiner, a affirmé Carla, et j'ai exposé dans quelques galeries, mais je suis chanteuse professionnelle. De jazz, essentiellement. J'ai une formation classique mais ma voix est mieux adaptée au jazz et à la variété. Mon premier album solo sortira l'année prochaine.

— Alors, tu chantes dans des clubs ? a questionné KD.

— Bien sûr. Partout où on me paie. J'ai chanté dans des comédies musicales, des publicités, je prends tout ce qui se présente. C'est le seul moyen d'acquérir l'expérience nécessaire pour faire carrière dans ce métier. Les gens croient qu'il suffit d'avoir une belle voix, mais ils n'imaginent pas le travail acharné et les efforts que coûte chaque note. La compétition est effrayante ; j'ai de la chance d'être arrivée là où j'en suis.

— Super, a approuvé Glen.

— Il faudra que tu nous donnes un récital, a suggéré KD.

— Oh oui, Carla, ai-je renchéri. Je ne t'ai jamais entendue chanter. »

Je craignais que ça ne la gêne d'être ainsi mise au défi mais, à ma grande surprise, elle a répliqué : « Eh bien, je pourrai peut-être vous chanter quelque chose tout à l'heure. » Elle paraissait absolument ravie de cette perspective.

Attention, Carla, ai-je pensé, n'outrepasse pas tes possibilités.

« Et toi, Helen ? a interrogé KD. Tu ne nous as rien dit à ton sujet. »

Il était assis près de moi. Carla s'était arrangée pour que Glen et elle se trouvent d'un côté de la table, KD et moi de l'autre. Il y avait pas mal de frôlements d'épaules et de cuisses de leur côté, plutôt moins du nôtre. L'attention dont Glen faisait l'objet de la part de Carla ne semblait pas le déranger, pas plus que l'absence d'attention de ma part ne semblait déranger KD.

Glen m'observait. Il ne cillait pas beaucoup, ce qui, ajouté au fait que ses yeux étaient largement écartés et d'un bleu glacial, donnait à son regard quelque chose d'hypnotique. « Oui, a-t-il insisté avec un sourire nonchalant. Parle-nous de toi, Helen.

— Moi ? »

Trois paires d'yeux me scrutaient maintenant — Glen et KD avec un intérêt juste un peu plus chaleureux que la simple courtoisie, tandis que le regard de Carla était tendu et vigilant. Il ne m'avait pas échappé qu'elle n'aimait pas que Glen s'adresse directement à moi, surtout quand elle effleurait les poils dorés de son torse sous prétexte d'examiner la chaîne qu'il portait au cou.

J'ai hésité. Ainsi, Carla avait décidé qu'elle était chanteuse. Tout à coup, j'en ai eu assez des fables et des mensonges que nous inventions, elle et moi, depuis huit jours. Glen et KD avaient l'air francs et directs, ils risquaient de ne pas comprendre le genre de fantaisies auxquelles nous nous étions livrées. J'avais envie de leur dire la vérité, de revendiquer ma véritable personnalité, de raconter qui était la vraie Helen North qui se trouvait en ce moment, en Grèce, assise dans un café en compagnie d'une femme qu'elle avait rencontrée seulement quelques jours plus tôt et de deux hommes qu'elle ne connaissait pas du tout. J'avais envie de leur parler de ma vie et de mes réussites, de mon métier et de mes amis, de mes centres d'intérêt, de mes origines et de ma famille, éparpillée et excentrique. J'en avais assez des jeux.

Peut-être aurais-je dû le faire. Les choses auraient peut-être tourné différemment. Ce qui m'a retenue, je crois, c'est le désespoir que j'ai soudain perçu derrière l'entrain apparent de Carla. Elle guettait avec anxiété ma réponse. Je voyais bien qu'elle était tendue mais je comprenais maintenant que c'était pis encore : pour une raison que j'ignorais, elle semblait paniquée que je puisse lui ravir la vedette. Si je modifiais les règles selon lesquelles nous avions fonctionné jusque-là, elle et moi, je risquais de tout flanquer en l'air — et pourquoi l'aurais-je fait ? C'était sa soirée, n'est-ce pas ? C'était elle qui l'avait mise sur pied, elle qui prenait tous les risques. Il était vital pour Carla que ce soit une réussite. Je n'avais aucune raison de tout gâcher.

Je me suis donc contentée de hausser les épaules.

« Moi ? ai-je répété en repoussant mon assiette. Cela risque de vous ennuyer, je ne suis pas quelqu'un de très intéressant.

— Vraiment ? a dit KD, l'air sceptique.

— On peut me comparer à un parchemin vierge.

— Un parchemin vierge ? s'est exclamée Carla avec un petit ricanement. Franchement, Helen ! »

Glen paraissait perplexe. « On pourrait essayer de deviner. Je dirais que tu es médecin, ou professeur, tu exerces sûrement un métier passionnant. »

J'ai rougi, mais Carla est intervenue aussitôt : « Oh, par pitié, ne jouons pas aux devinettes. Il y a des gens inintéressants, c'est tout. Croyez-moi, Helen n'a jamais rien fait de particulier. »

Je l'ai observée du coin de l'œil. Il y avait du venin dans sa boutade.

ont lâchées m'ont fait comprendre qu'ils devaient être plus âgés.

Glen a évoqué son précédent voyage en Europe. « C'était à l'occasion de mon mariage, ma femme et moi avons visité Paris et Rome.

— Tu es marié ? s'est étonnée Carla.

— Plus maintenant, mais je m'arrange pour voir mon petit garçon au moins une fois par semaine. C'est la seule chose qui assombrit un peu ce voyage : l'impossibilité de voir Glen junior. » Tous les propos de Glen, même une révélation aussi inattendue, étaient prononcés sur le même ton traînant et décontracté. Une voix pareille devait rendre supportables les nouvelles les plus atroces, du genre : *Mademoiselle North, je suis navré de devoir vous dire cela, mais il faut que je vous annonce que la Troisième Guerre mondiale a débuté il y a dix minutes, et que dans cinq minutes environ nous allons tous être anéantis. Puis-je vous apporter une autre bière ?*

Une remarque de Carla a interrompu ma rêverie. « J'en ai trois.

— Maris ? ai-je questionné.

— Enfants, a-t-elle répliqué d'un ton sec. Un mari, trois enfants. » Elle a surpris le regard de Glen et son expression s'est immédiatement radoucie. « Pour tout vous avouer, je suis ici sous un faux nom. Je fais l'école buissonnière. Je suis une épouse et mère fugueuse.

— Vraiment ? » Glen paraissait surpris.

« Non, a-t-elle répondu en riant. C'est une blague. J'adore les enfants, mais je n'en ai pas. Pas encore. Plus tard, j'aimerais en avoir six. »

J'ai bâillé. Je m'ennuyais. Mes idées étaient confuses, mes pensées incohérentes. « Je vais me baigner, ai-je déclaré.

— Excellente idée.

— Super. »

Carla a feint l'enthousiasme, mais je la savais contrariée. Elle aurait voulu contrôler de bout en bout cette journée. Nous sommes sortis dans la lumière aveuglante et avons traversé la plage ; comme Glen et KD restaient un peu en arrière, Carla m'a saisie par le bras.

« Qu'est-ce que tu manigances ?

— Pardon ?

— Tu vas arrêter de te faire mousser, oui ou merde ?

— Quoi ?

— Tu sais très bien ce que je veux dire. Toutes ces conneries de parchemin vierge, tout ça. Pour qui tu te prends, bordel ? Pour Mona Lisa ?

— Tu n'as pas honte ! ai-je protesté en libérant mon bras d'un mouvement brusque. Tu me fais des reproches alors que j'ai perdu mon après-midi avec ces deux types, parce que tu tenais absolument à sortir avec eux ! Garde-les tous les deux, si ça te chante, moi, je vais me baigner, ensuite je...

— Ah non, certainement pas... » Elle me foudroyait du regard, son visage crispé par la rage. Puis, d'un seul coup, son expression s'est transformée en un sourire charmeur. J'ai senti un bras d'homme m'entourer les épaules. Carla souriait à Glen.

« On fait une partie de volley-ball ? a-t-il proposé.

— Je comptais nager un moment, ai-je répondu en me dégageant.

— Allons, Helen, a susurré Carla sur un ton d'une douceur mortelle. Ne joue pas les rabat-joie. Tu peux bien jouer au volley avant de te baigner.

— Oui, a renchéri KD. On jouerait à deux contre deux.

— Et on pourra tous aller se baigner après, a suggéré Glen, toujours aussi placide.

— Euh... » À ma consternation, je me trouvais

95

embarquée dans une situation où toute décision risquait d'être lourde de sens — du moins aux yeux de Carla. J'ignorais complètement pourquoi elle se montrait si nerveuse, alors que les choses semblaient se dérouler conformément à ses plans. J'étais en colère contre elle, mais pas au point de risquer une querelle. Il ne restait plus que deux nuits et une journée avant la fin des vacances ; il n'était pas si difficile d'éviter une confrontation. J'aurais été beaucoup plus intransigeante si je n'avais perçu dans l'attitude de Carla une sorte de désespoir secret, comme si, derrière sa confiance et sa gaieté apparentes, elle ne croyait pas, au fond, à ce qu'elle faisait. Peut-être suis-je en train de dire que j'avais pitié d'elle, même si je ne vois pas pourquoi j'aurais dû la plaindre — pas encore, en tout cas.

J'ai donc remis à plus tard ma baignade et j'ai pataugé au bord de l'eau avec les autres. Il serait faux de prétendre que je n'ai pas pris de plaisir à cet instant de détente — tout en m'efforçant de me rapprocher suffisamment de KD pour rassurer Carla, sans pour autant laisser croire à KD que je le draguais : un vrai numéro d'équilibriste ! Mais j'étais furieuse de me sentir ainsi manipulée.

Quand tout le monde a été fatigué de jouer au volley et de barboter dans l'eau — y compris Carla, ai-je constaté avec soulagement —, et que les autres ont commencé à regagner la plage, j'ai plongé et nagé sous l'eau aussi longtemps que possible en direction de la mer. Je ne les avais pas prévenus, au cas où Glen et KD auraient manifesté le désir de m'accompagner, ce qui aurait sans nul doute ravivé la hargne de Carla contre moi. En fait, j'enrageais à l'idée qu'une action aussi anodine que nager dans les eaux vastes et bleues de la baie ne puisse être accomplie qu'au prix de ce qui me semblait un ridicule subterfuge. Au bout d'un moment, j'ai fait la planche. L'eau salée me portait, les rayons du soleil éclairaient les sommets des montagnes du centre de l'île. J'avais presque retrouvé mon calme quand j'ai regagné lentement le rivage.

Carla était assise sous notre parasol, entourée d'un côté par Glen le blond, de l'autre par KD le brun, qui se tenait encore plus près d'elle que Glen. Au moins, elle devait être satisfaite maintenant, ai-je pensé.

« Salut, Helen, a lancé KD, où étais-tu passée ?

— J'ai nagé.

— Tu as dû aller loin, a remarqué Glen. On t'a complètement perdue de vue. On craignait que tu n'aies des problèmes.

— Oh non.

— Je leur ai conseillé de ne pas s'inquiéter pour toi », a dit Carla. Glen, le torse dénudé, était allongé sur le dos et s'appuyait sur ses coudes ; Carla lui versait du sable au-dessus du nombril. Il a épousseté le sable d'un revers de main, sans même la regarder. Le sourire de Carla s'est figé.

« On est très contents qu'il ne te soit rien arrivé, Helen, a assuré Glen.

— Merci, ai-je répondu en m'adressant à KD, qui a braqué son regard sur moi.

— Vous voulez bien que je vous prenne en photo ? ai-je suggéré. Vous êtes dignes de figurer dans une brochure de vacances, tous les trois. »

C'était une bonne idée. Flanquée de ses deux compagnons bronzés, Carla avait vraiment l'air heureuse, elle riait et rayonnait de bonheur. Une fois la séance terminée, elle m'a déclaré : « Pendant que tu te baignais, on a prévu quelque chose. Il y a des danses grecques, ce soir, à la *Taverne de Ianni*, à Yerolimani. On a pensé que ce serait marrant d'y aller ensemble — tous les quatre », a-t-elle souligné d'un air entendu.

J'étais accablée. Carla et moi avions tenté de nous

initier aux danses grecques huit jours plus tôt —Ianni organisait une soirée spéciale tous les samedis soir. En vérité, nous nous étions bien amusées, mais j'étais repartie avec la nette impression que les courageux efforts de Ianni pour apprendre aux étrangers indisciplinés et maladroits les rudiments de la danse de Zorba n'étaient qu'un prétexte à peine déguisé pour se livrer à ce sport national bien connu : humilier les touristes. Si on y ajoutait les plans de Carla pour nous quatre, les réjouissances de la soirée n'auguraient rien de bon.

« Euh, je ne crois pas avoir très envie de...

— Voyons, Helen, ne nous gâche pas notre plaisir, a protesté KD. Ce ne serait pas la même chose sans toi.

— C'est vrai, a renchéri Glen. Il faut que tu viennes.

— Euh... »

Carla m'a lancé un regard meurtrier. « Bien sûr qu'elle va venir, a-t-elle affirmé d'un ton acerbe. Qu'est-ce que tu comptes faire, sinon ? T'enfermer avec un bouquin ? Grands dieux... »

L'effet apaisant de ma baignade a disparu d'un seul coup. Non que les danses grecques m'aient rebutée tant que cela. Et puis, Glen et KD étaient des compagnons charmants. Nous passerions sûrement un bon moment. Ce qui me contrariait, c'était d'être contrainte d'adhérer aux plans de Carla. Je devais peser mes mots, je marchais sur des œufs.

Je me sentais piégée. Contrariée, pleine de rancœur, mais surtout piégée. KD me souriait d'un air encourageant. Carla avait une expression tendue. Pour je ne sais quelle raison, j'évitais soigneusement de regarder Glen.

J'ai fini par céder. « D'accord, je viendrai. »

6

« Glen est à moi.

— Ça ne me dérange pas.

— J'aime autant qu'il n'y ait pas de malentendu.

— Il ne risque pas d'y en avoir, tu as été très claire.

— Qu'est-ce que tu sous-entends ?

— Rien, bon sang.

— Ce que tu peux être garce, des fois, Helen ! »

D'un air très théâtral, Carla s'est dirigée vers la salle de bains. Elle y est restée longtemps. Pendant qu'elle se douchait et se lavait les cheveux, je me suis accoudée à la fenêtre et j'ai regardé le soleil se coucher derrière le sommet en forme de tête de sanglier. Quelque part dans les contreforts, à moins d'un kilomètre à l'intérieur des terres, Glen et KD devaient sans doute prendre une douche eux aussi, boire une bière ou deux, échafauder des plans pour la soirée. Ils nous avaient dit avoir loué un deux-pièces pour une quinzaine de jours dans un endroit qu'ils nommaient la bergerie, à cause de sa taille ou de ses précédents occupants, je ne me souvenais plus. Au moins dix fois, tandis que le ciel passait du bronze au jaune-vert très pâle, j'ai décidé de prétexter une migraine afin de ne pas participer aux réjouissances de la soirée — pour en arriver chaque fois à la conclusion que cela engendrerait plus de problèmes que ça n'en résoudrait. La danse grecque avec KD serait peut-être amusante, une dispute avec Carla, sûrement pas. Et pourtant...

« Je crois que je ferais mieux de renoncer à cette sortie, en fin de compte », ai-je déclaré quand Carla a émergé de la salle de bains dans un nuage de vapeur et de parfum. Une serviette rose enroulée en turban autour de la tête, le visage sans fard, elle paraissait soudain plus âgée et plus fragile. Elle m'a lancé un regard perçant.

« Je t'en prie, Helen, viens. Ce ne sera pas drôle du tout sans toi. Excuse-moi, j'ai été conne, je ne sais pas ce qui m'a pris. C'est juste que... eh bien, j'ai envie que ce soit un succès, je suppose.

— Un succès ? »

Elle a répondu oui d'un signe de tête, puis a esquissé un sourire contrit et conciliant. Comme je ne disais rien, elle s'est laissée tomber sur son lit, le dos tourné vers moi, et a pris son sac sur ses genoux.

« C'est vrai ce que j'ai raconté cet après-midi.

— Que tu es chanteuse ?

— Je veux parler du côté épouse et mère.

— Seigneur, Carla, ne recommence pas. Je viens avec toi ce soir, je te le promets. Je ferai tout mon possible pour que vous vous retrouviez ensemble, Glen et toi, mais j'en ai jusque-là de ces inventions et de ces mensonges...

— Je t'assure que c'est vrai. Regarde. »

Elle a sorti quelque chose de son passeport : une photo à peine plus grande qu'une carte postale, où elle figurait en compagnie d'un homme et de trois enfants.

Je me suis assise en face d'elle et j'ai tendu la main. « Tu me fais marcher.

— Non, c'est la vérité, je te le jure », a-t-elle murmuré sur le ton de la confession. J'ai saisi la photo et l'ai examinée avec attention. Cinq personnes au bord d'un lac — du moins, une vaste étendue d'eau qui n'était pas la mer, car on voyait une rangée d'arbres à l'horizon. L'homme était assis sur un siège de jardin, Carla et les enfants groupés autour de lui. Seules Carla et la plus jeune des enfants souriaient à la personne qui prenait la photo. Quelque chose me chiffonnait dans la composition de la scène, mais j'étais tellement ébahie par la révélation de Carla que je n'ai pas compris aussitôt de quoi il s'agissait.

L'homme — le mari de Carla, ainsi que je le savais maintenant —, la quarantaine environ, brun, possédait une beauté un peu austère, un visage sérieux, un regard pénétrant. Et une bouche sensuelle. J'ai souri. Si l'attrait principal d'un homme pour Carla était la bouche, comme elle me l'avait confié, il était facile de deviner ce qui l'avait séduite chez son mari. Les deux enfants les plus âgés étaient bruns comme leurs parents et fixaient l'appareil photo sans l'ombre d'un sourire, tandis que la benjamine, une petite fille de quatre ou cinq ans avec une masse de boucles blondes qui la faisaient ressembler à une gravure victorienne, souriait d'un air espiègle et ravi, en comédienne-née.

« Comment s'appelle-t-elle ? »

Carla s'est penchée pour regarder. « Ça, c'est Vi. »

J'ai montré l'aînée des trois, une fillette d'une douzaine d'années. « Et elle, c'est Lily ? » Carla a fait oui de la tête. « Le garçon doit donc être Rowan.

— Drôles de prénoms, hein ?

— Jolis », ai-je répondu, toujours prudente. « Et lui ? » J'ai désigné l'homme assis au centre du groupe, la fillette blonde et souriante, Vi, telle une reine sur ses genoux.

« Daniel. »

Carla a prononcé ce nom si bas que j'ai failli ne pas entendre. Daniel, évidemment, celui qui lui avait offert les boucles d'oreilles en forme d'oiseaux, le surfeur de Bondi Beach. À voir le regard grave de l'homme de la photo, il n'était pas difficile de s'apercevoir à quel point la description de Carla avait été éloignée de la réalité.

« Pourquoi t'es-tu enfuie ? » Je lui ai tendu la photo mais elle ne l'a pas prise. Je l'ai posée au bord de son lit.

« Je ne me suis pas vraiment enfuie, en réalité, j'ai exagéré. J'avais juste besoin de prendre un peu le large quelque temps, pour réfléchir. » Elle s'est levée, soudain impatiente. « Tu n'imagines pas ce que c'est de devoir simplement être présente en permanence pour les autres. J'avais l'impression d'étouffer ; pire que ça : de devenir folle, de perdre les pédales, de ne plus savoir qui j'étais.

— Tu vas revenir ?

— Je pense. Oui, bien sûr. Je n'ai pas tellement le choix.

— Et les enfants ? »

Elle m'a regardée, l'air déconcerté.

« Ils ne te manquent pas ?

— Pas vraiment. Enfin, peut-être un peu, si.

— Tu n'aurais pas dû les abandonner de cette façon, ils doivent être bouleversés.

— Eux, bouleversés ? a-t-elle répliqué avec un petit rire amer. Ils me considèrent tout juste comme une fille au pair non rémunérée. Oh, Vi, elle, ça va, elle est capable d'être très gentille quand elle veut, mais les deux autres me traitent comme une bonniche.

— Quand même...

— Il faut reconnaître que je suis nulle, comme mère. »

J'étais abasourdie. Il y avait dans la manière dont elle avait dit ces mots un désespoir profond — ni complaisance envers elle-même ni dureté, ainsi que cela aurait pu être le cas. « Oh, Carla, je suis sûre que non !

— Eux le pensent, c'est certain. »

Curieuse façon, me semblait-il, de parler de la chair de sa chair.

« Lily est la plus difficile, n'est-ce pas ? ai-je questionné d'un ton prudent.

— Elle peut se montrer une vraie terreur. Mais ce n'est pas vraiment sa faute, elle a traversé une période très difficile ces dernières années. Pas étonnant qu'elle soit grincheuse de temps en temps. »

Il m'a paru préférable de ne pas demander à Carla pourquoi Lily avait connu de telles difficultés. Je me suis contentée de remarquer : « Elle a l'air très intelligente.

— Elle tient de son père. Tous les trois, d'ailleurs, Dieu merci. »

Carla se mettait de la crème hydratante sur les jambes et me tournait le dos. J'ai jeté encore un coup d'œil sur la photo et j'ai compris alors ce qui me troublait depuis le début. Daniel tenait la plus jeune, Vi, sur ses genoux ; il avait placé une main sur le ventre de la petite fille pour l'empêcher de tomber car elle se penchait avec excitation pour sourire devant l'objectif. L'autre bras de Daniel était passé autour du garçon, Rowan, qui s'appuyait très légèrement contre son père. Lily, quant à elle — on n'avait guère de peine à imaginer, en voyant son expression grave, inflexible, que ce n'était pas une gamine commode —, entourait des deux bras le cou de son père, et pressait sa joue contre la sienne. Carla, debout de l'autre côté, avait une main posée sur l'épaule de Daniel, et l'on avait l'impression d'une lutte entre elle et Lily pour la possession de cet homme. Il y avait absence totale de contact entre Carla et ses enfants.

Bien entendu, ce n'était qu'un instantané. Quelques

minutes plus tard, tout aurait été différent : Carla aurait peut-être pris la place de Daniel, et les enfants se seraient serrés contre elle, donnant l'impression que leur père était exclu du groupe. Mais après avoir entendu Carla parler d'eux avec tant de désinvolture, j'avais tendance à penser que cette image avait un sens.

« Et Daniel ? » ai-je questionné, tout en examinant de plus près la photo. Il était séduisant, certes, mais il me semblait déceler des signes d'arrogance dans sa façon de regarder l'objectif, et il paraissait concentré sur lui-même et sur ses préoccupations d'une manière qui n'avait rien d'attirant. De surcroît, ce geste pour rassembler les enfants autour de lui en excluant Carla dénotait pour le moins un manque de sensibilité. Il fronçait les sourcils, apparemment agacé contre la personne qui effectuait la mise au point. Comme Lily, il avait l'air difficile.

« Lui ? » Carla, le dos toujours tourné vers moi, se passait maintenant de la crème sur les bras.

« Je m'inquiète pour l'épouse fugueuse, ai-je précisé d'un ton détaché.

— Oh, il sait qu'il est impossible ; en plus, il a l'habitude.

— Ah bon ?

— Oui, mais ce n'est pas ce que tu crois. Pas du tout. » Elle m'a enfin fait face, s'est agenouillée sur le lit pour attraper la photo, puis l'a reposée à l'envers sur le drap froissé. « C'est très dur à expliquer, et je ne crois pas que tu puisses piger ce genre de choses, mais il a compris qu'il fallait que je m'éloigne. Il était tout à fait pour. Daniel et moi, on s'adore, on s'est toujours adorés, depuis le début, mais par moments ça devient... étouffant, j'ai l'impression que je ne peux plus respirer, que je ne sais plus qui je suis...

— Oui, tu l'as déjà dit.

104

— Tu es embêtée à cause de Glen, hein? Eh bien, tu ne devrais pas. Glen n'est rien pour moi, strictement rien. Seulement, j'ai besoin de ça, tu comprends, j'ai besoin de me sentir égoïste et irresponsable pendant quelques jours, de m'autoriser tout ce dont j'ai envie. Bon sang, tout le monde le fait, pourquoi est-ce que je serais la seule à ne pas m'accorder du bon temps? Ce n'est pas juste, j'en ai assez d'être en permanence la femme parfaite. Pour les remerciements que je reçois! J'en ai marre, voilà, et tu peux bien prendre l'air désapprobateur, ça m'est complètement égal. Je n'ai pas de comptes à te rendre, ce que je fais ne te regarde absolument pas et...»

Je l'ai interrompue avant que son indignation n'atteigne un paroxysme: «O.K., Carla, O.K.! Tu as parfaitement raison, ça ne me regarde pas. Vite, finissons de nous habiller et allons nous amuser. On a dit qu'on les retrouverait à Yerolimani à huit heures et demie?

— Oui.» Elle a sauté sur le lit et m'a prise par les épaules. «Merci, Helen, je savais que tu comprendrais. Tu ne parleras pas de ça à Glen, n'est-ce pas?

— Bien sûr que non.

— Et tu ne...

— Non, non, il est entièrement à toi.

— Merci.» Elle m'a adressé un grand sourire. Son indignation était oubliée. «KD est plutôt mignon, lui aussi.

— Pour toi, je suis prête à m'occuper de lui. Jusqu'à un certain point, s'entend.

— Oh, tu sais, a-t-elle dit en riant tandis qu'elle remettait la photo, sans un regard, dans son passeport, tu peux bien l'entraîner au large et le noyer dans la mer, pour ce que je m'en soucie!

— J'espère sincèrement que des mesures aussi radicales ne seront pas nécessaires.»

La paix était rétablie. Une paix précaire, mais pour

le moment nous étions toutes deux prêtes à y travailler. Nous sommes revenues à des sujets plus anodins, moins risqués, tels que le maquillage et les vêtements. Carla a insisté pour que j'essaie son fard à paupières bleu électrique. Je pensais mettre une robe en lin blanc mais, Carla ayant choisi de porter une jupe blanche avec un haut rose vif, afin d'éviter qu'on ressemble à une pub pour lessive j'ai opté pour du bleu marine. Elle a enfilé des chaussures à hauts talons, moi des sandales plates ; inutile d'aller au-devant de l'humiliation totale en me cassant la figure au beau milieu d'une danse grecque.

Mais, tout en discutant avec Carla du fard à paupières bleu électrique et de sa coiffure — était-elle mieux avec les cheveux relevés ou pendants ? —, j'avais du mal à dissimuler mon malaise.

Elle avait raison sur un point : ses affaires ne me concernaient pas. N'empêche que la désinvolture avec laquelle elle parlait de ses enfants était troublante, et aussi le fait de savoir qu'elle était mariée, et ce, probablement depuis plus de douze ans. Je ne pouvais éviter de repenser à nos conversations oiseuses : Quel était l'homme idéal ? Choisirions-nous un manoir à la campagne ou un appartement avec terrasse en ville ? Avec qui aimerions-nous partager notre vie ? Confierions-nous nos enfants à une nourrice ou quitterions-nous notre travail pour nous occuper d'eux ? Le genre de discussions auxquelles se laissent souvent aller deux femmes célibataires, mais j'étais déconcertée de découvrir que je m'y étais livrée avec une femme mariée depuis longtemps et mère de trois enfants bien réels. Comme si elle avait doublement inventé.

La réalité commençait à refaire surface dans nos vies, et cela créait une gêne. Le problème, c'est que Carla m'en avait révélé juste assez pour que je n'ignore plus son vrai statut, mais pas suffisamment pour que je comprenne son attitude.

Pourquoi avait-elle dit que son mari était habitué à ses fugues ? Lui arrivait-il souvent de les quitter ainsi, lui et les enfants, pour s'offrir une ou deux semaines de soleil et de mer ? Sans oublier le sexe. Quand elle m'avait raconté son séjour catastrophique au pays de Galles, parlait-elle d'événements qui avaient eu lieu avant son mariage, ou lors d'une escapade précédente pour échapper au carcan de la vie de famille ?

Je ne cessais de me répéter que je ne disposais pas d'informations suffisantes pour me forger une opinion valable, mais je ne pouvais malgré tout m'empêcher de désapprouver sa conduite. Beaucoup de couples mariés, je le savais, prônent la liberté totale ; ils jurent que cela marche bien pour eux et que c'est préférable aux vieilles notions démodées d'engagement et de fidélité ; je n'ai pourtant jamais été vraiment convaincue par leurs arguments. Et Carla me donnait l'impression que cela ne fonctionnait pas très bien pour elle non plus.

Inutile cependant de lui laisser deviner mes doutes. Pour ne pas avoir l'air de la condamner, je me suis montrée plus enthousiaste et plus exubérante que d'habitude, riant de tout et de rien, déterminée à ce que la soirée soit un succès. Carla était enchantée.

Sous cette façade, j'étais énervée et pleine de ressentiment. J'avais hâte de rentrer en Angleterre et de retrouver ma vie de tous les jours, si simple par comparaison.

Rien de pire qu'une relation de vacances une fois qu'elle a commencé à se gâter.

Épuisés, en sueur, hilares, nous avons regagné notre table et commandé une autre bouteille de vin et de la bière.

« C'était génial.

— Fantastique.

— Je pourrais danser toute la nuit.

— Je suis crevée. »

La dernière remarque venait de moi. Je me suis affalée sur la chaise la plus proche, j'ai versé de l'eau minérale dans mon verre et j'ai feint de ne pas remarquer le curieux ballet qui se déroulait sous mes yeux. Carla, qui avait déclaré pouvoir danser toute la nuit, guettait avec anxiété quel siège Glen allait choisir, pour pouvoir s'asseoir aussitôt près de lui. Mais Glen semblait prendre un malin plaisir à retarder sa décision. KD, en revanche, était très empressé ; il a tiré une chaise et a attendu que Carla s'y installe. Carla a hésité puis, croisant le regard de Glen, elle lui a fait signe de s'installer sur la chaise à côté de celle que tenait KD. Glen lui a souri, ses yeux bleus exprimant une incompréhension totale. Carla s'est assise — elle ne pouvait pas laisser KD attendre indéfiniment — et a posé la main sur le siège voisin afin de le réserver pour Glen. Mais KD s'est précipité et elle a dû retirer sa main rapidement, sinon il se serait assis dessus. Glen a haussé imperceptiblement les épaules et est venu s'installer près de moi. Carla a dissimulé son mécontentement — non sans peine.

Je me suis retenue de rire. Le grand avantage de la danse grecque, ai-je pensé, c'est que les hommes et les femmes sont séparés. Parfois ces coutumes paysannes archaïques ont du bon.

Je me félicitais d'éprouver un intérêt minime aussi bien pour Glen que pour KD, ce qui me permettait d'assister à cette petite comédie en simple spectatrice. C'étaient des garçons avec qui passer une agréable soirée, rien de plus. Pendant que Carla et moi nous préparions et regardions la photo de son mari et de ses enfants, ils avaient enfilé des bermudas et des

chemisettes à manches courtes repassées de frais —
tenue décontractée et appropriée aux circonstances.
De toute façon, même habillé d'un sac, Glen aurait
été irrésistible, et KD était plus que présentable. Force
m'était d'admettre que Carla avait fait preuve d'un
instinct infaillible en les choisissant. C'était presque
dommage que je ne sois pas intéressée.

Un instant plus tard, Glen me gratifiait d'un sourire nonchalant et frôlait la peau nue de mon bras du
revers de la main. Un frisson m'a parcouru la nuque
et les épaules ; j'ai été stupéfaite de l'intensité de ma
réaction.

Il a retiré sa main. « Fichus moustiques, a-t-il dit.
Ils n'ont aucun respect.

— Oh, merci. » Ma voix était devenue étrangement
rauque. J'ai avalé une gorgée d'eau.

Carla m'a jeté un regard comme en ont dans les
vieux westerns les gens bien-pensants — ceux qui
vont à l'église — pour la femme de mauvaise vie
qu'ils s'apprêtent à chasser de la ville. Je lui ai souri
sans conviction. « Tu ne veux pas changer de place
avec moi, Carla ? Je sais que tu préfères être assise le
dos contre le mur.

— D'accord », a-t-elle répondu en se levant d'un
bond.

J'ai pris la place de Carla et je me suis adressée à
KD : « Tu sembles avoir pigé tout de suite la danse
grecque, tu es sûr que tu n'as jamais essayé avant ?

— Non, a-t-il répliqué en m'observant avec
attention.

— J'adore danser, a expliqué Carla à Glen. C'est
pour ça que la comédie musicale est tellement
géniale : tu danses et tu chantes en même temps. J'ai
eu l'occasion de danser des danses espagnoles et
russes. Je pourrai peut-être un jour introduire une
danse grecque.

« — Une comédie musicale grecque? me suis-je écriée. J'ignorais que ça existait.

— Qu'est-ce que tu connais au showbiz? a répliqué Carla d'un ton acerbe.

— J'ai joué une fois dans une comédie musicale, a affirmé Glen.

— Vraiment?» J'étais surprise.

«En quatrième, a-t-il précisé avec un grand sourire. Mais j'avais le premier rôle.

— Wouaouh! s'est exclamée Carla, admirative. J'aurais bien aimé voir ça.

— Moi, j'étais un cas désespéré au lycée, ai-je dit. On ne me choisissait jamais. Pour rien.

— Je comprends pourquoi, a ricané Carla. Tu n'as pas du tout pigé les pas de danse, tout à l'heure, hein?» Parfait, ai-je pensé, tu verras si je te propose d'échanger nos places, la prochaine fois. Elle a continué: «J'ai toujours eu les rôles principaux, depuis toute petite. Quand j'avais six ans, un imprésario voulait m'engager, mais ma mère a refusé parce qu'elle trouvait que j'étais trop jeune et que je ne pouvais pas me permettre de manquer l'école. J'ai répondu: "La scène est la seule école qu'il me faut", mais elle n'a pas cédé. Je me demande souvent...

— Tu as réellement dit ça? s'est étonné KD dont les yeux intelligents scrutaient le visage de Carla.

— Quoi?

— Que la scène était la seule école qu'il te fallait.

— Tu sous-entends que je l'ai inventé?

— Pas exactement, mais tu n'avais que six ans. C'est une notion compliquée pour une enfant de cet âge-là. Il se peut que plus tard, en entendant ta mère raconter cette histoire, tu aies pensé à ce que tu aurais voulu lui répondre; par la suite, ce souhait et ton souvenir se sont mélangés. Cela arrive souvent.

— Euh, je ne vois pas..., a marmonné Carla, l'air contrarié.

— Cela se produit tout le temps, en effet. » Une fois de plus, Glen intervenait pour aplanir les choses, ce qui valait mieux. Alors que Glen et KD s'en tenaient à la bière, Carla avait bu bien plus que sa part des deux bouteilles de vin, ainsi que plusieurs apéritifs avant le repas. Glen a poursuivi de sa voix placide et grave, si séduisante : « L'hiver dernier, le petit Glen junior était terrorisé à l'idée d'entrer dans sa chambre le soir ; cela a duré un mois, il disait que le Phleu Bleu vivait là...

— Oh, que c'est mignon. » Carla s'est penchée sur Glen comme si c'était l'histoire la plus intéressante qu'elle eût jamais entendue. « Qu'est-ce donc qu'un Phleu Bleu ?

— Personne n'a réussi à savoir. Aucun des autres gamins n'avait jamais rencontré de Phleu Bleu — ni de quelque couleur que ce soit, d'ailleurs —, mais Glen junior était tout simplement persuadé de l'avoir vu. Il l'a même dessiné ; je dois avouer que ç'avait l'air assez effrayant.

— Pauvre petit chou », a roucoulé Carla.

N'ayant pas encore digéré ses deux dernières rebuffades, je me suis demandé comment elle pouvait se montrer si maternelle vis-à-vis d'un enfant qu'elle ne connaissait même pas, et si indifférente aux siens.

« Le fait est, a expliqué KD, que Glen junior se souviendra du Phleu Bleu comme s'il existait réellement. C'est exactement pareil avec les souvenirs, qu'il s'agisse d'un rêve, de quelque chose dont on a entendu parler ou d'un événement réel. La fonction mémoire de notre cerveau n'est pas capable de distinguer entre les faits et la fiction. » Il avait posé les coudes sur la table et se penchait en avant, s'adressant

111

« C'est vrai ? » a questionné Glen.

J'ai acquiescé d'un signe de tête.

« Un parchemin vierge, a-t-il répété. Bon. »

Carla a changé de sujet de conversation et, à partir de là, plus personne ne m'a posé de questions. De temps à autre, Glen ou KD me jetaient un regard curieux, mais ils avaient sûrement conclu que je ne voulais pas parler de ma vie privée, point final. Ce qui ne manque pas d'ironie, quand on songe que ce fut le dernier jour de ma vie où je n'avais rien de vraiment intéressant à cacher.

Je suis revenue des milliers de fois sur les événements de cette dernière journée. Certains éléments sont flous dans ma mémoire mais la plupart demeurent parfaitement clairs, et certaines images se détachent des autres : le regard perspicace de KD étudiant Carla tandis qu'elle jouait au billard, des bribes de conversations. Et aussi, plus tard, quand, installée dans la fraîcheur et la pénombre du café, j'ai jeté un coup d'œil à la plage inondée de soleil et aperçu mon Roméo bigleux. Il m'avait remarquée à un moment où je riais parce que Glen m'avait bousculée par jeu ; son visage était devenu encore plus étrange et laid que d'habitude, à cause de son expression où le dégoût se mêlait à la lubricité — un mélange toujours repoussant de toute façon.

On a donc joué au billard et bu de la bière. La radiocassette derrière le bar débitait des tubes américains de l'été précédent, ainsi que des succès anglais des années soixante. Le ventilateur ronronnait au plafond. On s'est attardés, on a bavardé, on a ri.

Difficile de donner un âge à nos deux nouveaux amis ; au début je pensais qu'ils avaient vingt-trois ou vingt-quatre ans, mais une ou deux remarques qu'ils directement à Carla. Il la regardait d'un air provocateur, mais avec un intérêt évident. KD avait manifestement décidé de se mettre en couple avec elle — si c'était cela qui devait se passer —, de la même façon que Carla avait jeté son dévolu sur Glen.

Dans une dernière tentative pour détourner l'attention de KD, ou du moins de montrer que j'essayais, je lui ai dit : « Ah, ça explique quelque chose qui m'a toujours tracassée.

— Quoi donc, Helen ? a questionné Glen en s'écartant un peu de Carla.

— J'ai le souvenir très précis d'avoir tenté de pousser ma sœur dans le puits du jardin de notre maison.

— Charmant ! a ricané Carla.

— Je m'en souviens très clairement, ai-je continué avec courage. Je me rappelle tout en détail : les parois du puits, ma rage contre ma sœur, nos deux visages qui se reflétaient dans l'eau sombre au-dessous de nous, et ses petites mains potelées qui s'agrippaient au rebord de pierre ; puis les adultes qui couraient dans l'allée et criaient, et moi, furieuse et soulagée à la fois de ne pas pouvoir mettre mon projet à exécution. Mais le plus étrange de tout cela, c'est que je n'ai jamais fait une chose pareille : c'est ma mère qui avait tenté de pousser sa propre sœur dans un puits. »

Carla s'était versé un autre verre de vin. « Peut-être que c'est héréditaire, dans ta famille, a-t-elle remarqué, de pousser ses frères et sœurs dans des puits. Plutôt déplaisant, à mon avis.

— Là n'est pas la question, ai-je répliqué. Cela ne pouvait pas m'être arrivé ; d'abord, nous vivions en appartement...

— Et alors ? Tu étais peut-être allée en visite chez tes grands-parents.

— Mais nous ne leur avons jamais rendus visite. C'était impossible, cette maison avec le puits dans le jardin n'était même pas située en Angleterre. J'en ai vu des photos mais je n'y ai jamais mis les pieds. J'ai seulement entendu ma mère raconter l'histoire, et d'une certaine façon je me la suis appropriée ; je m'en suis souvenue comme si ça m'était arrivé à moi, et non à elle.

— Voilà qui est très intéressant, Helen, a commenté Glen.

— Tu devais être vraiment furieuse contre ta sœur, a observé KD.

— Pas forcément, a lâché Carla d'un ton léger. Helen est fortiche pour supprimer les gens ; on pourrait presque dire que c'est une habitude, chez elle.

— Quoi ? » Malgré la chaleur qui régnait dans la *Taverne de Ianni*, surtout après la nourriture, le vin et la danse, je me suis sentie transie tout à coup, comme si un cube de glace avait glissé le long de ma colonne vertébrale.

« Pourquoi tu dis ça ? » a interrogé KD, amusé.

L'angoisse me tordait le ventre. Bon sang, elle ne va quand même pas parler de ça ! ai-je pensé. Non, c'est impossible ! Qu'est-ce qui m'avait pris de lui parler de Gabriel ? Je devais être folle, ce jour-là. Il fallait que je l'empêche de continuer, que je détourne son attention, que je renverse un verre, que je fasse semblant d'étouffer, que je me mette soudain à chanter... n'importe quoi, pour l'empêcher d'évoquer cette histoire. Mes lèvres remuaient mais aucun son n'en sortait. Mon Dieu...

Soudain, je me suis rendu compte que Carla ne s'occupait plus de moi. Elle avait aperçu quelqu'un — ou quelque chose — à l'autre bout de la taverne, et pendant un moment son visage a perdu toute expression.

Je me suis retournée pour voir à qui ou à quoi je devais mon salut, et j'ai aussitôt reconnu l'homme grand et élégant que j'avais remarqué près du port de Yerolimani. Cette fois, comme il ne portait pas de chapeau, j'ai pu constater que ses cheveux étaient d'un beau blond roux. Il m'est alors revenu en mémoire la lumière aveuglante du soleil quand j'étais sortie de l'aéroport, l'homme appuyé contre une voiture blanche, son regard désinvolte, insistant. Présentement, il était attablé en compagnie d'un couple plus âgé et, lorsque tous trois se sont rendu compte que Carla et moi les regardions, ils ont levé leurs verres pour saluer, sans sourire.

« Tu connais ces gens ? » ai-je demandé à Carla.

Elle n'a pas répondu.

« Ce sont les touristes que tu as rencontrés la semaine dernière ?

— Qui ? » Elle a froncé les sourcils et a reporté sur moi une parcelle de son attention. « Quels touristes ? Non, bien sûr. Est-ce qu'ils ont l'air de touristes ? »

Elle a attrapé son verre de vin, l'a vidé d'un trait, s'est resservie. Puis elle s'est blottie contre Glen, dont elle a saisi le bras pour le placer sur ses épaules. Elle lui a pris la main et a murmuré : « Le deuxième tour de danse va commencer dans une minute. Dansons ensemble, cette fois, juste toi et moi. »

J'en avais assez. J'étais horrifiée à l'idée que Carla, maintenant qu'elle avait fait allusion à mon secret, puisse remettre le sujet sur le tapis. Elle semblait capable de n'importe quoi. Les soirs précédents, nous nous étions un peu enivrées, toutes les deux, mais ce soir elle était carrément soûle. Des gouttes de sueur perlaient sur sa lèvre supérieure et ses gestes étaient ralentis, incertains. C'était une maigre consolation de constater que la moitié des clients au moins étaient en plus piètre état encore, criant, caquetant, renversant des chaises, se marchant sur les pieds, tout en se dirigeant vers l'espace dégagé où la «danse grecque» allait reprendre.

J'ai remarqué toutefois que les trois personnes repérées par Carla ne se mêlaient pas aux danseurs. Elles buvaient du vin et considéraient le déroulement des opérations avec un dédain manifeste. Ianni jouait son rôle à merveille : une fois de plus, il a montré les pas, et, malgré son imposante carrure, il agitait les jambes et tapait des pieds avec beaucoup d'enthousiasme. J'espérais que la recette de la soirée serait bonne : à coup sûr, il méritait chaque drachme qu'il gagnait.

Pour ma part, j'avais suffisamment contribué à son fonds de retraite.

«Je suis fatiguée, ai-je déclaré. Je vais rentrer à l'hôtel.

— Tu n'as plus envie de danser, Helen? m'a demandé Glen.

— Pas vraiment, non.

— Rabat-joie, a lancé Carla, la tête contre la poitrine de Glen. Nous, on va danser, n'est-ce pas?»

Mais Glen a répondu : «Nous allons te raccompagner à ton hôtel, Helen.

— Ne vous en faites pas pour moi.

— Ce n'est pas un problème.

— Mais je veux danser! a gémi Carla.

— Je danserai avec toi, a proposé KD.

— Et moi, je raccompagne Helen.

— Ah, non, a grommelé Carla. C'est marrant seulement si on reste tous ensemble. Je crois que je vais rentrer aussi.

— Comme tu veux.» KD souriait. «Je vais aux toilettes.»

KD s'est levé. Glen s'est dégagé des bras de Carla qui l'enserraient comme des tentacules, s'est levé à son tour et a suivi KD au fond de la salle. J'ai fait signe au serveur de nous apporter l'addition. N'ayant pas envie de parler à Carla, qui devait être furieuse, je lui ai tourné le dos. Le niveau sonore était infernal et la danse grecque, qui démarrait maintenant pour la deuxième fois de la soirée, dégénérait en une version abâtardie de conga.

Les doigts osseux de Carla ont agrippé mon bras. « T'es une sacrée copine, il n'y a pas à dire !

— Oh, Carla, arrête, s'il te plaît. » J'ai essayé de retirer mon bras, mais elle le serrait très fort.

« Tu savais qu'il me plaisait, mais tu as jeté ton dévolu sur lui depuis le début !

— Seigneur, Carla, comment peux-tu affirmer une chose pareille ?

— Jouer les insaisissables, bon sang, c'est un truc archiconnu, je suis surprise que tu sois descendue aussi bas. N'importe qui peut voir clair dans ton jeu.

— Tu te trompes du tout au tout, Glen ne m'intéresse pas. Tu n'as pas le droit de t'en prendre à moi parce que son choix ne correspond pas à tes plans. Lâche-moi le bras et...

— Non, mais tu t'entends ? Quelle bégueule ! Tu ne peux pas te décoincer et t'amuser un peu, pour une fois ?

— Tu es soûle.

— Évidemment que je suis soûle, j'aime être soûle. J'ai envie d'être tellement soûle qu'on nous flanque à la porte de ton foutu hôtel et... »

Elle s'est interrompue. Glen et KD revenaient en se faufilant entre les chaises et les tables. Ils paraissaient merveilleusement décontractés, sobres et sereins par contraste avec la foule des vacanciers qui tanguaient et beuglaient.

Nous avons réglé et sommes sortis de la taverne.

Quand nous avons commencé à marcher sur la route contournant le port qui nous ramènerait à notre

116

hôtel, j'ai pris conscience que j'étais mal placée pour accuser Carla d'être soûle : j'avais pas mal bu, moi aussi ; on avait dû vider trois bouteilles de vin, pas deux.

J'ai trébuché sur un pavé disjoint, et je serais tombée si je ne m'étais raccrochée au bras tendu pour me venir en aide. Il se trouve que c'était celui de Glen.

Je m'en fichais maintenant. Dans vingt minutes nous serions de retour à l'hôtel, les deux garçons retourneraient à leur logement dans les collines et, avec un peu de chance, nous ne les reverrions jamais. Cette soirée ridiculement compliquée, cette soirée cauchemardesque appartiendrait au passé.

Si seulement...

7

Bien entendu, la soirée ne s'est pas terminée là.

À un moment donné, sur le chemin du retour, l'atmosphère a changé une fois de plus. L'air chaud, chargé d'odeurs de résine et de tous les parfums de la nuit méditerranéenne, était une caresse sur la peau. Après le vacarme assourdissant de la musique à la *Taverne de Ianni*, les différents sons de l'île se mêlaient avec une douceur magique : le clapotis des vagues qui se brisaient sur le rivage ; le chant hypnotique des cigales et le ululement de la chouette ; le tapage des cafés, et un refrain fredonné d'un air rêveur ; le vrombissement des voitures qui négociaient les virages en épingle à cheveux à l'entrée et à la sortie de Yerolimani. J'aurais résisté sans peine aux demandes de Carla, qui voulait que nous restions un peu plus longtemps à la taverne, mais j'aurais eu beaucoup plus de mal à résister à l'appel de l'île. Après tout, dans quarante-huit heures je retrouverais la grisaille de l'Angleterre et la perspective du travail le lundi matin. Je tenais à profiter de chaque instant.

Carla a proposé de prendre un verre au bar. Bonne idée. Elle et moi avons commandé des cafés et une bouteille d'eau minérale, les garçons sont restés fidèles à la bière.

Nous sommes allés nous installer avec nos boissons à la table la plus éloignée, au-delà de la rangée de lampions suspendus tout autour de la terrasse. Les pieds de nos chaises s'enfonçaient dans le sable, et le siège de Carla s'est incliné du côté de Glen. Glen a tendu le bras pour amortir sa chute et lui a adressé un sourire éblouissant ; il a gardé la main de Carla dans la sienne même après qu'elle a eu repris son équilibre. Elle a souri à son tour — un sourire détendu, décontracté.

« Quelle nuit ! » J'étais contente qu'elle obtienne ce qu'elle désirait. J'étais heureuse. Les lumières des petits bateaux de pêche brillaient au loin sur les eaux calmes ; impossible de dire à quelle distance ils se tenaient, à cause de l'obscurité.

Carla s'est mise à fredonner — à fredonner d'abord, puis à chanter :

Summertime, and the living is easy,
Fish are jumping, and the cotton is high...

J'écoutais, médusée. Elle avait une voix magnifique, rauque et vibrante d'émotion, une voix de chanteuse de charme, qui s'accordait parfaitement avec le moment, l'ambiance et la chanson.

Your daddy's rich, and your mamma's good-looking,
So hush, little baby, do-o-o-n't you cry-y.

Carla est allée jusqu'au bout, et j'étais prête à croire ce qu'elle avait prétendu : qu'elle était une chanteuse professionnelle. En tout cas, elle connaissait les paroles en entier.

« C'était beau, Carla », ai-je dit.

Elle a souri. « Merci.

— Oui, c'était super.

— Chante-nous autre chose. »

Elle ne s'est pas fait prier et a interprété d'autres chansons. De temps en temps, nous faisions les chœurs ou nous fredonnions ; une ou deux fois, KD a imité un accompagnement de banjo et Glen un rythme de percussions, mais la plupart du temps

119

nous nous contentions d'écouter. Les clients du café ont formé un cercle autour de nous et, quand Carla a terminé la dernière chanson, ils ont applaudi spontanément. J'ai remarqué que même Despina était sortie de sa cuisine ; un peu en retrait de la foule, elle souriait et approuvait en hochant la tête.

Carla rayonnait de bonheur. Elle tenait toujours Glen par la main et ses yeux brillaient. Enfin, elle était le centre d'intérêt, exactement comme elle le souhaitait. Peut-être que les choses allaient s'arranger, en fin de compte.

J'ai aperçu mon don Juan bigleux qui rôdait dans l'ombre près de l'hôtel ; j'étais tellement soulagée que le désastre ait été évité que je lui ai souri. Je ne suis pas certaine qu'il l'ait remarqué ; il semblait regarder Carla, pour autant que j'aie pu en juger.

« Ça suffit pour ce soir, a décrété celle-ci, sinon je vais perdre ma voix. Qu'est-ce qu'on fait, à présent ?

— Nous avons prévu de louer un bateau demain, a dit KD. Vous aimeriez nous accompagner, mesdames ?

— Je trouve que c'est une super-idée, a approuvé Carla.

— Moi aussi. »

Le public de Carla s'est dispersé. Un couple de vacanciers arrivés le jour même s'est dirigé vers la mer. Nous avons entendu leurs cris et le bruit des éclaboussures quand ils sont entrés dans l'eau.

« Mais maintenant ? » a insisté Carla.

J'ai suggéré une promenade. Glen a répondu que ça lui était égal. KD a proposé une baignade.

« Génial ! s'est exclamée Carla. Je vais chercher mon maillot.

— Hé, attends, KD, a objecté Glen. Nous n'avons pas emporté nos slips de bain.

— Mince, j'avais complètement oublié.

— On peut toujours aller à l'autre plage, ai-je remarqué.

— Comment ça ? » s'est étonné Glen.

Carla m'observait. « Le maillot n'est pas obligatoire, a-t-elle expliqué.

— C'est la plage de nudistes du coin.

— Formidable ! s'est écrié KD. Je ne me suis pas baigné à poil depuis mon enfance. Cette plage est tout près de chez nous.

— On la trouvera dans l'obscurité ? s'est inquiétée Carla.

— Sans problème, ai-je répliqué. On la rejoint par un sentier, cela ne devrait pas nous prendre plus de dix minutes ; c'est bien plus facile que de revenir à pied de Yerolimani et on le fait tous les soirs. »

Je la sentais réticente, mais à ce stade je m'en fichais. J'avais passé suffisamment de temps à me préoccuper de Carla. Elle avait obtenu ce qu'elle attendait de cette soirée, ou en tout cas elle l'obtiendrait sans doute bientôt. Elle avait sa main sur l'épaule de Glen, et celui-ci lui caressait les doigts d'un air un peu absent. Il était temps que je pense à ce que je voulais, moi.

Depuis ma première baignade — désastreuse — à la plage de nudistes, j'avais eu envie de retenter l'expérience, mais dans de meilleures conditions. Quelles conditions plus favorables que l'intimité d'une nuit étoilée ? Carla voulait un souvenir de liaison torride ; moi, tout ce que je désirais, c'était nager nue dans la Méditerranée. La tiédeur de la mer sur ma peau : le summum du plaisir sensuel. Même la lune était présente, une lune ronde, claire et belle, qui brillait au-dessus des eaux calmes de la baie.

« D'accord. » Carla savait qu'il y avait plus de pour que de contre, et elle faisait son possible pour que la décision semble émaner d'elle. « On continuera la fête sur la plage. Super. Emportons des bières avec nous et...

— Pas de bières, ai-je dit aussitôt. Nager et boire sont incompatibles, et nous avons déjà beaucoup bu.

— Seigneur, arrête tes discours, Helen. Je ne suis pas complètement idiote, je n'ai pas l'intention de nager et de boire en même temps. Mais on aura envie de boire quelque chose après. »

Nous avons acheté des bières au bar ; j'ai également pris deux bouteilles d'eau minérale mais, après tout l'alcool que nous avions ingurgité chez Ianni, le café avait eu le désagréable effet de me rendre consciente de mon ébriété sans pour autant l'atténuer. Quand nous avons atteint l'extrémité de la plage et trouvé le sentier qui grimpait au milieu des arbres, KD a sorti une bouteille de Metaxa qu'il a fait passer à la ronde. J'ai avalé une bonne rasade d'alcool ; c'était fort, j'en avais les larmes aux yeux, mais au bout de quelques secondes mes idées ont commencé à s'éclaircir. Une illusion de lucidité. Je me suis promis de rester près du bord, inutile de m'aventurer en eaux profondes.

À mi-chemin, dans une zone plantée de cyprès très rapprochés que traversaient à peine les rayons de la lune, KD et Glen ont annoncé qu'ils avaient besoin d'«aller aux toilettes».

Ils se sont engagés sur la droite au milieu des arbres, nous avons entendu le bruit de leurs pas dans les broussailles, le son de leurs voix qui diminuait.

J'ai dit à Carla : « Les toilettes ? Quelles toilettes ? Il faut que j'en fasse autant. Je vais de ce côté.

— Qu'est-ce que c'était ? » Elle a poussé un petit cri de frayeur et s'est serrée contre moi. Même de près, je ne distinguais pas ses traits à cause de l'obscurité.

« Que se passe-t-il ?

— Tu as essayé de m'attraper ?

— Quoi ?

— Quelque chose m'a frôlée. Il y a quelque chose par ici.

— Ne sois pas sotte, Carla, c'est juste un papillon de nuit, je suppose.

— Non, j'ai senti comme une main. » Elle chuchotait. « Tu n'entends pas respirer ? »

Les bras autour de ma taille, elle tremblait.

« C'est ton imagination. Qui pourrait nous suivre ?

— Il y a des gens bizarres dans le coin.

— Qui, par exemple ? » J'étais contrariée, sa panique était contagieuse : j'ai cru entendre un mouvement derrière nous sur le sentier, une respiration rauque, des pas foulant les aiguilles de pin.

« Je ne sais pas, ça pourrait être n'importe qui. Le type qui louche nous épiait au café. »

Je me suis forcée à rire. « Pourquoi nous suivrait-il ? »

N'empêche que je n'avais plus envie de m'aventurer dans le bois de cyprès. Mieux valait rester là avec Carla, même si elle tremblait toujours.

Des pas et des murmures se rapprochaient. J'ai glissé mes bras autour de Carla, c'était moi qui avais besoin d'elle maintenant. C'est seulement lorsque KD a grommelé : « Bon sang, où est ce fichu sentier ? » que j'ai poussé un soupir de soulagement.

Carla s'est jetée contre Glen et KD. « Oh, mon Dieu, on a eu tellement peur, on a cru que quelqu'un nous suivait ! Vous êtes partis si longtemps, qu'est-ce qui vous est arrivé ? J'ai cru mourir de frayeur ! »

Ils étaient éberlués. Je leur ai tourné le dos et je me suis mise à marcher rapidement en direction de la plage. J'étais furieuse de m'être laissé gagner par la panique de Carla, et encore plus furieuse de son numéro de la faible femme en danger. J'étais même furieuse contre les garçons qui gobaient tout cela avec une délectation évidente.

Une voix m'a poursuivie dans le noir, celle de KD :
« Ça va, Helen ?

— Bien sûr que ça va. »

J'ai accéléré le pas. Je courais presque, au moment où j'ai émergé de la profonde obscurité du bois de cyprès et où j'ai senti le sable sous mes pieds. La plage prenait des reflets d'argent sous la lune. La terreur des instants précédents a disparu. Je frémissais d'excitation, mon cœur battait à se rompre. Voilà ce dont je rêvais depuis longtemps.

La plage était déserte. Pas une maison, pas un café, pas une route à proximité du rivage. Seulement cette grande et belle étendue de sable clair. Trois bateaux étaient amarrés à une cinquantaine de mètres, et leurs feux de navigation brillaient à la surface sombre de l'eau. Quelques lumières scintillaient dans les collines : villas, fermes perdues au milieu des oliviers. De temps à autre, on entendait le vrombissement d'une voiture passant sur la route côtière, on apercevait le faisceau des phares qui s'élargissait puis se rétrécissait au-delà des arbres.

J'ai marché à toute allure jusqu'au bord de l'eau ; de minuscules vagues clapotaient doucement sur le sable — des vagues joueuses, taquines.

J'ai enlevé mes sandales et j'ai laissé le sable tiède s'écouler entre mes orteils. Vite, sans me préoccuper des autres, je me suis débarrassée de ma robe, de mon soutien-gorge et de ma culotte, et j'ai tout abandonné en vrac.

Quelle liberté d'être nue et seule au clair de lune, près de la mer ! J'ai avancé, l'eau tiède m'a enveloppé les chevilles.

« Hé, attends-moi ! Attends-nous ! »

Mais je n'avais pas envie d'attendre qui que ce soit, et certainement pas Carla. Elle riait et bavardait avec Glen et KD tout en retirant ses vêtements, mais elle transformait cela en un ridicule numéro de strip-tease ; je l'ai entendue chanter à tue-tête les premières mesures de : *Déshabillez-moi*, et je l'ai vue faire tournoyer en l'air son soutien-gorge avant de le lancer en direction de Glen et KD qui cherchaient à ôter leurs bermudas et leurs slips en sautillant d'un pied sur l'autre. Ensuite, je ne les ai plus vus ni entendus parce que j'ai plongé et nagé sous l'eau aussi longtemps que possible, et je suis remontée à la surface seulement quand j'ai cru que mes poumons allaient éclater — plus tôt qu'en temps normal, ce qui m'a dessoûlée, d'une certaine façon. Je me suis rendu compte que l'alcool avait affecté mes capacités respiratoires... et probablement toutes mes autres facultés.

J'ai fait la planche en regardant du côté de la plage pour vérifier la distance que j'avais parcourue. J'ai entr'aperçu l'ombre d'un mouvement sur les rochers à ma droite, juste en face du bosquet de cyprès que nous avions traversé quelques minutes plus tôt. Un bruit sourd a suivi, comme celui d'un objet tombant à l'eau, ou de quelqu'un qui plongeait. Glen ou KD avait dû marcher jusqu'à l'extrémité de la plage et grimper sur les rochers — pas très prudent, de nuit, dans un endroit inconnu.

Je suis revenue sans me presser vers la plage ; les trois autres pataugeaient dans l'eau, pas très loin de l'endroit où j'avais abandonné mes vêtements. J'ai réalisé que, si l'un des garçons avait plongé depuis les rochers, il devait être un sacré nageur pour avoir rejoint les autres aussi vite. Peut-être mon imagination m'avait-elle joué un tour. Peu importait, d'ailleurs.

Je me suis mise sur le dos et me suis laissée flotter, les yeux rivés sur le spectacle incroyable des millions d'étoiles qui parsemaient le ciel, sur la beauté parfaite de la lune, tandis que l'eau tiède massait mon corps telles des mains amoureuses.

Dans ma tête, comme on le fait souvent, je traduisais déjà mon expérience en mots ; au moment même où je vivais cet instant merveilleux, je le transformais en souvenir. Je parlais en imagination à une amie : «Il faut vraiment que tu essaies, c'est comme faire l'amour avec la mer. Oui, je sais que je peux donner l'impression d'une vieille fille frustrée, je sais aussi que j'avais trop bu, mais quand même... Je n'ai jamais rien éprouvé de semblable. C'était incroyablement érotique, mais pur en même temps...» Oh, ça suffit, Helen, me suis-je dit. Ne peux-tu pas simplement vivre l'instant présent ? Oublie les mots...

J'ai essayé. Je suis restée sur le dos et j'ai fixé une étoile — ou une planète, je n'ai jamais su la différence — en m'obligeant à me concentrer sur cet unique point de lumière, ainsi que sur le jeu de l'eau sur ma peau, qui semblait s'être transmuée en une espèce de soie liquide...

Quelque chose de dur contre mon bras, une main qui se refermait sur mon épaule. J'ai crié, j'ai basculé en avant, la tête la première, et j'ai bu la tasse. J'ai lutté pour me dégager, je me suis relevée à grand-peine et je me suis retournée pour affronter mon attaquant. J'étais furieuse et prête à la bagarre.

Glen. Ses cheveux blonds décolorés par le soleil paraissaient presque blancs à la clarté de la lune. Il riait.

«Salaud ! J'ai failli me noyer !

— Désolé.»

Bien sûr, il ne l'était pas le moins du monde. Le sourire aux lèvres, il me regardait tandis que je toussais et secouais la tête.

«Ça va, maintenant ?

— Sûrement pas grâce à toi.»

Il s'est approché imperceptiblement, et sa bouche

s'est posée sur la mienne. Je suis restée d'une immobilité parfaite. Sa langue a forcé mes lèvres à s'ouvrir et je me suis entendue pousser un petit grognement — de plaisir. Il s'est écarté.

« J'espère que ça ne t'ennuie pas, Helen, a-t-il dit de sa voix traînante, suave. J'en ai eu envie toute la soirée.

— Pas très original, comme réplique.

— Pourtant, c'est la vérité. »

En m'aidant de mon bras, je me suis éloignée de lui, de un mètre environ, puis j'ai basculé en arrière, levé les jambes en l'air et appuyé la plante de mon pied contre sa poitrine ; surpris, il a manqué perdre l'équilibre.

« Les coups de pied sont interdits, a-t-il déclaré en m'attrapant par la cheville.

— Par qui ?

— Moi. » Il m'avait saisi le genou et me tirait lentement vers lui. Je souriais à présent.

« Vous essayez de vous noyer mutuellement ou quoi ?

— Ah, c'est toi, KD. » Glen a lâché mon genou.

« Ou quoi ? ai-je répliqué.

— Pardon ?

— Ça n'a pas d'importance. » Je souriais toujours.

— « Je vous dérange, peut-être ?

— Oui.

— Non.

— Compris ! Oh, oh, que se passe-t-il là-bas ? »

Nous nous sommes retournés tous les trois en même temps. Carla appelait, d'une voix où l'on percevait de la colère et de la peur. « Au secours, vite ! Je n'ai pas pied ! J'ai nagé trop loin ! Il y a quelque chose dans l'eau ! Je le sens, ça me frôle les jambes ! Oh, mon Dieu, je crois que c'est une pieuvre ! Au secours ! Où êtes-vous, tous ?

— Laissez-la, ai-je dit. Elle joue la comédie. »

Glen m'a lancé un regard très bizarre, mais KD a répondu : « Peut-être, et peut-être pas. Je vais voir. »

Il a nagé, vite et bien, dans la direction d'où venaient les cris. J'ai eu honte de ne pas avoir pris au sérieux l'appel au secours de Carla.

« Nous ferions mieux d'y aller aussi, ai-je déclaré.

— KD peut se débrouiller. »

Nous avons cependant commencé à nager à la suite de KD. Nous l'avons entendu crier : « C'est bon, Carla, j'arrive ! » Carla a hurlé : « Vite ! Je ne peux pas tenir plus longtemps ! Je me noie ! », puis, quand KD est arrivé à sa hauteur : « Oh, merci mon Dieu. J'ai eu tellement peur !

— Tout est bien qui finit bien, a conclu Glen en se tournant vers moi.

— Génial. »

Nous nous sommes arrêtés pour les regarder, contents de simplement nager sur place. Carla babillait, visiblement très soulagée. Pourtant, elle ne devait pas s'être éloignée de plus de quelques mètres de l'endroit où elle avait pied. Mes soupçons sont revenus. Je savais qu'elle était une piètre nageuse, mais sûrement pas à ce point. Nous nous trouvions peut-être à vingt mètres du bord, et nous avons vu distinctement KD marcher dans l'eau en portant dans ses bras une Carla éperdue de reconnaissance.

« Il regarde beaucoup les feuilletons, à la télé », a commenté Glen.

À l'instant où KD l'a déposée sur la plage, Carla lui a jeté les bras autour du cou et l'a embrassé avidement. « Tu m'as sauvé ! Tu es merveilleux ! » Et elle a recommencé à l'embrasser.

« Je suppose qu'elle aussi regarde les feuilletons, ai-je dit.

— Ça m'en a tout l'air. »

Je me suis rendu compte qu'à un moment donné, pendant que nous revenions vers la plage, Glen m'avait pris la main. Sans un mot, il m'a attirée contre lui dans l'eau. Je me suis tournée légèrement pour observer son visage qui se rapprochait du mien, pour admirer ses yeux extraordinairement clairs fixés sur les miens. Cette fois, quand sa bouche s'est posée sur la mienne, j'étais prête. Plus que prête.

J'ai passé le bout de ma langue sur ses lèvres. «C'est salé.

— C'est bon.»

Nous ne nous sommes interrompus qu'en entendant des voix qui nous appelaient depuis la plage.

«Hé, vous deux! On rentre!

— On emporte le Metaxa. Prenez les bières, O.K.?»

Nous avons agité la main et crié :

«D'accord!

— On vous rejoint plus tard!»

Nous les avons regardés s'éloigner. KD avait mis ses bras autour des épaules de Carla. Au bout de quelques pas, Carla s'est arrêtée pour l'embrasser une fois de plus.

«Il lui plaît, a constaté Glen.

— Où vont-ils?

— Chez nous, je suppose. C'est à dix minutes d'ici environ, pas loin de la route.»

Leurs voix diminuaient.

Glen m'a serré la main plus fort. «Où en étions-nous?

— À un moment très agréable.

— Ah oui, je m'en souviens maintenant.»

Il m'a prise dans ses bras, a posé les mains sur mes omoplates, m'a attirée contre lui et m'a embrassée pour la troisième fois. Puis il a relevé les jambes et a croisé les pieds au niveau de mes reins; il s'est rapproché encore davantage et j'ai senti contre mon ventre son sexe qui bougeait un peu. Un peu seulement.

Je voulais davantage.

Pas un instant je n'avais décidé de faire l'amour avec Glen. En entrant nue dans la mer tiède, j'avais la certitude que ce serait là le point culminant de ma soirée, que la seule histoire d'amour que je cherchais était de me dissoudre dans la nuit méditerranéenne. Mais, après avoir vu Carla et KD disparaître au bout de la plage au milieu du chant des cigales, je savais déjà que si Glen en avait envie, moi aussi.

Mon assurance m'a surprise, quand j'y ai repensé par la suite. Je n'ai jamais été adepte des rencontres de hasard, encore moins des aventures d'un soir. Faire l'amour avec un homme rencontré quelques heures plus tôt et dont je ne connaissais même pas le nom de famille, voilà qui ne cadrait pas du tout avec l'image que je m'étais toujours faite de moi-même.

Bon sang, cela valait la peine, quand même. D'une certaine façon, c'était la conclusion logique de la fiction que nous avions créée, Carla et moi, et qui consistait à croire qu'ici, sur l'île, nous pouvions devenir qui nous voulions. De là, il n'y avait qu'un pas à franchir pour atteindre l'illusion, infiniment séduisante, qu'on pouvait jouir de quelques heures de pur plaisir excluant tous les détails assommants qui alourdissent d'ordinaire une relation : l'engagement qu'elle implique fausse le comportement, et quand on se revoit, c'est terriblement embarrassant. En l'occurrence, dans un jour ou deux au maximum, le bref moment où la vie de Glen et la mienne s'étaient croisées appartiendrait au passé : je retrouverais mon univers, et lui... eh bien, il continuerait ses vacances, avant de rejoindre la Pennsylvanie, Glen junior et son entreprise de bonneterie. Entre-temps, nous aurions profité du contact de nos corps glissant et se mouvant dans l'eau tels des poissons, inconnus.

Tout le monde, au moins une fois dans sa vie, devrait nager nu dans une mer tiède sous un ciel étoilé. Et tout le monde devrait, si possible, une fois dans sa vie, faire l'amour comme j'imagine que le font les dauphins — comme *j'espère* que le font les dauphins, pour leur plus grand bonheur. Comme nous l'avons fait, Glen et moi, cette nuit-là.

Baisers, caresses, étreintes, baisers encore. Je flottais, allongée sur le dos, tandis que ses lèvres effleuraient mes seins, descendaient le long de mon ventre argenté sous la lune, et que ses doigts palpaient, touchaient, exploraient, titillaient — des doigts qui taquinaient, excitaient et contentaient tout à la fois.

Ensuite, je me suis mise sur le ventre, j'ai nagé près de lui, j'ai pris sa tête entre mes mains et je l'ai embrassé sur la bouche, puis j'ai plongé, nagé sous lui, j'ai disparu, je suis réapparue et je l'ai embrassé à nouveau.

Jusqu'à ce que, tout à coup, je m'aperçoive que j'avais froid. J'étais restée dans l'eau trop longtemps.

Le profond silence de la nuit enveloppait l'île.

Quand nous sommes sortis de l'eau, je frissonnais.

« La sirène a froid », a murmuré Glen en me prenant dans ses bras et en posant ses lèvres sur mes cheveux mouillés. Il s'est pressé contre moi et j'ai senti son sexe se durcir. « J'ai envie de toi, Helen. Allons à l'appartement.

— Pourquoi pas ici ?

— Hum. » Il a paru réfléchir un instant, puis il m'a lâchée, a reculé de deux ou trois pas et a ramassé ses vêtements. « Je viens de Pennsylvanie, a-t-il dit sur un ton de regret. J'ai besoin d'un toit au-dessus de ma tête et d'un vrai lit. Ce n'est pas loin.

— D'accord. »

Je me suis vite réchauffée pendant que nous suivions le sentier qui grimpait dans la colline. Ma robe bleu marine collait à ma peau humide et salée.

«Attends.» Nous étions arrivés à un endroit où le chemin émergeait de l'épaisseur des fourrés. Je me suis retournée pour contempler la baie éclairée par la lune, avec juste les trois bateaux amarrés. «N'est-ce pas merveilleux?»

Glen est demeuré un moment silencieux, puis il a poussé un profond soupir. «Absolument parfait.»

Je ne pouvais m'empêcher de penser que c'était dommage que nous n'ayons pas fait l'amour — vraiment fait l'amour — dans la mer. Glen devait être doué de télépathie, car il a ajouté : «Tous ces fantasmes à propos de faire l'amour sous l'eau, dans la douche, au milieu d'une cascade ou Dieu sait quoi encore, ça ne marche que dans les films. Je pense que Popol n'est à l'aise que sur la terre ferme.»

«Popol!» De la part de n'importe qui d'autre, cette expression m'aurait tiré des grognements. Mais sa main a effleuré mes cheveux et j'ai cru que des étincelles allaient en jaillir. Il regardait en direction de la mer, et je le voyais de profil ; un rayon de lune éclairait son nez court et droit, sa bouche aux lèvres fermes, ses cheveux qui en séchant formaient des épis désordonnés, ses épaules fines et musclées. Conscient de mon regard, il m'a dévisagée et a froncé légèrement les sourcils.

«Ça va, Helen? a-t-il murmuré en essuyant une larme sur ma joue.

— Ça va, oui. Je suis parfois un peu sentimentale.

— Moi aussi. Allons-y.»

Glen n'avait pas exagéré en disant que leur logement était une ancienne bergerie. Même dans l'obscurité, on se rendait compte que c'était un simple cube de béton grossièrement divisé en deux et badigeonné à la chaux. Une unique ampoule électrique éclairait la première pièce, qui comprenait un évier et une cuisinière. Portes et fenêtres avaient beau être fermées, une multitude d'insectes et de papillons de nuit s'agglutinaient autour de la lampe.

La porte de l'autre pièce — la chambre, sans doute — était close quand nous sommes arrivés, ce qui me convenait parfaitement. Il y avait un lit bas à l'extrémité du séjour-cuisine ; ou bien Glen et KD préféraient dormir dans des pièces séparées, ou bien ils avaient délibérément changé le mobilier de place avant de sortir pour la soirée.

Glen était calme et détendu.

« Veux-tu une serviette, Helen, pour te sécher les cheveux ?

— Non, merci.

— Désires-tu boire quelque chose ? Une bière peut-être, ou du café ?

— Non, ne te dérange pas.

— Tu es sûre que tu n'as pas froid ?

— Non, je t'assure, je suis bien. »

Debout sous l'ampoule assaillie par les insectes, il me souriait d'un air langoureux.

J'ai traversé la pièce, posé mes mains sur son torse et senti la chaleur de sa peau sous le tissu humide. J'ai commencé à tirer sur sa chemise pour la sortir du bermuda. « Je n'ai envie que d'une seule chose pour l'instant.

— Quoi donc ?

— Devine. »

Il a incliné légèrement la tête, et ses lèvres ont effleuré mon front ; il a embrassé mes sourcils, l'arête de mon nez, ma bouche. Mon pouls s'est accéléré. J'ai arqué mon corps contre le sien.

Nous nous embrassions avec avidité tout en nous

rapprochant du lit et en essayant de nous débarrasser fébrilement de nos vêtements, si bien que nous avons trébuché et, toujours agrippés l'un à l'autre, sans cesser de nous embrasser, nous nous sommes à moitié écroulés sur le matelas étroit. Glen venait juste de baisser la fermeture éclair de ma robe quand la porte de la chambre s'est ouverte brusquement.

« Oh, oh, pardon. J'espère que je ne vous dérange pas.

— Salut, Carla.

— J'ai entendu des voix et je me suis dit qu'il fallait que j'aille me chercher un verre d'eau avant que... Enfin, vous me comprenez. J'en ai pour une seconde.

— Pas de problème. »

Assis côte à côte sur le lit, nous avons regardé Carla remplir un verre à l'évier. Elle portait un T-shirt de KD qui lui arrivait presque aux genoux, celui avec le gouvernail bleu sur fond blanc. Son visage chiffonné arborait une expression satisfaite — une expression d'après l'amour, sans aucun doute possible.

Glen avait glissé la main dans mon dos et dégrafé mon soutien-gorge ; il massait doucement la peau tendre près de l'omoplate et je me suis penchée un peu en arrière pour accentuer la pression de ses doigts. Sa main s'est aventurée plus loin et a effleuré la courbe de mon sein. J'ai respiré plus fort. L'irruption intempestive de Carla, de toute évidence destinée à gâcher notre intimité, produisait exactement l'effet contraire. L'attente accroissait délicieusement la tension. Mon cerveau s'échauffait, mes pensées s'embrouillaient, mes lèvres s'entrouvraient, gonflées de désir et de baisers. Je devais avoir un sourire béat.

« Et voilà. » Carla s'est retournée. « Je vous laisse tranquilles, tous les deux. Amusez-vous bien. »

Son verre d'eau à la main, elle a regardé dans notre direction et, l'espace d'une seconde — un instant si fugitif que je me suis demandé si mon imagination ne m'avait pas trompée —, une expression vengeresse a assombri ses yeux. Elle a secoué un peu la tête, nous a adressé un petit sourire crispé et s'est avancée vers la porte de la chambre. À mi-chemin, elle a hésité, puis elle m'a souri — un sourire différent.

« J'espère que tu l'as prévenu, Helen.

— Prévenu ? ai-je répété avec un frisson de terreur.

— Tu sais bien, ton côté *femme fatale*[1], tout ça.

— Ah oui ? » a murmuré Glen, dont les lèvres caressaient mon épaule — mon épaule, soudain inexplicablement devenue glacée.

« Carla...

— Où est le problème, Helen ? a-t-elle dit avec un léger rire argentin. Il n'y a pas de quoi en faire un plat. Tu devrais le lui raconter après, je suis sûre qu'il trouvera ça hilarant. Moi, en tout cas, ça m'a bien fait rigoler.

— Qu'est-ce que tu racontes, Carla ? a questionné KD depuis la pièce d'à côté.

— Je vais te le dire dans une minute.

— Non ! » Ce « non ! » a jailli de ma bouche avec à peine plus de force qu'un murmure. Ma gorge s'était contractée, j'avais du mal à respirer. « Non, Carla, je t'en prie.

— Quoi ? J'arrive tout de suite, KD... Tu as intérêt à ne pas épuiser Glen, Helen, il a l'air en excellente santé mais on ne sait jamais avec les sportifs, hein ? Deux précautions valent mieux qu'une... Je plaisante, voyons. Eh bien, bonne nuit. »

La porte s'est refermée derrière elle. On a entendu les ressorts du sommier craquer, des voix étouffées, des rires.

Glen m'embrassait la nuque. « Que se passe-t-il,

1. En français dans le texte. (*N.d.T.*)

135

mon chou?» Il a redressé la tête, m'a regardée fixement, puis a commencé à caresser l'intérieur de mes cuisses. «Elle est partie, maintenant. Détends-toi.

— Arrête.» J'ai repoussé sa main.

«La lumière te gêne?» Perplexe, mais gentil. «Je vais l'éteindre.

— Non, ce n'est pas ça. Excuse-moi.

— De quoi s'agit-il, alors?

— Je ne peux pas t'expliquer.» Je me suis levée. Glen a poussé un profond soupir et s'est renversé sur le lit. Il m'a observée, tandis que je traversais la pièce et me plantais devant la porte de la chambre. Les ressorts du matelas grinçaient en cadence. J'ai entendu le rire de KD, sa voix qui disait : «Tu me fais marcher!», puis la voix haut perchée de Carla : «Non, c'est vrai, je t'assure!» J'ai posé ma main sur la poignée de la porte.

«Hé! a protesté Glen, tu ne peux pas entrer dans la chambre!

— Non, ai-je murmuré en appuyant le front contre le chambranle et en laissant retomber ma main. Non, bien sûr.

— C'est à cause de ce qu'elle a dit? De quoi parlait-elle, d'ailleurs?

— Ça n'a pas d'importance.» Je me suis éloignée de la porte, éloignée de la tentation.

«Peut-être que si.»

J'ai haussé les épaules. J'étais incapable d'affronter son regard. Je me sentais sale, j'avais envie de vomir. Disparue, la sirène insouciante qui avait fait l'amour au clair de lune avec son bel inconnu. Anéantie, la passion. Assassinée, annihilée par quelques paroles.

Mon cœur battait la chamade, mais pas sous l'effet du désir. Envolé, le désir.

«Il vaut mieux que je m'en aille, ai-je articulé avec peine.

— Non, attends. » Glen s'est levé lentement et s'est avancé vers moi. Je m'efforçais de fixer le sol, mais je ne voyais que le duvet doré de ses jambes et son ventre plat. « Tu ne peux pas te sauver comme ça. » Il a mis ses mains autour de ma taille. Je l'ai repoussé. « O.K., je ne te touche plus. Mais tu pourrais peut-être au moins me dire, m'expliquer...

— Cela ne sert à rien.

— Tiens, bois un coup.

— Merci. » C'était le moins que je pouvais faire. Je m'attendais qu'il me donne de l'eau, mais il a versé du Metaxa dans un verre et lui-même a bu à la bouteille. J'étais tellement engourdie que l'alcool, qui d'habitude me brûlait la gorge, est descendu tout seul. J'ai vidé le verre, dans l'espoir que ça me libérerait, me soulagerait — tout, plutôt que le sentiment qui m'accablait à ce moment-là —, mais cela n'a rien changé. Glen m'a resservie.

« Alors, que se passe-t-il entre Carla et toi ?

— Rien, en fait. Je la connais peu, il y a seulement huit jours qu'on s'est rencontrées.

— Elle paraît avoir une dent contre toi.

— Tout allait bien jusqu'à aujourd'hui. Elle est jalouse, elle te voulait pour elle.

— Oui, mais KD et moi, on voyait les choses autrement. Pourquoi la laisses-tu te harceler ainsi ?

— Parce que j'ai pitié d'elle, sans doute. » Je ne m'en étais pas rendu compte avant de le formuler, mais tout à coup j'ai compris que c'était ce que je ressentais pour Carla, même si en le disant je n'éprouvais aucune pitié pour elle, étant plutôt en proie à la colère et au désarroi.

« Qu'est-ce que c'était que cette histoire ? Elle a parlé de me prévenir.

— Rien. Vraiment, Glen, ça n'a pas d'importance. Excuse-moi.

— Tu n'as pas à t'excuser, m'a-t-il répondu avec un sourire. À toi de décider.»

Zut. En un sens, son attitude si ouverte et tolérante ne faisait qu'aggraver la situation dans mon esprit. S'en rendait-il compte?

«Je vais rentrer.»

La limite était là. Il faisait noir à cette heure, a argumenté Glen, et je ne connaissais pas le chemin. De plus, l'hôtel était sûrement fermé à clé durant la nuit, que pourrais-je faire si tel était le cas? Camper sur la terrasse? réveiller Manoli et Despina? Si j'insistais vraiment pour partir, Glen m'accompagnerait pour être sûr qu'il ne m'arrive rien. Il n'y avait pas à discuter.

Quand j'ai protesté, il a fini par laisser paraître son agacement. C'était déjà dur à avaler que je me rétracte au dernier moment, si en plus il fallait qu'il passe le reste de la nuit à s'inquiéter pour ma sécurité, alors, non! C'était du moins les pensées que je lui prêtais.

J'ai cédé, acceptant de rester à la bergerie au moins jusqu'au lever du jour. Glen m'a dit que je pouvais prendre le lit et qu'il dormirait par terre ou sur une chaise — sûrement pour me culpabiliser. J'ai refusé et proposé qu'on partage le lit.

«Comme tu voudras», a-t-il répondu d'un ton froid et distant — ou peut-être simplement las. Il a avalé une gorgée d'alcool, s'est allongé contre le mur, m'a tourné le dos et s'est endormi presque aussitôt.

Raide comme un piquet à côté de Glen, je n'osais pas bouger de peur de le réveiller. Quand son souffle est devenu calme et régulier, je me suis déplacée légèrement vers le bord du lit. Silence. Puis sa respiration a retrouvé un rythme tranquille.

J'ai posé les pieds sur le sol et senti la fraîcheur du

carrelage. Ensuite, j'ai pris ma tête entre mes mains. J'avais le cerveau en marmelade, une douleur aiguë au niveau des orbites, la bouche pâteuse. Excès d'alcool. En plus de tout le reste, ma dernière journée sur l'île serait gâchée par une gueule de bois. Bien fait pour moi, je n'avais que ce que je méritais. Bon sang !

J'avais une soif atroce. J'ai voulu boire un verre d'eau, mais quand j'ai tourné le robinet, il s'est mis à grincer et les tuyaux à trembler. Un grognement du côté du lit : «Qu...oi?» Vite, j'ai refermé. Mes idées n'étaient pas très claires mais j'avais une certitude : il était vital de ne pas réveiller Glen. D'une part, je voulais m'en aller sans que personne s'occupe de moi ; d'autre part... je ne me rappelais plus quoi, seulement qu'il ne fallait pas qu'il se réveille.

J'ai cherché de l'eau minérale, ou une bière même, mais je n'ai rien trouvé. Tout bien considéré, il semblait plus simple — et moins bruyant, ce qui était capital — de m'en tenir au Metaxa.

Je me suis assise à la petite table et j'ai bu à la bouteille. L'alcool avait un goût infect, mais quelle importance ? J'ai posé la tête sur mes bras ; la pièce tournait autour de moi et mes oreilles bourdonnaient.

Peut-être ai-je perdu connaissance.

Quand j'ai relevé la tête, elle était dix fois plus douloureuse qu'avant — on aurait cru un punching-ball rempli de cailloux pointus —, mais du moins le ciel commençait à s'éclaircir.

J'avais promis à Glen d'attendre qu'il fasse jour : ça y était, ou en tout cas il ferait jour quand j'arriverais à l'hôtel. Ces détails étaient essentiels. Je me suis mise debout.

Il fallait absolument que je quitte les lieux, que je m'éloigne de Glen et de KD, et surtout de Carla. Sa voix résonnait encore dans ma tête : *C'est vrai, je t'assure !* ainsi que celle de KD : *Tu me fais marcher !* et leurs rires, leurs rires moqueurs. Elle ne lui avait pas parlé de Gabriel, elle n'avait sûrement pas fait cela, impossible.

Elle l'avait fait...

Par ma faute : j'avais tendu une arme à une quasi-inconnue et elle l'avait utilisée contre moi au moment où cela l'avait arrangée.

C'était ma faute, mais quelle garce ! Elle n'avait pas le droit de faire une chose pareille, ce n'était pas juste.

La justice n'avait rien à voir là-dedans, j'aurais dû le savoir.

De toute façon, qu'est-ce que ça changeait ? La honte, la honte poisseuse me collait à la peau. J'étais une personne dangereuse, destructrice. Attention, ne pas approcher !

Cette garce de Carla, comment avait-elle pu ressortir cette histoire ?

Il faisait plus frais maintenant — cette heure brève avant l'aube où la nuit, même méditerranéenne, est froide.

Sans vraiment réfléchir, j'ai attrapé une chemise d'homme sur le dossier de la chaise et l'ai jetée sur mes épaules, puis j'ai enfilé mes sandales et doucement, sans faire de bruit, j'ai tourné la poignée de la porte et je suis sortie.

La lune avait déjà disparu, et même si le ciel pâlissait à l'horizon, on distinguait moins bien le sentier que la veille à la lumière du clair de lune.

J'avais la nausée et une soif atroce. J'ai attendu que mes yeux s'accoutument à l'obscurité, et je me suis mise à marcher avec précaution. J'ai senti sous mes pieds une surface plus lisse, du bitume peut-être ou du béton — sans doute le début du chemin qui menait à la grande route.

J'ai estimé que ce serait beaucoup moins risqué de prendre cette route pour rentrer à l'hôtel ; je n'avais pas envie de refaire le trajet à travers cyprès et broussailles pour rejoindre la plage déserte.

Sage décision. J'avais la tête comme une citrouille et la gorge desséchée. Et assez des complications. Une route directe jusqu'à l'hôtel, une bouteille d'eau et deux ou trois heures de sommeil dans mon propre lit, c'était tout ce que...

Au moment où j'arrivais au bout du chemin et m'engageais sur la grande route qui suivait la côte, j'ai entendu des pas précipités derrière moi.

« Helen ! Attends-moi ! »

Carla. Je me suis figée. Mon cœur battait à se rompre.

Puis j'ai recommencé à avancer, plus vite cette fois, courant presque le long de la route en direction de Yerolimani.

« Helen, attends ! Pourquoi tu es pressée comme ça ? Oh ! là ! là ! j'ai un mal de crâne horrible ! Qu'est-ce qu'on a fait cette nuit ? Quand même, ça valait le coup, tu ne crois pas ? » Elle était hors d'haleine d'avoir couru quand elle m'a rattrapée, et presque en aussi piteux état que moi, avec son mascara et son fard à paupières bleu électrique qui avaient dégouliné sur ses joues. Elle avait remis sa jupe blanche et son haut rose, et planté sur ses cheveux en bataille la casquette de base-ball de KD, tel un trophée. « KD a été génial, bien plus sexy que ce que j'imaginais. Très passionné... Oh ! là ! là ! j'ai besoin de me doucher et de me remaquiller, je n'ai pas envie qu'il me voie avec cette tête-là. Ils vont louer un bateau aujourd'hui, ça sera super, non ? Tu n'es pas contente que j'aie trouvé ces deux mecs ?

— La ferme, Carla ! La ferme, s'il te plaît !

— Qu'est-ce qui te prend ? Moi aussi j'ai la gueule de bois, tu sais. »

Je me suis retournée pour lui faire face. Je ne

141

distinguais pas bien son expression, mais je l'imaginais : une expression satisfaite, méchante, triomphante.

« Tu lui as raconté, hein ?

— À qui ?

— Tu as raconté à KD ce que je t'avais dit l'autre soir.

— Au sujet de ta première expérience amoureuse ? » Elle adoptait exprès un ton détaché, comme s'il s'agissait de quelque chose de très anodin. « Je ne me rappelle pas ; en fait, tout ce qui s'est passé la nuit dernière est un peu flou dans ma tête. » Elle a pouffé de rire. « Je lui en ai peut-être parlé. Pourquoi, c'est grave ?

— Tu le sais parfaitement ! C'est pour ça que tu le lui as raconté, espèce de garce. Tu n'avais pas le droit d'évoquer cette histoire, tu as agi délibérément.

— Hé là, ne te mets pas dans cet état, qu'est-ce que ça peut bien faire ? De toute façon, maintenant que j'y repense, je n'ai pas parlé de toi à KD. On avait autre chose en tête, figure-toi.

— Arrête de mentir, Carla !

— Pourquoi ce drame, tout à coup ? Ça n'a pas marché, Glen et toi ? Vous aviez pourtant l'air de bien vous entendre.

— Non, ça n'a pas marché, et tu le sais. Tu voulais que ça rate, et tu es parvenue à tes fins.

— Moi ? Qu'est-ce que j'ai à voir là-dedans ? Franchement, Helen, je ne comprends pas ce qui te rend hystérique comme ça. Tu avais jeté ton dévolu sur Glen dès le départ. Quand je me suis rendu compte à quel point tu avais envie de sortir avec lui, je me suis rabattue sur KD. Ce n'est quand même pas ma faute si Glen s'est révélé minable et si KD a été fantastique. Question de chance, voilà tout...

— Non, ce n'est pas une question de chance. C'est toi la responsable.

142

— Peut-être que tu ne lui plaisais pas.

— Ça se passait très bien entre lui et moi, tu as fait exprès de tout saboter.

— Où es-tu allée chercher cette idée tordue?

— Tu as raconté mon histoire, tu l'as mis en garde, alors que tu m'avais promis de ne jamais en parler à personne.

— Je suis certaine de ne jamais avoir promis ce genre de choses. Seigneur, je n'arrive pas à croire qu'on est en train de se disputer à cause de ça!»

Elle a posé sa main sur mon bras. Je me suis aussitôt dégagée.

«Laisse-moi tranquille!

— Oh, pour l'amour du ciel, tu ne crois pas que tu exagères? Arrête d'en faire tout un plat et de te prendre tellement au sérieux, pour une fois. Et même si je lui avais parlé de toi et de ce pauvre type qui a passé l'arme à gauche, ce ne serait pas la fin du monde, il me semble.» Elle m'a de nouveau saisie le bras. «Bon Dieu, Helen, mais qu'est-ce que tu as? Tu ne comprends pas la plaisanterie?»

Je l'ai giflée.

Pas fort. Du moins, je ne crois pas. Je n'avais d'ailleurs pas l'intention de la gifler. Je n'avais jamais frappé personne jusqu'à ce jour. Je voulais juste qu'elle me lâche le bras, qu'elle cesse de me toucher. Je voulais juste la repousser, mais mon bras s'est levé plus haut que je ne pensais, ma main a fouetté l'air dans l'obscurité et s'est abattue sur sa joue. C'est peut-être ce qui s'est produit. Peut-être que, dans le noir, j'ai cru que j'allais la toucher à l'épaule, ou juste l'écarter de moi, mais je l'ai atteinte au visage, et mon geste s'est transformé en gifle. Je ne sais pas.

Ce que je sais, c'est qu'elle a poussé un cri — de surprise plus que de douleur, je pense —, avant de se ruer sur moi, de m'attraper par les cheveux et de me

143

griffer le visage. J'ai senti ses ongles m'égratigner la joue, tout près de l'œil.

«Comment oses-tu!» m'a-t-elle craché à la figure.

J'ai mis mes mains devant moi pour me protéger. Je ne crois pas que je voulais lui faire du mal — plus à ce moment-là. Cette gifle m'avait ébranlée encore plus qu'elle, et je n'avais qu'une idée : m'éloigner.

Mais elle ne me lâchait pas. Je l'ai saisie aux poignets pour écarter ses mains de mon visage. Elle s'acharnait, elle m'a envoyé un coup de pied dans les tibias, j'ai perdu l'équilibre et nous sommes tombées toutes les deux. Les cailloux pointus du bas-côté de la route me sont rentrés dans la hanche, une douleur m'a transpercé l'épaule, et j'ai entendu Carla crier, plus fort cette fois...

Ensuite... — je jure que c'est la vérité, même si je sais bien que personne ne me croira jamais — ... ensuite, je ne me souviens absolument de rien.

8

La douleur s'est manifestée avant même que je ne reprenne conscience : la tête près d'éclater, des aiguilles qui me transperçaient les yeux, le crâne serré dans un étau.

J'ai poussé un gémissement et j'ai senti quelque chose qui m'éraflait la joue : des petits cailloux et des gravillons. Comme j'étirais le bras gauche, mes doigts sont entrés en contact avec du gravier. Mon bras droit était enfoncé dans un objet mou — un coussin ou un corps. Dans mon souvenir, j'étais allongée à côté de Glen. Était-ce lui ? J'ai voulu bouger mais mes membres ont refusé d'obéir aux ordres de mon cerveau.

Mon Dieu, ai-je pensé, j'ai dû boire une sacrée dose d'alcool.

Tout en moi était douloureux : les épaules, le dos, les bras, les jambes. Même mes ongles et mes cheveux me faisaient mal. Une douleur lancinante, omniprésente.

Avec précaution, j'ai plié les doigts de ma main droite. Ils étaient poisseux et serraient un objet dur et froid, mais mon avant-bras reposait bien sur quelque chose d'élastique.

Trop d'efforts. Mes muscles se sont relâchés et je suis restée immobile. Le chant d'un oiseau — un son métallique, strident — m'écorchait les tympans. Silence, par pitié, qu'on me laisse dormir, qu'on mette fin à cette souffrance !

Mes muscles et mon cerveau ont fini par s'accorder

et, dans un soubresaut, j'ai roulé sur le dos. J'ai essayé d'ouvrir les yeux, sans succès ; j'ai réessayé, et cette fois j'ai réussi tant bien que mal.

Au-dessus de moi, le ciel hésitait entre nuit et jour. Une unique étoile piquetait l'étendue bleu sombre. Je distinguais les contours de la montagne, noire et froide, sentais l'air frais sur mon visage.

Qu'est-ce que je fais, allongée ici, à contempler cette étoile solitaire ?

Et où suis-je, d'ailleurs ?

Avec un gémissement de douleur, j'ai soulevé la tête pour regarder autour de moi. Je me trouvais sur une route, une route déserte, avec devant moi la paroi rocheuse de la colline, derrière moi les arbres plantés sur les terrains en pente qui s'étendaient de la route à la mer.

Et près de moi, cette chose moelleuse sous mon bras... C'était Carla.

Elle se reposait, ou dormait, je ne savais trop.

Ma voix a rompu le silence. « Oh ! là ! là ! qu'est-ce qu'on a fait, Carla ? »

Je me suis rappelé ce qui s'était passé sur la route : Carla qui m'avait suivie depuis la bergerie, notre dispute, notre lutte, notre chute.

J'ai compris, non sans surprise, que je n'avais pas dû demeurer évanouie plus de quelques minutes — peut-être même moins, puisque je constatais, en scrutant l'horizon à travers les branches des arbres, que le soleil n'était pas encore levé. Dans ma tête se mêlaient confusément des cris, une sensation de douleur, un sentiment d'horreur... mais les rêves s'estompaient peu à peu. Ce n'était pas le moment de se préoccuper des rêves.

J'ai bougé, je me suis assise avec difficulté.

« Ça va, Carla ? »

Elle aussi avait perdu connaissance en tombant. Le

choc, sans doute, plus les effets de l'alcool, comme pour moi. Peut-être m'étais-je fêlé le crâne dans ma chute, j'avais vraiment mal. Peut-être la même chose s'était-elle produite pour Carla.

J'ai effleuré son épaule. « Carla ? »

Durant notre lutte, j'avais dû rabattre la casquette de KD sur son front, maintenant elle lui couvrait les yeux ; je l'ai soulevée avec précaution, les yeux sombres de Carla fixaient calmement les miens.

J'ai reculé avec un cri de surprise. « Bon Dieu, Carla, ne me regarde pas comme ça, tu me fais peur ! »

Elle n'a pas bougé. Une substance foncée, pareille à de la boue, s'étalait à la racine de ses cheveux — une substance que je répugnais à toucher.

« Tu es blessée, Carla. Viens, on va retourner à la bergerie. »

Aucune réaction. Je l'ai secouée par l'épaule pour la réveiller, sa tête a roulé légèrement sur le côté.

« D'accord, Carla. » Ma voix devenait de plus en plus aiguë. « D'accord, tu te sens trop mal en point. Je vais peut-être te déplacer pour que tu ne sois pas sur la route, si jamais quelqu'un arrivait. Tu crois que tu pourras rester seule pendant que j'irai demander du secours ? Je m'absenterai juste une minute ou deux, je vais chercher Glen et KD... » Je criais presque, sous l'effet de la panique.

Haletante, je me suis mise à genoux au prix d'un effort colossal. Une douleur atroce me transperçait le crâne. Je tenais toujours quelque chose dans la main droite ; mes doigts s'étaient refermés dessus, tandis que mon bras reposait sur la poitrine de Carla. Une pierre, une pierre tranchante. Je l'ai regardée brièvement, avec l'intention de la lancer sur le bas-côté de la route... et mon bras, ma main, mes doigts se sont raidis, ont refusé de bouger. La pierre, ma main droite, mon poignet même étaient maculés d'une matière foncée et visqueuse... semblable à celle qui...

Je me suis forcée à regarder la pierre — une grosse pierre — qui semblait soudée à ma paume. Elle était veinée, comme ornée de dessins. Non, elle était couverte... de mousse?... de lichen, peut-être?

Ou de sang.

Du sang de Carla. Il y avait du sang sur cette pierre, et des cheveux, et même — oh, mon Dieu! — de petits bouts de peau qui étaient demeurés collés sur les arêtes de la pierre lorsque celle-ci avait frappé Carla. J'ai eu un haut-le-cœur, la bile m'est remontée de l'estomac, j'avais envie de vomir ce sang et ces cheveux de femme.

Je me suis relevée, non sans mal. J'ai fait passer la pierre de ma main droite dans ma main gauche et je l'ai lancée avec toute la force dont j'étais encore capable. Elle a décrit un arc de cercle, a fendu l'air du petit matin, a traversé le bosquet d'arbres et a atterri loin au-delà de la route. J'ai entendu des pépiements et des battements d'ailes.

Je me suis accroupie et, penchée sur les épaules de Carla, j'ai tourné son visage vers moi; des coulées de mascara et de fard à paupières bleu électrique se mêlaient au sang et aux ecchymoses. Ses yeux fixaient les miens. Je connaissais ce regard pour l'avoir déjà vu auparavant. «Non!» Était-ce ma voix qui émettait ce cri désespéré, ce hurlement de bête? «Non... oh, non... Je t'en prie, Carla. Excuse-moi, je n'avais pas l'intention de... Réveille-toi... tout va bien... je vais chercher de l'aide... Oh, Carla, je t'en supplie, je t'en supplie...»

J'ai rampé derrière elle, hoquetant, suffoquant, l'implorant : «Je t'en prie, Carla... tu sais bien que je ne voulais pas... Oh, Carla, je t'en supplie...»

J'ai fini par toucher son crâne, son visage. Son sang a taché ma main, y a coulé, s'y est coagulé.

La panique m'a submergée, j'ai cru que ma poitrine allait éclater, je ne pouvais plus respirer. Un sanglot de pure terreur m'a secouée. «Carla, NON!»

J'ai pris sa tête dans mes bras et je l'ai bercée. Si j'avais pu la ranimer, si j'avais pu ramener son corps à la vie...

«Carla, je suis vraiment désolée... Je t'en prie, ne meurs pas, ne fais pas ça... Oh, mon Dieu... mon Dieu!... Au secours! À l'aide!»

Je ne pouvais plus parler. Les larmes jaillissaient de mes yeux, mêlées de sueur et de morve, et dégoulinaient sur mes joues. Des larmes de terreur et de stupeur. Pas de chagrin. Je ne pleurais pas pour elle, je ne pensais qu'à moi.

Le visage inondé de larmes, je bafouillais, bredouillais, en proie à une panique qui déferlait sur moi tel un ouragan.

Au loin, dans le silence de l'aube, j'ai entendu un bruit: le vrombissement d'un moteur.

Un avion, peut-être?

J'ai tourné les yeux vers le ciel qui s'éclaircissait. Une lueur dorée a illuminé le sommet de la montagne, et une partie de mon être s'est élancée vers les hauteurs; l'espace d'un instant à la fois infini et hors du temps, je me suis élevée au-dessus de la route côtière en lacet: j'étais un aigle qui planait dans l'air du matin, les ailes déployées. D'en haut, j'ai vu la scène avec une lucidité horrifiée, désincarnée: le corps d'une femme allongé sur le bitume, habillé d'une jupe blanche et d'un haut rose vif. Ses pieds formaient un angle droit avec le reste de son corps, mais elle portait toujours ses fines sandales dorées. Quelqu'un était agenouillé près d'elle dans la poussière, une autre femme, en robe bleu marine, qui la berçait en sanglotant de terreur. À quelques centaines de mètres sur la route de la côte, un camion se rapprochait peu à peu.

Redescendant soudain sur terre, je me suis accroupie, ai attrapé Carla par les aisselles et ai tenté de la soulever. Dans ma folie, j'ai vraiment cru pendant quelques secondes que je pourrais me débarrasser d'elle aussi facilement que de la pierre. Elle était lourde — un poids mort —, mais je l'ai traînée sur près d'un mètre jusqu'au bord de la route. Une de ses sandales a glissé ; j'ai lâché Carla, ai failli lui marcher dessus dans ma hâte à lui remettre sa sandale, puis je me suis redressée et j'ai regardé autour de moi, à la recherche d'une issue.

Le haut rose était maculé de sang.

Impossible de la cacher. Même si je réussissais à la traîner jusqu'au bosquet d'arbres en contrebas de la route, on la découvrirait au bout d'une ou deux heures, une journée au maximum. Et après ? Après... tous les indices me désigneraient.

J'ai reculé. Il y avait du sang sur la route ; suffisamment pour attirer l'attention. Carla gisait, toute de rose et de blanc vêtue, ses cheveux auburn étalés sur son visage, comme si elle dormait...

Je suis tombée à genoux près d'elle. « Réveille-toi, Carla. Je m'excuse. Réveille-toi, je t'en prie. »

Inutile, évidemment. Carla était morte, je l'avais tuée, et dans un instant on me trouverait à côté de son cadavre. On verrait son sang sur mes mains, on saurait tout, on me jetterait en prison et ma vie serait fichue.

Non, pas ça, je ne veux pas. Il ne faut pas qu'on me découvre. Pas ici, pas maintenant, pas déjà. Je peux encore courir, m'enfuir. Au moins, je peux tenter de m'échapper. Il ne faut pas qu'on me trouve ici...

Je me suis relevée. J'entendais le camion approcher.

Je devais faire quelque chose, mais quoi ? Il fallait que je m'enfuie, pourtant je ne supportais pas l'idée d'abandonner Carla. Elle avait l'air si fragile, si seule. Je ne peux pas la laisser ici toute seule, elle ne parle même pas le grec, ai-je pensé, machinalement.

Puis je me suis récriée contre ma stupidité. Ne t'occupe pas de Carla, sauve ta peau. Tu dois t'enfuir avant que quelqu'un arrive et...

J'ai commencé à rebrousser chemin et à prendre la direction d'où nous étions venues. Au début, je marchais. Comporte-toi normalement, me disais-je, ne cours pas, cela paraîtra suspect. Mais je ne pouvais pas m'en empêcher, la peur m'aiguillonnait. J'ai trébuché, suis tombée à genoux. Prenant appui sur mes mains, je me suis relevée à grand-peine et me suis remise à courir, malgré mes jambes en coton. Le vrombissement du camion ne cessait de se rapprocher. Cours, cours ! Plus vite ! J'avais l'impression de flotter, de voler, mes pieds ne touchaient plus le sol. Ça ne suffirait pas pour sauver ma liberté.

Où allais-je ? N'importe où ailleurs. Rejoindre l'endroit où j'étais avant ces événements. Un endroit sûr. Je me suis engagée sur le sentier qui menait à la bergerie, et je courais comme une dératée quand j'ai entendu croître le bruit du moteur — si assourdissant que j'ai dû me boucher les oreilles pour éviter que mes tympans n'éclatent. Ont suivi des coups de klaxon insistants, un grincement de freins, un crissement de pneus sur le bitume, un fracas de métal heurtant des cailloux.

J'ai continué à courir, suis passée devant la bergerie, ai traversé les plantations d'oliviers, les taillis, les prés, la plage de sable fin, et je suis arrivée au bord de l'eau juste au moment où le soleil surgissait à l'horizon, un soleil d'or qui formait une allée de lumière miroitante sur la mer devant moi. Ôtant mes sandales, j'ai avancé dans l'eau et j'ai nagé...

J'ai nagé pour oublier.

Seulement, rien n'est jamais aussi simple.

À supposer que j'aie conçu le moindre plan, je crois que j'avais l'intention de nager si loin que je n'aurais pas eu la force de revenir vers le rivage et je me serais laissée flotter sur l'eau jusqu'à ce que mort s'ensuive. Plus tard, j'ai souvent repensé à cette bizarre coexistence entre, d'une part, l'instinct de conservation qui avait pris le dessus quand j'avais découvert que Carla était morte, et, d'autre part, ce besoin d'autodestruction qui m'avait poussée à nager aussi loin que possible, toujours plus loin, de sorte que, quoi qu'il arrive ensuite, cela échappe à mon contrôle.

Les trois yachts sont toujours amarrés à l'embouchure de la baie, mais je passerai devant sans me faire remarquer — du moins l'imaginais-je : personne ne devait être debout à une heure aussi matinale, me disais-je. Erreur. Alors que la fatigue commençait à se faire sentir, j'ai entendu un bruit de rames sur l'eau, et une voix à l'accent étranger a crié : « *Guten Morgen !* Bonjour ! Avez-vous besoin d'aide, *Fräulein* ? »

Ça m'a coupé le souffle. Je m'attendais à l'ordre rude d'un policier — « Halte-là ! Vous ne nous échapperez pas ! » Mais à cela, non. C'est la normalité qui m'a surprise : le ton de l'étranger indiquait que rien d'inhabituel ne s'était produit jusqu'à maintenant. Je me suis retournée et j'ai aperçu le visage d'un homme bronzé qui m'observait depuis son petit bateau à rames.

Je l'ai regardé fixement.

Il a posé les rames. « Il y a une longue distance jusqu'au rivage, non ? » Comme je ne répondais toujours pas, il a questionné : «*Do you speak English? Französische? Danoise?*

— Je suis anglaise.»

Mes premiers mots adressés à un être humain depuis les événements. Chose curieuse, ma voix paraissait presque normale. Du moins, c'est ce que l'Allemand a eu l'air de penser.

«Voulez-vous monter sur mon bateau?

— Non, merci, je me sens très bien. Je suis une bonne nageuse.»

Il a fini par se laisser convaincre que je n'avais pas besoin de secours et est tranquillement retourné à son yacht. Je l'ai regardé s'éloigner. Je ne sais pourquoi la vue de cet homme entre deux âges, cet Allemand serviable qui ramait lentement sur la mer d'huile et faisait jaillir au bout de ses rames des gouttelettes d'eau pareilles à des perles d'or dans la lumière du matin, m'a remplie d'une immense tristesse. Je n'ai pas compris sur le moment, j'ai cru que j'avais envie de retrouver, à travers lui, le quotidien d'un matin ordinaire mais que je ne le pouvais pas. Des larmes ont ruisselé sur mes joues.

Avec des gestes calmes et lents, il a amené son bateau contre le flanc du yacht, a rangé les rames, grimpé le long de la petite échelle et attaché la corde. Puis il s'est retourné, m'a fait un signe de la main et a disparu hors de ma vue.

Des gestes, des actes normaux, banals. Pour lui, c'était le début d'une journée d'été pareille à n'importe quelle autre. Pour moi, un aperçu d'une vie ordinaire dont j'étais à présent séparée par une frontière infranchissable.

Ma première expérience de l'exil.

J'ai plongé le visage dans l'eau pour laver mes larmes; il ne fallait pas que cet homme les remarque. Toute issue était impossible. Je devais revenir à la nage. Je ne voyais plus l'Allemand mais il gardait sûrement un œil sur moi. C'était de toute évidence un homme de cœur, il devait bien se douter qu'une femme en robe bleu marine gagnant le large au petit matin n'agissait pas uniquement par souci d'hygiène.

Trop épuisée pour réfléchir à ce que je ferais ensuite, je me suis mise à nager avec lassitude en direction de la plage.

Imagine un plan, me répétais-je, exténuée, moulue, en montant la colline pour rejoindre la bergerie. Il faut que tu conçoives un plan, que tu décides de ce que tu vas faire. Mais j'en étais incapable, j'avais le cerveau complètement engourdi, paralysé par le choc. Je ne cessais de me répéter : Non, ce n'est pas vrai, cela n'a pas eu lieu, pas de cette façon, ce n'est pas la réalité.

Pourtant si, c'était la réalité, et elle était terrifiante pour de vrai. Lorsque j'ai poussé la porte de la bergerie, il paraissait probable qu'avant la fin de la journée je me retrouverais derrière les barreaux d'une prison grecque. La perspective de perdre tout ce qui constituait ma vie me terrorisait. J'ai chassé cette pensée de mon esprit. Ma première réaction — la fuite — avait échoué. J'étais sur une île, je n'avais nulle part où me réfugier et si je tentais de m'enfuir maintenant, ma culpabilité apparaîtrait évidente. Mon seul espoir consistait à me comporter normalement.

Le problème, c'est que j'avais déjà oublié ce qu'était la normalité.

À part le bourdonnement des insectes et le souffle régulier de Glen, toujours tourné du côté du mur sur le lit étroit, le silence régnait dans la maison — un silence déconcertant. Au loin j'ai cru entendre le hurlement d'une sirène, mais difficile d'en être sûre. Ma migraine était revenue, pire qu'avant, j'avais toujours une soif atroce, les oreilles me sifflaient, je percevais en permanence un mélange de conversation et de dispute, échos et fragments de mon rêve. Par moments, il me semblait même entendre Carla hurler. Tout était possible.

La porte de la chambre était entrouverte. J'ai traversé la première pièce sur la pointe des pieds et j'ai jeté un coup d'œil dans la chambre ; KD, allongé sur le dos, les bras écartés, dormait. J'ai aperçu par terre, près de la porte, une bouteille d'eau minérale presque pleine ; je l'ai ramassée, je suis revenue dans le séjour-cuisine, j'ai rempli un verre, que j'ai vidé d'un trait, puis deux autres.

Mon estomac n'a pas supporté. Je me suis précipitée dehors, et j'ai atteint juste à temps le cabanon des toilettes où j'ai vomi tripes et boyaux.

Tremblante, en sueur, je suis revenue dans la bergerie.

KD, en caleçon, était assis à la table de cuisine ; un début de barbe ombrait ses joues.

« Ça va ? s'est-il enquis en bâillant.

— Ça pourrait aller mieux. » Je me suis rincé le visage et les mains sous l'eau, j'ai pris la serviette que me tendait KD et je me suis essuyée. Ma robe et mes sous-vêtements avaient commencé à sécher mais ils étaient encore humides. « Je crois que je paye pour les excès de la soirée.

— Ouais. Je vais préparer du café. » Mais il n'a pas bougé. Il a jeté un regard circulaire. « Tu as vu Carla ? »

Je me suis détournée, j'ai plié méticuleusement la serviette en quatre et l'ai posée près de l'évier, puis j'ai répondu, d'une voix à peine altérée : « Je croyais qu'elle était avec toi.

— Oui, mais elle est partie juste après toi. Je dormais

155

à moitié, ça devait être il y a une heure environ, peut-être plus.

— Ah bon ? Je ne l'ai pas vue », ai-je répliqué, beaucoup trop précipitamment. Attention, me suis-je dit.

« Mais... » Un grognement et un juron lui ont coupé la parole :

« Merde, on ne peut pas dormir tranquille, ici ? » Glen s'est assis au bord du lit, a posé fermement les pieds sur le sol et s'est passé la main dans les cheveux. « Merde, les copains, il n'est que sept heures et demie du matin. »

Même ébouriffé, avec la gueule de bois, il était irrésistible. Je l'ai contemplé, saisie par sa beauté, son sourire, et la pensée que, quelques heures plus tôt, je n'avais pas d'autre souci en tête que la perspective de faire l'amour avec lui.

« Désolée, je ne voulais pas te réveiller.

— Retourne dormir aussi, m'a dit KD.

— Non, non, je pars, ai-je annoncé.

— Tu pars ? » Les yeux clairs de Glen m'ont dévisagée.

« Elle est déjà partie une fois, a précisé KD.

— Je pensais qu'une baignade matinale me ferait du bien, ai-je aussitôt expliqué. Carla et moi, on a dû se manquer. » J'ai ajouté, d'une voix qui allait crescendo : « Peut-être qu'elle a décidé de rentrer par la route, elle a dû croire que j'étais partie dans cette direction. C'est sans doute plus court. Je veux dire, elle ignorait que j'allais me baigner ; si je l'avais vue, je l'aurais prévenue, mais je ne l'ai aperçue à aucun moment ce matin.

— Oui, c'est peut-être ça. » Soudain, KD a tendu la main et saisi l'ourlet de ma robe. « Qu'est-ce qui t'est arrivé ?

— Quoi ? » J'ai tiré sur ma robe mais il la tenait

toujours. Le sang. Il avait remarqué le sang sur le tissu.

«Tu t'es baignée tout habillée? a-t-il dit en relâchant l'ourlet.

— Mes vêtements sont mouillés, en effet; tu sais, on croit qu'il n'y a pas de marée en Méditerranée, et puis une vague emporte tout à cause d'un bateau qui passe au loin. J'ai failli ne pas les retrouver.

— Ça aurait pu être gênant.

— Oui, ai-je répliqué avec un rire forcé.

— Tu ferais mieux de rincer ta robe avant que le sel abîme le tissu», a conseillé Glen. Étrange réminiscence de la vie de ce représentant en bonneterie, de cet homme qui s'y connaissait en étoffes.

Glen s'est levé et s'est dirigé vers l'évier, de cette démarche lente, jambes écartées, caractéristique des hommes qui ont la gueule de bois. Il s'est servi un verre d'eau au robinet.

«Bon, ai-je dit, il vaut mieux que je rentre à l'hôtel. Carla...» Je me suis raclé la gorge. «Carla va se demander où je suis passée.

— Tu veux un café avant de partir?

— Non, merci, j'en boirai un là-bas.

— À quelle heure on se retrouve? a interrogé KD.

— À quelle heure? ai-je répété, tandis que mon cœur bondissait dans ma poitrine.

— Pour la balade en mer.

— Ah oui, bien sûr, j'avais oublié.» La balade en mer. Je tentais de toutes mes forces d'y voir clair, mais mon cerveau tournait à vide.

«Tu sais quoi? a continué KD. Nous pourrions venir à votre hôtel vers une heure, une heure et demie, on mangerait une pizza et on prendrait le bateau en fin d'après-midi. Qu'est-ce que tu en penses?

— Super!» Ne songe surtout pas à ce que tu feras

157

en fin d'après-midi, ou à ce que tu ne feras pas. «Je suis sûre que Carla sera enchantée.»

Tout en parlant, j'ai commencé à croire plus ou moins à la réalité de cette scène. Elle semblait si naturelle, si tranquille. Ni Glen ni KD ne se doutaient que je jouais la comédie comme jamais de toute mon existence. Pas un instant, ils n'ont soupçonné que quelque chose clochait. Et si c'étaient eux qui avaient raison, en fin de compte? De retour à l'hôtel, je trouverais peut-être Carla m'attendant à une des petites tables de la terrasse — celle-là même à laquelle nous étions assis tous les quatre la veille au soir, quand elle avait chanté pour nous. Je l'imaginais relevant ses lunettes de soleil sur la tête à mon approche, je l'entendais me lancer de sa voix rauque : «Où étais-tu passée, bon sang? Je m'inquiétais.» Il n'était probablement rien arrivé sur la route de la côte, c'était un rêve, un cauchemar, les conséquences de l'alcool, du soleil, du manque de sommeil et de mes instincts vindicatifs. Carla était en pleine forme, elle m'attendait. S'il vous plaît, mon Dieu, faites que ce soit vrai...

«Ça va, Helen?

— Pardon?

— Tu as la tremblote. Vas-y mollo avec l'alcool, la prochaine fois.» Glen m'observait; un sourire éclairait son visage, où brillaient encore des gouttes d'eau.

«Ça va, ça va. Je me sentirai mieux quand j'aurai pris une douche et un petit déjeuner, beaucoup mieux. Ne te tracasse pas pour moi, j'ai juste un peu la gueule de bois.» Tais-toi, Helen, arrête de jacasser, ce n'est pas normal de parler avec une telle volubilité, conduis-toi normalement, ils vont se douter de quelque chose si tu continues comme ça. Mais je ne pouvais pas m'en empêcher. «C'était génial, cette baignade, ça m'a éclairci les idées, tu devrais essayer, il n'y a rien de tel contre la gueule de bois. Cela dit, je reconnais que je me sens encore un peu mal en point. Mais ça va passer.

— Espérons-le. Moi je suis dans un sale état. » Glen souriait. Parfait, il n'avait rien remarqué. Peut-être que tout allait s'arranger, finalement.

Puis, juste au moment où je partais, j'ai entendu la voix de KD : « Tu as vu ma chemise à carreaux, Glen ? J'étais sûr de l'avoir laissée sur cette chaise. »

J'ai esquissé un geste pour toucher mon épaule nue. J'avais pris une chemise sur la chaise en question quand j'étais sortie dans la fraîcheur d'avant l'aube ; c'était peut-être celle-là. En y repensant, c'était bien une chemise à carreaux ; je l'avais jetée sur mes épaules et je devais l'avoir encore sur le dos quand Carla m'avait rattrapée sur la route. Avait-elle glissé quand j'étais tombée ? Y avait-il du sang sur cette chemise — du sang de Carla ? L'avais-je perdue en courant vers la mer ? Quand on la retrouverait — comme cela ne manquerait pas —, la vérité éclaterait au grand jour...

« Carla l'a peut-être empruntée, a répondu Glen de son ton traînant.

— Oui, peut-être. Je crois qu'elle a pris ma casquette de base-ball. »

J'étais déjà dehors. Je me rappelais cette casquette de base-ball, et l'expression de Carla quand j'avais soulevé la casquette — ses yeux qui me regardaient fixement. À ce souvenir, la nausée m'a pliée en deux. J'ai fait un effort pour me redresser et je me suis éloignée rapidement.

Heureusement que personne ne pouvait voir mon visage.

Sur le sentier côtier qui me ramenait à l'hôtel, la lumière du matin était si claire et si belle que l'horreur semblait impensable. Même le bosquet de cyprès où Carla avait eu si peur la veille au soir était à présent environné d'une multitude de papillons jaunes qui virevoltaient dans les rayons du soleil. Le jour avait chassé les ombres menaçantes. De plus, Glen et KD s'étaient comportés comme s'il s'agissait d'un matin ordinaire, si bien que je pouvais presque croire que les choses allaient s'arranger.

Presque, mais pas tout à fait.

Je repensais à la comédie que j'avais jouée un peu plus tôt — une première prestation capitale — et mes erreurs, conséquence de l'anxiété et de la panique, me sautaient aux yeux. Quelle idiote, quelle imbécile ! Pourquoi leur avoir raconté que j'avais laissé mes vêtements sur la plage, au bord de l'eau ? L'Allemand au yacht m'avait vue nager avec ma robe. Mensonge inutile. Comment avais-je pu commettre une telle bêtise ? Et pourquoi ? On interrogerait sûrement cet homme, et on découvrirait le pot aux roses. Si j'avais menti, c'était pour cacher quelque chose. Les soupçons s'éveilleraient, on poserait des questions, on remarquerait mon attitude bizarre, on lirait la culpabilité dans mes yeux, sur mon visage, et ensuite...

Ensuite...

« Oh, mon Dieu, non, non, non !... »

J'ai fait un faux pas, trébuchant sur une souche d'arbre. Les larmes m'aveuglaient, et je marchais trop vite, en parlant tout haut. Tais-toi, Helen, tais-toi, bon sang, tu dévoiles ton jeu. Ne te trahis pas. Il y a une chance pour qu'on ne te soupçonne pas, mais il faut que tu gardes les idées claires. Réfléchis, pour l'amour du ciel, réfléchis !

La chemise à carreaux. Où était-elle passée ? Pourquoi l'avais-je emportée, je n'en avais pas vraiment besoin. Où avais-je la tête ? Trop tard pour t'inquiéter de ça maintenant. Tiens-t'en à l'essentiel, ne t'égare pas. Te voilà presque arrivée à l'hôtel, tu ne peux pas revenir en arrière pour chercher la chemise ; on croira tout simplement que c'est Carla qui l'a empruntée, comme la casquette de base-ball. Garde ton calme, ne te trahis pas. Tu as passé la nuit avec Glen, tu es allée nager, maintenant tu rentres à l'hôtel, où tu penses que Carla t'attend. Si tu t'en tiens à cette version, personne ne te soupçonnera.

Mais si, on va me soupçonner, c'est sûr. Vraisemblablement, le chauffeur du camion m'a vue m'enfuir. Peut-être y avait-il quelqu'un d'autre : un berger, un joggeur matinal, ou... peu importe qui. Quelqu'un a tout vu : la lutte, moi qui ramasse la pierre et qui fracasse le crâne de Carla. Quelqu'un a été témoin du meurtre. On saura la vérité et tu ne pourras rien faire.

Regarde. Trop tard.

Une voiture de police est garée près de l'hôtel — capot bleu marine, toit blanc, portières blanches —, un véhicule sinistre, menaçant, dont le pare-chocs étincelle au soleil.

Ils t'attendent.

Ils sont venus te chercher.

Non !

Je ne peux pas affronter cela. Ma tête est sur le point d'éclater. Je veux voir ma mère. Je veux rentrer à la maison.

Aidez-moi, mon Dieu, au secours !

9

C'est étrange, la façon dont la terreur peut vous affecter. À partir du moment où j'ai passé le tournant et aperçu la voiture de police, mon univers a volé en morceaux, en éclats de mémoire ; des instantanés aveuglants, éblouissants de douleur.

Mes jambes avancent machinalement, comme déconnectées de mon cerveau ramolli par la peur. Despina et sa belle-mère traversent la plage pour venir à ma rencontre. Je m'accroche à des détails absurdes : la mère de Manoli porte des pantoufles et traîne les pieds dans le sable.

Je m'arrête. Elles s'approchent.

Elles ont une expression lugubre.

Nous y voilà. Je sens déjà les menottes se refermer sur mes poignets. Comment vais-je pouvoir endurer ce qui m'attend ?

La vieille femme parle très vite et très fort, mais impossible de comprendre ce qu'elle raconte. Elle lève les bras au ciel et se met à pleurer. Elle pleure, elle parle et elle agite les mains. Despina la rabroue, puis me prend par le bras.

« Venez, me dit-elle d'un ton très bas. Il y a des mauvaises nouvelles. »

Je n'ai pas le choix.

Le café est bondé. Presque tous les clients de l'hôtel, qui d'habitude se dispersent aussitôt après le petit déjeuner, se sont attardés au bar pour assister au spectacle de la touriste anglaise arrêtée pour meurtre. Manoli est présent, il distribue de minuscules tasses de café et des alcools. Tous les habitués sont là aussi — les hommes du coin, vieux et moins vieux, qui passent leurs journées à bavarder, à jouer au backgammon et à contempler la mer. Et puis aussi le jeune homme qui louche, celui qui me suivait partout, il y a de cela une éternité. L'endroit n'a pas dû connaître une telle animation depuis des années.

À mon approche, silence.

C'est alors que j'aperçois les deux policiers assis à une table près du comptoir. Ils portent des chemises bleu clair, des pantalons foncés. L'un des deux est très jeune, presque encore un enfant ; il a les cheveux blond-roux et des traits un peu flous, pas encore formés. L'autre est plus âgé — quarante-cinq ou cinquante ans —, brun, avec de petites lunettes rondes qui lui donnent l'air d'un maître d'école plus que d'un policier. Il se lève. Son expression est grave.

« Mademoiselle, asseyez-vous, s'il vous plaît. »

J'obéis. Je sens le froid du métal contre mes mollets. Entourée de visages curieux, j'attends.

« Je regrette, dit le policier. Il y a eu accident. »

Je réponds : « Oui. » Je sais. Mais ce « Je sais », je ne le prononce pas tout haut.

« Votre amie, Carla Finch... » Entendent-ils les battements de mon cœur ? La nausée me reprend. Il attend. Je ne dis rien, je cesse même de respirer. Tout devient noir autour de moi, le visage du policier s'estompe. Il attend encore un moment, puis pousse un soupir. « Un grave accident, précise-t-il. Elle morte. »

Je réponds : « Oh, mon Dieu ! »

Soudain, il se produit une grande agitation. Tout le monde parle en même temps, des gens me touchent, posent les mains sur mes épaules, crient entre eux. Au milieu de ce brouhaha, un élément se détache peu à peu, surnage, et allume une lueur d'espoir dans mon esprit.

J'entends ma voix : «Excusez-moi, vous avez parlé d'un accident...?

— Oui, très grave. Je suis désolé.» Le plus jeune des deux policiers met des lunettes noires ; une larme roule sur sa joue.

Le plus âgé m'explique que le chauffeur du camion que j'avais entendu effectuait son premier trajet de la journée. Il venait de la carrière et son véhicule était plein, mais pas surchargé. En tout cas, il n'allait pas très vite, il était formel. Soudain, il avait aperçu quelque chose sur la route. Aussitôt, il avait appuyé sur le frein et braqué à droite pour éviter l'obstacle, qu'il ne distinguait pas bien — quoique ses phares aient été en parfait état — parce qu'il ne faisait pas encore tout à fait jour. L'avant du camion avait heurté la paroi rocheuse, et les roues arrière avaient patiné, continué à tourner. Le chauffeur n'avait rien pu faire. Et le chargement de pierres était tombé sur le corps déjà à terre.

«Sûrement, elle ne s'est rendu compte de rien, commente le policier à voix basse. Mort immédiate.» Il ajoute cela pour me consoler.

Silence, de nouveau. Tintement de tasses derrière le comptoir. Un accident.

Je lève les yeux et j'aperçois mon reflet dans le percolateur. J'ai un regard fou, hagard, les yeux cernés, mais ma bouche est ouverte. Mon Dieu, non, ce n'est pas possible, je ne suis pas en train de... Si, pourtant, un sourire se dessine sur mon visage.

Arrête de sourire, il ne faut pas, pas maintenant, ils vont comprendre que tu es coupable, tu vas tout fiche en l'air.

Mais je ne peux pas m'en empêcher. Dans un instant, je vais me mettre à rire, c'est inévitable. Un

164

accident. Ils croient que la mort de Carla est un accident !

« Le choc, dit Manoli. C'est le choc. »

D'une main tremblante, il me tend une tasse de café.

Cette lueur d'espoir change tout. Mon instinct combatif reprend le dessus. Désormais, je ferai tout ce qui sera en mon pouvoir pour sortir libre de cette île. Je rentrerai en Angleterre, je retrouverai ma vie à Londres, ils ne m'attraperont pas.

Je redeviens efficace.

Je fais aux deux policiers un bref récit des événements de la soirée de la veille, leur raconte que Carla et moi sommes allées à la plage avec Glen et KD. Après la baignade, Carla et KD sont partis devant, Glen et moi les avons rejoints plus tard. C'est comme si je décrivais les scènes d'un film que j'aurais vu récemment et que je recommanderais. Dans cette nouvelle version des faits, la deuxième fois que j'ai vu Carla, ç'a été quand nous sommes arrivés à la bergerie, Glen et moi. Je me suis levée tôt ce matin pour aller nager. Selon KD, elle avait quitté la bergerie peu après, mais, ne sachant pas de quel côté j'étais partie, elle avait décidé de prendre la route de la côte, et après... après...

« Oui, oui, fait le policier plus âgé en me tapotant la main. Ne vous tourmentez pas.

— Qu'est-ce que vous allez faire, maintenant ? Vous allez devoir prévenir sa famille ?

— M. Finch est arrivé sur l'île hier soir. Il est au courant à présent. C'est un gros choc pour lui aussi.

— Le mari de Carla est ici, sur l'île ? »

Le policier hoche la tête. « Tragédie. Grande tragédie. »

Il a griffonné des notes sur un carnet à spirale, mais il m'annonce qu'il reviendra plus tard pour prendre ma déposition en bonne et due forme, quand je serai plus calme. Une formalité, assure-t-il. Puis il part avec son collègue.

La crasse me colle à la peau.

Le sang de Carla, le sel, les graviers, mes vomissures et mes larmes ont imprégné mon corps tout entier. Je me lave et me relave, mais la saleté suinte par chacun de mes pores et je suis obligée de me laver une fois de plus. Ignorant les recommandations pour économiser l'eau sur l'île, je passe plus d'une heure à la salle de bains. Je dois être sûre d'avoir éliminé toute trace de Carla, le plus infime reste de gravillon, de sel, de sang. Je n'ignore pas qu'un fil, un cheveu peuvent trahir un assassin. Alors je me lave une fois de plus.

Ma robe bleu marine trempe dans le lavabo avec mes sous-vêtements. Je meurs d'envie de les jeter, ainsi que mes sandales, mais cela ne ferait qu'éveiller les soupçons. Je les nettoie et les rince à plusieurs reprises, traquant la moindre tache de sang, puis je les suspends pour les faire sécher et je vérifie de nouveau.

Enfin, il ne reste plus rien à nettoyer et je ne tiens plus debout tant je suis épuisée. Je m'assieds sur le bord du lit, près de m'évanouir, mais à l'instant où mes paupières se ferment, j'aperçois la robe jaune de Carla sur le dos d'une chaise. Celle qu'elle portait hier matin quand elle déambulait sur le port pour draguer Glen et KD. Je me redresse en poussant un cri. Carla est présente partout dans cette chambre. Ici, sa trousse de maquillage dont le contenu déborde : mascara, rouge à lèvres, fard à joues, fond de teint, fard à paupières, limes à ongles, parfum. Là, les

166

souvenirs qu'elle a achetés à Yerolimani — l'icône, le modèle réduit de bateau, l'ombrelle pour Lily qui est si difficile à contenter et à qui elle voulait tant faire plaisir —, tous soigneusement enveloppés de papier cadeau, prêts à être offerts quand elle serait rentrée en Angleterre. Et là, sur la table de nuit, le livre de poche que je lui ai prêté, ouvert à la page où elle a interrompu sa lecture — au tiers environ : je me souviens qu'elle gardait le reste pour le vol de retour parce que, prétendait-elle, il faut toujours avoir de la lecture en cas de détournement d'avion. J'entends encore son rire en disant cela...

À tâtons, je sors de la chambre, je descends l'escalier et je tombe dans les bras de Despina. « Vous êtes fatiguée, me dit-elle. Je vous donne un cachet et vous dormirez. Dormir fait du bien.

— Je ne peux pas. Il y a toutes les affaires de Carla, là-haut.

— On vous met dans une autre chambre.

— Merci. Pourrais-je avoir une aspirine, aussi ? J'ai un mal de tête atroce.

— Bien sûr, bien sûr, je vais chercher ça. Venez. »

Plus tard, aux alentours de midi, assise à la terrasse, je regarde la plage — les parasols, les joueurs de volley-ball, les corps dénudés avec leurs teintes variées, du rose nordique à l'acajou profond. Incroyable, tous ces gens qui se comportent comme si de rien n'était. Il fait chaud, évidemment, de même que tous les autres jours, mais je ne peux m'empêcher de trembler — est-ce seulement de froid ?

La mère de Manoli ne cesse de m'apporter à manger : petits bols de bouillon de poulet, plats salés, desserts. Au bout d'un moment, Despina arrive, s'affaire autour de moi, puis remporte cette nourriture à laquelle je n'ai pas touché. Le couple anglais d'un certain âge ayant expliqué à Manoli que les Anglais trouvent un réconfort dans le thé en cas de crise, avant la fin de la matinée, Manoli est passé expert dans la préparation de ce breuvage.

J'effectue de fréquentes incursions aux toilettes, puis je retourne m'asseoir à ma place, taraudée par la crainte de faire quelque chose qui amènerait les gens à soupçonner ma culpabilité. Ignorant quelle conduite adopter, pour l'instant, je préfère ne rien faire.

Glen et KD arrivent à l'hôtel, hagards, déboussolés. Ils ont déjà reçu la visite du policier maître d'école et de son acolyte, qui ont enregistré leurs dépositions.

Ils me rejoignent à ma table et Manoli leur apporte des bières. Ils boivent, remuent sur leurs sièges, ne savent pas quoi dire. Je me rends compte qu'ils sont mal à l'aise de se retrouver ici, avec moi, à cette heure, mais ils se sentent obligés de me soutenir. De plus, pour le moment, ils n'ont rien d'autre à faire, aucun autre endroit où aller. Ils sont embêtés, aussi, parce que leurs plans de vacances ne les préparaient nullement à devoir affronter la mort d'une femme qu'ils connaissaient à peine. Une pensée quelque peu décalée par rapport au drame accède à ma conscience : leurs vacances sont fichues. Même s'ils poursuivent leur voyage en Italie et en Espagne, comme prévu, ce ne sera plus pareil. Je m'en sens responsable et suis désolée pour eux qu'ils se trouvent ainsi impliqués dans la mort de Carla — dans son «accident», comme j'apprends à dire désormais.

Tandis que je tourne la petite cuiller dans la tasse de café que je ne boirai pas, je n'éprouve aucun remords. Parce que Carla, par la force des choses, par nécessité vitale, est devenue un nom, un mot, une notion. Ce n'est plus une personne réelle, vivante, animée, une personne avec des tics, des manies, un rire, une voix qui pouvait être rauque, enfantine ou perçante, selon son humeur... «Carla» a cessé d'être une femme que j'ai connue.

«Bon sang, je n'arrive pas à le croire», répète KD pour la énième fois. Les yeux rivés à la plage, il scrute les rangées de corps demi-nus comme s'il espérait vraiment reconnaître quelqu'un parmi ces gens qui jouent au volley-ball, pataugent dans l'eau, soulèvent le sable en marchant. «Qu'est-ce qu'elle faisait sur cette route, d'ailleurs? questionne-t-il. Elle n'a pas vu le camion arriver, bon Dieu? Elle ne l'a pas entendu? Tu crois qu'elle était évanouie ou quoi?

— Je n'en sais rien», répond Glen, qui réagit différemment au choc. Alors que KD ne cesse de retourner le problème dans tous les sens, Glen boit sa bière en fronçant les sourcils.

«Le flic a dit qu'elle *était* sur la route, insiste KD. Il n'a pas dit qu'elle *marchait* sur la route. Ce qui signifie qu'elle n'était pas debout, mais assise ou allongée.

— Il parle très mal l'anglais, souligne Glen. Tu ne peux pas déduire ça de ses propos.

— Elle avait bu, continue malgré tout KD. Elle a bu comme un trou hier soir, beaucoup plus que toi, Helen, mais quand même... au point de perdre connaissance sur la route...

— C'est bizarre, admet Glen.

— Je suppose qu'on en saura davantage après l'autopsie.

— Quoi?» Je crie presque. «L'autopsie? Quelle autopsie?

— Pour l'enquête, ils sont obligés de pratiquer une autopsie.

— Pourquoi? Ils savent comment elle est morte: à cause du camion; les roues arrière ont dérapé et le chargement de pierres s'est renversé sur elle. Le

169

chauffeur a dit qu'il l'avait vue mais qu'il n'a pas pu s'arrêter à temps, il l'a heurtée avec ses roues arrière, voilà tout. Elle est morte sur le coup, d'après le policier. Ils n'ont pas besoin de faire une autopsie.

— Je suppose qu'ils veulent réunir toutes les informations, explique KD, procéder aux analyses de sang, etc.

— De sperme, ajoute Glen.

— Seigneur Dieu ! gémit KD en mettant la main devant sa bouche.

— C'est bon, dit Glen, tu leur as déjà tout raconté.

— Oui, je pense. Mais c'est le côté froid, aseptisé de la chose. L'imaginer à la morgue, dans un tiroir d'où on la sort pour la tripoter, effectuer des prélèvements sur son corps, la découper...

— Ça suffit, KD, c'est déjà assez pénible pour Helen sans que tu en rajoutes.

— Tu as raison. Excuse-moi, Helen, je ne sais pas ce qui m'a pris. » Il me sourit. Tous deux me sourient. Pauvre Helen, voyez comme elle est bouleversée.

Une autopsie. Mon Dieu, je n'avais pas pensé à ça. Juste au moment où je commençais à croire que finalement les choses s'arrangeaient... Et après l'autopsie, l'enquête. C'est ainsi qu'on découvre comment quelqu'un est réellement mort. La nausée réapparaît, ainsi que les tremblements, plus forts qu'avant.

« Que se passe-t-il ? » KD observe une voiture qui s'arrête devant l'hôtel. À la façon de conduire et à l'air grave de l'homme qui descend du véhicule, on comprend qu'il s'agit de quelqu'un qui a du pouvoir et de l'autorité. Les cheveux gris, une tête de boxeur, une bedaine qui déborde par-dessus sa ceinture, il remonte son pantalon d'un geste machinal. Pas d'uniforme, mais je devine immédiatement que c'est un policier. Jusque-là, j'avais peur. Seulement peur. Là, c'est indicible.

Le nouveau venu jette un coup d'œil dans notre direction. Son visage n'exprime rien. Il doit deviner tout de suite qui nous sommes, ce qui ne l'empêche pas de serrer d'abord la main de Manoli et d'échanger avec lui, sur un ton rapide, des propos en grec. Puis il s'avance nonchalamment vers notre table. Il se présente : commissaire Markazenis, et attrape une chaise vide — la quatrième chaise, celle où aurait dû être assise Carla.

Il s'adresse tour à tour à chacun de nous.

« Vous êtes Mlle Helen North ?

— Oui.

— Et vous, Glen Paxton ?

— Oui, commissaire.

— Et vous, Kyril Drossky.

— Oui, monsieur. »

KD observe intensément le policier. Un courant invisible est passé entre eux deux, une sorte de décharge électrique. Le visage de KD est tendu par l'anxiété. KD : Kyril Drossky. Aussi simple que cela.

Calme et décontracté, le commissaire s'assied à notre table. Il commence à parler d'un ton lent et monocorde, et nous répète le récit des événements de la veille au soir tels que nous les avons racontés spontanément. De temps à autre, il nous jette un regard, à Glen et à moi, mais ses yeux restent le plus souvent fixés sur KD. Il termine par ces mots : « Et Mlle Finch est allée avec vous dans votre villa, où vous avez eu des relations sexuelles avec elle. »

KD essuie les gouttes de sueur sur sa lèvre supérieure. « Vos hommes ont déjà enregistré ma déposition.

— Oui. Vous vous êtes montré très coopératif.

— A-t-on déjà procédé à l'autopsie ?

171

— Il faut attendre le médecin, il arrive ce soir.

— Y a-t-il un problème, monsieur ? interroge KD.

— Peut-être. »

Nous attendons. Le commissaire prend son temps. À la fin, il demande aux garçons : « L'un de vous deux a-t-il perdu une chemise ? une chemise à carreaux ? »

Silence total. Au bout de quelques instants, KD répond d'une voix presque inaudible : « Carla m'a emprunté ma casquette de base-ball. J'ai pensé qu'elle avait peut-être aussi pris ma chemise. »

L'ombre d'un sourire passe sur le visage du commissaire. « Un de mes hommes a trouvé tout à l'heure une chemise à carreaux avec une étiquette américaine. Elle se trouvait non loin du corps de Mlle Finch, plus précisément entre l'endroit où on a découvert son corps et la villa où vous séjournez.

— Elle a dû la laisser tomber. Puis-je la récupérer ?

— Non, je regrette. Il y avait une assez grande quantité de sang sur le col et la manche gauche. Nous devons procéder à des analyses. Si le sang prélevé sur la chemise correspond au vôtre, vous serez obligé de faire une déposition complémentaire. Maintenant, je vais vous demander de me remettre vos passeports et de me tenir informé à tout moment de vos déplacements. Il est possible que sa mort ne soit pas un accident. »

Le commissaire se renverse sur son siège et lève les mains comme pour dire : Qu'est-ce que j'y peux ? Puis il sourit. Je comprends alors pourquoi cet homme est si terrifiant : il fait bien son boulot, et il y prend un immense plaisir.

KD passe l'après-midi au téléphone. Il discute avec le consul américain et un avocat du coin qui parle correctement l'anglais ; il téléphone à un autre avocat sur le continent, dont l'anglais est parfait, et à l'ambassade des États-Unis à Athènes. À présent, il appelle les États-Unis en PCV.

Blême d'angoisse, il tient le combiné coincé dans le creux de son épaule et s'essuie les mains sur son short. Malgré sa non-culpabilité, il connaît suffisamment la justice pour savoir que l'innocence ne garantit rien.

Manoli l'observe tout en rinçant les verres. Il a cessé de m'apporter des tasses de thé. Il est devenu taciturne et méfiant ; manifestement, ce qu'il prenait pour un tragique accident s'avère plus sordide, et sa sympathie a disparu. KD est peut-être celui sur qui se portent les soupçons de la police, mais nous sommes tous les trois impliqués dans l'affaire.

KD parle d'une voix de plus en plus affolée. « Oui, oui, je sais, mais ici ce n'est pas pareil, j'ignore comment ça marche, c'est ça le problème. »

Son affolement est insupportable au sens propre. J'ai beau me répéter que la police ne peut pas l'accuser du meurtre de Carla pour la simple raison qu'il ne l'a pas commis, je ne supporte pas le spectacle de sa détresse.

Bien sûr, je peux à tout instant mettre fin à son tourment, il me suffit de dire la vérité, de passer aux aveux, tout simplement. Peu importe à qui je confesse mon crime en premier, l'essentiel est que la vérité éclate au grand jour. Je peux dire : Ne t'inquiète pas, KD, je sais que tu n'as pas tué Carla. Pourquoi j'en suis si sûre ? Parce que j'ai menti à propos de ce qui s'est passé. J'ai dû paniquer. J'étais là, tu comprends... Et ensuite, la police...

Je ne peux pas dire cela, pas encore. Plus tard, peut-être, s'il n'y a pas d'autre moyen, mais pas maintenant. J'ai trop mal à la tête, j'ai de nouveau la nausée, et puis peut-être cela ne sera-t-il pas indispensable.

173

Impossible de rester ici, il vaut mieux que j'aille nager.

Je monte me changer, j'enfile mon maillot de bain et une tunique noire par-dessus — noire pour le deuil et le désespoir. Je manque entrer par erreur dans mon ancienne chambre ; pourtant, Despina m'a déjà installée dans une autre — minuscule, avec juste assez de place pour le lit, mais au moins cette pièce ne contient aucun souvenir de Carla. Toutes ses affaires ont été emportées. Où ? Je l'ignore, et je ne pose pas la question. C'est peut-être la police qui les détient, ou bien on les a remises à son mari, arrivé hier en fin d'après-midi.

Dans une partie de mon cerveau, éloignée, hors d'atteinte, j'enregistre le fait que l'arrivée du mari de Carla, deux jours avant la date où elle devait de toute façon quitter l'île, n'a aucun sens. Mais désormais, plus rien n'a de sens. Je ne comprends pas pourquoi j'ai commis l'acte que j'ai commis. Hier encore, je vivais dans un monde où l'effet suivait la cause, où les gens — dont moi — étaient prévisibles. À présent, le cauchemar et la folie ont pris le dessus, tout est possible, et plus rien ne peut me surprendre.

Quand je traverse le bar, une serviette sur le bras, Glen se lève. « Tu vas te baigner ? Je t'accompagne. Je deviens cinglé à rester ici sans rien faire.

— D'accord. » Je préférerais être seule, mais il faut que j'aie l'air normale, je le sais — normale, pas dans le sens de « comme d'habitude », étant donné que personne aujourd'hui ne peut se sentir comme d'habitude, mais normale à la manière de quelqu'un qui ne s'attend absolument pas à être arrêté pour le meurtre d'une amie.

Glen se tient tout près de moi. « Seigneur, quelle journée, j'ai du mal à me dire que c'est vrai. » Il me regarde avec un sourire compatissant. Puis son regard change. Il écarte de mon visage une mèche de cheveux. Je frémis. « Tu t'es écorchée, Helen, comment ça t'est arrivé ?

— Je ne sais pas... je ne me rappelle pas... » Je revois par flashes des images de Carla : elle me crache sa haine au visage et me laboure la joue avec ses ongles.

« On dirait que tu t'es fait griffer par un chat.

— En effet. Je me suis baissée pour caresser un chat, et cette sale bête m'a griffée.

— Tu sais qu'ils ont la rage par ici, tu devrais consulter un médecin. »

Un médecin verrait tout de suite que ce ne sont pas des griffures de chat, mon histoire ferait long feu. Je réponds : « Pas maintenant, je ne peux rien faire pour l'instant.

— Bien sûr, je comprends. »

KD nous observe. Son front est sillonné de rides. Il pose les yeux sur moi — un regard plein de soupçon. Il a sûrement deviné que je n'ai cessé de mentir tout au long de la journée. Il se retourne contre le mur et j'entends sa voix : « Pouvez-vous faire cela pour moi, s'il vous plaît ? J'ignore complètement ce qui va se passer. Je ne comprends pas comment ça fonctionne ici, ce n'est pas du tout comme chez nous. »

Même la mer a changé : l'eau est tiède, trouble, j'ai l'impression de me baigner dans ma propre sueur, comme si la Méditerranée avait été contaminée par mon crime.

La voix de KD, tendue à l'extrême par la panique, résonne dans ma tête : *Je ne comprends pas comment ça fonctionne ici, ce n'est pas du tout comme chez nous.*

La marche à suivre est évidente : avouer la vérité, tout révéler, affronter les conséquences, payer le prix. Voilà ce que ferait une personne honnête. Seulement, je ne suis plus cette personne-là, sinon je n'aurais jamais commis l'acte que j'ai commis ce matin sur la route de la côte.

Je ne suis pas une personne honnête. Dans cet univers insensé qui a surgi avec l'aube, je suis violente et destructrice. N'empêche que je ne peux pas continuer à regarder KD se démener et souffrir sans lui venir en aide.

Tandis que je nage — avec lenteur, avec précaution, sans m'éloigner de l'endroit où j'ai pied, en évitant tout contact avec les autres nageurs —, je m'efforce de décider de la conduite à adopter. Une chose est sûre, je ne peux pas aller raconter mon récit d'horreur à ce commissaire arrogant, je suis bien trop lâche.

Il faut que j'en parle à quelqu'un. Qui ? Pas KD. Je ne supporterais pas son expression atterrée. *Tu veux dire que tu es restée là sans parler et que tu les as laissés me soupçonner ?* Glen, peut-être ?

Soudain, j'ai une idée. Il est possible de laver KD de tout soupçon sans avouer le meurtre de Carla. En racontant une partie de la vérité — juste assez pour prouver que KD n'a rien à voir là-dedans, mais pas trop, afin qu'on ne m'accuse pas. Je peux avouer que Carla m'a suivie quand j'ai quitté la bergerie, dire qu'elle était encore soûle, qu'elle est tombée et s'est blessée, ce qui expliquerait le sang sur la chemise. Je l'ai vue s'essuyer le visage avec cette chemise, qui a dû ensuite glisser de ses épaules. Nous nous sommes disputées et elle n'arrêtait pas de perdre l'équilibre dans l'obscurité. Je pourrais dire qu'elle s'est mise en colère contre moi, qu'elle a voulu me frapper et que je l'ai poussée pour me défendre. Je pourrais expliquer que j'ignore ce qui s'est passé ensuite parce que j'ai commencé à courir pour lui échapper ; que peut-être elle est tombée quand je l'ai poussée, ou alors

176

qu'elle a trébuché en se lançant à ma poursuite ; que peut-être elle était encore sous l'effet de l'alcool...

Je repasse le récit dans ma tête. Pourquoi ai-je menti la première fois ? Parce que j'étais sous le coup de cette dispute et que je n'avais pas envie d'en parler. Mon histoire n'est pas parfaite, mais c'est mieux que rien. Elle peut innocenter KD, et pourquoi me soupçonnerait-on ?

« Glen ! Glen, il faut que je te parle. »

Il avance vers moi en fronçant les sourcils. « Je retourne là-bas, m'annonce-t-il. Ça m'embête de laisser KD tout seul.

— Mais, Glen...

— Tu viens avec moi ? » Son ton n'est pas hostile à proprement parler, mais j'y décèle maintenant une certaine distance, de la froideur. On dirait que lui aussi a réfléchi. Il doit me reprocher de l'encourager à s'éclipser et à s'amuser pendant que KD se débat avec ses interminables coups de fil. Peut-être m'en veut-il aussi obscurément pour toute cette horrible histoire qui a fichu en l'air ses vacances. Si lui et KD ne nous avaient pas rencontrées, Carla et moi, rien de tout cela ne se serait jamais produit. Il doit regretter de m'avoir rencontrée, d'avoir nagé nu dans la Méditerranée avec moi, de m'avoir embrassée sous le ciel étoilé, d'avoir eu envie de faire l'amour avec moi.

Non, je ne peux rien raconter à Glen.

Je lui réponds : « Je te suis. »

Mais il ne m'écoute pas, il est déjà parti.

Plus tard dans l'après-midi, un inconnu se tient au bord de la terrasse. Je le reconnais immédiatement.

Daniel Finch paraît plus âgé que sur la photo ; rien de surprenant, étant donné ce par quoi il est passé depuis quelques heures. Ses cheveux sont plus clairs aussi, pas noirs, mais bruns.

177

Debout, il contemple la plage. Peut-être m'observe-t-il. J'enfile ma chemise en coton noir et je la boutonne avec soin; le tissu colle à ma peau mouillée, mais il sera sec dans quelques instants. J'enlève lentement une sandale après l'autre, je vide le sable, je le regarde s'écouler, puis je remets mes sandales.

Le mari de Carla.

Je ne suis pas prête pour cela. Cela ne figurait pas dans le scénario, et j'ignore comment affronter la situation. D'un autre côté, je ne peux pas rester là éternellement, à triturer les boutons de ma chemise, à rouler ma serviette en boudin, à la caler sous mon bras. Tôt ou tard, il va bien falloir que je remonte à l'hôtel. Que dire dans ce genre de circonstances?

Je jette un coup d'œil dans sa direction. Que fait-il là, d'ailleurs? Pourquoi un mari se rendrait-il sur les lieux où a séjourné son épouse «fugueuse»?

Trop compliqué. De toute façon, peut-être que je ne serai pas obligée de parler avec Daniel Finch. Peut-être, venu chercher les affaires de Carla, n'a-t-il nulle envie de rencontrer les amis qu'elle a connus ici. Glen et KD, accoudés au bar, le regardent de dos, sans rien dire. Leur a-t-il parlé? Sans doute pas. Dans ce cas, il ne cherchera pas à discuter avec moi non plus.

Je marche face à la lumière; le soleil ne tardera pas à disparaître derrière la cime de la montagne, et ce sera de nouveau le soir. À peine vingt-quatre heures plus tôt, nous nous préparions dans notre chambre, Carla et moi, et elle revendiquait Glen pour elle.

Et maintenant...

Ce serait plus facile de passer simplement devant Daniel Finch, de même que devant Glen et KD. Je me rends compte que je serai incapable de continuer beaucoup plus longtemps cette comédie, mon vernis d'innocence est sur le point de craquer et je vais me trahir. Parler au mari de Carla est hors de question.

Pourtant, je n'ai pas le choix.

Daniel Finch descend de la terrasse et avance vers moi dans le sable. Il est obligé de faire un léger détour pour éviter de marcher sur un enfant aux jambes bronzées et potelées qui dort sur une serviette de bain tandis que sa mère range leurs affaires de plage dans un grand sac à rayures.

À présent, je panique parce que j'ignore si je dois sourire normalement, d'un air aimable, ou si c'est tout à fait déplacé compte tenu des circonstances particulières de notre rencontre — réaction typique de quelqu'un qui a quelque chose à cacher.

« Helen North ?

— Oui. » Je ne souris pas, mais ma bouche se tord nerveusement.

« Je suis Daniel Finch, le mari de Carla.

— Je sais. »

Il a l'air surpris, j'explique : « Elle m'a montré une photo hier soir, celle avec vous et les enfants.

— Je comprends. » Il hésite un instant. « Je n'étais pas certain. Je croyais que peut-être elle passait ces quelques jours de vacances seule.

— C'était le cas, au début du moins.

— Cela vous ennuie si nous marchons un peu ? J'aimerais vous parler. Impossible d'être tranquilles au bar, ils débordent de bonne volonté, mais... » Il esquisse un geste de la main.

« Bien sûr. »

Nous nous éloignons sans hâte de l'hôtel. Je suis consciente que tout le monde au bar doit nous suivre des yeux, je sens les regards dans mon dos, tels des picotements de chaleur. Dans cette partie de la plage, le sable est tellement sec qu'on a du mal à avancer ; des sacs en plastique et des bouteilles vides jonchent l'herbe maigre où poussent, ici et là, quelques rares fleurs jaunes qui ressemblent à des marguerites.

Je remarque ces détails et je note aussi que Daniel Finch est habillé pour une journée d'été en Angleterre : il porte un jean, des chaussures à semelles de crêpe, une chemise en jean délavé dont il a remonté les manches. Comme Carla, il ne porte pas d'alliance.

Il m'est facile d'observer tout cela, car pendant un moment nous marchons lentement et en silence. Puis, d'un seul coup, jaillissent les formules toutes faites.

Je bafouille : « Je suis vraiment bouleversée de ce qui est arrivé à Carla. Cela doit être terrible pour vous. C'est un véritable cauchemar, je ne peux pas croire que... »

Il s'immobilise et je me tourne vers lui. Il me dépasse d'une tête environ. Son visage aux traits fermes, aux yeux pénétrants, doit être très expressif en temps ordinaire ; pour l'instant, la souffrance qu'il reflète est insoutenable.

Il me dévisage. « Oui », dit-il, puis il ajoute : « Merci. »

Il se remet en route et je règle mon pas sur le sien. De quoi veut-il me parler ?

« Je ne connaissais pas Carla depuis longtemps, mais...

— Depuis combien de temps ?

— À peine plus de huit jours.

— Vous ne l'avez donc pas rencontrée en Angleterre ?

— Non, nous avons voyagé sur le même vol et à l'arrivée nous avons échangé quelques mots parce que nous avions interverti nos bagages ; ensuite, nous nous sommes revues par hasard en ville et, comme nous pensions l'une et l'autre que ce n'était pas très amusant de voyager seule, nous... »

Daniel Finch me coupe à nouveau. « Elle était seule ?

— Oui. Des touristes l'avaient harcelée, et elle en

avait assez. Je me sentais dans le même état d'esprit qu'elle et nous avons donc décidé de faire équipe. Elle est venue s'installer dans ma chambre, à l'hôtel ; cela nous a paru la solution idéale. »

Nous ralentissons le pas, puis nous nous arrêtons. Si nous continuons plus loin, nous serons obligés de prendre le chemin qui mène à l'autre plage. L'endroit où nous nous trouvons est aussi tranquille que n'importe quel autre ; ici, personne ne peut surprendre notre conversation.

Daniel Finch, les bras croisés, les mains sous les aisselles, contemple la mer. Après un long silence, il dit : « Ma question va peut-être vous paraître bizarre, mais... avez-vous eu l'impression que Carla était heureuse ?

— Heureuse ? Oui, je crois. Nous avons passé de bons moments ensemble, si c'est ce que vous voulez dire. Nous ne faisions pas grand-chose, elle était ravie de rester sur la plage et d'aller faire un tour de temps en temps à Yerolimani.

— Donc, vous n'avez pas eu le sentiment que quelque chose la tourmentait ?

— Pas vraiment, non. Parfois elle avait l'air un peu... insatisfaite, je dirais, mais tourmentée, non.

— Insatisfaite ? »

J'hésite. J'essaie de me rappeler ce que Carla m'a confié la veille au sujet de sa vie en Angleterre et de son mari. C'est difficile. Je me souviens qu'elle s'est plainte d'avoir le sentiment d'étouffer et d'être sousestimée, mais c'est — j'imagine — ce que doivent éprouver bien des femmes obligées de répondre aux exigences de leur mari et de leurs enfants. Je me rappelle aussi qu'elle a affirmé que Daniel l'adorait et l'avait toujours adorée. Elle est morte, et cet homme est au supplice ; s'il faut sacrifier une parcelle de vérité pour soulager sa peine, quel mal y a-t-il ?

«Elle parlait de vous avec beaucoup de tendresse. Elle avait hâte de rentrer. Et, naturellement, de revoir les enfants.

— Vraiment?» Il a l'air surpris.

«Oui.

— Elle n'était donc pas déprimée?

— Déprimée? Non, elle n'était pas déprimée.»

Il pousse un soupir de soulagement. «Dieu soit loué.»

Nous rebroussons chemin, toujours sans nous presser et sans parler. Ses questions m'ont surprise. A-t-il été réconforté d'apprendre que les derniers jours de Carla au moins ont été plutôt heureux, ou s'agit-il d'autre chose? Quand j'y songe soudain, l'éventualité me coupe le souffle.

Daniel Finch craint-il que sa femme se soit mise délibérément en travers de la route du camion?

«Je sais que cela ne me regarde pas, mais pourquoi n'êtes-vous pas venu la voir dès votre arrivée hier soir?

— Mmmm?» Perdu dans ses pensées, il a du mal à enregistrer ma question. Il fronce les sourcils. «C'était mon intention, mais mon vol a eu du retard. J'ai dû passer par Athènes, et quand je suis arrivé sur l'île, il était tard et j'étais fatigué. Dans l'humeur où j'étais hier soir, nous aurions sans doute fini par nous disputer, et c'était la dernière chose que je souhaitais. J'ai vu Paul, mais je lui ai demandé de ne pas dire à Carla que j'étais ici.

— Paul?

— Paul Waveney. Elle ne vous a pas parlé de lui?»

Je fais non de la tête. Il semble perplexe, mais poursuit: «Il habite près de chez nous. Sa tante possède une villa sur l'île et il vient souvent lui rendre visite. Il pensait que nous arriverions ensemble, Carla et moi, et que nous resterions quelque temps avec eux;

182

quand il a appris que je ne savais même pas où elle était, lui et Carla se sont disputés ; Carla est partie et il m'a téléphoné pour me raconter ce qui se passait. Je regrette de ne pas être venu aussitôt, mais j'étais en colère et... je ne l'ai pas fait. J'ai décidé de me rendre en Grèce seulement après le second coup de fil de Paul, il y a trois jours. Carla a dû vous dire qu'il y avait... quelques problèmes entre nous.

— Pas vraiment, non. » Ses propos coulent facilement, presque comme s'il les avait répétés à l'avance, n'empêche que son récit des événements n'a pas grand sens. De toute manière, plus rien n'a de sens désormais. Je demande : « Pourquoi vous êtes-vous donné la peine de venir, en fin de compte ? Elle devait rentrer en Angleterre demain, non ?

— Oui, mais je l'ignorais. Je ne pensais pas qu'elle avait déjà fixé sa date de retour. »

J'ai envie de lui poser d'autres questions mais nous avons presque regagné l'hôtel, et heureusement, au fond. Sa façon d'évoquer Carla m'empêche d'avoir les idées claires. Pour lui, elle est réelle. Une douleur aiguë, juste au-dessous des côtes, bloque ma respiration.

Nous approchons, et j'aperçois Glen et KD perchés sur des tabourets face au bar. Ils ont l'air plongés dans une conversation animée mais je parie qu'ils ne savent même pas de quoi ils discutent : simplement, ils sont conscients que le mari de Carla n'est pas loin, qu'il les observe et les jauge. Je jette un rapide coup d'œil à Daniel Finch, puis aux deux Américains ; à côté de lui, ils paraissent très jeunes — presque des gamins —, et extrêmement vulnérables.

Je ne peux m'empêcher de m'interroger sur ce que la police a raconté à Daniel Finch au sujet de la dernière nuit de Carla. Soudain, il s'arrête et dit : « Paul m'attend avec la voiture. Merci pour votre aide. Je demanderai votre adresse à la police afin de pouvoir vous tenir au courant pour les obsèques. »

Mon cœur se serre. « C'est très aimable à vous. »

Sur le point de prendre congé, il détourne les yeux et contemple le sable à ses pieds. « À propos, c'était lequel des deux ? » questionne-t-il d'une voix très contenue.

« Lequel ? » J'ai pourtant bien compris de quoi il parle.

« Carla a passé la dernière nuit avec l'un de ces deux jeunes gens assis au bar, non ?

— Oui, mais je suis sûre qu'il n'a pas...

— Lequel ?

— KD. Le brun. »

Il hoche la tête, fait un effort manifeste pour se contrôler. « Merci, Helen, vous m'avez beaucoup aidé. »

Il s'éloigne rapidement vers une voiture garée à l'ombre. Impossible, à cette distance, de distinguer les traits de l'homme qui salue Daniel Finch, s'installe au volant et met en marche le moteur. Je reconnais cependant les cheveux blond-roux, la tenue impeccable et l'élégant panama.

La voiture blanche disparaît bientôt dans un nuage de poussière.

On dit que, lorsque le malheur frappe une personne, elle continue d'effectuer machinalement les actes routiniers, même les plus incongrus. Voilà pourquoi, dès que le jour décline, KD, Glen et moi commençons à discuter de l'endroit où nous irons dîner, tout en sachant qu'aucun de nous ne sera capable d'avaler un morceau. Mais l'autre solution, traîner aux abords de l'hôtel en attendant la prochaine visite de la police, risque de nous conduire tout droit à la folie.

Juste comme nous nous apprêtons à partir pour Yerolimani, KD regarde du côté de la route et devient blême. « Mon Dieu ! »

Le commissaire Markazenis se gare et s'extirpe de son véhicule. Lors de son premier passage, en milieu de journée, il arborait une expression confiante et déterminée ; à présent, son visage est sombre et courroucé ; en fait, il donne l'impression d'avoir envie de commettre un meurtre plutôt que d'en élucider un.

Il jette un regard mauvais dans notre direction, puis s'arrête au bar où Manoli lui sert un petit verre d'alcool. Ils discutent un moment — ou plutôt, le commissaire parle, d'un ton rapide et hargneux, et Manoli écoute en hochant la tête, l'air de dire que vraiment il n'y a pas de justice en ce bas monde.

Nous attendons. Il y a longtemps que nous avons renoncé à feindre de poursuivre une conversation entre nous. Trop accablés par la peur et l'incertitude pour prendre d'initiative, nous attendons simplement que le policier daigne nous informer du motif de sa visite.

Enfin, il repose brutalement son verre sur le comptoir, se retourne et remonte son pantalon avant d'avancer vers nous de sa démarche arrogante et chaloupée.

Son regard furibond se pose, sans s'attarder, sur moi, puis sur Glen, et se fixe sur KD.

« Monsieur Drossky, vous avez beaucoup de chance.

— Ah bon ?

— Il a été décidé que l'enquête était terminée. Mlle Finch est morte accidentellement. » Il crache ces mots. « La mort est survenue quand le camion l'a heurtée et que le chargement de pierres s'est renversé.

— On a déjà pratiqué l'autopsie ?

— L'autopsie a démontré qu'elle a été tuée par les

pierres qui se trouvaient dans le camion et qui lui sont tombées sur la tête. Fin de l'histoire. » Il est manifestement furieux d'avoir à nous annoncer cela. « Je le répète : il a été déclaré que sa mort est due à un accident. L'enquête est close.

— Seigneur... » KD pousse un long soupir, puis considère le commissaire Markazenis avec méfiance, comme s'il craignait qu'il ne s'agisse d'un piège.

Glen intervient. « Voulez-vous dire, commissaire, que tout soupçon de meurtre est écarté ?

— Si vous voulez mon avis... Mais mon opinion ne compte pas. On a conclu à une mort accidentelle.

— Pourtant, la chemise... »

Le commissaire se retourne vers moi et me lance un regard noir. Je comprends soudain la raison de sa rage : quelqu'un de plus haut placé que lui dans la hiérarchie lui a coupé l'herbe sous le pied. « Quelle chemise ? » éructe le policier. Puis il jette nos trois passeports sur la table. « On m'a chargé de vous restituer ces documents. »

KD se prend la tête dans les mains. Tout son corps se met à trembler. Je devine qu'il pleure de soulagement.

Avant de s'éloigner, Markazenis nous informe : « Le corps va être rapatrié en Angleterre, par le même avion que son mari. Quant à vous... vous êtes libres désormais de rentrer chez vous. »

Deuxième partie

La ville

10

Mon voyage me conduisait dans une région de l'Angleterre que je ne connaissais pas. Peu après Exeter, j'ai quitté la nationale et, la carte étalée sur le siège à côté de moi, j'ai emprunté une route qui passait entre les collines dénudées et les vallées boisées du sud du Devon. Le trafic était dense, à cause des départs en vacances, et par deux fois je me suis trompée de direction. Je craignais d'arriver en retard. À un moment donné, les routes sont devenues si étroites qu'il n'y avait pas de place pour se croiser, et les haies des bas-côtés étaient aussi hautes qu'un bus à impériale, pentues, vertes, mystérieuses.

J'ai consulté ma montre. Il me restait vingt minutes ; d'après la carte, j'étais presque arrivée. Un curieux sentiment d'excitation s'est emparé de moi. Voici la campagne qu'a connue Carla, ai-je pensé, les petites routes qu'elle parcourait en voiture, les paysages qu'elle contemplait. Je me rapprochais de la maison de Carla, de l'univers de Carla.

De l'enterrement de Carla.

Trois jours plus tôt, un simple coup de fil m'avait plongée dans la confusion. Les obsèques de Carla auraient lieu dans l'église d'un village du Devon le vendredi après-midi. Plusieurs personnes partiraient de Londres en voiture, est-ce que je souhaitais faire le trajet avec quelqu'un ?

Merci beaucoup, mais non. Si je m'y rendais — ce qui était peu probable —, ce ne pourrait être que seule. Après tout, personne d'autre n'était lié de la même façon que moi à la vie de Carla — ou à sa mort.

En outre, à quoi bon ? Ma présence serait le comble de l'hypocrisie. Le vendredi matin, j'étais toujours indécise. En réalité, je n'ai pas vraiment décidé d'assister à l'enterrement.

Il fait beau, me suis-je dit, pourquoi ne pas descendre dans le Devon ? Tu auras toujours la possibilité de changer d'avis en cours de route.

Et puis, pourquoi ne pas pousser jusqu'à l'église ? Tu pourras rester à l'extérieur, tu n'es pas obligée d'entrer.

Oui, voilà ce que je vais faire : ne pas assister à la cérémonie même, mais seulement à l'inhumation. C'est la seule chose que j'ai vraiment envie de voir : le moment où l'on descend le cercueil dans la tombe et où on le recouvre de terre. J'ai besoin de savoir que Carla est bel et bien enterrée et qu'il n'y aura plus jamais d'autre autopsie. Alors, je cesserai de craindre à tout instant que quelqu'un, quelque part, ne s'interroge sur la façon dont elle est morte.

Cela doit paraître machiavélique, mais autant admettre la vérité : quand j'ai aperçu l'église avec sa tour carrée et les dizaines de voitures rangées le long du chemin, j'étais presque optimiste.

Après cela, ai-je pensé, le cauchemar touchera à sa fin.

Lors de mon retour de Grèce en avion, après avoir attaché ma ceinture et jeté un dernier coup d'œil par le hublot sur la mer miroitante et les silhouettes de la plage, je croyais réellement que le gros de mes ennuis était terminé. Glen et KD avaient proposé du bout des lèvres de m'accompagner à l'aéroport, mais ils ont paru visiblement soulagés que je décline leur offre. Les événements des dernières quarante-huit heures nous avaient anéantis tous trois de diverses manières, et chacun s'était replié sur soi. Il y avait tant de sujets que nous ne pouvions désormais plus aborder. J'avais hâte de m'éloigner d'eux avant de ne plus être capable de fournir l'effort que me coûtait la dissimulation de mes mensonges.

KD a passé presque toute la dernière soirée au téléphone. D'après les silences et les dérobades de la police, d'après les commentaires cyniques des personnes qu'il avait contactées sur le continent, il en avait déduit que quelqu'un de haut placé avait mis un terme à l'enquête zélée du commissaire Markazenis. Peut-être tout simplement les résultats de l'autopsie n'étaient-ils pas concluants, et considérer la mort de Carla comme un accident limitait les problèmes pour tout le monde. Ou peut-être souhaitait-on — ce qui était bien compréhensible — éviter un scandale qui, survenu au début de l'été, aurait risqué d'avoir un effet dissuasif sur les touristes. Ou alors la famille du chauffeur de camion était influente dans la région et ne désirait pas voir son nom mêlé à une affaire criminelle. À la différence de KD, je ne me sentais guère concernée de le savoir soudain lavé de tout soupçon. Du moment que nous étions libres tous les trois...

Au fond, je m'étais trouvée mêlée à une affreuse tragédie que je ne parvenais pas à comprendre, mais apparemment j'allais m'en tirer ; on ne m'arrêterait pas, on ne m'interrogerait même pas, je ne serais ni jugée, ni condamnée, ni jetée en prison. Je n'aurais pas à affronter l'incrédulité de mes amis ni la honte de ma famille. Par miracle, ma vie ne s'était pas écroulée. Évidemment, il me faudrait du temps pour surmonter tout cela, les cicatrices ne s'effaceraient pas en une nuit, mais l'essentiel était que je puisse reprendre le cours de ma vie.

Il est apparu bien vite que ce ne serait pas si facile. Je dormais mal et je n'avais pas d'appétit — symptômes qui disparaîtraient, pensais-je.

Au bout de deux ou trois jours, ivre de fatigue, je suis retournée travailler. Jusque-là, mon travail avait toujours été le remède souverain à tous mes maux, du rhume de cerveau aux peines de cœur. Pas cette fois. Mes collègues n'ont pas tardé à se rendre compte que mon incapacité à remplir ma tâche n'était pas seulement due à la léthargie du retour de vacances. Je leur ai raconté qu'une jeune femme avec qui j'avais lié amitié en Grèce était morte de façon brutale et absurde. Je suis même allée jusqu'à leur dire que je me sentais responsable : en effet, si j'avais pris la route de la côte au lieu d'aller me baigner, elle m'aurait rattrapée et nous aurions été ensemble quand le camion avait effectué son premier trajet de la journée. Il y aurait eu une chance que l'accident ne se produise pas.

Elles m'ont témoigné sympathie et compréhension. Selon leur diagnostic, c'était la réaction au choc, je souffrais de troubles post-traumatiques, j'éprouvais la culpabilité des survivants, je n'avais pas fait mon deuil. Elles m'ont obligée à prendre huit jours de congé supplémentaires, davantage si nécessaire, elles m'ont conseillé de demander une aide psychologique. Au début j'ai protesté, puis, dans le brouillard où je me débattais avec ma souffrance et mon désarroi, j'ai compris que je devenais un fardeau pour toute l'équipe et que leur travail s'en ressentait. De plus, leur sollicitude était une torture raffinée puisque je savais à quel point je ne la méritais pas. Je suis rentrée chez moi en promettant de revenir après le week-end.

Cela s'était passé dix jours plus tôt — dix jours au

cours desquels mon manque d'appétit et mon insomnie n'avaient fait qu'empirer.

Puis il y avait eu ce coup de téléphone, une voix de femme inconnue : « Carla sera enterrée vendredi, la cérémonie aura lieu à quatorze heures trente à l'église de Burdock. B.U.R.D.O.C.K. Daniel m'a chargée de vous prévenir. Je peux demander à une des amies londoniennes de Carla de vous emmener en voiture.

— Merci, mais je préfère m'y rendre par mes propres moyens.

— Un buffet se tiendra à la salle des fêtes du village après l'office. Daniel voulait inviter tout le monde à Pipers, mais étant donné le nombre de personnes attendues, il n'y aurait jamais eu assez de place. Nous l'avons finalement convaincu que la salle des fêtes serait plus commode.

— Bien sûr.

— À vendredi, alors.

— Oui. »

J'ai raccroché. Je n'irais pas, évidemment. En dehors de toute autre considération, je n'étais pas en état de conduire sur un si long trajet. Ma capacité de concentration avait diminué au point que je pouvais à peine dépasser le pâté de maisons sans frôler l'accident. Prendre le volant pour descendre dans le sud du Devon était hors de question.

Pourtant, le vendredi matin, j'ai enfilé un tailleur en lin noir, j'ai étudié la carte, je suis montée en voiture, j'ai mis le moteur en marche. À ma grande surprise, tous mes gestes étaient fluides, naturels, je conduisais avec une facilité surprenante et j'étais entièrement concentrée sur ce que je faisais. Comme si visiter les lieux où Carla avait vécu était ce que j'attendais depuis le début. La raison pour laquelle tout le reste m'avait paru insurmontable, c'était que le plus urgent pour moi était de voir enterrer Carla.

Une fois que ce serait fait, peut-être pourrais-je tirer un trait sur toute cette tragique affaire.

Peut-être.

Mon véhicule, qui roulait à une allure d'escargot à cause de l'étroitesse de la route, s'est arrêté en douceur derrière un break couvert d'une fine couche de poussière — la terre rougeâtre du Devon. J'ai coupé le moteur, je me suis regardée dans le miroir, j'ai attrapé mon sac... et j'ai été incapable de descendre de voiture.

Impossible de bouger, mes jambes étaient raides. Jamais je ne pourrais parcourir la courte distance qui me séparait de l'église. Qu'allait-il se passer ? Une panique atroce m'a saisie.

Quelle folie d'être venue ! Qu'est-ce qui m'avait pris ? J'allais sûrement m'effondrer, hurler, me trahir, tout révéler, tout avouer... Il fallait que je reparte immédiatement.

Un coup d'œil dans le rétroviseur, et j'ai compris que la fuite était impossible. Une autre voiture, un quatre-quatre, s'était garée juste derrière la mienne, pare-chocs contre pare-chocs ou presque. La petite route prenant fin juste après l'église, les véhicules se rangeaient le plus près possible les uns des autres. Puisque tout le monde repartirait en même temps, l'encombrement se résorberait tout seul.

Ainsi avait-on dû raisonner pour résoudre le problème du parking, mais tout ce que je voyais, c'est que ma retraite était coupée : j'étais prise au piège.

Ma panique a augmenté. Une douleur m'a étreint la poitrine, mes oreilles se sont mises à bourdonner. Devant moi, un couple âgé est sorti du break couvert de poussière. Ces gens avaient sûrement bien connu Carla. C'étaient peut-être ses grands-parents, ses parents, même. À flot continu, des gens en deuil se glissaient entre les rangées de voitures pour converger vers l'église. Tous pleuraient Carla. À cause de moi. J'avais brisé leurs vies. Comment osais-je me mêler à eux, feindre de partager leur tristesse ? Je me suis sentie suffoquer, l'air ne parvenait plus jusqu'à mes poumons.

Mon Dieu, je vous en supplie, laissez-moi sortir d'ici. Laissez-moi disparaître...

Un bruit agressif, le tapotement d'un ongle sur la vitre, a rompu le silence de la voiture et j'ai poussé un cri de surprise. Un homme se tenait à côté de ma portière. Il était légèrement penché en avant et son visage m'était affreusement familier, tel un visage surgi d'un cauchemar.

J'ai baissé ma vitre.

« Désolé, a dit l'homme en fronçant les sourcils. Je vous ai fait peur ?

— Je devais avoir l'esprit complètement ailleurs », ai-je répondu en me forçant à sourire. Adopter une attitude calme, détendue, voilà la stratégie à suivre — mais ne pas paraître trop gaie non plus : c'est un enterrement, après tout.

Il semblait plus âgé que dans mon souvenir, toutefois je ne l'avais jamais vu de près jusqu'à ce jour. La première fois que je l'avais aperçu, devant l'aéroport, à la lumière aveuglante du soleil, je lui avais donné trente-deux ou trente-trois ans. Maintenant, je lui en donnais au moins dix de plus. Il avait un visage ridé, pâle, et une espèce de légèreté, un air gracieux et incertain qui, en d'autres circonstances, ne m'aurait pas déplu. Je me suis mise aussitôt sur mes gardes. Était-ce une simple coïncidence s'il avait garé sa voiture derrière la mienne, ou avait-il guetté mon arrivée ? Dans ce cas, pour quelle raison ? Terrifiée à l'idée d'être découverte, j'entendais une voix crier dans ma tête : *Laissez-moi tranquille !* Non, je vous en prie, ne partez pas déjà, il faut que vous sachiez que je suis innocente.

Il a déclaré : « Nous n'avons pas été présentés, mais...

— Vous êtes Paul, n'est-ce pas ? »

Il a acquiescé d'un signe de tête. « Paul Waveney. Et vous êtes Helen North... Nous devrions y aller, la cérémonie commence dans cinq minutes. On attend beaucoup de monde. »

Il a tenu ma portière ouverte et je suis descendue ; mes jambes s'étaient dégourdies d'elles-mêmes. Quand j'ai inséré la clé dans la serrure, ma main tremblait tellement que j'ai dû m'y reprendre à deux fois.

« Assister à un enterrement m'a toujours paru une épreuve épouvantable, ai-je dit. Vous ne trouvez pas ? »

Ses yeux se sont posés brièvement sur moi, puis il a répondu en pesant ses mots : « Pas toujours, non. Pas du tout. Parfois, un enterrement peut être... » Il a cherché un instant le terme exact. « ... peut être un soulagement. Bien entendu, dans le cas présent, il s'agit d'une tragédie.

— C'est ce que je voulais dire. »

Nous avons remonté côte à côte, en silence, l'allée de gravier qui menait à l'église. Je luttais pour ne pas me laisser troubler par l'attention qu'il me portait. Il s'était probablement rendu compte que je ne connaissais aucun des amis de Carla et il faisait juste preuve de courtoisie. Inutile d'imaginer autre chose.

Paul ne s'était pas trompé : l'église serait pleine à craquer. Les gens ralentissaient le pas en approchant du portail et se saluaient à voix basse. Impossible de faire demi-tour et d'aller à contre-courant de cette foule en deuil. Je me sentais aspirée dans un gouffre noir. Terrorisée, mais incapable d'opposer la moindre résistance.

Paul toujours à mon côté, j'ai dérapé sur le perron et j'ai été entraînée à l'intérieur de l'église, happée par l'obscurité et les chuchotements, le parfum des fleurs, les accords lugubres de l'orgue, la multitude de regards dirigés vers l'autel. Une femme s'est retournée et nous a dévisagés avec l'air de nous reconnaître. Savait-elle qui j'étais ? Qu'est-ce qui m'avait pris de venir ? Mais non, elle saluait Paul et m'ignorait complètement. Arrête de te faire des idées, personne ne peut savoir la raison de ta présence ici.

Vraiment ?

On nous a donné des feuillets imprimés et indiqué deux places sur la droite. Paul s'est effacé pour me laisser passer la première mais j'aurais préféré m'asseoir au bord. Nous nous sommes glissés près d'une dame corpulente et de son époux, encore plus corpulent. La dame a adressé un bref salut à Paul et m'a regardée avec curiosité.

Tâche de te détendre. Il y avait des fleurs partout, de gros bouquets d'arums, de lis, de roses et de jasmin, et l'air était chargé de leur parfum lourd et suave. Dehors, j'avais déjà du mal à respirer ; ici, avec la foule, la chaleur étouffante de cette journée d'été, l'odeur écœurante des fleurs, c'était bien pire.

Au premier rang, il m'a semblé reconnaître la tête et les épaules de Daniel Finch. Les enfants étaient-ils là, eux aussi ? Lily, Rowan et Violet... *Ne pense pas à eux.* De ma place, je voyais distinctement les marches de l'autel, sur lesquelles on avait posé un gigantesque bouquet de fleurs ; mais, pour une raison que j'ignorais, on n'avait pas encore apporté le cercueil. Mon cerveau a commencé à s'emballer : à la dernière minute, la police avait gardé le corps ; l'ordonnateur des pompes funèbres avait remarqué une anomalie qui avait éveillé ses soupçons, il l'avait signalée aux autorités et...

Le lourd portail de bois s'est refermé avec un claquement sec, le loquet a été tiré, et les gens autour de moi se sont levés tandis que le pasteur, un homme de haute taille revêtu d'une aube blanche, s'avançait rapidement vers le chœur.

Il s'est retourné et a commencé à débiter des mots familiers sur la vie, la mort et la résurrection, avec le nom de Carla quelque part au milieu. Un froissement de papier quand la centaine de feuillets se sont élevés à hauteur des yeux. L'orgue a joué les premières mesures. Le parfum des fleurs, dense, épais, me remplissait la bouche, le nez, les poumons.

«Vous vous sentez bien? m'a demandé Paul au moment où l'assistance entonnait le premier psaume.

— Le cercueil, ai-je murmuré. Qu'ont-ils fait du cercueil?

— Carla a été incinérée il y a deux jours. Je pense que ses cendres se trouvent à côté de cet énorme bouquet. La cérémonie a été décalée pour que toute sa famille puisse y assister.»

Ses cendres...

Avec un effort colossal pour me dominer, j'ai saisi mon feuillet; les lettres dansaient devant mes yeux et, au bout de quelques instants, je me suis aperçue que je le tenais à l'envers. J'ai fait semblant de suivre le texte mais je ne me suis pas risquée à chanter, j'avais trop de mal à respirer.

Carla avait été incinérée. Plus d'autopsie. Plus jamais. On ne pouvait même pas exhumer son cadavre. Plus de cadavre. Carla n'existait plus.

C'était fini. J'étais hors de danger.

J'aurais dû me sentir soulagée, puisque tout ce que je redoutais depuis près d'un mois avait disparu avec l'incinération du corps de Carla. Pourtant, ce que j'éprouvais ne ressemblait en rien à du soulagement :

une sensation de vertige, la tête qui tournait, comme si j'allais m'évanouir.

Je me suis forcée à me concentrer sur ma respiration, tandis que tout le monde s'asseyait et qu'un homme âgé, dans les premiers rangs, s'approchait lentement du lutrin, ouvrait un petit livre et se mettait à lire d'une voix sourde. Il aurait pu aussi bien parler hébreu, je ne comprenais rien à ce qu'il disait.

Respire, c'est tout. Inspire à fond, expire lentement. Recommence. Détends-toi. Il suffit que tu tiennes encore une demi-heure — ça ne durera sûrement pas plus longtemps —, après quoi tu pourras t'en aller. Tu pourras reprendre le cours de ta vie, avec la certitude que personne, jamais, ne saura ce que tu as fait à Carla.

C'est fini.

Arrête de te tourmenter. Concentre-toi sur ton souffle.

J'essaie.

Les gens remuent sur leurs sièges, les feuillets bruissent à nouveau tandis que l'homme regagne son banc et qu'une femme en noir, élégante, avec un chapeau à voilette, lui succède derrière le pupitre. Elle pose son livre et lève la tête pour regarder l'assemblée des fidèles. Je laisse échapper une exclamation étouffée.

La réalité me glisse entre les doigts, inexorablement, tel du sable.

Au bout d'une phrase, je me suis rendu compte de ma méprise. À cette distance, la lectrice ressemblait presque trait pour trait à Carla : même visage allongé, mêmes yeux enfoncés dans les orbites, mêmes traits anguleux et séduisants, même masse de cheveux auburn. C'est sa voix qui l'a trahie, une voix un peu rauque comme celle de Carla, mais plus maîtrisée, plus sonore — la voix d'une actrice.

Je me suis tournée vers Paul. « Qui est-ce ?

— Leonie Fanshaw, la sœur aînée de Carla. Vous l'avez sûrement vue à la télévision, elle y passe très souvent. La ressemblance est troublante, non ?

— En effet. »

La voix résonnait haut et clair dans l'église bondée, et les derniers mots de ce qui semblait un poème m'ont frappée par leur accent de vérité :

> *Je suis l'envol rapide*
> *de la ronde des oiseaux dans le silence*
> *Je suis la douce lumière*
> *des étoiles qui brillent dans la nuit*
> *Ne reste pas là à pleurer sur ma tombe*
> *Je ne suis pas ici. Je ne suis pas morte.*

Leonie Fanshaw a prononcé le mot « tombe » dans un sanglot et a lu le dernier vers en contenant ses larmes ; toutefois, en sa qualité d'actrice, elle était capable de pleurer et de continuer quand même la lecture du poème. À la fin, elle parlait si bas qu'on l'entendait à peine, mais le silence dans l'église était total et la phrase ultime, « Je ne suis pas morte », est restée comme suspendue dans l'air.

Si profond était le silence qu'un pétale de lis, en tombant sur le rebord de la fenêtre près de notre banc, nous a fait sursauter. Derrière moi, quelqu'un a reniflé. D'autres personnes l'ont imité tandis que la sœur de Carla refermait son livre et, tête baissée, regagnait sa place. Les gens ont commencé à se moucher.

J'étais pétrifiée. Un autre genre de trouble naissait en moi. Quelle que fût la nature de ce sentiment, il me terrifiait.

Le pasteur s'est levé et l'orgue a joué les premières notes du psaume *L'Éternel est mon berger*.

L'assistance s'est redressée à son tour, et je me suis sentie soulevée moi aussi par le mouvement de Paul à ma gauche et de la dame corpulente à ma droite. J'avais les jambes en coton.

J'ai jeté les yeux sur le feuillet imprimé et j'ai lu :

CARLA JANE FINCH,
née FANSHAW,

suivi de ses dates de naissance et de mort.

Autour de moi, les gens chantaient. La tristesse provoquée par le poème de Leonie imprégnait les paroles, belles et fortes, de l'hymne ancienne. L'espace d'un instant, croyants et non-croyants étaient unis dans l'ardent espoir que quelque chose attendait Carla au-delà de l'horreur aveugle causée par un camion sur une route de Grèce, au-delà des flammes du crématorium. *J'ai beau traverser la sombre vallée de la mort... Je ne suis pas morte...*

Moi seule restais muette, pareille à Jonas, le méchant, celui qui apporte désolation et destruction.

Je ne pouvais détacher mes yeux de ces deux dates. Carla était morte à trente-sept ans ; elle avait presque dix ans de plus que moi, alors que je l'avais crue plus âgée de quelques années seulement.

Des gouttes de sueur glacée dégoulinaient le long de ma colonne vertébrale, l'odeur de pollen m'oppressait, tel un bâillon contre ma bouche. Soudain, les dos des personnes debout devant moi ont basculé comme un jeu de quilles. Mon coude a heurté une surface très dure, mes mains ont glissé. J'ai vu un cercle de visages autour de moi, pareils aux pétales d'une fleur, et des bouches arrondies par le chant et la surprise. Ensuite, le vitrail devant lequel était posé le vase de lis blancs a commencé à tournoyer et à s'élever dans les airs, et je me suis retrouvée en train de contempler la voûte blanchie à la chaux. Puis, même la voûte s'est mise à tourner et j'ai plongé dans l'obscurité, au milieu du parfum des lis et de la centaine de voix qui chantaient.

« Que s'est-il passé ?

— Vous vous êtes évanouie.

— Oh. »

J'étais assise sur l'herbe tiède, le dos appuyé contre quelque chose de dur et de frais. Paul, debout non loin de là, en manches de chemise, cravate desserrée, fumait une cigarette. Au bout de quelques instants, je me suis aperçue que j'avais sa veste sur les épaules. J'ai bougé les jambes pour prendre une position plus confortable.

« Avez-vous été obligé de me porter ? »

Il a acquiescé. « Par chance, vous êtes légère comme une plume.

— J'ai maigri, ai-je dit sans réfléchir, et j'ai regretté aussitôt mes paroles.

— Vous avez perdu environ six kilos depuis la Grèce, je me trompe ?

— Moins que ça, ai-je répondu alors qu'en réalité j'avais perdu davantage. Je ne me suis pas pesée récemment.

— En général, je devine le poids des gens. Des gens et des animaux. »

Un vertige m'a saisie et j'ai fermé les yeux. De l'église me parvenait le son de l'orgue ; a suivi celui d'un autre instrument qui jouait une musique étrange, obsédante. Paul, la tête inclinée, écoutait attentivement.

« C'est Daniel.

— Il joue du saxophone ?

— Entre autres. » Paul a resserré un peu sa cravate. Le soleil formait un halo doré autour de ses cheveux blond-roux. Dieu merci, je ne me trouvais pas à l'intérieur de l'église. La mélodie du saxophone était d'une tristesse lancinante, tout à fait appropriée à la mort d'une jeune femme tragiquement disparue.

J'ai enlevé la veste de Paul et la lui ai tendue. Si je fixais mon attention sur des détails ordinaires, peut-être réussirais-je à ne plus entendre la musique du saxophone. « Merci pour votre aide, ai-je dit à Paul d'un ton naturel. J'ai dû être incommodée par la chaleur et le parfum de toutes ces fleurs. Je me sens mieux maintenant, vous pouvez retourner à l'église.

— La cérémonie est presque finie. Allons voir si on ne pourrait pas vous servir en vitesse une tasse de thé avant que la foule n'envahisse la salle des fêtes.

— Mais je n'ai pas envie...

— Faites-moi confiance, Helen. » Il m'a attrapée par la main et m'a relevée avec une force étonnante. Puis il a répété : « Faites-moi confiance, je comprends ce genre de choses. »

Trop déroutée pour discuter, j'ai pris son bras et nous nous sommes dirigés vers la salle des fêtes, située tout près. À chaque pas, mon sentiment d'irréalité augmentait. J'étais soulagée de constater que j'étais capable de marcher et de bavarder avec Paul d'une façon apparemment décontractée, telle une personne normale ; pourtant, derrière cette façade, j'avais l'impression de subir une métamorphose profonde, un peu à la manière d'une chrysalide. Je me suis rappelé avoir lu un jour que la chenille, après avoir tissé le cocon autour d'elle, passe en quelque sorte à l'état liquide, et que c'est de cet épais bouillon que naît la libellule, le papillon ou je ne sais quoi. La seule différence étant que la transformation qui avait commencé à s'opérer à l'intérieur de moi quand je m'étais évanouie à l'église ne donnerait naissance à rien d'aussi délicat et précieux qu'un papillon, mais à quelque chose de beaucoup plus laid et sordide...

Pendant tout ce temps, mon moi extérieur continuait à se comporter comme si je n'étais perturbée par rien de plus grave que le fait de m'être évanouie à l'enterrement d'une amie.

La salle des fêtes du village était un bâtiment ancien et délabré, vaste et sonore. Croyant que notre arrivée signifiait la fin de la cérémonie funèbre, les trois femmes chargées du buffet se sont aussitôt activées, mais Paul leur a assuré que les gens ne sortiraient pas de l'église avant dix minutes environ. Quand elles ont su pourquoi nous étions là avant tout le monde, elles ont été aux petits soins pour moi. Une femme aux cheveux permanentés, qui portait une blouse à fleurs, a décidé de me prendre sous son aile généreuse.

« Asseyez-vous là, comme ça, quand les autres arriveront, ils ne vous piétineront pas, m'a-t-elle dit en me versant une tasse de thé. On peut faire confiance à Paul quand il s'agit de venir au secours de quelqu'un. Vous êtes dans de bonnes mains. Mais vous êtes toute pâle ! Je vais vous couper une tranche du gâteau aux pommes de Sandra, ça vous redonnera des couleurs. Sinon, Paul sera obligé de vous recueillir avec tous ses animaux perdus. Tenez, installez-vous confortablement dans ce coin. »

Je craignais qu'elle ne me lâche pas avant que j'aie mangé la dernière miette du gâteau aux vertus curatives mais, à mon grand soulagement, l'une des autres femmes a signalé un problème de robinet sur la fontaine à thé, et on nous a laissés, Paul et moi, boire notre thé en paix.

« Qu'a-t-elle voulu dire ? ai-je questionné.

— Oh, une allusion au fait que les gens du coin ont tendance à se débarrasser sur moi de leurs animaux à problèmes. J'ai commencé par m'occuper de deux ou trois chiots difficiles, mais maintenant cela devient une véritable ménagerie. Un peu de gâteau ? a proposé Paul en tournant l'assiette de façon à me présenter le meilleur morceau.

— Non, merci, je n'ai pas faim.

— Je parie que vous n'avez rien avalé ce matin.

— Euh, je...

— Je sais que c'est dur, mais vous devriez vous forcer.

— Je mangerai comme quatre, une fois chez moi », ai-je répondu, en menteuse patentée que j'étais déjà.

Il m'observait avec un intérêt professionnel. « La mort de Carla vous a beaucoup affectée, n'est-ce pas ?

— Euh, oui. Je suppose que c'est parce que j'étais avec elle juste avant...

— Je comprends. Je ressens la même chose, moi aussi.

— Ah oui ? » Je n'avais pas envie d'évoquer ce sujet, mais j'étais incapable en cet instant de détourner la conversation.

« Oui, sans doute parce que je me sens responsable. »

Ma tasse s'est mise à trembler dangereusement sur la sous-tasse, et je l'ai posée avec précaution sur le plancher à côté de ma chaise. « Vraiment ?

— Bien sûr. Pour commencer, elle ne serait jamais venue en Grèce si je ne m'y étais pas trouvé. »

J'ai gardé les yeux fixés sur mes mains.

Paul a continué : « Voyez-vous, Carla savait que j'y allais souvent. Ma tante et son mari ont une villa sur l'île et j'en parlais fréquemment. Je pensais que Daniel et elle auraient aimé cet endroit, et ma tante m'a proposé de les inviter lors de mon prochain séjour. C'est ce que j'ai fait, mais je n'imaginais pas un instant que Carla partirait en vacances sans Daniel.

— Il m'a dit qu'il y avait eu... des problèmes entre eux.

— Raison de plus pour venir ensemble. Ils auraient pu mettre à profit ces vacances pour tenter de se réconcilier, au lieu de courir à la catastrophe.

— Peut-être.

— Toujours est-il que je m'en veux. Si je ne lui avais pas mis cette idée en tête, elle aurait peut-être choisi une autre destination, et alors...

— Vous n'avez pas à vous sentir responsable », ai-je rétorqué d'un ton brusque. En affectant de se sentir coupable, il cherchait apparemment à attirer ma sympathie, mais j'étais bien la dernière personne à pouvoir lui témoigner un tel sentiment.

«Peut-être pas d'un point de vue logique, a-t-il insisté. Parfois je me dis que ce serait arrivé de toute façon. Il y a des gens qui croient que l'heure de notre mort est fixée à l'avance, vous avez déjà entendu parler de cela ? Ils sont persuadés que, quand notre heure est arrivée, nous ne pouvons rien y changer. Dans ce cas, si ce n'avait pas été le camion, ç'aurait été autre chose, elle serait morte de toute façon, même si je ne lui avais pas parlé de l'île. Croyez-vous à cela ?

— À vrai dire, je n'y ai jamais vraiment réfléchi.

— Pourtant c'est intéressant, quand on y songe. Si le moment de notre mort est déterminé à l'avance, alors la manière dont nous mourons importe peu, vous ne pensez pas ? » Il semblait attendre une réponse mais j'avais déjà perdu pied. Pourquoi me racontait-il tout cela ? On aurait presque pu croire qu'il savait ce qui me rongeait l'esprit et qu'il jouait exprès avec ma peur... *Mais c'est impossible.* Il a repris : « Ainsi, même un prétendu accident n'en est en réalité pas un, puisqu'il est inévitable, or un accident ne peut pas être inévitable, c'est contradictoire. Par conséquent, si quelqu'un provoque la mort de quelqu'un d'autre, intentionnellement ou pas, il n'est pas réellement responsable, puisqu'il a été un agent du destin. »

Me sentant incapable de répondre tout de suite, je me suis penchée pour rapprocher la tasse et la sous-tasse de mon siège, puis je me suis redressée et j'ai croisé le regard de Paul. Ses yeux me scrutaient, il guettait ma réaction. J'avais l'impression qu'il me soumettait à un test. Un tortionnaire expérimenté n'aurait pas avec plus d'habileté retourné le couteau dans la plaie. Posait-il délibérément ces questions ? Après tout, il avait été présent sur l'île, le commis-saire Markazenis avait dû s'entretenir avec lui ; lui avait-il parlé de la chemise à carreaux ? Il savait sans doute que des soupçons subsistaient, même si l'af-faire était classée. J'ai adopté un ton prudent : « Vou-lez-vous dire que, même si une personne en tue une autre, elle n'est pas réellement responsable ?

— Exactement. »

J'ai frissonné. Paul, les bras croisés, me dévisageait d'un air tranquille. Je me suis forcée à répliquer : « Vous avez tort. Chacun doit assumer la responsa-bilité de ses actes.

— Oh, a-t-il fait, l'air déçu.

— Ça vous ennuierait qu'on parle d'autre chose ?

— Non, bien entendu. » Il a changé tout à coup d'expression, comme s'il avait chassé les pensées indésirables. « Je vous demande pardon. J'oublie tou-jours à quel point les gens répugnent à évoquer de tels sujets.

— Cela me paraît déplacé dans un moment pareil.

— Je comprends parfaitement. »

J'ai jugé qu'il était temps que je lui pose à mon tour quelques questions. « Pourquoi n'êtes-vous pas venu parler à Carla, quand vous nous avez vues assises au café, sur le port de Yerolimani ?

— Parce que je ne voulais pas qu'elle me voie.

207

— Pourquoi ?

— Elle risquait de me semer une fois de plus.

— Une fois de plus ?

— Oui. Elle savait que je la cherchais.

— Pour quelle raison ?

— Parce que je voulais savoir où elle était.

— Vous l'attendiez à l'aéroport, n'est-ce pas ? »

Il a hoché la tête. « Je me demandais si vous vous en souveniez.

— Quand je l'ai revue en ville, elle semblait désireuse d'éviter quelqu'un...

— Moi, très probablement. »

Je me rappelais la nervosité de Carla, la façon dont elle m'avait entraînée dans la boutique de souvenirs et s'était cachée derrière le tourniquet de cartes postales. Elle m'avait raconté qu'elle fuyait des touristes danois rencontrés dans un night-club ; en réalité, il n'y avait jamais eu aucun touriste, c'était à Paul Waveney, et lui seul, qu'elle voulait échapper. Un soupçon a commencé à germer dans mon esprit.

« Pourquoi Carla avait-elle si peur de vous ?

— Peur de moi, Carla ? Ma chère, vous oubliez que la pauvre Carla avait un don extraordinaire pour tout dramatiser. Leonie joue sur scène, mais pour Carla c'est la vie qui est un théâtre. » Le visage de Paul s'est assombri. « Était », a-t-il rectifié.

Agacée, j'ai répété ma question : « Elle cherchait cependant à vous éviter. Pourquoi ?

— Je pensais que vous aviez compris. Quand vous m'avez vu à l'aéroport, j'attendais Carla en effet, mais je croyais que Daniel l'accompagnait. Elle m'avait menti délibérément.

— Carla vous a menti, et alors ?

— J'en ai été contrarié. Elle savait que je me faisais beaucoup de souci pour elle et Daniel. Ce n'est pas parce qu'ils traversaient une mauvaise passe qu'elle devait quitter ainsi le domicile conjugal. Je ne crois pas au divorce.

— Peut-être était-ce le destin, comme pour l'heure de notre mort. Dans ce cas, elle n'était nullement responsable.

— Ce n'est pas du tout la même chose, a protesté Paul d'un ton tranchant. Carla savait que je n'approuvais pas sa conduite et, quand j'ai appris que Daniel ignorait même où elle était, je suis sorti de mes gonds.

— En quoi cela vous regardait-il ? »

Ignorant ma question, il a continué : « Je lui ai dit que j'allais immédiatement prévenir Daniel, c'est pour cela qu'elle a cherché à s'éclipser. Il m'a fallu plusieurs jours pour découvrir dans quel hôtel elle séjournait avec vous. Le matin où vous m'avez aperçu, j'étais juste venu à Yerolimani pour m'assurer qu'elle était toujours sur l'île, parce que Daniel devait arriver dans la soirée. Je croyais qu'il irait tout de suite la voir, mais en définitive il a remis sa visite au lendemain. J'aurais dû informer moi-même Carla que son mari était là, mais j'ai préféré laisser Daniel lui faire la surprise. Maintenant, bien sûr, je regrette de m'être tu, parce que, dans ce cas... eh bien... »

Paul n'a pas terminé sa phrase. Les mots non prononcés restaient suspendus entre nous. Si l'avion de Daniel n'avait pas eu de retard... S'il était venu directement à Yerolimani... Si, si, si.

Si seulement.

Par la porte ouverte, nous avons entendu des voix dehors. Les femmes chargées du buffet se sont précipitées à leur poste près de la fontaine à thé et des gâteaux. Les premières personnes arrivaient en bavardant.

Une voix de femme a dit un peu trop fort : « Il va

l'intituler *Chanson pour Carla*. N'est-ce pas la musique la plus merveilleuse que vous ayez jamais entendue ?

— Leonie a lu magnifiquement, a affirmé une dame âgée. De toute manière, elle est toujours fantastique. Vous l'avez entendue lire ce sonnet de Shakespeare à la radio la semaine dernière ? Ils sont tous très doués dans la famille.

— C'est vrai. Pauvre Carla... Oh, regardez, des sandwiches à l'œuf, comme pour les sorties du catéchisme. »

Paul m'observait toujours. « Vous n'avez pas touché à votre thé.

— Il est froid à présent.

— Je vais vous en chercher un autre.

— Non, merci, ce n'est pas la peine. »

La salle des fêtes se remplissait rapidement. Les trois responsables du buffet et leur fontaine à thé étaient cachées par la foule. Une femme en chapeau de paille noir s'est déplacée pour saluer quelqu'un, et j'ai aperçu Daniel Finch. Je ne l'avais pas revu depuis la Grèce, sauf de dos, à l'église, et en regardant ce visage sombre, aux traits énergiques, je me suis souvenue tout à coup de la chaleur et de l'horreur du dernier jour sur l'île. J'ai dû faire un effort pour revenir au présent. Le Daniel Finch que j'avais sous les yeux tenait une tasse de thé dans une main et un sandwich au pain de mie dans l'autre ; il était coincé entre deux dames d'âge mûr sobrement habillées, mais il me fixait et fronçait les sourcils.

Au milieu du brouhaha des conversations, j'ai entendu une voix enfantine qui criait : « Violet, tu as encore mis du gâteau sur ta robe ! »

Je me suis levée. Une tête brune aux cheveux courts est apparue auprès de Daniel, qui a aussitôt pris l'enfant par le cou, dans un geste rassurant.

Les enfants de Carla, endeuillés. Violet, Rowan et Lily.

J'ai murmuré : «Il faut que je sorte. Avec cette foule, on étouffe ici. J'attendrai dehors jusqu'à ce que les voitures soient dégagées.

— Je vous accompagne.

— Non. Vous avez été très gentil, mais je préfère rester seule.

— Vous pensez que vous êtes en état de conduire ?

— Ça ira, oui.»

Je n'étais pas certaine de pouvoir supporter encore longtemps Paul Waveney mais, heureusement, l'arrivée de la grosse dame qui était assise à côté de moi à l'église l'a empêché de me suivre.

Au moment où je quittais la salle des fêtes, une femme au visage rond m'a demandé : «C'est vous qui vous êtes évanouie ?

— Oui, c'est bête, mais je me sens beaucoup mieux maintenant.

— Quel dommage, vous avez raté le moment où Daniel a joué la *Chanson pour Carla* ! L'apogée de la cérémonie. Extrêmement émouvant.

— Oui, je n'en doute pas.»

Curieux, ai-je pensé en me dirigeant vers ma voiture, la façon qu'ont tous ces gens de parler de l'enterrement de Carla comme d'un spectacle. Pratiquement personne n'avait évoqué Carla elle-même.

J'ai ouvert ma portière et me suis assise derrière le volant, les pieds à l'extérieur. J'ai essayé de chasser les pensées de mon esprit. Mon impression d'être une chrysalide a réapparu. J'avais conscience que, derrière la façade de l'amie sensible qui s'évanouit pendant la cérémonie funèbre, mon vrai moi subissait une métamorphose, un remodelage, et qu'il renaîtrait bientôt. Cette perspective me terrifiait. *Vide ton esprit de toute pensée.*

Au bout d'une vingtaine de minutes, j'ai entendu le bruit d'une portière qui claquait et le ronronnement d'un moteur. J'ai compris que j'avais dû m'assoupir quelques instants ; ces petits sommes au cours de la journée prenaient de plus en plus le pas sur le vrai sommeil.

Paul est apparu, il jonglait avec ses clés. « Bob et Sylvia, qui sont garés derrière moi, s'apprêtent à démarrer ; je vais partir à mon tour et vous pourrez en faire autant. » Un sourire plein de sollicitude a adouci son visage, et toutes les craintes que j'avais éprouvées un peu plus tôt se sont évanouies : son attention à mon égard n'avait pas d'autre cause que la gentillesse et des bonnes manières un peu démodées. « Vous êtes sûre que vous vous sentez bien ?

— Tout à fait sûre.

— Je regrette que nous nous soyons rencontrés dans d'aussi tristes circonstances. Toute cette histoire est une telle tragédie, j'ai du mal à réaliser.

— Oui, en effet.

— Elle avait l'air heureuse avec vous, Helen. C'est consolant, d'une certaine manière, de penser qu'elle s'est divertie durant ses derniers jours. »

Non, ai-je pensé en m'éloignant de la petite église. Non, Paul, si vous saviez à quel point vous vous trompez. En réalité, savoir qu'elle était heureuse rend les choses mille fois pires.

11

Je n'ai aucun souvenir du trajet de retour à Londres. Je conduisais dans une espèce d'hébétude, concentrée sur ce que je faisais, contenant la marée de chagrin qui montait en moi. Quand j'ai garé la voiture dans une rue près de chez moi, les larmes ont commencé à couler sur mon visage. Je sanglotais en introduisant la clé dans la serrure, en ouvrant la porte. Je sanglotais comme jamais je n'avais sangloté jusqu'alors. Tout le chagrin pour Carla, que j'avais endigué à cause de ma terreur d'être découverte, toute cette peine se libérait maintenant dans un déluge de larmes — des larmes douloureuses, qui secouaient mon corps et me déchiraient le cœur. Ce n'était pas un chagrin ordinaire, mais quelque chose de plus profond que la tristesse ou le regret : un sentiment de dégoût pour mon crime atroce, une honte immense qui me submergeait et m'anéantissait.

Il y avait un vide dans l'univers, à la place qui revenait à Carla, et cela par ma faute.

Mon Dieu, non, faites que ce ne soit pas vrai !

Cela ne pouvait pas être moi, je n'étais pas comme ça. Il devait y avoir une autre explication.

Mais ma conscience avait beau se débattre pour échapper à mon crime, je butais sans cesse sur les faits, sur l'implacable réalité. J'avais tué mon amie. Moi, Helen North, j'avais supprimé la vie de quelqu'un. Pas d'excuses, inutile de me cacher la vérité.

Pas de retour possible à la personne que j'avais cru être autrefois. Plus jamais.

Les cauchemars ont débuté cette nuit-là.

Toujours des variations sur le même thème. Je me trouvais avec une femme — souvent c'était Carla, parfois ma mère ; la première fois, je ne sais pourquoi, ma sœur. Je tenais un objet à la main — une brique ou une pierre — et je frappais de toutes mes forces sur la tête de la femme, mais elle refusait de mourir. Son visage était réduit en une bouillie sanglante, pourtant ses yeux continuaient d'émerger de la masse et de me fixer, tandis que sa bouche ne cessait de remuer et de formuler des questions : Qu'est-ce qui te prend, Helen ? Pourquoi me fais-tu souffrir ? Ignores-tu que je veux juste être ton amie ?

M'abandonner au sommeil signifiait me livrer à l'horreur. Dans un de mes cauchemars, j'essayais d'enfoncer la tête coupée de Carla dans une espèce de boîte à biscuits en fer-blanc mais, malgré ses affreuses blessures, la tête sanglante ne cessait pas de ressortir ; plus je m'acharnais sur le crâne, les oreilles et le menton déchiquetés, plus la tête s'obstinait à émerger et à me harceler de questions.

Pourquoi, Helen ? Pourquoi m'as-tu fait cela ?

Une nuit, environ un mois après l'enterrement de Carla, j'ai avalé un somnifère dans l'espoir d'éviter les cauchemars. Résultat, j'ai revécu en rêve toute la séquence qui s'était terminée par la mort de Carla. Je marchais le long de la route côtière qui menait de la bergerie à Yerolimani. J'entendais Carla, derrière moi, qui m'appelait. Elle me rattrapait, me saisissait par le bras, et je me dégageais brusquement. « Qu'est-ce qui t'arrive, Helen ? Tu ne comprends pas la plaisanterie ? » me disait-elle. Alors je levais le bras, ma main décrivait un arc de cercle et s'abattait sur sa joue. Elle poussait un cri, se précipitait sur moi et me griffait au visage. Je mettais les mains devant moi pour me protéger, et elle m'envoyait un violent coup de pied dans les tibias. Je voyais son expression furieuse, sa bouche écumante de rage. Nous nous écroulions par terre, je tendais le bras pour me retenir, et ma main entrait en contact avec un objet pointu ; mes doigts se refermaient sur la pierre. « Garce ! » hurlait Carla. Elle s'agenouillait sur moi et levait la main pour me frapper, mais j'étais plus rapide qu'elle et je la tapais de toutes mes forces sur la tempe avec la pierre. Une plaie sanglante apparaissait juste à la racine de ses cheveux et elle basculait sur le côté. J'en profitais pour me redresser, puis je la plaquais au sol et je levais le bras pour la frapper encore avec la pierre.

Encore, encore et encore. Jusqu'à ce que tout devienne noir et que je m'évanouisse à côté d'elle sur la route.

Je me suis réveillée en nage de ce cauchemar atroce et j'ai titubé jusqu'aux toilettes, où j'ai vomi.

Cela s'était-il passé ainsi ?

Était-ce juste un cauchemar de plus, ou bien le somnifère avait-il ouvert une brèche dans mon amnésie et révélé la vérité ?

Durant les semaines qui ont suivi, j'ai refait ce même rêve, avec plusieurs variantes ; chaque fois, le moment de la mort de Carla s'imbriquait si étroitement avec ce que je savais depuis le début que la frontière entre rêve et mémoire est devenue floue. Mon esprit me jouait des tours. J'ai commencé à me demander si toute la scène sur la route n'était pas entièrement un rêve. La version des événements que j'avais racontée à Glen et KD ainsi qu'à la police grecque était peut-être la bonne, en fin de compte. Peut-être n'avais-je jamais mis les pieds sur la route de la côte, sinon en rêve. Peut-être étais-je allée directement à la plage pour me baigner, et Carla marchait-elle seule sur la route lorsque le camion avait surgi brusquement, avait fait une embardée pour l'éviter et heurté la paroi rocheuse, et que les roues arrière avaient dérapé. Carla était peut-être vraiment morte sur le coup...

Ces brefs moments de délire, où je parvenais presque à me persuader que mon rôle dans la mort de Carla tenait aussi du cauchemar, étaient les seuls répits que je connaissais; mais ils étaient rares et brefs.

Peu à peu, alors que l'été finissait, j'ai compris que je ne reprendrais jamais la vie que je menais avant les vacances. Le sentiment d'exil que j'avais éprouvé pour la première fois quand je nageais dans la baie et que j'avais observé le touriste allemand en train de s'affairer sur son yacht avait peu à peu envahi ma vie. L'ancienne Helen North n'existait plus — si toutefois elle avait jamais existé —, et tout ce qui me rappelait cette femme disparue avait le don de m'irriter, soulignant cette perte d'identité : les amis, les lieux, les activités d'avant me mettaient à la torture. J'ai démissionné de mon travail, j'ai décroché le téléphone. Et quand des amis bien intentionnés se sont mis en tête de vouloir «me faire sortir de moi-même», j'ai plié bagage et quitté mon appartement sans laisser d'adresse. J'ai trouvé un deux-pièces dans un immeuble moderne, moche et sans caractère, qui donnait sur un couloir peint en beige, recouvert d'une moquette tachée. Mes voisins étaient aussi sauvages que moi; si par malheur nous nous croisions dans le couloir ou dans l'escalier qui sentait l'aigre, nous regardions du côté du mur et passions en vitesse. Mes fenêtres avaient vue sur une rue étroite et peu fréquentée, face aux hauts murs de brique d'une imprimerie désaffectée. Les jours de grisaille, mon appartement semblait aussi nu et impersonnel qu'une cellule de prison.

En quittant mon ancien logement, j'ai vendu mes meubles et donné mes menus objets à des œuvres de charité ; ces livres, bibelots, tableaux avaient appartenu à quelqu'un que je n'étais plus. J'avais un besoin impérieux de vide, de blanc, de propreté, de pureté. J'ai arraché la moquette de mon nouvel appartement et j'ai lessivé sols, murs et plafonds. Je ne pouvais plus m'arrêter, je suis devenue une obsédée du ménage. Je passais des journées entières à quatre pattes, à laver, frotter, récurer. J'ai acheté des brosses, des éponges, des balais, des serpillières, du savon de Marseille, de l'eau de Javel, des crèmes à récurer, des détergents en poudre. Un jour, j'ai consacré l'après-midi à tenter d'éliminer un filet brunâtre sur le lavabo de la salle de bains. Je nettoyais chaque recoin, chaque fissure à l'aide de vieilles brosses à dents et de Coton-tige. Parfois, quand je rentrais chez moi, l'odeur de Javel et d'ammoniaque était si puissante que je manquais m'évanouir.

Après quinze jours ou presque consacrés à récurer l'appartement de fond en comble, j'ai tout repeint en blanc brillant. Une fois la peinture sèche, j'ai remarqué que la poussière et la saleté se déposaient déjà sur les surfaces immaculées et j'ai recommencé à nettoyer. J'avais conscience d'être exagérément maniaque, mais le fait de m'absorber dans ce travail anesthésiait en quelque sorte la douleur, ce qui valait largement la peine que je me donnais.

Toutefois, cela ne suffisait pas. Impossible de me reposer un instant. Malgré mon épuisement permanent, j'étais consumée par une énergie à fleur de peau. L'exercice est devenu une drogue : je courais dans les parcs de Londres et je me suis inscrite à un club de gym où je soulevais des poids, piétinais sur un tapis roulant, pédalais sur un vélo, jusqu'à ce que tous les muscles de mon corps soient endoloris. Surtout, je nageais, et j'oubliais le temps et l'espace. Dans mes rares moments de lucidité, je me rendais compte que, par cette pratique compulsive, je cherchais à m'échapper de moi-même, de la même façon que mon activité ménagère effrénée était une tentative pour effacer les traces de mon crime. Il fallait que je fuie mon tourment, et mon corps s'efforçait d'obéir aux ordres de mon cerveau : Cours, ne t'arrête pas, ne te laisse pas prendre.

Mes finances ont fini par atteindre un seuil critique. Je suis allée dans une agence de travail temporaire, où j'ai précisé que je ne voulais que des missions courtes — pas plus de trois semaines. Ma pratique de l'informatique était correcte et, même si le travail était irrégulier, je gagnais suffisamment pour survivre. Mes dépenses étaient limitées : le loyer, la nourriture, mon abonnement au club de gym. J'avais perdu contact avec tous mes amis, je ne sortais ni ne recevais jamais. Je m'étais fait couper les cheveux court, par commodité, et je ne dépensais rien pour moi.

Si quelqu'un m'avait indiqué un moyen de sortir de ma cage, je l'aurais saisi aussitôt, mais cela ne s'est pas présenté. Les premières semaines qui ont suivi l'enterrement de Carla, je pensais que mon chagrin, comme tous les autres chagrins de la vie, s'apaiserait avec le temps. Mais j'ai découvert que, pour la culpabilité, c'est différent : elle s'entretient d'elle-même et grandit jour après jour. Je me réveillais chaque matin avec un poids sur la poitrine. J'avais besoin que quelqu'un me dise que ce n'était pas ma faute, qu'il s'agissait d'un accident, d'un instant de folie où j'avais perdu le contrôle de moi-même, mais je savais que jamais je ne pourrais le croire.

Parfois, je bouillais de rage, et cette rage m'apportait un soulagement passager : rage contre Carla pour avoir provoqué un acte totalement étranger à ma nature, rage contre moi-même pour avoir anéanti deux vies à la fois, rage enfin contre un monde où pareille horreur était possible.

Un soir où je marchais sans but sous la pluie, je suis arrivée devant une église catholique et je suis restée un moment à l'extérieur, dans l'attente d'un signe quelconque, mais rien ne s'est produit. Par la suite, je suis revenue à plusieurs reprises, et je suis même entrée une fois ; j'imaginais quel effet cela me ferait de pénétrer dans un confessionnal pareil à ceux que j'avais vus dans des films, de m'agenouiller dans l'obscurité et d'avouer mes péchés à la personne anonyme assise de l'autre côté de la petite grille. Parfois, mon imagination s'attardait à évoquer la douceur du pardon. Mais comment fait-on pour se confesser ? Il fallait sûrement être catholique et suivre un rituel précis. D'ailleurs, pourquoi obtiendrais-je l'absolution ? Cela ressusciterait-il Carla ? Cela aiderait-il sa famille ?

Ne pense surtout pas à sa famille. Fais le vide dans ton esprit. Mais, durant cette période, j'avais l'impression que tous les gros titres des journaux, toutes les publicités, même les paroles d'une chanson connue, comportaient des messages qui s'adressaient directement à moi, comme si l'univers entier était résolu à me rappeler mon crime.

CES FEMMES QUI TUENT. UNE INTERVIEW EXCLUSIVE

PLUS RIEN N'EST PAREIL DEPUIS QU'ELLE EST MORTE : LA FAMILLE DE LA VICTIME RACONTE

EST-CE LÀ LE VISAGE DU MAL ?

Et puis, un jour, j'ai cru que j'étais réellement devenue folle. Sur le chemin du retour après mon travail, j'avais décidé de m'arrêter pour manger un morceau dans un café où la radio diffusait des chansons réclamées par les auditeurs. Pendant que j'attendais mon plat, j'ai entendu le présentateur prononcer ce prénom : « Carla ». Aussitôt sur mes gardes, je me suis raisonnée : il existait des milliers de femmes prénommées Carla. Quelques mesures d'introduction, puis une mélodie envoûtante, déchirante, que j'ai reconnue immédiatement, qui pénétrait jusqu'à la moelle de mes os et me causait une douleur profonde. D'une certaine façon, cette chanson n'avait cessé de résonner en moi depuis le jour de l'enterrement. Elle n'était plus jouée par un saxophone et un orgue à présent, mais par un trio, piano, flûte, percussions. Puis une voix de femme a récité les paroles que j'attendais depuis le début.

Ne reste pas là à pleurer sur ma tombe
Je ne suis pas ici. Je ne dors pas.
Je suis la multitude des vents qui soufflent
Je suis l'éclat du diamant sur la neige...

La serveuse m'a apporté mon plat et l'a placé devant moi. Elle s'apprêtait à dire une banalité, mais elle a dû remarquer mon expression car sa voix s'est adoucie et elle m'a demandé si ça allait.

J'ai acquiescé sans un mot et elle s'est éloignée.

J'ai regardé fixement mon assiette : des frites et un œuf nageant dans la graisse.

Je suis le soleil qui fait mûrir le blé
Je suis la pluie légère d'automne.

C'était la voix de Leonie Fanshaw. Mots et mélodie s'entremêlaient, la voix de l'actrice augmentait et diminuait selon l'intensité de la musique. Simple, et absolument bouleversant.

> Quand tu t'éveilles dans le calme du matin
> Je suis l'envol rapide
> de la ronde des oiseaux dans le silence
> Je suis la douce lumière
> des étoiles qui brillent dans la nuit
> Ne reste pas là à pleurer sur ma tombe
> Je ne suis pas ici. Je ne suis pas morte.

Je n'avais pas besoin des explications du présentateur. « C'était *Chanson pour Carla*, le succès-surprise de ce mois, avec la voix de l'actrice Leonie Fanshaw, en hommage à sa sœur disparue récemment. Et maintenant, le dernier disque, de la part de... »

J'ai posé l'argent sur la table et je suis partie sans avoir touché ni à la nourriture ni à la boisson.

Un peu plus tard dans la soirée, je me suis arrêtée devant un commissariat de police. Des hommes et des femmes en uniforme entraient et sortaient par les portes vitrées. Peut-être était-ce la dernière solution : y pénétrer et avouer. Sur l'île, j'avais cru que la seule chose qui importait était d'échapper à mon châtiment ; désormais, je savais que la culpabilité hantait mes journées et que le sommeil ne m'apportait aucun répit. N'importe quoi, même la prison, était préférable à ce tourment. Paie pour ton crime ; alors, peut-être, tu trouveras la paix.

J'ai avancé de quelques pas, puis je me suis immobilisée. Et Daniel Finch et ses enfants ? Un procès pour meurtre ne risquait-il pas de rouvrir les blessures juste au moment où elles commençaient à cicatriser ? Chaque détail des dernières heures de Carla serait étalé au grand jour. Qu'importaient mes sentiments, comparés aux leurs ? J'ai tourné les talons et me suis éloignée rapidement du commissariat.

La semaine d'après, mon agence m'a envoyée pour une mission de quelques jours dans un cabinet juridique. Un matin, j'ai demandé à l'un des avocats de m'expliquer les différentes sortes de meurtres. « L'homicide volontaire se caractérise par la préméditation et l'absence de légitime défense. S'il n'y a pas intention de tuer, il s'agit d'un homicide involontaire. La charge de la preuve incombe à l'accusation.

— Supposons que l'auteur du meurtre ne se rappelle pas comment les choses se sont passées. Supposons qu'il ait tout oublié, tout effacé de son esprit.

— La défense pourrait invoquer l'homicide involontaire avec responsabilité atténuée. Mais, si la preuve en est apportée, l'accusé risque alors de rester enfermé plus longtemps, dans une prison pour détenus présentant des troubles psychiques graves... Pourquoi me posez-vous cette question ?

— Oh, par pure curiosité : un livre que je lis en ce moment. »

L'avocat s'est penché sur son bureau. « Vous devriez sortir davantage. Je suis libre ce soir, vous ne voulez pas dîner avec moi ?

— Non, merci. »

Il était tenace. Cet homme avait pitié de moi, son instinct protecteur et son esprit chevaleresque en éveil, il voulait se rendre utile. C'était une forme raffinée de torture d'avoir à supporter la sympathie de gens qui n'avaient aucune idée du genre de personne que j'étais en réalité ; ils voyaient en moi une jeune femme séduisante, compétente, et ils avaient envie de m'aider. Ils ignoraient la transformation qui s'était opérée en moi, transformation dont j'avais pris conscience pour la première fois lors de l'enterrement de Carla, quand j'avais senti que je devenais moche et sordide, ayant été capable de tuer une amie sans aucun motif.

Comment ce changement s'était-il produit? Je cherchais des indices dans le passé, dans mon enfance. Je me rappelais des moments de colère et de méchanceté, des actes qui à l'époque avaient paru plutôt anodins — le genre de comportements auxquels se livrent tous les enfants — mais qui aujourd'hui me semblaient beaucoup plus graves. Je me souvenais d'une institutrice qui m'avait dit : « Helen North, c'est très cruel ce que tu as fait là. Tu finiras mal si tu continues comme ça. » Peu importait que j'aie été injustement accusée et que la véritable coupable se soit tenue à côté de moi, muette, cramoisie, les larmes aux yeux. Le verdict immérité de l'enseignante prenait aujourd'hui l'aspect d'un présage. Déjà, à cette époque, elle avait compris que j'étais différente.

Et puis, j'avais doublement honte : pendant tout ce temps, absorbée par mon propre désarroi, j'avais oublié la souffrance que j'avais infligée aux proches de Carla. Quand je pensais à ses enfants, mon supplice était tel que je m'efforçais d'imaginer d'autres explications aux événements. Peut-être n'était-ce pas moi la meurtrière, en fin de compte ; quelqu'un d'autre avait pu se trouver sur la route ce matin-là : son mari jaloux, ou Paul, ou mon dragueur grec, ou même KD. Après tout, KD et elle venaient juste de passer la nuit ensemble, et la police le soupçonnait ; je ne connaissais rien du caractère de cet homme, peut-être que Carla et lui s'étaient disputés et qu'elle le fuyait quand elle m'avait suivie sur la route de la côte. Ou alors, elle cherchait à échapper à Daniel Finch, à Paul, au bigleux... Ah oui, vraiment? Et la pierre dans ma main, la pierre maculée de sang avec ses cheveux collés dessus? Eh bien, peut-être avais-je essayé de la défendre : j'avais ramassé la pierre pour frapper son agresseur, mais celui-ci s'était retourné, avait poussé Carla vers moi, et c'était elle que la pierre avait atteinte...

Ce n'était guère convaincant; en tout cas, cela ne me convainquait pas.

Octobre est arrivé. Les feuilles mortes tourbillonnaient et s'entassaient sur les trottoirs. Très souvent, je marchais dans l'obscurité; cela ne changeait rien pour moi. Je passais d'une mission à une autre, d'une journée à la suivante; je travaillais, courais, nageais, nettoyais mon appartement jusqu'à en avoir les mains à vif.

Au début, je ne me souciais absolument pas de ma sécurité. Souvent, je pensais mettre fin à mes jours, mais même cette issue était bloquée : ma famille — mon étrange famille dispersée sur trois continents mais qui, malgré l'éclatement de ses membres, tenait beaucoup à moi — serait anéantie. Le suicide m'a toujours paru un acte éminemment égoïste — l'inconscience d'une personne ayant pour conséquence le chagrin de tous ceux qui l'aiment —, et il n'était pas question que je transfère ma culpabilité et ma souffrance sur ceux que je chérissais. Mais si un accident survenait... Ce n'était pas exactement la mort que je désirais; même une blessure aurait apporté un peu de répit à mon tourment intérieur, la douleur franche et nette d'une jambe cassée aurait été un soulagement, comparée à mon remords.

Je n'allais pas jusqu'à flirter avec le danger, mais je ne cherchais pas non plus à l'éviter. Je déambulais dans des rues sombres, des quartiers malfamés, je faisais du jogging au crépuscule dans les parcs et les terrains vagues. Je courais pour attraper le bus, je slalomais entre les voitures et je marchais toujours trop près du bord du trottoir. Mais apparemment, les dieux veillaient sur moi : pas la moindre égratignure ni le moindre coup.

Jusqu'à ce jour de la fin d'octobre où je suis descendue du trottoir sans regarder, juste au moment où passait un coursier à mobylette ; le bord tranchant du repose-pied m'a entaillé la jambe, le coursier a fait une embardée et la mobylette a continué de rouler dans un crissement de pneus.

« Oh, mon Dieu !... »

Je suis tombée à genoux, le sang dégoulinait le long de mon mollet, et j'ai vu la mobylette, penchée sur le côté, traverser la route en dérapant et percuter la terre-plein central. Derrière nous, des voitures ont freiné brusquement. Le coursier s'est extrait de sous sa mobylette, a flanqué un grand coup de pied dedans et s'est avancé vers moi en boitillant et en levant les poings dans un geste de colère.

« Merde, vous voulez vous tuer ou quoi ?

— Je suis désolée...

— Vous avez vu ma bécane ? Vous avez vu dans quel état vous êtes ? Vous ne pouvez pas regarder devant vous, bordel ! Le feu était vert pour moi, bon sang ! J'ai failli vous tuer, on aurait pu se tuer tous les deux !

— C'est ma faute... »

Le coursier boitait sérieusement. Il a enlevé son casque. C'était un homme d'une cinquantaine d'années, aux traits rudes, mal rasé, bouleversé par le choc, en colère sous l'effet de la peur. « Qu'est-ce qui vous a pris ? Vous êtes aveugle ou quoi ? Regardez l'état de votre jambe. Bon sang, j'aurais pu vous tuer !

— Je suis vraiment désolée. Ne vous inquiétez pas pour moi. Vous boitez...

— Évidemment que je boite ! Mais peu importe. Vous devriez faire attention, vous finirez par tuer quelqu'un !

— Oh, non... »

Je me suis relevée avec difficulté et lui ai proposé

225

de le dédommager pour les dégâts de sa mobylette ; il s'est calmé et m'a dit de ne pas me tourmenter : elle appartenait à la société pour laquelle il travaillait, et d'ailleurs elle était increvable, l'important, c'était que je sois saine et sauve. Ensuite un passant a hélé un taxi et m'a recommandé de faire soigner ma blessure, la plaie était profonde et risquait de s'infecter si je n'y prenais pas garde. J'ai promis de m'en occuper...

Vous finirez par tuer quelqu'un...

J'avais failli répondre : Ne vous inquiétez pas, c'est déjà fait.

Mais je n'avais rien dit, bien sûr. Le coursier se tracassait pour moi et l'inconnu qui avait hélé le taxi était gentil ; moi, pendant ce temps, je criais intérieurement : Ne me plaignez surtout pas, je n'ai que ce que je mérite !

Mon visage innocent les abusait tous. Jamais ils n'auraient pu deviner qui se cachait derrière ce masque.

Je suis rentrée chez moi et n'ai pas mis le nez dehors pendant trois jours. La plaie de ma jambe était profonde mais ne s'était pas infectée. Je chérissais ma douleur. Je pouvais observer la guérison de la blessure, voir la croûte se former peu à peu. Les blessures externes sont tellement plus simples : on peut suivre le processus de cicatrisation, on sait que la souffrance disparaîtra avec le temps. Tandis que...

Vous devriez faire attention, vous finirez par tuer quelqu'un !

J'étais parvenue à une impasse. Non seulement j'avais supprimé la vie de Carla et ruiné la mienne, mais ma capacité de causer du tort aux autres semblait infinie.

Quand je me suis endormie cette nuit-là, inévitablement le même rêve familier m'a hantée une fois de plus — la scène d'horreur de la dispute sur la route.

Carla se jette sur moi, les yeux étincelants de rage, je la frappe à mon tour, plus fort parce que je suis plus costaud qu'elle, et aussi bien plus furieuse. Je hurle : « Garce ! Sale garce ! »

En me réveillant, j'étais toujours en colère. Bon sang, Carla, pourquoi m'as-tu poussée à cela ? Pourquoi m'as-tu amenée à te confier mon secret le plus intime, pour me le flanquer ensuite à la figure ? Tu te fichais pas mal de Glen et de KD, tu voulais juste une aventure sexuelle pour couronner tes vacances et satisfaire ton ego — pathétique tentative pour remédier à ta ridicule insécurité. Quel genre de femme abandonne son mari et ses enfants sans même leur dire où elle va, et passe deux semaines entières à jouer les célibataires ? C'étaient ses mensonges qui m'avaient entraînée dans ce cauchemar. Jamais rien de tel ne m'était arrivé jusque-là. Quelle sorte de femme était-elle, pour causer tant de mal ?

Dans le même temps, une partie de moi-même avait conscience de commettre l'ultime péché, qui consiste à rendre la victime responsable du crime perpétré contre elle — *mon crime* — mais, pour l'essentiel, je m'en fichais. J'avais giflé Carla, d'accord, mais elle m'avait agressée. Peut-être avais-je agi en état de légitime défense. Peut-être avait-elle tenté de me tuer et n'avais-je pas eu d'autre choix que de riposter. Avait-elle déjà provoqué quelqu'un, avant ? S'était-elle battue avec ? L'avait-elle blessé ?

Peu à peu, tandis que pointait l'aube grise d'octobre, ma rage s'est apaisée, mais les questions demeuraient. Je savais si peu de choses de cette vie qui avait pris fin. Quelque part dans le monde existait un endroit où Carla aurait dû se trouver, et j'ignorais presque tout d'elle.

Pendant plusieurs semaines, j'avais cru que ma souffrance commencerait à guérir quand je serais capable de cesser de penser tout le temps à Carla. Maintenant, une autre solution se dessinait : si j'en apprenais davantage sur la femme qu'elle avait été et sur l'univers où elle avait vécu, peut-être découvrirais-je le moyen de vivre avec mon crime. À ce moment-là, cela m'a paru mon unique espoir.

12

« C'est la maison au bord de l'eau, m'a indiqué
l'épicier quand je me suis arrêtée au village pour
demander mon chemin. Il n'y en a pas d'autre, vous
ne pouvez pas vous tromper. »

La maison au bord de l'eau... Je me doutais que les
routes menant à Burdock étaient étroites, mais celle
que j'ai empruntée à la sortie du village était si exi-
guë que je retenais mon souffle, comme si cela aurait
pu faire rétrécir ma voiture. Les haies impression-
nantes du sud du Devon, si vertes et luxuriantes à
l'époque de l'enterrement de Carla, n'offraient plus
qu'un enchevêtrement de tiges nues et de lierre
sombre.

Un dernier tournant, et j'ai aperçu la maison ; l'épicier n'avait pas menti, c'était la seule construction
visible dans un vaste paysage s'ouvrant sur le ciel et
sur l'estuaire. On avait beau être en début d'après-
midi, la lumière déclinait déjà, et une légère brume
s'élevait au-dessus de la rivière. J'ai coupé le moteur
et suis restée longtemps à contempler la villa. Un
break maculé de boue était garé devant la porte ; à
part cela, aucun signe de vie.

J'ai attendu, sans très bien savoir ni ce que j'attendais ni ce que j'allais faire. Le froid commençait à
gagner la voiture et je me suis emmitouflée dans
mon manteau. L'écriteau sur la barrière indiquait
SANDPIPER COTTAGE — un peu long à prononcer,
je comprenais pourquoi on le raccourcissait en

229

« Pipers ». La maison avait dû être construite entre les deux guerres pour servir de résidence secondaire à des citadins aisés. Elle avait un toit pointu, des volets peints en vert et de grandes baies vitrées.

Sa situation exceptionnelle ajoutait un charme indéniable à cette agréable demeure : Pipers était bâtie au bord d'un large estuaire, sans aucun vis-à-vis ; le village de Burdock avec son église, son pub, sa salle des fêtes, son épicerie et ses quelques maisons, anciennes et modernes, était caché derrière une colline où paissaient des moutons. La marée était basse, et la rivière se réduisait à un mince filet d'eau argentée coulant entre des bancs de boue. Des mouettes et d'autres oiseaux que je ne connaissais pas se posaient sur la vase puis s'envolaient au bout d'un moment, mais hormis le mouvement de leurs ailes je ne distinguais aucun signe de vie. Sur la rive opposée, bois et champs s'étendaient à perte de vue. Je situais la mer à environ un kilomètre et demi sur la gauche, au-delà de Burdock ; il y avait pas mal de villas de vacances, sur la plage, non loin de là, je le savais, mais ici on était dans un autre monde — un monde solitaire, peuplé d'oiseaux des marais.

L'univers que Carla avait connu. Où elle avait vécu.

J'ai examiné de plus près la maison, une bâtisse solide, confortable, sans prétention. Une mouette est allée se percher sur une cheminée ; en sécurité sur son perchoir, elle a incliné la tête et m'a observée de là-haut.

Je ne suis pas ici. Je ne dors pas...

Facile, par un après-midi sombre et silencieux, à cette période de morte saison, d'imaginer des fantômes et des esprits qui rôdent...

Je suis descendue de voiture et me suis engagée dans l'allée de gravier, sans avoir la moindre idée de ce que je cherchais ni de la façon dont j'expliquerais ma présence ; dans l'immédiat, j'avais besoin d'être là, au seuil de l'univers de Carla. Pour la première fois depuis des mois, j'avais le sentiment de faire ce qu'il fallait.

Je me suis avancée jusqu'à la porte d'entrée et j'ai frappé.

Cinq minutes plus tard, j'étais toujours dehors à attendre qu'on m'ouvre. Après avoir frappé à l'entrée principale, j'avais contourné la maison et tapé à la porte de derrière. Il devait y avoir quelqu'un : on entendait de la musique à l'intérieur, et une vieille bouilloire en émail chauffait à toute vapeur sur la cuisinière ; un gros chien bâtard au pelage tigré m'a regardée par la fenêtre de la cuisine et a poussé un aboiement avant de se rendormir.

Sans la bouilloire sur le gaz, j'aurais peut-être abandonné. Un sac de provisions était renversé sur la table. Et il y avait la musique — une même phrase reprise plusieurs fois, interrompue par des silences, comme si un groupe de musiciens répétait, dans une pièce retirée de la maison. Je percevais le son d'une clarinette mais aussi, par intermittence, des percussions et des cordes. Combien de personnes se trouvaient là pendant que l'eau de la bouilloire s'évaporait ?

À voir la cuisine déserte, on pouvait facilement imaginer que quelqu'un était sorti avec l'intention de revenir aussitôt mais avait été retardé pour une raison imprévue. Comme si Carla en personne avait posé ce sac de courses sur la table et allumé le feu sous la bouilloire, avant de s'éclipser et... J'ai retenu mon souffle. D'un instant à l'autre, la porte du fond s'ouvrirait, Carla entrerait et retirerait la bouilloire du gaz. « Salut, Helen ! Je me demandais quand tu viendrais. Tu dois être fatiguée par ton voyage. Veux-tu du thé ou préfères-tu quelque chose de plus fort ? »

Non. Pas de Carla. Je fixais la pièce vide où elle aurait dû se tenir.

J'ai frappé une fois de plus, puis j'ai tourné doucement la poignée. La porte s'est ouverte sur un petit vestibule. J'ai buté sur une paire de bottes en caoutchouc abandonnées sur le paillasson, et j'ai pénétré sur la pointe des pieds dans la cuisine.

« Il y a quelqu'un ? »

Le chien a levé la tête et entrouvert les yeux pour me regarder, ensuite il a agité la queue d'un air pensif. C'était un gros chien plein de poils, de race indéterminée, un croisement improbable de caniche et de labrador. Il s'est levé péniblement, a étiré ses pattes avant, s'est déplacé avec raideur sur le carrelage, puis a fourré son museau dans la paume de ma main.

« Tu es tout seul ? »

Il a agité la queue avec lenteur, a bâillé, est retourné en titubant vers un gros coussin sale où il s'est affaissé lourdement.

« Holà ! Y a-t-il quelqu'un ? »

Toujours pas de réponse. Pourtant, la musique avait changé, c'était maintenant un xylophone qui jouait la mélodie.

J'ai soulevé la bouilloire du feu, elle était presque vide et a sifflé quand je l'ai inclinée ; je l'ai reposée et j'ai éteint le gaz.

La cuisine était claire et spacieuse mais donnait l'impression que, après des débuts ambitieux, le décorateur avait abandonné le travail en cours de route ; peut-être s'en était-il désintéressé, ou alors il avait manqué d'argent.

232

Peut-être que la décoratrice était partie sur une île grecque et n'était jamais revenue.

Les murs étaient peints en bleu vif brillant; des étagères avec une collection d'assiettes et de pots anciens couvraient une des parois. J'ai remarqué d'autres signes qui révélaient une activité brusquement interrompue : quelqu'un avait commencé à couper des tranches irrégulières dans une énorme miche, et plusieurs boîtes de pâté étaient posées à côté du pain. Sans compter le sac à provisions dont le contenu s'étalait sur la table : un assortiment de gâteaux et de biscuits, des chips, des paquets de guimauves, des barres de chocolat. Daniel Finch était peut-être un bon père, mais je n'approuvais guère ses conceptions en matière de diététique. Soudain, j'ai aperçu plusieurs sachets de ballons sous un paquet de chipolatas. Un goûter d'enfants se préparait-il ?

Oui, c'était sûrement ça : plusieurs cartes d'anniversaire trônaient sur une étagère; sur deux d'entre elles était dessiné un grand 6. J'en ai pris une et j'ai lu : *Bon anniversaire, Violet, avec plein de bisous de la part de Janet*. Je l'ai remise en place et je me suis dit que le moment était venu, soit de manifester ma présence, soit de m'en aller.

La musique arrivait de l'autre côté de la maison. J'ai traversé le vestibule et j'ai jeté un coup d'œil au salon et à la salle à manger — deux vastes pièces avec des baies vitrées qui donnaient sur l'estuaire. Un étroit couloir partait de la cuisine : la première porte ouvrait sur un petit cabinet de toilette, la deuxième sur un cellier; quant à la troisième, elle semblait conduire au garage. Elle était entrouverte; alors que je m'en approchais, la musique s'est arrêtée brusquement et une voix masculine a déclaré : « Ensuite, on revient à la huitième mesure. La la-la la, silence, LA la-la la pour cette phrase, O.K. ? Mais avec les flûtes, cette fois... Oui ? » Cette dernière interrogation s'adressait à moi, qui venais de frapper à la porte. « Allô, Doug ? Ne quitte pas une seconde. »

Ne voulant pas déranger, j'ai poussé la porte de quelques millimètres à peine. Sur le mur en face de moi, j'ai aperçu une affiche de film encadrée et, reflétée dans le sous-verre, une silhouette penchée sur une espèce d'énorme clavier. Daniel Finch avait les yeux fixés sur une vidéo sans son et parlait en même temps au téléphone.

J'ai dit en haussant la voix : « Bonjour, je suis...

— Grâce à Dieu, enfin ! Bonjour, a-t-il lancé sans se retourner. Le temps était calculé un peu juste, non ? J'aurai fini dans une minute, il faut juste que je mette au point les derniers détails avec Dougie, on n'aura plus l'occasion d'y retravailler avant l'enregistrement de lundi. J'ai commencé à préparer les sandwiches, il ne reste pas grand-chose à faire. Tout est prêt, en réalité.

— O.K., ai-je répondu en m'apprêtant à rebrousser chemin. Et les saucisses ?

— Quoi ? Oui, oui, il faut les faire cuire. Ils vont arriver d'un instant à l'autre... Non, Dougie, pas de clarinettes à cet endroit, je te l'ai déjà dit. Seulement les cors et la voix... Quoi ? »

En retraversant le vestibule, j'ai remarqué que la lumière rouge du répondeur clignotait : sans doute un appel du traiteur ou de la personne que Daniel Finch attendait et pour qui il m'avait prise ; seulement, trop absorbé par sa musique, il n'avait pas entendu la sonnerie du téléphone.

Ils vont arriver d'un instant à l'autre... Au seuil de la cuisine, j'ai failli trébucher sur une irrégularité du sol ; en me penchant, j'ai constaté l'usure du plancher, là où d'innombrables pas avaient laissé leur empreinte. Alors j'ai vu — ou j'ai cru voir, j'ai imaginé peut-être — une paire de fines sandales dorées dont les talons claquaient et qui se dirigeaient vers la table, l'évier, le réfrigérateur, la cuisinière. Sans réfléchir, j'ai traversé la cuisine et j'ai vidé sur la table le contenu de deux sacs en plastique dans lesquels j'ai trouvé cinq autres paquets de chipolatas. J'ai allumé le four, placé les chipolatas sur un plat que j'ai déniché dans un placard près de l'évier, je les ai piquées à l'aide d'une fourchette et j'ai enfourné le plat.

Le chien, qui m'observait sur son coussin, a commencé à s'intéresser à ce que je faisais.

Je me suis ensuite occupée de réparer les dégâts causés au pain par la main maladroite, puis j'ai découpé le beurre en morceaux et l'ai fait ramollir dans le four, avant de l'étaler sur de fines tranches.

Garnir les canapés risquait de poser un problème. Daniel Finch avait apparemment l'intention de bourrer Violet et ses copines de pâté et de mousse de poisson. La famille Finch raffolait peut-être des sandwiches salés, mais les invités risquaient de ne pas partager leurs goûts. Qu'aurait imaginé Carla pour le goûter d'anniversaire de sa fille ? J'ai préparé divers canapés sucrés, avec du beurre de cacahuètes, du miel et des bananes écrasées. Les sandwiches à la banane étaient un souvenir de mes propres anniversaires, tout comme la *babovka* de ma mère, que la plupart de mes amies avaient fini par apprécier autant que nous. J'ai disposé les canapés sur deux grands plats bleus, puis j'ai versé le contenu des sachets de chips dans un saladier. Ensuite, j'ai pris les barres de chocolat et, à l'aide de vieux magazines qui traînaient sur une chaise et d'un rouleau de Scotch, j'ai fabriqué des pochettes-surprises. Entre-temps les chipolatas avaient cuit, je les ai retirées du four et les ai posées sur du Sopalin pour absorber la graisse ; l'une d'elles s'étant cassée en deux, je l'ai partagée avec le chien qui me marchait sur les pieds tant il était impatient.

J'éprouvais une sensation très bizarre : d'un côté je me sentais pareille à la bonne fée qui apparaît dans un nuage de fumée bleue pour tout arranger, mais d'un autre côté la panique me gagnait et une voix accusatrice me disait : *Qu'est-ce que tu fais ici ? Tu n'es qu'une usurpatrice, et quand on t'attrapera...*

La musique a diminué. « Ce serait possible d'avoir une tasse de thé ? a crié Daniel Finch depuis la pièce du fond. L'eau doit bouillir, maintenant.

— O.K. ! » ai-je répondu, mais la musique avait recommencé et j'étais à peu près certaine qu'il ne m'avait pas entendue. Il faudrait que je lui dise que, sans moi, sa bouilloire ne serait plus qu'un souvenir. Manifestement, il n'avait guère la notion du temps.

Pendant que l'eau bouillait, j'ai entrepris de gonfler les ballons et de les attacher par groupes de trois et de cinq. Et si j'en accrochais à la porte pour rendre les lieux plus accueillants quand Violet rentrerait ? Était-ce ce qu'aurait fait Carla ?

J'avais attaqué le deuxième sachet de ballons. L'après-midi touchait à sa fin et je voulais les avoir tous gonflés avant l'arrivée des enfants. À force de souffler, je commençais à avoir le vertige, pourtant je...

« Mais qui êtes-vous donc ? »

Au moment où je me suis retournée, le ballon s'est échappé et a zigzagué à travers la pièce, avant d'atterrir sur le coussin du chien. L'animal l'a reniflé un instant avec curiosité, puis s'est rendormi.

« Joli », a commenté Daniel en observant la trajectoire du ballon. Il portait un pantalon noir et un pullover ample un peu élimé aux poignets. Il m'a paru plus grand que dans mon souvenir.

« Je suis Helen North.

— Helen... ? Je vous attendais ?

— Pas vraiment. J'étais une amie de Carla.

— Où est Angela ?

— Je l'ignore. Il me semble que quelqu'un a laissé un message sur votre répondeur, c'est peut-être elle.

— Sans doute. Bon sang, ça lui ressemble bien d'être en retard un jour comme aujourd'hui !...» Il s'est tu, m'a dévisagée, puis a dit : «Excusez-moi, mais votre visage m'est familier.

— Je suis venue à l'enterrement.

— Ah.» Il continuait de me regarder fixement. «C'est peut-être ça.

— Et j'étais avec Carla sur l'île quand elle est morte. Ou plutôt...» Je me suis aussitôt corrigée : «... avant qu'elle meure.

— Bien sûr, je me rappelle maintenant.» Il a pris un sandwich sur un des plats. «Vous étiez en train de vous baigner, et ensuite nous avons marché le long de la plage. Vous avez quelque chose de changé.

— Mes cheveux sont beaucoup plus courts.

— Ça doit être ça, oui.» Il m'examinait toujours d'un air lugubre, comme si le simple fait de me voir suffisait à ramener toute l'horreur de cette terrible journée.

«J'ai frappé, mais personne n'a répondu. La bouilloire fumait, alors...

— Oui. Regardez, l'eau bout à présent.

— Voulez-vous du thé ?

— Très volontiers. Vous trouverez des sachets dans le placard au-dessus du grille-pain. Berk ! Qu'est-ce que vous avez mis dans ce truc ?

— De la banane écrasée, mais...

— Seigneur, quelle drôle d'idée !» Il a soulevé le couvercle de la poubelle, et le sandwich incriminé est allé rejoindre les emballages des chipolatas.

« Ceux au pâté et à la mousse de poisson se trouvent sur le grand plat.

— Ah, je préfère ça. » Il en a pris deux. « Vous croyez qu'il y en aura assez ?

— Pas si vous les mangez tous avant le retour des enfants. Quand vont-ils arriver, à propos ?

— Je n'en sais rien. Bientôt, je suppose. Janet les a emmenés à la piscine. Ça vous laisse le temps de préparer une autre fournée de canapés, en vous dépêchant. Vous trouverez du pain en tranches quelque part.

— Combien d'enfants attendez-vous ?

— Six, peut-être dix. Plus les trois miens. Une véritable invasion. » Il a mordu dans un des deux sandwiches. « Délicieux. Pas de fête sans mousse de saumon, vous ne pensez pas ? » Il m'a regardée bizarrement, puis il m'a demandé : « Vous êtes venue pour l'anniversaire de Vi ?

— Euh, oui, en effet. Carla l'avait mentionné et... »

À mon grand soulagement, le téléphone a sonné, ce qui m'a évité de m'empêtrer dans des explications douteuses. Avec un dernier regard perplexe dans ma direction, Daniel a attrapé encore deux sandwiches avant d'aller répondre. Tout en cherchant le pain en tranches et en m'attaquant à la nouvelle fournée de canapés, je ne pouvais m'empêcher d'écouter ce qu'il disait, d'autant qu'il parlait de plus en plus fort.

« Salut, Angie, qu'est-ce qui s'est passé ?... Non, bien sûr que non, je n'ai pas eu ton message, j'ai travaillé tout l'après-midi... Janet les a emmenés. Alors, à quelle heure tu arrives ?... Quoi ? Eh bien, il faut que tu annules, c'est tout. Non, certainement pas, je ne peux pas remettre ce foutu goûter, c'est son anniversaire, bon sang, tu ne vas quand même pas... Oh, très bien, je ferai de mon mieux. Oui, je me débrouillerai, mais Vi en sera malade. Non, je ne cherche pas à te

238

culpabiliser, seulement... Quoi? Oh, pour la nourriture, ça va, je m'en suis occupé tout à l'heure. Et puis, une amie de Carla est arrivée et elle a préparé quelques trucs. Je ne sais pas pourquoi... Je suppose qu'elle en avait envie. Ça tombe plutôt bien... Donc, tu descends ce soir... Quoi? Demain, alors? Écoute, Angie, tout ça était prévu depuis longtemps, tu le sais très bien, merde!... Mais tu as promis... Impossible, on m'attend au studio à neuf heures lundi matin... Non, je ne peux pas, on a engagé un orchestre de trente musiciens, putain!... Non, je ne jure pas. De toute façon, ce n'est pas grave, ils ne sont pas encore là. Non, c'est *toi* qui devras changer *tes* plans, pour une fois! Je ne peux pas... Et merde! Merde! Merde! Merde!»

Daniel est revenu dans la cuisine en mâchonnant le second sandwich d'un air mauvais. Si c'était là sa façon habituelle de traiter des problèmes de baby-sitting avec les personnes susceptibles de l'aider, pas étonnant qu'il doive s'occuper seul du goûter d'anniversaire de sa fille.

«Cette femme, quelle fichue égoïste! a-t-il grommelé, la bouche pleine. Elle ne pense qu'à elle. Qu'est-ce que je vais faire, maintenant?

— Elle avait d'autres engagements?

— Rien de plus important que l'anniversaire de Vi. Elle aurait très bien pu s'arranger autrement.

— Elle vient de loin?» Si Angie était sa petite amie, il n'avait pas perdu de temps.

«Londres. Seulement quatre heures de route. Vi va être affreusement déçue.

— C'est bien triste.» J'avais disposé les canapés en pile sur une assiette et je m'apprêtais à en découper la croûte. J'ai suggéré timidement: «Si vous voulez, je pourrai rester pour vous aider une heure ou deux.

— Formidable. En fait, j'espérais que vous le

proposeriez. » Il m'a dévisagée comme s'il cherchait à comprendre quelque chose, puis il m'a décoché tout à coup un sourire ravageur. « Laissez la croûte, s'il vous plaît, c'est le meilleur... Eh bien, Helen, comment vous débrouillez-vous dans les goûters d'enfants ?

— Je ne sais pas, je n'ai pas tellement l'habitude.

— Vous avez un don naturel manifeste, il suffit de voir ces ballons. » Il m'a lancé un autre sourire irrésistible. Daniel Finch me servait soudain un grand numéro de charme et, si j'avais été sensible au charme, il aurait sûrement réussi. En l'occurrence, j'éprouvais une vive appréhension à l'idée de rencontrer les enfants de Carla. Il est soudain redevenu sombre. « Ça ne me dérange pas personnellement », a-t-il dit, faisant de toute évidence allusion à sa conversation houleuse avec la fameuse Angie qui le laissait tomber. « C'est pour Vi que je suis ennuyé. Après tout, ce sera son premier anniversaire sans sa mère, et elle n'a que six ans.

— Oh. » Un vertige m'a prise et j'ai dû m'appuyer contre le plan de travail pour ne pas tomber. « Je m'efforcerai de vous aider de mon mieux.

— Génial. C'est vraiment une chance que vous soyez venue... Ah, les voilà, je crois. » Un crissement de pneus sur le gravier, des portières qui claquent, des exclamations excitées. « Janet et deux amies à elle les ont emmenés à la piscine. Nous nous doutions qu'ici il risquait d'y avoir des problèmes d'organisation, et ça nous a semblé la meilleure solution. Ils sont sûrement morts de faim.

— En effet. » J'étais en train d'ouvrir un paquet de serviettes en papier quand j'ai entendu une voix enfantine résonner dans toute la maison :

« Manman ! Manman ! Manman ! Manman-an-an-an !

— Violet, a expliqué Daniel.

— Mais elle est... » J'ai failli dire « morte », mais je me suis tue. Si Angela était la nouvelle petite amie de Daniel, il me paraissait un peu prématuré que les enfants l'appellent déjà maman. J'ai ressenti l'envie soudaine de défendre Carla, puis j'ai réalisé l'absurdité de ce sentiment. Moi, avoir envie de défendre quelqu'un !

Des pas précipités dans le vestibule, et la même voix enfantine : « Par ici ! Suivez-moi ! Manman, nous voilà ! »

Violet a déboulé dans la cuisine, ses copines sur les talons. Je l'aurais reconnue n'importe où d'après la photo, cette petite fille délicate aux cheveux bruns bouclés et aux immenses yeux bleu-vert, qui rayonnait d'excitation et d'impatience.

« Manman ! Regarde ce que j'ai... » Elle s'est arrêtée net en me voyant, et s'est tournée aussitôt vers son père. Deux ou trois gamines sont entrées avec curiosité derrière elle et ont attendu près de la porte. « Où est manman ?

— Elle a téléphoné il y a une heure, mon chou, pour dire qu'elle avait eu un empêchement.

— Oh. Elle viendra plus tard ?

— Elle a dit qu'elle essaierait de venir demain, mais...

— Demain !

— ... mais peut-être pas avant lundi.

— Ah, je vois. » Toute joie a disparu du visage de Violet ; ses yeux se sont remplis de larmes et ses joues se sont empourprées. Puis elle s'est ressaisie. « Très bien, a-t-elle déclaré d'un ton dur. Je ne l'attendais pas vraiment, en fait. C'est encore un de ses clients de crotte, je parie. » Elle s'est agenouillée sur le coussin du chien et a jeté ses bras autour du cou de l'animal. « Oh, mon Tigre ! Oh, mon Tigre chéri, que je

241

t'aime, que je t'aime!» Ensuite, elle s'est relevée d'un bond. «Viens, Tamsin, je vais te montrer ma chambre. J'ai ma chambre à moi, tu sais. Dis aux autres qu'elles peuvent venir aussi. On va sauter sur le lit. Chez moi, on a le droit de sauter sur les lits.»

Elle est sortie en trombe de la cuisine, entraînant derrière elle une bande de fillettes. On a entendu le martèlement de leurs pieds dans l'escalier et, quelques instants plus tard, des grincements de sommier, des cris et des éclats de rire.

Daniel a soupiré. «Pauvre petite Violet, c'est dur pour elle.

— Mais...» Je pataugeais. «Elle l'appelle maman.

— *Manman*. Je sais. Angie déteste ça. "Appelle-moi Angel, mon chou..." (Daniel imitait l'accent américain.) "... comme tout le monde."

— Mais... et Carla?»

Il a froncé les sourcils. «Quoi, Carla?

— Eh bien, je... c'était leur mère et...

— Leur belle-mère.

— Quoi?»

Il m'a regardée fixement. «Oui, bien sûr. Qu'est-ce Carla vous a dit?

— Elle m'a dit... euh... en fait, je pensais... je croyais...» Carla m'avait-elle dit explicitement qu'elle était la mère de Lily, Rowan et Violet, ou l'avais-je déduit des informations qu'elle m'avait données?

«Carla vous a raconté qu'elle était leur mère?

— Je ne sais pas, je ne me rappelle pas.» Je me suis laissée tomber lourdement sur une chaise. «Elle n'a peut-être pas dit exactement cela, mais c'est l'impression que j'ai eue.

— Carla et moi, nous nous sommes mariés il y a deux ans, précisément dix-huit mois après que mon divorce d'avec Angela a été prononcé.» Son expression s'est assombrie davantage. « Carla n'a jamais eu d'enfant. »

Plus tard, Daniel a affirmé qu'à son avis la fête avait été très réussie. Sur quels critères se basait-il ? À inscrire au passif : une petite fille dodue prénommée Simone avait ingurgité une telle quantité de guimauves que ça l'avait rendue malade ; une autre s'était coincé le doigt dans une porte au cours d'une partie de cache-cache particulièrement animée, après quoi elle avait pleuré à chaudes larmes pendant cinq bonnes minutes. Violet elle-même avait déployé une telle énergie à s'amuser, malgré l'absence d'Angela, qu'à un certain moment elle avait perdu tout contrôle et était devenue hystérique. Daniel a observé quelques instants l'enfant qui hurlait, puis il a poussé un profond soupir, a pris la petite dans ses bras et l'a ramenée, en larmes, dans sa chambre, où ils sont restés au calme une dizaine de minutes. Pendant ce temps, j'ai improvisé un jeu de « Jacques a dit » puisé dans les souvenirs lointains de mon enfance. Quand Violet a réapparu, elle reniflait et avait les yeux rouges ; elle était toutefois beaucoup plus tranquille et prête à profiter du reste de la fête.

Mais dans l'ensemble l'assertion de Daniel était sûrement juste. C'était un bon organisateur, même si la délégation de pouvoirs jouait un rôle clé dans sa stratégie. Janet, une femme d'une soixantaine d'années, qui avait emmené les enfants à la piscine, se laissa persuader, à force de cajoleries, de rester pour donner un coup de main, malgré son inquiétude au sujet d'un certain « Petit Chien » — nom à prendre au pied de la lettre — qui apparemment n'allait pas bien du tout. À coup sûr, personne n'oublierait la fête donnée pour le sixième anniversaire de Violet — et pas à cause des trois incidents que je viens de décrire, ni même à cause d'un excédent de sandwiches au pâté et à la mousse de poisson. C'est le «musirécit» de Daniel qui apporta une touche de magie à la fête.

Une fois redescendu avec Violet, Daniel a annoncé qu'il était temps de passer à une activité plus paisible. Ses deux autres enfants étaient arrivés pendant que je me débattais avec «Jacques a dit». D'après Janet, Lily et Rowan avaient insisté pour rendre visite à des copains a eux pendant que Pipers était «envahi par une horde de gamines», selon leurs dires. Mais Rowan — un garçon brun de huit ans, trapu, aux mêmes yeux noirs que son père et à l'air réservé, impassible — ne voulait pas perdre entièrement sa part du festin. Sa sœur Lily, douze ans, mince et élancée, paraissait d'un tempérament plus anxieux; je n'ai pas compris tout de suite pourquoi sa nervosité et son agitation me gênaient, jusqu'à ce que je réalise qu'elle me rappelait Carla. Le frère et la sœur ont observé un instant comment je me débrouillais avec les invités, m'ont jeté un regard profondément méprisant et sont allés à la cuisine faire leur choix parmi les restes.

Ce ne sont pas les enfants de Carla, me suis-je dit. Elle était leur belle-mère. Pourtant, cela me paraissait encore irréel.

«Jacques a dit : suivez-moi!» a lancé Daniel d'une voix tonitruante.

Les enfants se sont aussitôt rués derrière lui et, au bout de quelques minutes, Janet et moi les avons imités, attirées dans la salle de musique par une étrange cacophonie.

«Un "musirécit", a expliqué Daniel, est une histoire musicale que tout le monde doit raconter ensemble.» Celle-là a débuté avec un semblant d'ordre. C'était l'histoire d'une jeune guenon échappée d'un zoo, à qui il arrivait toutes sortes d'aventures invraisemblables.

Daniel a commencé en jouant au piano quelques accords censés évoquer une bande de singes en cage, calmes mais qui s'ennuient. Violet a reçu un sifflet — dont manifestement elle savait déjà se servir — et a été chargée de produire une série de notes ascendantes qui symbolisaient la curiosité de la guenon et sa soif d'aventures. Au fur et à mesure de la progression du récit, tous les enfants devaient intervenir aux moments cruciaux. Daniel possédait une collection impressionnante d'instruments bizarres que je n'avais, pour la plupart, jamais vus jusqu'alors : calebasses, crécelles, scie musicale (très demandée), klaxon de voiture ancienne, conques, cloches, et un très grand choix de tambours. Janet et moi, nous nous sommes assises sur des chaises au fond de la pièce, et on nous a donné à chacune un ballon que nous devions gonfler et lâcher à un instant décisif de l'histoire ; les ballons se mettaient alors à zigzaguer dans toute la pièce avec un bruit qui faisait crouler de rire Violet et ses copines.

« Avec la participation exceptionnelle d'Helen North », a annoncé Daniel en m'adressant un bref sourire. Puis, quand l'excitation et l'hilarité ont menacé de déborder, il a ramené le récit vers des développements plus paisibles. Lily et Rowan avaient rejoint l'orchestre juste à temps pour l'épisode où la jeune guenon retrouvait sa famille, après avoir satisfait son impatience et sa curiosité — du moins provisoirement. L'histoire s'est conclue par la ballade de la guenon, un duo qui rappelait vaguement une mélodie de Brahms, avec Daniel au piano et Lily à la flûte.

Daniel a joué les dernières mesures avec Violet assise sur ses genoux ; il devait régler son tempo sur celui, plus chaotique, de Lily. Violet paraissait aux anges, et quoi d'étonnant ? J'ai observé de près le père et la fille. Daniel m'aurait intéressée de toute façon, à cause de son lien avec Carla, mais à le voir ainsi, grave et attentif au milieu de cette bande de petites filles, je me suis rendu compte qu'il était en soi un homme fascinant. J'ai essayé d'imaginer ce qui avait bien pu pousser Carla à le quitter pour les plaisirs douteux de vacances en solitaire, même pendant quinze jours seulement. Il l'adorait, avait-elle affirmé. Dans ce cas, pourquoi était-elle partie ?

« Dieu merci, c'est fini », a soupiré Daniel en débouchant une bouteille de vin.

Il était huit heures et demie, les invitées étaient retournées dans leurs familles et l'hôtesse, tout en protestant qu'elle n'était pas le moins du monde fatiguée, s'était endormie presque instantanément. Lily et Rowan regardaient la télévision au salon, et Janet avait enfin pu s'échapper pour aller soigner Petit Chien. Tigre, toujours comateux, était affalé dans le coin de la cuisine. Daniel a rempli deux grands verres et m'en a tendu un. « Tenez, vous l'avez bien mérité.

— Merci, mais il faut que je parte, maintenant, j'ai une longue route devant moi.

— Pour aller où ?

— À Londres.

— Vous ne pouvez pas faire tout ce trajet de nuit, la distance est trop longue.

— Mais...

— Restez, le lit est sans doute déjà prêt dans la chambre d'amis. Angie l'utilise de temps en temps. Il faut que vous voyiez cet endroit à la lumière du jour, c'est de toute beauté.

— Euh... »

Il a presque vidé son verre, puis m'a regardée d'un air songeur. « Vous n'avez rien qui vous attend demain ?

246

— Non, rien.

— Ni personne ?

— Non, ai-je répondu après un instant d'hésitation.

— Vous voyez ! s'est-il exclamé d'un ton triomphant. Il vaut beaucoup mieux que vous restiez. Et lundi ? Vous êtes obligée de rentrer travailler ?

— Pourquoi ?

— Rien de particulier. »

Je connaissais assez sa stratégie, désormais, pour ne pas le croire. « Je travaille actuellement avec une agence de travail temporaire. Les missions sont plutôt aléatoires, je n'ai encore rien de prévu pour la semaine prochaine.

— Ah bon, dans ce cas... » Il s'est resservi de vin. « Je meurs de faim. Que diriez-vous d'une omelette-salade ? Je crois qu'il y a des œufs dans le réfrigérateur. Je ne suis pas très doué pour les omelettes, en général elles se transforment en œufs brouillés...

— Je peux m'en occuper, si vous voulez.

— Formidable... En fait, si vous n'êtes pas obligée de rentrer à Londres, je me demandais si vous accepteriez de rester ici un jour ou deux — jusqu'à l'arrivée d'Angie, pas davantage.

— Elle sera là demain ?

— Je l'espère, bon sang ! Mais elle avait promis de venir aujourd'hui et elle n'a pas tenu parole, elle risque fort de ne pas arriver avant lundi. Je suis certain qu'elle sera là lundi parce qu'elle doit emmener les enfants chez ses parents, dans le Somerset, mardi. Le problème, c'est que je suis pris à Londres toute la journée de lundi, il faudra que je parte d'ici à cinq heures du matin. J'ai demandé à Janet de faire la jonction, seulement elle s'inquiète pour son chien et, de toute façon, elle doit accompagner sa mère à un rendez-vous à l'hôpital lundi matin. En réalité, vous n'aurez pas grand-chose à faire. Demain, vous pourrez disposer librement de votre temps, je me débrouillerai avec les gamins ; pourquoi n'en profiteriez-vous pas pour vous balader, explorer le coin, vous accorder un peu de vacances ? C'est juste la jonction avec lundi matin qui pose un problème et... »

Debout devant le réfrigérateur ouvert, j'en inspectais le contenu hétéroclite ; on avait l'impression qu'il n'avait pas été vidé ni nettoyé depuis une éternité — peut-être depuis la mort de Carla. Combien de fois Carla s'était-elle tenue exactement à l'endroit où j'étais, combien de fois s'était-elle demandé ce qu'elle allait préparer à manger ?

L'air paraissait plus dense autour de moi, comme si quelque chose m'attachait à ce lieu.

« D'accord. Je reste. »

En me retournant, j'ai vu Daniel qui m'observait, le front plissé. Puis il a souri.

13

Je courais à petites foulées le long de l'estuaire et le vent me piquait les joues, un vent glacial et vivifiant.

C'était marée basse, et il n'y avait que quelques mouettes et un ou deux promeneurs stoïques accompagnés de leurs chiens.

Je fonçais dans la bourrasque, le visage offert aux attaques du vent, les yeux pleins de larmes à cause du froid. J'éprouvais une sorte de soulagement à être malmenée par un élément naturel d'une telle force, quelque chose d'infiniment plus puissant que moi. Luttant contre la bise, je me suis avancée jusqu'au bord de l'eau, où le grondement du ressac m'a rempli les oreilles. Si seulement la tempête pouvait emporter mes pensées et laver mon esprit de toute douleur...

C'était Daniel qui m'avait incitée à sortir. J'avais consacré la matinée à nettoyer la cuisine — timidement, d'abord, de crainte d'empiéter sur le domaine de quelqu'un, mais il m'est vite apparu que personne dans la maison ne se souciait le moins du monde de ce que je faisais. Nul ne semblait remarquer ma présence, à part Violet, qui surgissait de temps à autre dans la cuisine en sautillant, se laissait tomber sur le coussin du chien, jetait les bras autour du cou de Tigre, et babillait à propos de la fête de la veille et du poney en plastique que sa mère avait promis de lui offrir pour son anniversaire; elle mise à part, j'aurais pu tout aussi bien être invisible.

Ce qui me convenait parfaitement.

Au début, j'avais été surprise de la rapidité avec laquelle Daniel m'avait adoptée en tant que babysitter, et de son manque de curiosité pour mes motivations, ou pour quoi que ce soit me concernant, à vrai dire. Mais, au bout de vingt-quatre heures à Pipers, je commençais à comprendre comment s'organisait l'intendance de sa maison; deux fois au cours de la matinée on avait frappé à la porte de derrière : c'étaient des femmes du village qui «passaient apporter quelque chose pour Daniel et les enfants», la première une tarte à la mélasse, la seconde une tourte au poisson. Daniel semblait accepter ces offrandes comme si c'était dans l'ordre des choses, tel un despote recevant un tribut de ses sujets. Ses bienfaitrices n'avaient nullement l'air surprises de me voir là : j'avais été une amie de Carla et j'étais venue donner un coup de main pendant deux ou trois jours, n'importe qui aurait fait pareil. Après tout, Daniel travaillait et devait aussi s'occuper des enfants, il avait donc besoin de toute l'aide possible. Je ne pouvais m'empêcher de me demander si une femme seule avec trois enfants et un métier indépendant aurait suscité autant de sympathie et de soutien.

Six mois plus tôt, j'aurais été scandalisée par cette façon autoritaire de se comporter vis-à-vis de moi et de toute autre femme susceptible de lui être utile; dans l'immédiat, pourtant, le despotisme de Daniel m'offrait l'occasion idéale de m'immerger dans l'univers de Carla, ne serait-ce que pour deux ou trois jours.

Daniel était occupé dans son studio de musique depuis le début de la matinée. De temps en temps, il venait traîner dans la cuisine à la recherche de quelque chose à manger — un sandwich, un bout de tarte à la mélasse —, puis, vers deux heures, il a interrompu son travail pour emmener Violet chez une amie où elle devait passer l'après-midi. Tout en l'aidant à enfiler son manteau, il a paru remarquer ma présence pour la première fois de la journée. « Pas besoin de vous embêter avec la vaisselle, Helen », m'a-t-il dit brusquement. (J'étais en train de récurer une série de pots et de vases crasseux que j'avais trouvés dans le cellier.) « La nuit tombe vite, vous devriez aller vous promener. En prenant le chemin à gauche, vous arriverez directement à la plage. Dommage qu'il fasse si froid. »

Je me promenais donc au bord de l'eau, désireuse d'échapper à mon petit moi tourmenté, rêvant d'être aspirée par les vagues frangées d'écume blanche.

Combien de fois Carla avait-elle, comme moi maintenant, traversé cette étendue de sable, contemplé les vagues et les mouettes, levé les yeux vers le ciel gris parsemé de traînées d'or ? Aimait-elle, elle aussi, l'âpreté du vent ? Le sable et les embruns qui me piquaient les yeux m'empêchaient de voir distinctement, et j'avais beaucoup de mal à garder les idées claires à cause du bruit assourdissant des vagues et du vent. J'imaginais, au milieu des éléments déchaînés, une trouée formée par le passage de Carla qui, telle une balle traçante, m'indiquerait le chemin à suivre. Si elle n'était pas morte sur cette route côtière d'une île grecque, se tiendrait-elle en ce moment à l'endroit où j'étais ? Ses yeux verraient-ils ce que je voyais, ses oreilles entendraient-elles ce que j'entendais ?

Était-ce ici son lieu favori ?

« Bonjour, Helen, il me semblait bien vous avoir reconnue. »

Avec le vacarme du vent et de la mer, je ne l'avais

pas entendue approcher. Je me suis retournée, le visage ruisselant de larmes.

« Janet ! Bonjour. Vous m'avez fait peur. »

Elle était emmitouflée dans son manteau, son bonnet, son écharpe, et il m'a fallu quelques secondes pour reconnaître en elle la femme qui était venue donner un coup de main la veille pour le goûter d'anniversaire de Violet.

« Vous n'aimez pas ces tempêtes d'hiver ? a-t-elle dit. Bon sang, ce qu'il fait froid ! Vous avez l'air gelée.

— Ça ne me dérange pas.

— Carla détestait le vent.

— Ah bon ? »

Janet a hoché la tête et nous avons commencé à marcher le long du rivage. Un gros chien — un chien de chasse d'une race indéterminée — trottait à côté d'elle, le museau collé contre son mollet ; les oreilles rabattues par le vent, il ne paraissait nullement partager l'enthousiasme de sa maîtresse pour la tempête.

« Où est Tigre ? a questionné Janet.

— Il a refusé de me suivre. Je ne crois pas qu'il soit en état de beaucoup marcher, en ce moment.

— Pauvre bête, il est perclus de rhumatismes. Paul a proposé de lui appliquer un traitement spécial, mais Daniel ne veut pas en entendre parler.

— Paul ?

— Je pensais que vous le connaissiez, vous parliez avec lui à l'enterrement de Carla.

— J'ignorais qu'il était vétérinaire.

— Il a fait des études pour le devenir, mais il a traversé une crise de conscience à cause de certaines choses que les vétérinaires sont obligés de faire, par exemple abattre les animaux de ferme une fois qu'ils ne sont plus utiles. Certains de ses traitements ne sont pas du tout orthodoxes, mais il est merveilleux avec les animaux, et très dévoué. »

Je me suis rappelé la hâte de Janet de rentrer chez elle, la veille au soir, et j'ai interrogé : «Votre chien va mieux, aujourd'hui?

— Pas vraiment. Il n'a même pas voulu venir se promener avec nous, alors que Petit Chien aime ça plus que tout au monde. Il manque beaucoup à Gros Chien — n'est-ce pas, Gros Chien?»

En guise de réponse, l'animal a baissé encore davantage la queue entre les pattes. Janet s'est tournée vers moi et m'a demandé tout à coup : «Vous étiez une amie intime de Carla?»

Je me suis raidie. «Nous nous sommes rencontrées en Grèce.»

Janet a froncé les sourcils. «Ah bon.» Nous sommes restées un instant silencieuses, à lutter contre le vent, puis elle a dit soudain : «Elle me manque. Elle me manque réellement. Nous avions l'habitude de nous promener ensemble presque chaque jour. C'est fou ce qu'on peut se sentir seul, ici, en hiver.

— Vous habitez dans les parages?

— Vous voyez le cottage au bout de la plage, avec les volets bleus? C'est là que j'habite. Vous ne voulez pas y jeter un coup d'œil? Vous pourrez vous réchauffer un moment avant de retourner à Pipers.»

Je m'apprêtais à refuser, pensant qu'il valait mieux que je rentre, mais elle a ajouté : «Carla passait toujours prendre une tasse de thé quand elle se promenait dans le coin.

— D'accord. Ça me ferait très plaisir.»

Janet a retiré toutes ses épaisseurs de vêtements, un peu à la manière d'une momie qui émerge de ses bandelettes. La veille, déjà stupéfaite de me trouver catapultée au milieu d'une bande de fillettes, je ne lui avais pas vraiment prêté intérêt. Maintenant, elle captait toute mon attention, dans la mesure où elle

253

était la première personne à affirmer que Carla lui manquait.

Janet était une femme petite et trapue, avec des cheveux bruns grisonnants ramenés en un minuscule chignon sur le dessus du crâne, telle une moitié de cerise sur un gâteau rond. Son visage gardait les traces d'une beauté un peu rude, et elle avait des mains habiles, usées par le travail.

« Je mets l'eau à chauffer. Installez-vous, faites comme chez vous. »

Il n'y avait pas de cuisine à proprement parler, mais un coin de la pièce principale comportait un réfrigérateur, une cuisinière et deux placards. Le cottage avait dû être à l'origine une maison de plage pour l'été ; le vent secouait les fenêtres mal ajustées, ça sentait la térébenthine et le chien mouillé, et il y avait des tableaux partout.

« C'est de vous ? » ai-je demandé en soulevant une toile pour m'asseoir sur le canapé. Il s'agissait d'une peinture à l'huile brossée à traits vigoureux, qui représentait une mouette en plein vol.

« Oui, elle est récente. Qu'en pensez-vous ?

— Je l'aime beaucoup. » J'avais moi-même rempli assez de carnets de croquis, avec des résultats décevants, pour reconnaître un bon coup de crayon. Par ailleurs, je n'allais pas me mettre à dos quelqu'un qui avait été lié avec Carla.

Après avoir préparé le thé et s'être occupée d'une boule de poils blanc sale qui n'était autre que Petit Chien, Janet s'est installée dans un fauteuil rembourré. « Eh bien, Helen, parlez-moi de vous. »

Je me suis tue. Que dire ? Impossible d'évoquer devant elle la personne désespérée, à bout, que j'étais depuis quelques mois ; quant à la Helen North d'avant l'été, elle paraissait déjà bien loin, indistincte, imperceptible, irréelle, car à cette époque elle ignorait tout des horreurs dont elle était capable.

« Vous êtes de la région ? a questionné gentiment Janet.

— Je vis à Londres actuellement », ai-je répondu avant de me replonger dans le silence.

Elle a souri. « Vous devez faire partie des rares personnes qui n'aiment pas parler d'elles.

— En réalité, je n'ai pas grand-chose à dire.

— Cela n'empêche pas la plupart des gens de jacasser pendant des heures. On finira par vous faire la réputation d'une femme mystérieuse, si vous n'y prenez garde.

— Oh non, je n'ai aucun mystère. C'est juste que je ne suis pas quelqu'un de très intéressant.

— Je n'en crois rien, ce n'est pas du tout l'impression que vous me donnez. Et je suis heureuse de rencontrer quelqu'un qui avait de l'affection pour Carla. Seigneur, comme elle me manque ! L'hiver dernier, elle venait ici presque tous les jours, nous bavardions pendant des heures.

— Où s'asseyait-elle ?

— Sur le canapé, comme vous. » Janet ne semblait pas surprise par ma question. « La différence, c'est qu'elle enlevait ses chaussures et repliait les jambes. Ou alors, elle s'asseyait par terre. Pas vraiment le genre de personne à rester assise sur une chaise, si vous voyez ce que je veux dire.

— C'est bon de vous entendre parler d'elle. Elle ne m'a jamais rien raconté concernant ses proches.

— Je suppose que le sujet ne l'inspirait guère.

— Ah bon ? »

Janet m'a observée par-dessus sa tasse. Elle avait des yeux bleu-vert et un regard très direct. « Dites-moi, avez-vous eu l'impression que Carla était déprimée durant la période que vous avez passée avec elle ? »

Un frisson familier m'a parcouru l'échine. Daniel m'avait posé exactement la même question, la première fois que nous nous étions rencontrés. Au lieu de répondre immédiatement, j'ai interrogé : « Pourquoi ? Était-elle déprimée avant de partir ?

— Grands dieux, oui. Je ne l'ai jamais vue avec un moral aussi bas. Depuis qu'elle avait perdu le bébé...

— Le bébé ? Quel bébé ?

— Vous n'êtes pas au courant ?

— Non.

— Je pensais qu'elle vous en avait parlé. Je me demande pourquoi elle gardait ça secret.

— Nous n'avons jamais réellement évoqué ce genre de choses. » Je me suis rappelé toutes ces discussions typiquement féminines à propos du nombre d'enfants qu'on aimerait avoir, si jamais on se mariait et si on avait un jour des enfants. Or, elle était mariée. Et maintenant, cette information. J'étais déconcertée. « Daniel m'a dit qu'elle n'avait jamais eu d'enfant.

— C'était bien ça, le problème. Elle a fait une fausse couche en mars. Elle n'était enceinte que de deux mois mais, dans son esprit, c'était déjà un bébé. Avez-vous des enfants, Helen ? » J'ai secoué la tête. « Au cours de la grossesse, il y a un moment où le bébé devient réel, où il cesse d'être un fœtus pour devenir une personne distincte à l'intérieur de vous. Pour Carla, ça s'est produit presque dès le début, sans doute parce qu'elle désirait tellement un enfant. Daniel, lui, était tout à fait contre.

— Pourquoi ?

— Simplement parce qu'il ne voulait pas d'autres enfants. Il en avait déjà trois et trouvait que c'était largement suffisant. Tout ça, c'était bien joli, mais la pauvre Carla n'avait pas d'enfant à elle. Elle a essayé d'être une mère pour les trois gosses d'Angie, mais eux, ça ne les intéressait pas. Elle tenait la maison toujours impeccable, mais ne recevait jamais aucun remerciement. Une fois ou deux, j'ai eu peur qu'elle fasse une bêtise. »

Une bêtise... Je ne cessais de repenser à ces derniers jours sur l'île. Si je réussissais à me convaincre que Carla avait eu des tendances suicidaires, cela me permettrait-il de supporter un peu mieux l'acte que j'avais commis ? L'idée même semblait absurde, et pourtant...

« J'ai eu l'impression qu'elle n'était pas très heureuse. Elle paraissait insatisfaite. Insatisfaite et agitée. Mais je ne dirais pas qu'elle était déprimée, encore moins suicidaire. »

Tout en parlant, j'avais enlevé mes chaussures et replié les jambes sur le canapé. Cette position était confortable, agréable, comme quand on enfile une veste usée qui vous va parfaitement. La tasse entre mes mains, j'ai écouté le bruit du vent frappant contre les minces parois du cottage — bruit inhabituel pour moi jusqu'à ce jour, mais qui avait dû être familier à Carla.

« Pauvre Carla, cette fausse couche a été un coup terrible pour elle. Elle en était même venue à se demander si ça valait la peine de faire tant d'efforts. Vous êtes vraiment sûre qu'elle ne vous en a jamais parlé ?

— Jamais.

— Je m'interroge... » Janet a froncé les sourcils. « Je viens de me rappeler quelque chose que Paul m'a dit au printemps dernier. Sur le moment, ça ne m'a pas frappée tellement ça semblait absurde, mais peut-être que... Selon une rumeur, qui venait sans doute de Carla elle-même, il ne s'agissait pas d'une fausse couche. Paul sous-entendait que Daniel l'avait obligée à avorter.

— Mais c'est affreux ! Comment aurait-il pu faire une chose pareille ?

— Je sais bien, voilà pourquoi je n'y ai jamais cru. Daniel est un homme égoïste et impossible, mais je ne pense pas que ce soit un tyran, je ne l'imagine pas capable de cruauté — et vous ? »

J'ai failli éclater de rire. Personne mieux que moi ne savait à quel point il est dangereux de se fier aux apparences. « Je n'en ai pas la moindre idée, ai-je répondu. Carla n'a jamais mentionné cela, je m'en souviendrais si c'était le cas. » Pourtant, je n'en étais pas si sûre. Il y avait tant de points sur lesquels ma mémoire me jouait des tours — la scène qui s'était terminée par la mort de Carla, et bien d'autres choses encore. M'avait-elle dit explicitement qu'elle était la mère des enfants de Daniel, ou l'avais-je seulement supposé, parce qu'elle avait acheté des cadeaux pour eux et qu'elle figurait au côté de Daniel sur la photographie ?

Janet a reposé sa tasse et a déclaré d'un ton ferme : « Je suis certaine que Daniel ne ferait pas une chose de ce genre. Paul a dû se tromper.

— Carla a-t-elle pu se confier à Paul ?

— C'est possible. Il a beaucoup d'amis, et les gens lui parlent facilement. »

J'étais songeuse. Il m'est venu à l'esprit — je n'en ai toutefois rien dit à Janet — que Carla avait peut-être délibérément servi à Paul une version mélodramatique de ses problèmes avec Daniel. Inventer des histoires à dormir debout avait été pour moi une nouveauté, en Grèce, mais Carla semblait parfaitement à l'aise dans le monde imaginaire où nous avions glissé. Ou alors, la vérité était beaucoup plus simple : sous des dehors charmants et une créativité débridée, Daniel Finch était un homme égoïste et cruel. «Aimait-elle vivre à Pipers? Elle m'a donné l'impression d'être plutôt une citadine.

— Oh oui, c'était une citadine. Pourtant, elle a essayé du mieux qu'elle a pu, la pauvre. Elle savait que Pipers comptait beaucoup pour Daniel et les enfants, donc elle a fait son possible pour se mettre au diapason. Je crois qu'elle n'a pas réalisé ce que ça impliquait, et parfois elle se sentait submergée. Combien de fois je l'ai vue, assise exactement à la place où vous êtes, pleurer à chaudes larmes à cause de tel ou tel incident. Pauvre Carla!»

Pauvre Carla... Nous avons gardé le silence un long moment. Une rafale de vent plus violente que les autres a ébranlé les fenêtres.

Peu à peu, j'ai pris conscience que Janet me dévisageait avec une expression bizarre. Elle ne me regardait plus de cette façon décontractée et amicale qu'elle avait adoptée depuis le début avec moi, mais m'examinait comme si j'étais un objet inanimé, étrange, incapable de lui renvoyer son regard — un cadavre, par exemple.

«Helen, a-t-elle déclaré soudain, cela vous dérangerait beaucoup... pourriez-vous juste plier le bras, poser le menton sur votre main et... non, un tout petit peu plus haut...» Elle s'est levée d'un bond, a corrigé ma position et a repris: «J'espère que cela ne vous ennuie pas, mais j'aimerais... Voilà, comme ça, c'est mieux.» Elle a déplacé mon pied de quelques centimètres sur le canapé. «Parfait. Je me demande pourquoi je n'y ai pas pensé plus tôt.

— À quoi?

— Carla.» Janet fouillait maintenant dans une série de toiles rangées contre le mur. «J'avais commencé un portrait d'elle avant sa mort et je m'en voulais de ne pas l'avoir terminé avant son départ. J'aimerais tant avoir un souvenir d'elle... Le visage

259

était presque fini, mais j'avais juste esquissé le corps. Si seulement vous restiez plus longtemps, vous pourriez poser pour moi ; vos traits sont tout à fait différents, bien sûr, vos cheveux aussi, mais vous deviez être toutes les deux à peu près de la même taille et de la même corpulence. Je ne dessine bien que d'après nature, sinon mes personnages donnent l'impression de flotter, et je désirais tellement fixer le portrait de Carla !

— Je peux le voir ?

— Bien sûr. » Elle a retourné la toile et l'a levée devant elle pour me la montrer. Le corps de Carla, en effet, avait juste été esquissé dans des tons de bleu et de gris pâle, mais son visage, avec son abondante chevelure auburn, sa bouche généreuse, ses yeux enfoncés dans les orbites, son regard interrogateur, était parfaitement reconnaissable. Du fond de ce salon qu'elle avait si bien connu, Carla me dévisageait, moi, son assassin.

Une boule dans la gorge m'empêchait de parler.

« J'aimerais beaucoup terminer ce portrait, a répété Janet d'une voix émue. C'est idiot, ce n'est pas ça qui la fera revenir. »

Dans la pénombre de la pièce, Carla remplissait l'espace, comme l'aurait fait une musique ou le parfum capiteux des lis. J'étais incapable de bouger. Soudain, j'ai su avec une absolue certitude que c'était ici, sur ce canapé, avec le vent qui cognait contre les fenêtres, que se serait tenue Carla si elle avait encore été en vie.

On a frappé. J'ai sursauté et renversé mon thé. La porte s'est ouverte. En me retournant, j'ai vu sur le seuil Paul Waveney, qui me dévisageait d'un air bouleversé.

Janet a posé la toile par terre et a crié d'un ton

enjoué : « Ne laissez pas pénétrer l'air froid, Paul. Ma parole, il fait déjà presque nuit, je vais allumer. »

Paul est entré et a soigneusement refermé la porte derrière lui. Visiblement, il était secoué.

« Bonjour, Paul, ai-je dit.

— C'est vous, Helen ? Quelle surprise ! L'espace d'un instant, j'ai cru... »

Il s'est tu brusquement, mais je devinais la suite de sa phrase. En me voyant de dos, dans la pénombre de cet après-midi de novembre, les jambes repliées sur le canapé, le menton appuyé sur la main, Paul avait dû croire une fraction de seconde que j'étais Carla, revenue d'entre les morts. Un bref sentiment de satisfaction, de triomphe presque, m'a traversée. Il avait eu l'impression d'apercevoir un fantôme. Pas étonnant qu'il ait été bouleversé.

Il a traversé la pièce, m'a serré la main et a refusé le thé que lui offrait Janet. Il s'était complètement ressaisi, malgré l'ombre qui obscurcissait encore son regard. Le choc qu'il avait éprouvé le rajeunissait, lui donnait un air vulnérable. Janet avait dit que les gens se confiaient facilement à lui, et je devinais sans peine pourquoi : on sentait qu'il comprenait la souffrance, pour l'avoir lui-même connue.

« Excusez-moi, Janet, a-t-il déclaré, je ne peux pas rester. J'ai des amis qui viennent à six heures prendre un verre. Je passais par ici, et j'ai voulu voir comment évoluait l'état de Petit Chien.

— Comme c'est gentil ! s'est exclamée Janet. Je vous l'aurais amené demain matin de toute façon, mais je dois d'abord accompagner ma mère à l'hôpital et j'ignore à quelle heure je reviendrai.

— Voulez-vous que je l'examine maintenant ?

— Oui, s'il vous plaît. »

Petit Chien fut retiré de son panier et posé sur la

261

table, entre une tasse de café vide et une pile de journaux. Janet faisait les cent pas, tandis que Paul rassurait l'animal et procédait à l'examen. «Il me semble qu'il est moins agité depuis que je lui ai donné les gouttes, a dit Janet, mais il n'est quand même pas dans son état normal, et son côté gauche est toujours sensible. »

Après avoir scruté l'intérieur de la gueule du chien, examiné ses yeux et ses oreilles, Paul lui a palpé le dos et les côtes. Sous ses mains douces, expertes, le chien n'a pas bougé, ne poussant un aboiement de douleur et de surprise qu'au moment où le vétérinaire a appuyé à un endroit précis.

«Désolé, mon vieux. Là, ça y est, c'est fini. Tiens, voilà une récompense. Et voici un petit cadeau pour toi aussi, Gros Chien, comme ça, pas de jaloux. » Paul s'est tourné vers Janet. «L'amélioration que j'escomptais ne s'est pas produite. Ça ne veut rien dire, et il sera peut-être rétabli dans deux ou trois jours; toutefois, cela pourrait être plus sérieux, et je crains que son état ne s'aggrave brutalement au cours des prochaines vingt-quatre heures.

— Mais c'est affreux!

— Il serait préférable que je puisse le garder en observation. Si je l'emmenais avec moi, qu'en pensez-vous? Il voudra bien venir, non?

— Vous savez qu'il vous adore.

— Il pourrait passer la nuit chez moi, et je vous téléphonerais demain matin pour vous donner de ses nouvelles.

— Oh, Paul, si vous êtes sûr que cela ne vous dérange pas trop... Je serais tellement soulagée de savoir exactement ce qu'il a, je ne supporte pas de le voir souffrir. »

Le regard de Paul s'est adouci. Il a pris Petit Chien

très délicatement dans ses bras et l'a caressé. « Je ne le laisserai pas souffrir, je vous le promets. »

J'ai jeté un coup d'œil par la fenêtre et je me suis levée d'un bond. « Il fait presque nuit, il faut que je parte.

— Vous êtes venue à pied ?

— J'ai laissé ma voiture à Pipers. »

Paul a grimacé. « Vous séjournez à Pipers ?

— Jusqu'à demain seulement. Je suis arrivée pile pour aider Janet au goûter d'anniversaire de Violet, et Daniel m'a demandé de rester jusqu'à l'arrivée d'Angela. Il doit se rendre à Londres de bonne heure demain. »

Paul et Janet ont échangé un regard. « Encore une innocente victime, a commenté Paul d'un ton léger. Vous ne l'avez pas mise en garde ? » Janet s'est contentée de hausser les épaules et a commencé à préparer quelques affaires pour Petit Chien.

« Mise en garde contre quoi ? »

Ignorant ma question, Paul a déclaré : « Je vais vous déposer à Pipers, Helen, il fait bien trop noir pour que vous retourniez à pied, surtout si vous ne connaissez pas le chemin.

— Vous vous rendez compte, tous les services dont nous bénéficions ici ! s'est exclamée Janet d'un ton enjoué. Visites à domicile un dimanche soir, chauffeur pour vous raccompagner, ambulance privée pour le malade. Que demander de plus ? » Elle continuait de rassembler ce dont Petit Chien pourrait avoir besoin chez Paul et devisait gaiement pour éviter de penser à l'angoisse de se séparer de son animal bien-aimé. « Oui, partez avec Paul, Helen, il est beaucoup trop tard pour que vous rentriez à pied. J'aurais dû y penser pendant que nous étions là à bavarder, mais j'ai oublié que vous ne connaissiez pas le coin et... Carla adorait faire de nuit, à pied, le trajet d'ici à

Pipers. Elle disait toujours que les lieux touristiques dégagent une atmosphère beaucoup plus intéressante la nuit... Voilà, Paul, tout est fin prêt. »

Quelque chose me chiffonnait dans les propos de Janet, mais quoi ? Je ne parvenais pas à mettre le doigt dessus.

Ce n'est que plus tard ce soir-là, en repensant à notre conversation, que j'ai compris de quoi il s'agissait : Janet avait dit que Carla aimait rentrer à pied de nuit par le sentier qui longeait l'estuaire. Cela ne cadrait pas avec la Carla que j'avais connue, celle qui s'accrochait à moi, terrorisée, en traversant le soir un bois de cyprès sur une île grecque, celle qui m'avait confié avoir une peur panique du noir.

Elle avait pu feindre de manquer de courage, tout comme elle avait prétendu être célibataire alors qu'elle était mariée ; ou bien sa frayeur pouvait s'expliquer parce qu'elle était en territoire inconnu, sur l'île, mais je ne le pensais pas.

Vraisemblablement, un événement s'était produit qui lui avait fait craindre l'obscurité — ou ce qui risquait de se passer à la faveur de l'obscurité.

Ou alors, elle avait peut-être eu une prémonition.

« Eh bien, qu'est-ce qui vous a décidée à revenir dans la région ? À l'enterrement de Carla, j'ai eu l'impression que vous n'aviez qu'une hâte : vous en éloigner. »

Je me suis crispée. Les questions me rendaient toujours nerveuse. Je devinais plus que je ne voyais le visage de Paul tourné vers moi, à la faible lueur du tableau de bord. J'ai gardé les yeux fixés sur la route — une route étroite, escarpée, tortueuse comme je n'en avais encore jamais vu, pire qu'une piste de bobsleigh.

« Rien en particulier, ai-je répondu en m'efforçant

d'adopter un ton léger, désinvolte même. Ou peut-être plusieurs raisons : j'avais envie de savoir comment Daniel et les enfants se débrouillaient sans Carla, j'étais curieuse de connaître l'endroit où elle avait vécu, j'avais besoin de quitter un peu Londres... » Mon Dieu, j'en avais trop dit, ma réponse était trop longue, trop détaillée, elle sonnait faux. La panique me tordait le ventre.

« Eh bien, quel est le verdict ?

— Le verdict ?

— Sur Daniel.

— Je ne suis là que depuis vingt-quatre heures. » Il fallait que je sois prudente, Daniel et Paul étaient peut-être les meilleurs amis du monde. « C'était un peu la pagaille, car ils attendaient Angela hier et elle a été retenue.

— Comment vous en sortez-vous avec les enfants ?

— Je ne les ai pas beaucoup vus.

— Vous avez de la chance. Ils ont rendu la vie infernale à Carla, et Daniel n'a jamais eu la décence de la défendre, alors même qu'elle était sa femme. » La voix de Paul vibrait d'indignation.

« Pourquoi avez-vous demandé à Janet si elle m'avait mise en garde ? Mise en garde contre quoi ?

— Daniel, pardi.

— Pourquoi ? Il a l'air correct.

— Oh, Daniel peut être tout à fait charmant quand ça l'arrange. Que vous a raconté Carla à son sujet ?

— Rien.

— Elle ne vous a pas parlé de Daniel ? C'est très surprenant. Vous a-t-elle dit qu'elle avait prévu de séjourner à la villa de ma tante ?

— Non. Nous n'avons jamais évoqué nos vies réelles, c'était une sorte d'accord tacite entre nous. Elle ne m'a même jamais parlé de vous. Je croyais qu'elle voyageait seule, comme moi.

— C'est extraordinaire. » Paul m'a regardée. Nous étions arrivés à Pipers. « Elle ne vous a jamais parlé de moi ?

— Non.

— Quelle drôle de fille c'était ! Parfois, je pense qu'elle vivait dans un monde totalement irréel. Elle m'a raconté des choses incroyables concernant son couple. J'ignore ce qu'il y avait de vrai dans tout cela — pas grand-chose, j'espère. Je ne peux m'empêcher de voir Daniel d'un œil différent, depuis, mais ce n'est pas le genre de questions qu'on peut poser à quelqu'un. De toute façon, maintenant c'est du passé. »

Avec un soupir, il s'est retourné et a caressé d'un air songeur les oreilles de Petit Chien, installé sur la banquette arrière. « Pauvre Carla, a-t-il murmuré. Elle méritait mieux. »

Je ne savais quoi répondre. « Merci de m'avoir raccompagnée. »

Paul n'a pas eu l'air de remarquer mon malaise. « De rien. Profitez bien du reste de votre séjour, Helen. Et croyez-moi, ne vous laissez pas aspirer dans l'univers de Daniel.

— Aspirer ? »

Son ton demeurait égal, neutre même ; difficile de deviner s'il plaisantait ou non. « Oui. Daniel peut être dangereux. Il faut toujours se méfier des personnes charmantes. Regardez ce qui est arrivé à Carla. »

J'ai senti ma gorge se serrer. « Sa mort était un accident.

— Qui a dit le contraire ? »

J'ai ouvert la portière et la lumière intérieure s'est allumée. Un bref instant, quand je me suis tournée vers Paul et que nos regards se sont croisés, une telle complicité est passée entre nous que j'ai été submergée par la peur. *Paul sait.*

266

Je suis descendue de voiture, et il s'est penché pour refermer la portière. « À bientôt, Helen », a-t-il lancé avec un sourire décontracté.

Sa phrase et son sourire étaient normaux, naturels. C'était mon sentiment dé culpabilité qui avait provoqué ma panique.

Toujours est-il que je tremblais de façon incontrôlable en remontant l'allée.

La tourte au poisson avait été liquidée ; quant à la crème anglaise que j'avais préparée pour accompagner les restes du gâteau à la mélasse, tout cela avait également été englouti avec avidité, mais sans un remerciement. Dehors, le vent continuait de souffler, quoique avec moins de violence, grâce à l'abri formé par l'estuaire. Je m'attendais à être abandonnée dans la cuisine avec la vaisselle, mais pour une fois Daniel et les enfants sont demeurés à table, chacun absorbé dans une occupation différente. En cet instant précis, où je me trouvais pour la première fois en compagnie d'eux quatre, Daniel Finch paraissait la personne la moins dangereuse du monde. J'avais aidé Violet à fabriquer une ribambelle de figurines en papier ; après en avoir colorié quelques-unes, elle s'était lassée et avait posé l'ensemble sur la tête de son père, à la manière d'une couronne. Avec les jupes et les jambes des figurines crayonnées en rose qui lui pendaient au-dessus des yeux, Daniel avait l'air inoffensif d'un Gulliver réduit en esclavage par une ronde de danseuses aériennes.

Violet a passé un bon moment à se tortiller sur ses genoux, à arranger la couronne de papier, à tripoter les sourcils de Daniel, son cou, ses cheveux. Elle faisait partie de ces enfants qui ont besoin de contacts physiques. Au début de la soirée, elle s'était assise sur mes genoux pendant que je lui lisais une histoire, mais elle avait vite été distraite par l'envie d'examiner mes boucles d'oreilles, de ramener mes cheveux en arrière et de découvrir les secrets inscrits dans la paume de ma main. Daniel a supporté quelques minutes les marques d'affection de sa fille, puis il l'a gentiment reposée à terre et a enlevé la couronne.

« Ça fait plusieurs jours que je ne t'ai pas entendue jouer de la flûte, a-t-il dit à l'enfant. Tu ne penses pas qu'il serait temps que tu travailles un peu ? »

Violet s'est éclipsée pour revenir quelques instants après avec sa flûte à bec et un livre de musique dont la couverture était illustrée d'une image représentant deux enfants souriants. En laissant tomber le livre sur la table, elle a créé un déplacement d'air qui a renversé une partie de la maquette de bateau que Rowan était en train de construire. Cet incident a provoqué une dispute, vite calmée par leur père. Quand Violet a commencé à jouer, Lily s'est bouché les oreilles en gémissant. La petite jetait des regards inquiets à Daniel, qui souriait pour l'encourager. « C'est bien, continue.

— Peuh ! Des mélodies pour bébés », a commenté Lily, occupée à écrire ou à dessiner — impossible à dire, car elle était presque couchée sur la table et, le bras gauche replié sur la page, elle protégeait son travail de tout regard indiscret.

Ce que j'avais vu de Lily jusqu'à présent ne la rendait guère attachante. Elle n'avait rien du charme fébrile de Vi et ne possédait pas non plus son caractère affectueux. Je crois qu'elle ne m'avait pas adressé plus de trois mots depuis mon arrivée. À mon avis, elle devait éprouver beaucoup d'animosité envers les différentes femmes recrutées successivement par son père comme baby-sitters. À douze ans, elle était assez grande pour se rendre compte qu'elle n'avait besoin de personne pour la garder, mais elle était encore trop jeune pour s'occuper de Rowan et de Violet. Sa façon d'ignorer ma présence signifiait clairement que je n'étais pas la bienvenue. Elle ne pouvait pas savoir que, loin de lui en vouloir de sa grossièreté, ainsi que je l'aurais fait un an plus tôt, je préférais qu'on ne s'intéresse pas à moi. Si cela avait été possible, j'aurais choisi d'être invisible. Et si j'avais pu, d'un coup de baguette magique, combler le vide laissé par la mort de Carla sans que jamais personne s'aperçoive qu'une inconnue s'était installée chez elle, j'en aurais été heureuse.

Violet a joué plusieurs airs, tandis que Lily grognait et marmonnait tout en poursuivant sa tâche mystérieuse, et que Rowan collait ensemble de minuscules bouts de plastique. Daniel a mis les mains derrière la tête, s'est renversé sur sa chaise et a observé ses enfants. Lui aussi semblait avoir oublié ma présence. Protégée par ma quasi-invisibilité, j'ai ressenti les premières manifestations d'une sensation que je n'avais pas éprouvée depuis mes ébats aquatiques avec Glen, sous le ciel étoilé de la nuit méditerranéenne. Cette émotion m'a surprise, et je l'ai vite écartée.

Violet a refermé son livre de musique, a lancé un regard anxieux à son père, puis a commencé à jouer une mélodie que j'ai reconnue aussitôt.

Sa sœur aussi. « Oh, non ! a protesté Lily avec force. Pas ce truc gnangnan, je ne le supporte pas ! »

Violet s'est interrompue aussitôt, les larmes aux yeux. Daniel, perdu dans ses pensées, n'a pas eu l'air de s'en rendre compte.

J'ai déclaré d'un ton ferme : « Je trouve que c'est une belle mélodie, Violet. Joue-la en entier, j'aimerais beaucoup l'entendre. »

Toujours ailleurs, Daniel a souri dans le vague. Violet a essuyé une larme et a rejoué les premières notes de la *Chanson pour Carla* — lancinantes, déchirantes.

«Mais *c'est* gnangnan», a insisté Lily. Violet a continué bravement. Lily m'a jeté un regard méchant et a ajouté d'un air moqueur : «Une musique pour pub de serviettes hygiéniques, hein, papa? Allez, vas-y, Vi, joue-nous ta musique pour serviettes hygiéniques.»

Violet, découragée, a baissé les bras.

«Tais-toi, Lily», a ordonné Daniel d'un ton sec, puis, devant mon expression déconcertée, il a expliqué en riant : «Lily a raison, la *Chanson pour Carla* était quelque chose de tout à fait différent au départ. Mais je ne peux pas me permettre de faire la fine bouche quand on me passe une commande. Au moment de la mort de Carla, il se trouve que je travaillais sur une pub pour un produit connu... Ils ont dû finalement s'accommoder d'une autre musique. J'avais toujours pensé que celle-ci était trop bonne pour eux.

— Tu vois, c'est bien ce que je disais, a triomphé Lily. La chanson de Carla a été recyclée. Pauvre Carla, être obligée de se contenter d'une musique pour serviettes hygiéniques recyclée! Typique, vraiment.

— Ce n'est pas du tout la même musique, a protesté Daniel.

— Est-ce que les anges utilisent ces machins? a interrogé Rowan, prenant part pour la première fois à la conversation générale.

— Mais non, idiot, a répliqué Lily. Les anges sont tous des garçons.

— Alors, Carla est un garçon, maintenant? a questionné son frère.

— Tu ne veux pas nous jouer l'air des préservatifs, Vi?» a ricané Lily.

Violet a jeté sa flûte par terre et s'est mise à pleurer.

«Oh, la pleurnicharde! oh, la pleurnicharde!» ont scandé Rowan et Lily à l'unisson. Devant l'expression de leur père, ils ont baissé la tête et ont repris leurs activités respectives.

Daniel a emmené Violet et sa flûte au salon où il y avait un piano demi-queue. Au bout d'un moment, j'ai entendu quelques accords, suivis par la mélodie obsédante interprétée à la flûte. La *Chanson pour Carla*. Après avoir interprété l'air en entier une première fois, le père et la fille l'ont repris depuis le début, mais cette fois Daniel a entrelacé un autre air à la mélodie toute simple jouée par Violet.

Je ne suis pas ici...Je ne suis pas morte...

Rowan continuait son travail, apparemment sourd à la musique, mais quand Lily a relevé la tête, elle avait le nez rouge et son visage était crispé par l'effort qu'elle faisait pour cacher son émotion. «Une serviette hygiénique pour Carla», a-t-elle marmonné d'un ton amer. Elle a reniflé, puis, furieuse que je l'aie surprise, m'a lancé un regard noir.

Le vent est tombé durant la nuit. Dans le silence, j'ai perçu les craquements du plancher sur le palier, des bruits d'eau dans la salle de bains, suivis de pas dans l'escalier. J'ai regardé ma montre : cinq heures moins le quart. Dix minutes plus tard, j'ai entendu la voiture dans l'allée de gravier, et le bruit du moteur s'est éloigné peu à peu. Daniel partait pour Londres, certainement. À partir de maintenant et jusqu'à l'arrivée d'Angela, j'étais seule à Pipers avec leurs trois enfants.

Eh bien, au moins, je faisais quelque chose d'utile, pour changer.

Je commençais à me rendormir quand un cauchemar m'est revenu à l'esprit. Je rêvais — ou bien était-ce un souvenir ? — d'une dispute sur une route, à l'aube, d'une tête de femme fracassée par une pierre. Il y avait du sang et des cris.

Je me suis retournée dans le lit, j'ai tendu le bras, j'ai allumé la lumière. Je tremblais de la tête aux pieds.

Silence.

Dans les deux chambres du haut, sous les combles, Lily et Rowan dormaient. La chambre de Violet jouxtait la mienne ; celle de Daniel, de l'autre côté du palier, était vide à présent. J'ai poussé un gémissement. J'étais la seule adulte dans la maison, et responsable de trois enfants jusqu'à ce que leur mère arrive.

Pourquoi avais-je accepté de rester ? Pourquoi avoir laissé croire à Daniel Finch qu'il pouvait me faire confiance, alors que je me défiais de moi-même ? S'il avait eu la moindre idée de qui j'étais en réalité, il m'aurait jetée dehors et aurait fermé toutes les portes à clé pour protéger ses enfants.

Et Paul qui avait cru bon de me mettre en garde contre Daniel ! C'était presque risible. S'il y avait une seule personne dont il fallait se méfier, c'était bien moi.

Et si les enfants provoquaient ma colère ? Si, dans un moment d'égarement, je commettais un acte abominable, un acte dont je ne me souviendrais pas ensuite mais qui serait peut-être encore plus atroce que mon crime sur l'île ? Que se passerait-il alors ? De quelles autres horreurs étais-je capable ?

J'avais peur de me rendormir. Ma chambre était glaciale, le chauffage ne se remettrait pas en marche avant deux bonnes heures. Peut-être Angela serait-elle arrivée d'ici là, peut-être serait-elle ici avant même que les enfants ne se réveillent. Entre-temps, il fallait que je m'occupe, il fallait que je fasse quelque chose qui m'empêche de penser aux atrocités dont je risquais de me rendre coupable.

J'avais envie de m'enfuir de cette maison, de m'éloigner de ces êtres vulnérables et confiants, mais je ne pouvais pas — pas encore. *Maîtrise-toi.* Ne t'évanouis pas, ne te mets pas en colère, ne...

L'agitation familière m'avait reprise, cette agitation qui me faisait arpenter les rues de Londres et récurer mon appartement jusqu'à m'en écorcher les mains. Il fallait trouver un moyen de canaliser mon énergie.

Je me suis habillée à la hâte, suis descendue au rez-de-chaussée et ai parcouru les pièces vides et froides. Dans le calme et le silence de la maison, j'ai éprouvé une fois de plus le sentiment d'être exilée. Exilée dans cette maison où des gens vivaient, se disputaient, vaquaient à leurs occupations ; cette maison où des gens menaient le genre de vie qui m'était interdit à tout jamais.

Ne reste pas sans rien faire. Je suis allée à la cuisine et j'ai entrepris de vider le réfrigérateur, qui était rempli de barquettes oubliées, de boîtes de conserve ouvertes et de récipients au contenu mystérieux. Avec un peu de chance, un nettoyage minutieux m'occuperait pendant une demi-heure au moins ; après, je n'aurais plus qu'à trouver autre chose.

273

14

« Je m'ennuie, a déclaré Lily.

— Moi aussi », a renchéri Rowan.

Violet, assise sur mes genoux, me montrait de menus trésors contenus dans une boîte en coquillages ; elle a relevé la tête d'un air anxieux.

« Qu'est-ce que vous aimeriez faire ? me suis-je enquise.

— J'en sais rien, a répondu Rowan.

— À toi de trouver, m'a dit Lily. C'est ton boulot de nous distraire.

— Je suis censée veiller sur vous ; ce n'est pas tout à fait la même chose.

— Eh bien, ça devrait l'être, merde », a-t-elle répliqué. Depuis le départ de Daniel, elle et son frère utilisaient de plus en plus de jurons et de gros mots. Violet, sentant monter l'hostilité, s'est serrée contre moi, a jeté ses bras autour de mon cou et a posé sa joue contre la mienne.

J'ai suggéré une promenade.

« Chiant, a décrété Lily.

— En plus, il pleut, a souligné Rowan.

— Nous pourrions faire de la peinture.

— Chiant. » Toujours Lily.

Rowan : « Hyperchiant.

— Et si on cuisinait ?

— Quel genre de cuisine ?

— Des crêpes, par exemple. »

Le visage de Violet s'est éclairé mais Lily a lancé

d'un ton sans appel : «Beurk! Carla en faisait tout le temps. Beurk, beurk!

— Des crêpes! s'est indigné Rowan. Putain, quelle horreur!»

Je me suis interrogée sur l'opportunité de les gronder pour leur langage, puis je me suis abstenue. Après tout, je devais les garder quelques heures seulement; de plus, il y avait belle lurette que je ne me sentais pas en droit de faire la morale à qui que ce soit.

«Et si nous allions manger quelque part?

— Où? a aussitôt demandé Lily.

— Et manman? s'est inquiétée Violet. Si elle arrive et qu'on n'est pas là? Elle risque de repartir!

— Elle n'arrivera pas avant une éternité, a riposté Lily avec dédain. Elle est toujours en retard, de toute façon.

— Mais elle a promis...!» a gémi Violet.

Je l'ai rassurée. «Elle a dit qu'elle serait ici entre quatre et cinq.» En effet, Angela avait téléphoné vers dix heures, et c'était Lily qui avait pris la communication. «Je te promets que nous serons de retour à trois heures, ce qui nous laisse largement le temps. D'accord?

— Où?» a répété Lily.

Même Rowan m'observait avec un certain intérêt.

«Je ne connais pas bien la région, vous ne pouvez pas m'indiquer les endroits qui vous plaisent?

— On pourrait aller manger un hamburger, a suggéré timidement Violet.

— Ou des *fish and chips*», a proposé Rowan, mais, comme Violet, il attendait l'avis de leur sœur aînée.

Lily, avec une expression sournoise, triturait une mèche de cheveux entre ses doigts. «Il n'y a rien de très intéressant dans le coin.

— Oh, je suis certaine que si. C'est une région touristique et...

— Pas au mois de novembre, a-t-elle rétorqué avec un profond mépris. Il y a deux ou trois friteries — beurk! — et aussi quelques restaurants, mais ils sont d'un chiant!

— Alors?

— Ça ne va sûrement pas te plaire, mais...

— Vas-y, Lily, dis-moi où tu as envie d'aller. Il faut que cela vous fasse plaisir, après tout.

— Ce n'est pas que ça me plaise particulièrement, mais c'est ce qu'il y a de plus pratique et... en fait, on a remarqué un Texan Grill en passant en voiture...

— Qu'en pensez-vous? » ai-je demandé aux deux autres.

Ils avaient déjà filé prendre leurs manteaux.

La pluie tombait à verse quand nous sommes arrivés au Texan Grill, mais le moral des enfants était remonté à mesure que le temps se détériorait et ils étaient tout excités en descendant de voiture. Je les ai regardés courir sur le macadam mouillé et je me suis demandé s'ils étaient déjà venus dans cet endroit; à voir la manière dont ils se sont aussitôt rangés dans la file derrière le panneau VEUILLEZ ATTENDRE VOTRE TOUR, j'ai deviné qu'ils le connaissaient bien. Peut-être Angela les emmenait-elle ici dans les occasions spéciales. Avec une expression sage et innocente, Lily a demandé très poliment à la serveuse si elle pouvait nous placer à une table séparée, dans un coin près de la fenêtre; la femme a acquiescé avec un sourire, et tous trois se sont rués vers la table en question. Une brève dispute a eu lieu pour savoir qui s'installerait du côté fenêtre; comme c'était prévisible, Violet a perdu la partie mais pour une fois elle n'a pas eu l'air trop affectée. Ils se sont ensuite plongés dans une discussion animée à propos du menu et des diverses combinaisons possibles. Violet a soudain fondu en larmes, incapable de choisir entre un hamburger et des bâtonnets de poisson, puis s'est déridée quand j'ai proposé que nous prenions les deux et que nous partagions, elle et moi. Une fois la commande passée, ils ont tous trois foncé aux toilettes d'où ils sont ressortis cinq minutes plus tard, les joues rouges et embaumant le savon chimique.

La bonne humeur et l'atmosphère de vacances ont duré pendant tout le repas et le trajet de retour à Pipers, toujours sous la pluie.

La lumière du répondeur clignotait. Pensant que c'était peut-être Angela qui annonçait un nouveau retard, ou Daniel qui téléphonait pour prendre des nouvelles des enfants, j'ai décroché pour écouter le message.

J'ai entendu la voix de Janet : « Oh, mon Dieu, ces horribles machines, et moi qui avais tellement besoin de parler avec quelqu'un. Bon, dans ce cas... » Elle s'est interrompue, apparemment pour se moucher, mais quand elle a recommencé à parler, j'ai compris qu'elle pleurait. « Je suis chez ma mère, nous venons de rentrer de l'hôpital et j'ai trouvé un message de Paul qui dit que Petit Chien est... En fait, c'est une mauvaise nouvelle... il n'y a plus d'espoir et... »

Quelqu'un a saisi le récepteur si brutalement que j'ai cru qu'on allait m'arracher le poignet, Lily s'en est prise à moi avec violence : « Comment OSES-tu écouter nos messages personnels ? C'est MON téléphone, c'est MA maison, et t'es rien qu'une sale ESPIONNE qui fourre son nez dans les affaires des autres ! »

Le récepteur à l'oreille, elle m'a lancé un regard de défi. Son attaque était si inattendue et si virulente que je n'ai pu retenir un sursaut de rage. « Ne sois pas ridicule, Lily, ai-je répliqué avec colère, je veux écouter ce que dit Janet, elle parle de son chien, il n'y a rien de secret...

— Eh bien, tu ne l'écouteras pas, j'ai effacé le message !

— Elle était bouleversée, elle a besoin de parler à quelqu'un. Quel est son numéro ?

— Qu'est-ce que j'en sais ? Trouve-le toi-même, elle est dans l'annuaire.

— O.K. Dis-moi son nom de famille, alors.

— Non, t'es qu'une sale espionne, débrouille-toi toute seule ! »

Sur ces mots, elle a tourné les talons. Furieuse, je l'ai rattrapée par le bras.

« Aïe, aïe, aïe ! a-t-elle hurlé. Lâche-moi, tu me fais mal. Ouille, ouille, ouille !

— Oh, ça suffit ! » Je savais que je ne pouvais pas vraiment lui faire mal, je l'avais juste saisie par le bras ; je n'en ai pas moins été horrifiée par la rapidité de ma réaction et je l'ai relâchée aussitôt. « Excuse-moi, Lily, je ne voulais pas faire ça.

— Espèce de brute, tu as failli me casser le bras ! a-t-elle crié, le visage blême. De toute façon, c'est trop tard. Petit Chien est mort, tu ne peux plus rien faire, et je te déteste ! »

Violet, qui venait d'entrer dans le vestibule, a éclaté en sanglots en apprenant la mort de Petit Chien. Rowan est arrivé à son tour et a questionné : « Qu'est-ce qui se passe ici, bordel ?

— Demande-le-lui ! a braillé Lily. Demande-le à cette espionne de merde ! » et elle est montée à l'étage en beuglant.

C'est à ce moment précis qu'Angela est apparue.

Plus exactement, Angela a déboulé. Grande, énergique, des cheveux bouclés, couleur de miel, auréolant un visage peu banal, un sourire de star, elle a contemplé un instant la scène de désolation et de confusion et a lancé : «Bonjour, tout le monde!» d'une voix forte et très maîtrisée, avec une pointe d'accent américain. «Eh bien, Zorro arrive à temps, on dirait!»

Elle a jeté son manteau sur une chaise sans même un regard dans ma direction. Violet s'est arrêtée de pleurer immédiatement et passé les bras autour de la taille de sa mère. «Manman, manman, manman, manman! Tu es là, tu es là! Oh, que je t'aime, manman!

— D'accord, d'accord, calme-toi, Violet», a répondu Angela en lui donnant une petite tape sur la tête. Rowan s'est approché d'un pas nonchalant et elle lui a ébouriffé les cheveux. «Alors, comment va le plus beau? Tu veux savoir si je t'ai apporté un cadeau, Rowie?

— Un cadeau! Un cadeau! s'est écriée Violet. Manman m'a apporté un cadeau pour mon anniversaire!»

Debout dans l'escalier, à mi-hauteur, Lily observait la scène avec attention.

«Bonjour, Lily.

— Bonjour.

— Manman est là, manman est là! répétait Violet, en extase.

— Ça suffit, maintenant, Violet.» Angela s'est dégagée de l'étreinte de sa fille et a repoussé l'enfant. «Tu m'empêches de respirer quand tu me serres comme ça.»

La petite s'est mise à sautiller et à bêtifier de façon exaspérante. «Manman m'a apporté un zoli-petit-cadôôôô...

— Par pitié, Violet, cesse de faire le bébé, sinon tu n'auras rien du tout», a ordonné Angela d'un ton sec.

Violet semblait incapable de s'arrêter. Elle a foncé à nouveau sur sa mère mais Angela s'est dérobée et a avancé vers Rowan. « Un baiser, Rowie ? Est-ce que ta maman t'a manqué ? »

Le garçon a souri et a daigné tendre la joue pour que sa mère l'embrasse. « Moi zaussi ze veux un bizou, moi zaussiiiii ! a gazouillé Violet.

— Arrête immédiatement, Violet, ou je repars tout de suite à Londres, compris ? »

La fillette a battu en retraite et Angela m'a adressé un sourire. « Seigneur, les enfants, quel cauchemar ! Vous êtes l'amie de Carla, je suppose ? Ce serait possible d'avoir du café, avant que vous ne repartiez ?

— Bien sûr, je vais mettre l'eau à chauffer. Je m'appelle Helen, à propos. Helen North.

— Et moi, Angel Mortimer. Ravie de vous rencontrer. » Elle a ri et m'a tendu la main. Comme Daniel, elle avait un sourire séducteur, ravageur. Quel beau couple ils avaient dû former, du temps où ils étaient encore ensemble. Cette femme n'était pas d'une beauté classique, mais il se dégageait d'elle une telle énergie et une telle vitalité que, dès son entrée, elle avait illuminé ce lugubre après-midi de novembre.

Tandis que je préparais le café, Angel-Angela m'a suivie dans la cuisine et a fouillé dans une énorme mallette d'où elle a sorti deux sacs en papier ; elle en a tendu un à Violet, l'autre à Rowan. « Je n'ai pas eu le temps de l'envelopper, Vi ; c'était une telle course, ce week-end, que je n'ai pas trouvé une minute. Je sais que tu voulais un de ces horribles poneys en plastique mais, franchement, j'étais trop crevée pour aller jusqu'à Regent's Street. Faire la queue pour acheter le dernier gadget à la mode, merci bien. Crois-moi, tu t'en serais lassée au bout de deux jours. Je voulais apporter quelque chose à Rowie aussi, pour qu'il ne se sente pas exclu ; je lui ai pris un modèle réduit et j'ai pensé que peut-être tu aimerais t'y mettre toi aussi. Si c'est trop difficile, il pourra t'aider — n'est-ce pas, Rowie ? tu es doué pour tous ces trucs-là. »

Violet a déchiré le sac en papier avec des cris de joie mais, quand elle en a découvert le contenu, son visage s'est empreint d'une profonde déception. Elle s'est reprise aussitôt et a grimpé sur les genoux de sa mère. « Oh, manman, manman, manman, merci, merci ! a-t-elle murmuré en se forçant à enfouir la tête contre la poitrine d'Angel.

— J'étais sûre que ça te plairait. Emporte-le au salon, sois gentille, et laisse-moi boire mon café tranquillement, s'il te plaît. Ensuite, on lira peut-être une histoire, on verra. Et puis vous me raconterez ce que vous avez fait de beau.

— Helen nous a emmenés au... », a commencé Violet, impatiente.

Lily est intervenue promptement. Elle avait regardé depuis le seuil de la cuisine Rowan et Violet déballer leurs cadeaux. « Une des copines de Vi a été malade le jour de l'anniversaire. Elle a mangé tellement de guimauves qu'elle a vomi.

— Oui, a renchéri Rowan. Il y avait du vomi partout. Helen a été obligée de nettoyer par terre avant que Tigre...

— Quelle horreur ! Heureusement que je n'étais pas là, Dieu merci... Bon, maintenant, filez au salon et amusez-vous avec vos maquettes.

— On est obligés de les monter ici, a répliqué Rowan, imperturbable, à cause de la colle sur les tapis.

— Plus tard, dans ce cas. Regardez une émission éducative à la télévision, mais attention : pas un de ces feuilletons débiles. » Rowan et Violet sont sortis de la cuisine avec leurs modèles réduits, Lily n'a pas bougé. «Je ne t'ai rien apporté, Lily, a dit Angel, je sais que tu es trop grande pour t'intéresser aux cadeaux.

— Oh oui, ça m'est complètement égal», a répliqué Lily avant de rejoindre son frère et sa sœur d'un pas traînant. J'ai entendu le son du téléviseur, d'abord des coups de feu, puis les commentaires des courses, suivis d'une dispute féroce pour la possession de la télécommande; comme d'habitude, c'est Lily qui a eu le dessus.

«Ils sont super, vous ne trouvez pas? m'a demandé Angel. Tellement vivants et créatifs... Vous avez des enfants, Helen? Peu importe, d'ailleurs. Ç'a dû être l'anarchie, le jour de l'anniversaire de Violet, je me félicite de ne pas avoir été là. À Daniel d'assumer ses responsabilités, pour une fois... Il n'y a pas de crème ici, j'imagine? Dans ce cas, je prendrai un peu de lait. Pas de sucre. J'espère que vous ne l'avez pas fait trop léger.

— La fête était réussie, ai-je répondu à la question qu'elle n'avait pas formulée. Daniel a improvisé un récit musical et tout le monde était ravi.

— Hum, a commenté Angel avec une moue désapprobatrice, il devait être dans son élément. Ce que cet homme peut être frimeur! Pendant qu'il s'amusait, moi j'ai dû travailler jusqu'à deux heures du matin; j'étais épuisée.

— Que faites-vous?

— Daniel ne vous en a pas parlé?» J'ai secoué la tête. «Quel salaud! s'est-elle écriée avec une expression sincèrement courroucée. C'est lui tout craché, ça : il ne s'intéresse qu'à son métier, il m'a toujours sous-estimée, il n'a aucun respect pour mon travail, il n'accorde aucune valeur à mon activité.

— Qui est?

— La formation, je suis psychothérapeute... Mmm,

excellent, ce café, Helen. » Elle m'a décoché un sourire éblouissant — j'ai eu l'impression qu'un coup de projecteur éclairait mon visage. « J'ai encore quelques clients, essentiellement des patients de longue date avec qui je travaille sur les problèmes de dépendance. Il faut dire qu'ils sont très prenants, surtout que je suis obligée de me rendre souvent aux États-Unis. Mais à présent, je me consacre essentiellement à mes séminaires destinés aux femmes.

— Par exemple ?

— L'atelier que j'ai animé la semaine dernière est celui qui a le plus de succès. Il s'intitule : "Désamorcer la bombe de la culpabilité."

— Grands dieux, de quoi s'agit-il ?

— Le titre est clair. La plupart des femmes traînent avec elles un fardeau de culpabilité parfaitement injustifié. Ça leur gâche la vie, certaines sont de véritables handicapées sur le plan émotionnel. Au cours de mes séminaires, elles déposent ce fardeau, elles s'en débarrassent, de façon à pouvoir retrouver l'estime d'elles-mêmes et vivre en conformité avec leurs valeurs.

— Donc, vous les aidez à cesser de se sentir coupables ?

— C'est à chacune, individuellement, de faire ce travail. Mon rôle consiste simplement à montrer la voie de l'accomplissement de soi et à aider mes patientes à éliminer les obstacles qui entravent leur chemin.

— De quoi se sentent-elles coupables ?

— Vous devriez le savoir, Helen. » Angel m'a dévisagée. Elle avait de grands yeux gris-vert très expressifs, un regard très direct. J'ai frémi. Avait-elle la faculté de voir ce qui échappait aux autres ? Après avoir avalé une gorgée de café, elle a continué d'un ton tranquille. « Je veux dire, vous êtes une femme, vous n'ignorez pas avec quelle facilité les femmes se culpabilisent — toujours pour les mêmes raisons : parce qu'elles quittent leur mari, font passer leur personne et leur carrière en premier, apprennent à s'estimer sans survaloriser leurs enfants, etc. Mes séminaires remportent un franc succès. Ce week-end, parmi les participantes, il y en avait deux qui reviennent chaque année pour "en reprendre une louche" : elles m'ont dit qu'elles avaient besoin de ce suivi pour éviter de retomber dans les mauvaises habitudes.

— Quoi, par exemple ?

— Oh, toutes ces choses qu'on fait par devoir, pour les autres, et qui étouffent la créativité.

— Des hommes suivent-ils aussi vos séminaires ?

— Pas question. Il en est venu un ou deux, au début, mais j'ai été obligée de les dissuader de participer.

— Pourquoi ? Les hommes ne se sentent-ils pas coupables, eux aussi ?

— Bien sûr que si, mais, selon mon expérience, ils ont en général de bonnes raisons pour ça. Pourquoi les aiderais-je à se décharger de leur responsabilité ?

— Mais...

— Pour être franche, je ne me soucie pas des problèmes des hommes. Ils ont eu la part belle pendant bien trop longtemps ; ce sont les femmes qui m'intéressent, les femmes comme vous et moi. » Elle m'a décoché un nouveau sourire. « Tenez, prenez Violet et moi, par exemple. Peut-être avez-vous noté que notre relation n'est pas excellente. Ce n'est pas sa faute — du moins, pas tout à fait, même si elle a tendance à se comporter en sale gosse ; vous avez remarqué ? »

J'ai jeté un coup d'œil inquiet vers la porte. Angel n'avait pas pris la peine de baisser la voix pour parler de sa benjamine, et je craignais que Violet ne traîne dans le vestibule et ne surprenne les propos de sa mère. Par chance, elle était toujours au salon.

«Elle me semble parfois un peu anxieuse, ai-je dit.

— De toute façon, ça n'a rien de surprenant, vu les circonstances. Le problème a commencé avant même sa conception : Daniel et moi, on traversait une mauvaise passe, il était jaloux de ma carrière et voulait que je reste à la maison. Elle n'a pas été désirée : c'était un accident, je ne désirais pas d'autres enfants à ce moment-là. J'ai envisagé d'avorter mais je ne voyais pas de raison de dégager Daniel de sa responsabilité, j'ai donc gardé le bébé. Les deux premières années, Daniel et moi on se disputait sans arrêt. On n'imagine pas, quand on le rencontre, mais il est capable d'être odieux si on ne le laisse pas faire ce qu'il veut. Finalement, les choses sont allées trop loin, j'ai été obligée de le quitter. Pas étonnant si Violet et moi n'avons jamais pu établir de liens affectifs profonds, n'est-ce pas? Je dois avouer que ça m'a posé un problème, au début : je suis une mère, et j'ai été programmée comme les autres. Puis j'ai fait un travail sur moi, et c'est à cette époque que j'ai élaboré mon fameux "plan d'action en cinq étapes", que j'inclus maintenant dans mes séminaires : "Désamorcer la bombe". Je n'ai plus jamais regardé en arrière, depuis.

— Cinq étapes?

— Oui, pour simplifier : 1) S'attaquer à la culpabilité. 2) Déposer le fardeau de la culpabilité. 3) Reconnaître ses démons intérieurs et libérer le mal en soi. 4) Permettre à l'énergie positive de circuler dans votre vie. 5) Prendre en main votre destinée et jouir de l'existence. Ce programme a beaucoup de succès, je vous assure.

— Et Violet, dans tout ça?

285

« — Que voulez-vous dire ?

— Quelles conclusions en tirez-vous dans vos rapports avec elle ?

— Hum, ça doit être dur pour Violet, mais il faut qu'elle apprenne à faire avec, comme tout le monde. Je lui fais confiance et je la respecte assez pour savoir qu'elle possède les ressources intérieures lui permettant d'affronter ce problème. Au moins, je ne me sens pas coupable et je ne l'embête pas. Culpabiliser pour ce genre de choses, c'est de la connerie.

— Alors, vous pensez que les gens ne devraient jamais se sentir coupables ?

— Parfaitement, Helen, c'est ce que je pense. » Elle m'a gratifiée d'un sourire chaleureux, enjôleur. Je me suis rendu compte qu'elle avait flairé en moi une candidate éventuelle pour ses séminaires et qu'elle me servait son boniment. « À mon avis, la culpabilité est une émotion cent pour cent négative et, personnellement, je n'ai pas de temps à consacrer aux émotions négatives. »

J'aurais dû arrêter là cette conversation, mais je n'ai pu m'empêcher de la poursuivre. « Supposons qu'une personne ait commis un acte vraiment grave ; ne devrait-elle pas se sentir coupable, selon vous ?

— Non, il faut qu'elle recadre la situation. La société dit : Une femme qui délaisse ses enfants, c'est mal. Moi, je dis : Une femme qui se réalise et offre un bon modèle aux autres femmes, y compris à ses propres filles, c'est bien. Tout dépend du point de vue auquel on se place ; le recadrage des situations constitue un élément capital de la troisième étape de mon programme.

— Mais si la personne a tué quelqu'un ? » La question m'avait échappé malgré moi.

« Tué quelqu'un ? » Angel a paru déconcertée. « Dans ce cas, il s'agit probablement d'un accident, ou alors c'est une conséquence du syndrome prémenstruel. Je travaille beaucoup avec des femmes tenaillées par la culpabilité parce que, sous l'effet du syndrome prémenstruel, elles croient avoir fait quelque chose de "mal".

— Mais s'il s'agissait d'un acte délibéré? Pas de syndrome prémenstruel, pas d'excuses, un meurtre calculé, commis de sang-froid?»

Elle m'a regardée avec attention pendant un moment, puis elle a haussé les épaules. «Je suppose qu'on doit considérer ça comme un crime, et que c'est du ressort de la justice. Cela ne relève pas de ma compétence. En revanche, si une femme venait à un de mes séminaires parce qu'elle se sent coupable d'avoir tué quelqu'un, je la soumettrais à mon plan en cinq étapes au même titre que les autres. Je ne suis responsable qu'envers mes patientes, c'est elles qui me paient, et...» Angel s'est interrompue, et j'ai eu droit, une fois de plus, à son sourire de star. «... Dieu sait que ça leur coûte assez cher. Le moins que je puisse faire, c'est de les aider à se réconcilier avec elles-mêmes... Il reste un peu de café, Helen?»

J'ai retiré les draps du lit de la chambre d'amis et les ai pliés avec soin. Je n'avais pas de bagage, juste une brosse à dents que j'avais achetée la veille à l'épicerie de Burdock.

Je suis redescendue au rez-de-chaussée. Angel avait rejoint les enfants au salon, où le téléviseur était toujours allumé. Rowan, debout près de sa mère, lui montrait la maquette de bateau qu'il avait presque terminée.

«Demain, je la peindrai.

— Bravo, tu t'es bien débrouillé.»

Un peu plus loin, Violet tentait désespérément d'ouvrir la boîte qui contenait les pièces de son modèle réduit ; elle a fini par y arriver, mais elle y avait mis tant de force que le couvercle s'est déchiré, et une pluie de morceaux de plastique ainsi que le feuillet de mode d'emploi sont tombés par terre.

« Regarde ce que tu as fait ! s'est écriée Angel. Ce que tu peux être maladroite, petite dinde.

— Je m'en fiche, a lâché Violet, de toute façon j'avais pas envie de le faire.

— Dinde, dindon, dindonneau, a chantonné Rowan.

— Glou-glou-glou », a gloussé Lily.

Machinalement, je me suis accroupie et j'ai commencé à ramasser les pièces éparpillées. « Attends, je vais t'aider à les remettre dans la boîte. »

Violet m'a regardée froidement, puis elle a reniflé et a lancé un regard en coin à sa sœur aînée. « On a mangé au Texan Grill, à midi. C'est Lily qui a eu l'idée, elle a dit à Helen qu'on avait le droit d'y aller. »

Angel s'est tournée vers l'accusée. « C'est vrai, Lily ?

— Euh, on y est allés, oui, mais...

— Lily, tu sais ce que je pense de ce genre d'endroit. Tu connais les règles. Vous devez toujours vous nourrir sainement. » La transformation d'Angel était brusque et radicale. Si son sourire était ravageur, sa colère l'était aussi. Lily n'en menait pas large. « Pas de hamburgers, pas de fritures, et sûrement pas ces cochonneries du Texan Grill, je vous l'interdis ; tu le sais parfaitement, Lily. Tout ça, c'est la faute de Carla ; cette femme a eu une influence désastreuse sur vous tous. Elle se complaisait dans la médiocrité : les fast-foods, les feuilletons télé, pouah ! Vous ne vous en rendez sans doute pas compte, Helen, mais j'ai dû me montrer très ferme pour empêcher que mes enfants soient totalement corrompus par le mauvais goût de Carla. Elle avait l'air de penser que, parce que sa sœur passait dans je ne sais quelle émission, ils devaient devenir esclaves de la télévision. Je ne veux pas qu'ils regardent autre chose que les programmes éducatifs ou les émissions spécialement conçues pour les enfants, mais elle s'en fichait pas mal. Quant à ces horribles fast-foods, c'est à croire qu'elle y avait des actions.

— Je ne vois pas comment vous pouvez blâmer Carla, ai-je protesté. C'est moi qui les ai emmenés.

— En réalité, c'est à Lily que s'adressent mes reproches. Oui, ma petite, permets-moi de te dire que je suis extrêmement mécontente. Je suis très déçue, en fait. J'avais l'intention de vous emmener, Rowie et toi, à Londres pendant ces vacances, mais maintenant j'ai bien envie de te laisser chez grand-maman avec Violet. À quoi bon offrir des sorties culturelles à une fille qui préfère passer son temps dans de minables grills ? »

Révoltée par l'injustice d'Angel, je suis intervenue avec fermeté. « Ne faites pas de reproches à Lily, c'est moi qui ai eu l'idée d'aller au Texan Grill, pas elle.

— Lily connaît les règles, elle a sa part de responsabilité.

— Elle a peut-être pensé que ce serait impoli de refuser alors que j'avais proposé de les emmener.

— Bon, je passerai peut-être là-dessus pour une fois. »

L'expression de soulagement de Lily faisait peine à voir. Angel s'est lancée, à l'intention de sa progéniture, dans un discours sur les méfaits des fast-foods et des feuilletons télé, et j'ai jugé qu'il était temps que je parte. Après un dernier regard du côté de l'estuaire qu'éclairait la lumière de cette fin d'après-midi, je me suis éclipsée sans dire au revoir. Je ne crois pas qu'aucun d'eux quatre se soit aperçu de mon départ.

C'était mieux ainsi. J'espérais bien ne plus jamais les revoir.

Je me sentais cependant nerveuse et préoccupée en m'éloignant de la maison. La voiture de sport bleu métallisé d'Angela (je n'avais plus envie de l'appeler Angel — ange — après la scène qui venait de se produire avec ses enfants) trônait au milieu de l'allée. Ses séminaires sur la culpabilité devaient en effet lui rapporter gros.

Une fois arrivée à la route, j'ai mis mon clignotant pour tourner à gauche, mais finalement j'ai changé d'avis et j'ai pris la direction du village et de la mer. Dans la confusion provoquée par l'arrivée d'Angela, j'avais oublié le message larmoyant de Janet sur le répondeur.

Elle sortait justement de chez elle quand je me suis arrêtée devant le cottage. Je suis descendue de voiture. Janet était toute pâle et avait l'air bouleversé. «Janet, Lily m'a transmis votre message au sujet de Petit Chien. Je suis vraiment désolée. Que s'est-il passé?

— Je ne sais pas au juste. Paul me l'a expliqué, mais je m'y perds avec tous ces termes médicaux, et je n'avais encore jamais entendu parler de cette maladie; de toute façon, je crois que je n'ai pas tout compris.» Le visage de Janet était constellé de larmes; dans sa détresse, son petit chignon avait basculé sur le côté, et un peigne avait glissé sur son oreille. «Le problème, c'est que c'est tellement brutal! Il y a huit jours, Petit Chien se portait comme un charme, et tout à coup... tout à coup... Je n'arrive pas à le croire. Le pauvre Paul était dans tous ses états, je pense qu'il était encore plus tourneboulé que moi, mais il a dit que cela valait mieux. Petit Chien souffrait beaucoup plus qu'on ne l'imaginait, et ça n'aurait fait qu'empirer. J'aurais tellement aimé être là quand... quand... quand il l'a piqué. J'aurais pu tenir Petit Chien dans mes bras, je l'aurais réconforté, et...» Le visage de Janet ruisselait de larmes. «Mais Paul a dit qu'il lui avait donné un médicament qui l'avait plus ou moins endormi et que l'effet se serait dissipé avant mon arrivée. Petit Chien aurait senti ma détresse et aurait été perturbé lui aussi. Il valait donc mieux que Paul fasse tout de suite ce qu'il fallait. Je m'apprête à aller chercher son... son... Je vais le chercher pour le ramener à la maison.

— Paul a donc été obligé de le piquer?

— Oui. Je n'arrive pas à réaliser, mais Paul a dit que c'était mieux comme ça, et naturellement c'est lui qui sait : c'est lui le vétérinaire, et je lui fais confiance, bien sûr. Les vétérinaires savent ce qu'ils font, et Paul est toujours tellement gentil.

— Oui.

— Oh! là! là! où sont mes clés de voiture? J'ai dû les laisser sur la table, ou bien... J'ai la tête à l'envers, je ne sais pas ce qui m'arrive, je...

— Vous êtes bouleversée, Janet, ce qui est absolument normal; n'importe qui le serait, à votre place.

— Oh, mon Dieu!

— Écoutez, vous ne voulez pas que je vous accompagne chez Paul? C'est affreux de devoir affronter cela toute seule.

— Ne vous inquiétez pas pour moi. Vous avez sûrement autre chose à faire.

— Rien qui ne puisse attendre. Je vous en prie, acceptez, sinon je ne serai pas tranquille.

— Eh bien, si vous êtes sûre que ça ne vous dérange pas...

— Pas du tout.

— Dans ce cas... c'est formidable. Paul a suggéré de l'incinérer; il a dit que je pourrais disperser les cendres sur la plage, mais j'hésite. À la vérité, j'ai envie de l'avoir avec moi à la maison une dernière fois et... Vous êtes certaine que ça ne vous embête pas ?

— Non, Janet, je vous assure, sinon je ne vous l'aurais pas proposé. » J'ai ouvert la portière pour la laisser monter, puis je me suis installée au volant. « Vous devez vous sentir très triste.

— Oui. Oui, je me sens très triste, a avoué Janet en tirant sans succès sur la ceinture de sécurité. Oh, merci, Carla, a-t-elle ajouté, je savais que vous comprendriez. »

Je venais de mettre le contact, et il m'a fallu une ou deux secondes pour enregistrer son lapsus. J'ai tourné la tête vers elle. J'avais des picotements entre les omoplates.

« Seigneur ! a bafouillé Janet, confuse. Je voulais dire Helen. Ce que je peux être bête, je ne sais pas pourquoi j'ai... Excusez-moi. »

J'ai enclenché la première et j'ai relâché la pédale d'embrayage. Tout en suivant les indications de Janet, j'ai conduit lentement sur cette route qu'aurait empruntée Carla, et j'ai savouré chaque instant. Malgré mes efforts pour paraître grave, intérieurement je souriais.

Une toute petite parcelle du vide créé par la mort de Carla était en train de se combler.

15

Habillé d'un pantalon de treillis noir et chaussé de baskets qui crissaient, l'homme s'est avancé avec lenteur sur le plancher de bois. Son compagnon, plus âgé et plus trapu, des cheveux gris et une petite moustache, marchait sur ses talons. Ils observaient la femme d'un air circonspect. Leonie Fanshaw portait un survêtement trop large ; elle s'était fait couper les cheveux, ce qui rendait la ressemblance avec Carla moins évidente, mais troublante quand même. Elle était pieds nus. Ses yeux enfoncés dans les orbites avaient un regard anxieux, hagard. La lourde torche au bout de son bras droit, elle a fait quelques pas, a hésité, puis a rebroussé chemin en regardant autour d'elle comme si elle cherchait quelque chose.

Le premier homme a dit à voix basse :

« *Observez-la, mais restons cachés*[1]. »

Le second :

« *Mais comment se fait-il qu'elle ait ce flambeau ?*

— *C'est parce qu'il brûle à son chevet. Elle a sans cesse de la lumière auprès d'elle, ce sont ses ordres.* »

Répliques bien connues. Je connaissais la pièce, je l'avais étudiée en classe.

« *Voyez, ses yeux sont ouverts.*

— *Oui, mais fermés à la perception.* »

---

1. Toutes les citations qui suivent, en italiques, sont tirées de *Macbeth*, de Shakespeare, traduction d'Yves Bonnefoy, édition Mercure de France, 1983.

Un frisson m'a parcourue, pas seulement parce que j'avais déjà entendu cent fois ces phrases. À voir Leonie, si semblable à sa sœur et pourtant si différente, je me suis souvenue de Carla et de sa terreur, la nuit, sur l'île. De plus, le regard vide de Leonie et ses yeux vitreux étaient ceux d'une somnambule, d'une personne qui au matin ne se souvient pas de ce qu'elle a fait. Cela s'était-il produit ainsi pour moi quand j'avais agressé Carla sur le bord de la route ? Mes yeux, pareils à ceux de lady Macbeth, étaient-ils ouverts, mais fermés à la perception ? Cette pensée me glaçait.

Une fois de retour à Londres après le week-end passé à Pipers, la douleur qui me taraudait ne m'avait laissé aucun répit. Mon besoin d'en savoir davantage au sujet de Carla devenait une obsession. Alors que je prenais mes distances par rapport à ma propre famille, je ne cessais de penser à la sienne. Le peu que j'avais entrevu de Daniel, loin de répondre à mes interrogations à propos de leur couple, suscitait davantage de questions. En apparence Daniel semblait plutôt gentil, mais d'après Janet il avait rendu Carla très malheureuse, et Paul avait fait allusion à de plus noirs secrets. Daniel lui-même avait à peine évoqué sa défunte femme et je n'avais remarqué aucun souvenir d'elle à Pipers, ni objet ni photo. Étrange que le seul endroit où j'avais ressenti avec le plus d'acuité son absence ait été le cottage de Janet.

Jour et nuit, Carla occupait mon esprit. J'avais envie de parler d'elle. Les simples sonorités de son prénom étaient à la fois un bonheur et une souffrance. Tenaillée par le désir impérieux d'en apprendre davantage à son sujet, j'avais contacté sa sœur et pris rendez-vous avec elle pour la rencontrer à Salisbury, où elle entamait une série de répétitions.

Autrefois, j'avais toujours vu en lady Macbeth un

personnage malfaisant et je savourais sa déchéance, je me réjouissais de la voir sombrer dans la folie et dans la mort : elle n'avait que ce qu'elle méritait. Mais le spectacle de Leonie errant sur la scène déserte suscitait en moi une profonde pitié.

« *Disparais, maudite tache !* gémissait-elle. *Disparais, te dis-je.* » Je me rappelais les rires que déclenchaient ces mots dans la classe. En cet instant, je ne les trouvais pas drôles le moins du monde ; ils m'étreignaient la poitrine comme un étau.

Quand Leonie est parvenue à la phrase : « *Encore cette odeur de sang ! Tous les parfums de l'Arabie ne purifieront pas cette petite main !* » je me suis surprise à caresser mes propres mains.

« *Oh ! Oh ! Oh !* » s'est-elle lamentée en rejetant soudain la tête en arrière et en étendant les bras devant elle dans un geste de désespoir suprême, tandis que les deux hommes la fixaient avec une fascination morbide. Cela me suffisait. Je me suis levée, avec l'intention d'attendre Leonie dans le foyer, quand son cri d'angoisse s'est transformé en un juron fort peu shakespearien. « Oh, merde ! Cette foutue torche ! » Ladite torche était tombée par terre à ses pieds avec un bruit sourd. « Comment veux-tu que je fasse le geste de me nettoyer les mains en tenant en même temps cet énorme truc ? Je ne pourrais pas avoir une bougie à la place, pour l'amour du ciel ? Je sais bien qu'on joue en costumes modernes, mais on se sert encore de bougies de nos jours, tu sais, Clark. À moins qu'ils n'en vendent pas, dans ton quartier ? »

Un homme rondouillard et frisé, assis sur le côté de la scène, s'est levé d'un bond. « Tu t'en es très bien sortie la première fois, Leonie.

— Elle est beaucoup trop lourde, Clark. Essaie, tu verras.

— Et si on retirait les piles ? a suggéré l'acteur aux cheveux gris. Elle pèserait moins lourd.

— Génial ! a rétorqué Leonie. Sauf que, sans piles, elle risque de ne pas briller des masses !

— Pourquoi ne pas utiliser une de ces torches toutes fines ? a proposé l'autre acteur. Vous savez, celles qui fonctionnent au laser ?

— Malone a précisé qu'il voulait une torche comme celle-ci, a répondu d'un ton maussade l'homme rondouillard. Il faut qu'elle soit lourde, elle symbolise le poids de la conscience. Vous n'ignorez pas que c'est parce que la lumière s'est faite dans l'esprit de la reine que le poids de la culpabilité l'a rendue folle.

— Alors, c'est peut-être pour ça que je n'arrête pas de laisser tomber la torche, a répliqué Leonie en s'affalant sur une chaise et en examinant une de ses plantes de pied. Je refuse que la lumière se fasse dans mon esprit au moyen d'un engin aussi monstrueux. »

Le metteur en scène et les deux acteurs l'ont observée d'un air inquiet. « Encore une écharde, Lee ?

— Deux, cette fois.

— Tu devrais porter des chaussures.

— Pas question. Le toucher est essentiel pour marcher comme je veux. Je ne pourrai jamais avoir l'impression d'être somnambule si je me balade en Doc Marten's.

— Pourquoi ne mets-tu pas des chaussons ? a demandé Clark.

— Des chaussons ! s'est récriée Leonie en le foudroyant du regard. Quel genre ? Des mules à talons hauts ornées de fanfreluches, ou des pantoufles en peau de mouton bordées de fourrure ? Avec lesquelles te sentirais-tu davantage dans le personnage d'une reine d'Écosse du Moyen Âge ? »

Le plus grand des deux acteurs a agité les mains en

l'air. « Les deux feraient l'affaire, je pense. Mais si j'avais le choix, j'opterais sans hésiter pour les mules à fanfreluches. »

Cette réplique a provoqué un changement d'humeur instantané. Leonie a éclaté de rire — un rire sonore qui m'a immédiatement rappelé Carla —, et tout le monde s'est décontracté. Le metteur en scène a admis sa défaite. « D'accord, d'accord. Pause déjeuner. On reprendra cet après-midi. J'ai rendez-vous avec le grand homme à deux heures, je n'ai donc pas besoin de toi avant trois heures, Leonie.

— Super. » Le comédien qui avait détendu l'atmosphère a sorti de sa poche un paquet de cigarettes. « Tu viens avec nous au pub ?

— Dès que j'en aurai fini avec ce foutu bout de bois.

— Je peux t'aider, ma belle ?

— Non, merci, la dernière fois tu m'as arraché la moitié du pied.

— Mais l'écharde était énorme.

— Merci quand même. »

Le metteur en scène et les deux acteurs ont pris leurs manteaux et sont sortis en compagnie de plusieurs personnes — des seconds rôles, sans doute — qui avaient assisté à la répétition. Leonie est restée seule. Elle examinait son pied d'un air préoccupé.

Je suis allée la rejoindre. « Bonjour, je suis Helen North.

— Qui ? » Elle a relevé la tête. Elle était le portrait de Carla, et en même temps ne lui ressemblait pas.

« Helen North. Je vous ai téléphoné hier soir et vous m'avez dit que vous seriez libre à l'heure du déjeuner.

— Helen. Oui, bien sûr, je me rappelle, maintenant. Avec ces répétitions, j'oublie tout. Vous êtes venue de Londres en voiture, c'est ça ?

— Oui. Je voulais vous parler de Carla.»

Quand j'ai prononcé le nom de sa sœur, une émotion profonde — colère peut-être, ou chagrin — est passée dans le regard de Leonie... émotion vite réprimée.

«En effet. Pour une raison particulière? s'est-elle enquise en examinant de nouveau l'écharde d'un air perplexe.

— D'une certaine façon, oui.» Durant tout le trajet de Londres à Salisbury, j'avais beaucoup réfléchi à la manière d'aborder Leonie Fanshaw. «Je ne connaissais Carla que depuis une dizaine de jours quand elle est morte, et à présent j'ai le sentiment d'avoir perdu une amie proche, alors que je ne savais presque rien d'elle. Naturellement, si vous n'avez pas envie d'en parler, je le comprendrai très bien...

— Pourquoi n'en aurais-je pas envie?

— Eh bien, si c'est douloureux...

— Évidemment, c'est douloureux! Ça ne veut pas dire pour autant que je n'ai pas envie de parler d'elle, bon Dieu! C'est incroyable ce que les gens peuvent être bornés à propos de ce genre de choses!

— Je suis désolée, je...

— Non, non, c'est moi qui suis désolée, je n'avais pas l'intention d'être désagréable avec vous. Ces répétitions me stressent complètement.

— Ce rôle doit être très dur.

— Vous pouvez le dire! D'habitude, je joue dans des pièces plus légères. Je pensais que ça m'aiderait de travailler un rôle vraiment exigeant, mais... si vous saviez, Helen, à quel point il est noir! La pièce est empreinte du début à la fin de mort et de sang, et... Si seulement on répétait *Le Songe d'une nuit d'été*, ou une comédie musicale, même, n'importe quoi, pourvu qu'il y ait quelques rires!

— *Macbeth* n'est pas vraiment réputé pour son

humour. » Leonie a grimacé. « Oh, pardon. Il ne faut pas prononcer le nom, n'est-ce pas ?

— On a déjà eu suffisamment de malchance et nous n'en sommes qu'à la troisième semaine de répétitions. Et toutes ces échardes... je vais finir par attraper une septicémie, la gangrène ou je ne sais quoi.

— Vous voulez que je jette un coup d'œil ?

— Pourquoi ? Vous êtes infirmière ?

— Pas exactement, mais j'ai une certaine expérience.

— D'accord. Ensuite, on ira manger un morceau. Vous n'êtes quand même pas venue de Londres pour jouer les pédicures. »

Je me suis accroupie pour étudier la plante de pied de Leonie — un pied plutôt sale, mais ravissant et délicat. « Je vois bien les deux échardes, mais je ne peux rien faire sans désinfectant ni instrument pour les extraire. Y a-t-il une pharmacie dans le coin ?

— J'ai tout ce qu'il faut dans mon sac. Ça se produit pratiquement tous les jours. Vous voulez qu'on rejoigne les autres au pub pour boire un verre ?

— Je préférerais vous parler seule à seule.

— O.K. » Elle a sorti de son sac un tube d'antiseptique, une aiguille stérilisée et du coton, qu'elle m'a tendus avant de se renverser sur son siège. « Voici le scalpel et les compresses, docteur. Réveillez-moi quand vous aurez terminé. »

C'était une belle journée de novembre, fraîche et ensoleillée. Après avoir acheté des sandwiches et de l'eau minérale, nous avons pris ma voiture pour descendre au bord de l'eau. Ensuite, nous avons continué à pied ; à part quelques rares personnes qui faisaient du jogging ou du VTT, l'endroit était surtout le domaine des canards et des cygnes.

Avant de parler de Carla, nous avons évoqué

divers sujets plus neutres : la ville de Salisbury, la dernière mise en scène de Clark Carter, un film que Leonie avait vu la veille. Finalement, elle s'est tournée vers moi et m'a demandé : «Vous connaissiez bien ma sœur?

— Tout le problème est là. En un sens, oui, je la connaissais, mais sans savoir rien d'elle; vous comprenez cela?

— Je vois ce que vous voulez dire, oui. Carla était ma sœur, donc je la connaissais, bien sûr. Nous avons grandi ensemble, nous n'avions que deux ans de différence; pourtant je m'interroge parfois... Ça vous ennuie si on s'assied ici? Je commence à avoir des élancements dans le pied.

— Pas la gangrène?

— Pas la gangrène, non.» Elle a souri.

Nous nous sommes installées sur un banc. Le soleil chauffait. Quelques oiseaux aquatiques se sont approchés de la rive et je leur ai lancé les dernières miettes de mon sandwich; ils ont attendu un moment, en nageant sur place, puis ils se sont éloignés.

«Quelquefois, j'ai l'impression que je ne la connaissais pas si bien que ça, parce que nous étions trop proches», a dit soudain Leonie, le visage tourné vers le soleil, les yeux mi-clos, des larmes au bord des cils. Après un silence, elle a repris : «Quand on rencontre quelqu'un avec qui on noue des liens amicaux ou sentimentaux, par exemple, on apprend à connaître cette personne; tandis qu'une sœur, elle est toujours là, elle fait partie des meubles, pour ainsi dire, on ne se pose pas de questions à son sujet. Souvent, on ignore même si on l'aime ou pas... jusqu'au jour où elle disparaît. Alors on se rend compte à quel point on l'aimait. Pardonnez-moi, Helen, vous n'avez pas fait tout ce chemin pour écouter mes confidences. Que vouliez-vous savoir ?

— J'aime vous entendre évoquer Carla. Nous n'avions pas d'amis communs, je n'ai donc personne avec qui parler d'elle.

— Vous m'avez dit être allée à Pipers, vous avez dû rencontrer Daniel et les enfants.

— Brièvement. Ils ne parlent pas beaucoup d'elle. J'ai fait la connaissance d'Angela, ou Angel, je ne sais pas comment on doit l'appeler.

— Son prénom est Angela, mais elle l'a transformé en Angel quand elle a commencé à se prendre pour une célébrité. Carla ne la supportait pas.

— Elle est très dictatoriale.

— Carla prétendait qu'elle voulait régenter ses enfants sans avoir besoin d'être présente. Et elle dévalorisait ma sœur de toutes les manières possibles.

— Pourquoi Daniel tolérait-il cela ?

— Je crois qu'il n'avait pas conscience de la situation. Son travail l'absorbe beaucoup, et Angela peut être tout à fait charmante quand elle veut. Depuis leur rupture, ils ne passent pas beaucoup de temps tous les cinq ensemble ; soit c'est elle qui a les enfants, soit c'est lui. Mais il loge chez elle chaque fois qu'il se rend à Londres pour raisons professionnelles. Carla détestait cet arrangement. »

Après avoir hésité, je me suis risquée. « Plusieurs personnes m'ont demandé si Carla était déprimée durant les derniers jours précédant sa mort. J'ai eu l'impression qu'elle n'était pas heureuse, surtout depuis sa fausse couche.

— Elle vous en a parlé ?

— Janet l'a mentionné, elle a aussi évoqué des rumeurs selon lesquelles Daniel aurait forcé Carla à avorter.

— Absurde! Comme si une personne pouvait en obliger une autre à faire ce genre de choses! Carla savait que l'idée d'un quatrième enfant n'enchantait pas Daniel et elle était embêtée, mais je n'ai jamais entendu parler d'avortement. Peu après avoir appris qu'elle était enceinte, elle est venue chez moi à Londres pour quelques jours. Elle a rencontré la fille de ma voisine et une bande de gamines avec qui elle est sortie en boîte, où elle a pas mal bu. Le lendemain, elle a fait une fausse couche. Elle était bouleversée à l'idée que peut-être c'était sa faute si elle avait perdu le bébé; à l'hôpital, ils ont dit qu'il n'y avait aucun moyen de savoir si ça avait eu une influence ou s'il s'agissait d'une pure coïncidence. Mais c'est insensé de prétendre que Daniel l'a forcée à avorter, ce n'est pas du tout le genre d'homme à se comporter ainsi. »

Leonie avait défendu Daniel avec fougue. Je me suis demandé pourquoi. « J'ai trouvé très belle la *Chanson pour Carla*. Cela a dû vous faire une impression curieuse de travailler avec lui sur ce thème si peu de temps après la mort de votre sœur.

— Pas du tout. Daniel est un homme remarquable sur le plan professionnel, et nous étions liés parce que nous pleurions tous les deux Carla.

— C'est lui qui a eu l'idée du disque?

— Non, ça s'est fait par hasard. À l'origine, le poème et la musique étaient séparés, nous les avons présentés ainsi le jour de l'enterrement...

— Il a joué du saxophone, j'y étais.

— Ah bon? Je ne me rappelle pas vous avoir vue, mais il y avait tellement de monde... Bref, au départ nous avions juste l'intention d'enregistrer quelques cassettes et de les envoyer aux amis et à la famille, notamment à ceux qui n'avaient pas pu assister à la cérémonie. Puis nous avons eu l'idée de mettre ensemble le texte et la musique ; il se trouve que le producteur de Daniel a entendu le résultat, et tout est parti de là. Personne ne s'attendait au succès phénoménal qu'a connu ce titre. Tout ce que j'espère, c'est que Carla l'aurait approuvé.

— Vous avez l'air d'en douter. »

Gênée, Leonie a changé de position sur le banc, a essuyé une larme sur sa joue et a détourné la tête. « Elle aurait apprécié cette attention, bien sûr, mais...

— Mais ?

— Carla était d'une jalousie maladive, a expliqué Leonie avec un soupir. J'ai le sentiment qu'elle aurait vu dans ce disque une occasion supplémentaire pour moi de lui voler la vedette. C'est la raison principale pour laquelle nous nous sommes si peu vues ces dernières années ; cela se terminait toujours en dispute.

— Elle était jalouse de votre carrière ?

— Pas exactement. Mais ce que j'avais, elle le voulait aussi. » Les larmes continuaient de jaillir des yeux de Leonie, sans toutefois altérer sa voix. « Depuis quelques années, elle s'était mis en tête de s'imposer en tant que chanteuse et actrice. Quelle idée absurde ! Je veux dire, ç'a été déjà tellement dur pour moi. Pourtant, elle s'est toujours débrouillée pour que je me sente coupable de réussir. À la fin, je l'évitais, tout simplement. Aujourd'hui, bien sûr, je le regrette. »

Je me souvenais de la méchanceté de Carla m'accusant de vouloir séduire Glen, alors que je protestais vigoureusement du contraire. « Elle avait l'esprit de compétition.

— On l'a tous dans la famille. Carla, cependant, c'était différent. J'ai entendu dire que certaines personnes donnent l'impression d'entrer en compétition avec les autres, mais que, en réalité, elles s'arrangent pour échouer.

— Pourquoi feraient-elles une chose pareille?

— Par habitude, peut-être. Ou parce que c'est un moyen de culpabiliser les autres, ou de les apitoyer. Ou peut-être parce que l'échec fait moins peur que le succès. Réussir tout le temps, ça peut avoir quelque chose d'angoissant, vous savez. » Leonie s'est tournée vers moi, l'air sombre.

« Je suis obligée de vous croire sur parole », ai-je dit en souriant, mais elle paraissait si triste que j'ai regretté aussitôt ma désinvolture. Plus que triste, elle semblait effrayée, terrifiée même. Disparue, la Leonie Fanshaw exigeante, confiante en elle-même, qui avait récriminé contre la torche et les échardes. Je me suis excusée. « Pardonnez-moi, j'ai manqué de tact.

— C'est bien pire depuis la mort de Carla, a-t-elle avoué. De son vivant, je la trouvais en général plutôt embêtante, mais maintenant qu'elle est morte, j'ai l'impression d'avoir perdu un repère dans ma vie. Sans elle, je ne sais plus très bien où j'en suis. Et puis il y a cette pièce épouvantable; par moments, je me demande si je vais être capable d'aller jusqu'au bout des représentations.

— Cela ira sûrement mieux une fois qu'elles auront commencé. La scène que j'ai vue et entendue ce matin était formidable.

— Vraiment? » a-t-elle dit, pleine d'espoir. Puis l'anxiété a repris le dessus : « N'empêche que j'ai peur. Je n'ai jamais éprouvé ce sentiment pendant des répétitions, jamais. Ce matin, la moitié du temps j'étais une coquille vide.

— Comment cela?

— Ce phénomène se produit quand un acteur dit et fait ce qu'il est censé dire et faire, mais que le noyau du personnage est absent, comme un masque sans rien derrière. Ça arrive parfois, quand on joue une pièce depuis longtemps, mais je n'ai jamais entendu dire que ce soit arrivé à un comédien au cours de la troisième semaine de répétitions. Je ne sais que faire.

— Mais si le public ne s'en rend pas compte, est-ce grave ?

— Oui, c'est grave. » Deux larmes ont roulé sur les joues de Leonie, puis sur ses mains.

« Pensez-vous que cette "absence" ait un lien avec la mort de Carla ?

— J'en suis certaine. C'est comme si je ne pouvais plus m'autoriser à réussir.

— Pourquoi ?

— Peut-être parce que je me sens trop coupable. »

Je me suis tue. Apparemment, ma culpabilité était contagieuse, ardue, mais attirait les confidences.

Après un silence, Leonie a soupiré. « La vraie raison qui nous a éloignées l'une de l'autre récemment était Daniel.

— Daniel ?

— Ne vous méprenez pas. Nous n'avons jamais eu de liaison ni rien de ce genre. Seulement, Carla me soupçonnait, parce que j'ai toujours estimé qu'elle avait eu tort d'épouser Daniel. Elle m'accusait de le vouloir pour moi, ce qui était absurde, bien entendu. Je n'aurais jamais été assez bête pour courir après le mari de ma sœur. Mais quand elle s'était mis une idée en tête, elle ne la lâchait plus. Et naturellement, Daniel est un homme très séduisant, et je savais que je l'attirais aussi. De ce fait, il était difficile de ne pas alimenter la paranoïa de Carla. J'ai donc tout simplement cessé mes visites à Pipers. »

J'ai remarqué qu'elle avait dit « Pipers », et pas « Daniel ».

« Pourquoi étiez-vous opposée à ce mariage ?

— C'était une erreur depuis le début. Pauvre Carla ! Elle était la seule à ne pas voir que Daniel était encore amoureux d'Angela, même s'ils étaient en plein divorce. Peut-être pas cent pour cent amoureux, mais amoureux quand même. C'était caractéristique de Carla de se fourrer dans des situations où elle serait forcément malheureuse. Classique, non, de tomber amoureuse d'un homme qui ne peut pas vraiment vous aimer parce qu'il est encore très épris de son ex-femme ?

— Vous êtes sûre qu'il ne l'aimait pas ? » Je me rappelais la certitude de Carla quand elle m'avait déclaré, dans la chambre d'hôtel, que son mari l'adorait. Le croyait-elle réellement, ou voulait-elle le croire ?

« En tout cas, pas de la façon dont elle désirait être aimée. Cette relation était déséquilibrée dès le départ, pas étonnant donc qu'elle ait été malheureuse. Mais, voyez-vous, le plus curieux c'est que j'ai essayé de me rappeler une période où elle ait été heureuse, et je n'en ai pas trouvé. Pauvre Carla, quel terrible gâchis ! »

« Pauvre Carla » : ces mots devenaient son épitaphe.

Après un bref silence, Leonie a ravalé ses larmes et s'est tournée vers moi avec un sourire. Elle semblait s'être débarrassée du souci qui la rongeait. « Vous savez écouter, Helen. Je me demande si je vous ai aidée en quoi que ce soit, j'ai l'impression d'avoir été affreusement bavarde. Et vous ? Vous ne m'avez rien dit de vous. »

J'ai consulté ma montre. « Regardez l'heure. Le metteur en scène a besoin de vous à trois heures et il est déjà moins vingt. Je vous raccompagne, c'est sur mon chemin. »

Au moment où nous nous engagions sur la rocade, Leonie a constaté d'un air songeur : « Au fond, si vous désirez vraiment en apprendre davantage sur Carla, vous devriez discuter avec mon frère Michael ; il était

306

beaucoup plus proche d'elle que je ne l'étais moi-même. »

La circulation était fluide ; je repensais à notre conversation et je conduisais dans une espèce de brouillard.

Il était difficile de ne pas éprouver de sympathie pour Leonie Fanshaw. Elle avait été généreuse, non seulement de son temps, mais de ses confidences et, grâce à elle, je comprenais beaucoup mieux la personnalité de Carla que je n'avais osé l'espérer. Pourquoi s'était-elle ainsi ouverte à moi, une totale inconnue ?

J'ai jeté un coup d'œil dans le rétroviseur. Le miroir m'a renvoyé l'image d'un visage agréable, au teint pâle, aux traits réguliers, qui me regardait d'un air moqueur — le visage d'une jeune femme à qui l'on faisait instinctivement confiance. C'était à cause de cette apparence que Leonie s'était livrée à moi, à cause de ma façon de parler, parce qu'elle se sentait en sécurité avec moi, et pouvait se décharger en partie du fardeau de sa culpabilité.

Et je ne l'avais pas détrompée — pis, je l'avais encouragée en me montrant attentive, amicale, à l'écoute, sensible à sa tristesse. Si elle avait su que j'étais responsable de la disparition tragique de sa sœur, elle ne se serait certainement pas assise sur ce banc et ne m'aurait pas confié avec tant d'abandon son chagrin.

Je roulais depuis presque une heure sans prêter la moindre attention aux paysages que je traversais. « Une coquille vide », pour reprendre l'expression de Leonie, qui sonnait cruellement juste. Que faisais-je, depuis six mois, sinon prononcer des phrases et accomplir des gestes automatiques, alors que derrière le masque un grand vide remplaçait Helen North ?

Dans sa gentillesse et son désir de m'aider, Leonie avait noté sur un bout de papier son numéro de téléphone personnel et celui de son frère. « Prenez contact avec Michael, m'avait-elle conseillé. Il sera ravi de vous parler de Carla ; ils étaient très proches, tous les deux. »

Seulement, j'étais une hypocrite, une usurpatrice. Plus les gens me faisaient confiance, plus je me détestais. Je ne contacterais pas le frère de Carla.

16

Quinze jours plus tard, le téléphone a sonné vers sept heures du soir, alors que je me préparais pour sortir. Dans mon souvenir, je n'avais communiqué à personne le numéro de mon appartement impersonnel et immaculé, sauf aux deux agences de travail temporaire qui m'employaient. J'ai décroché.

« Allô ?

— Helen ? »

J'ai reconnu la voix immédiatement. « Elle-même.

— C'est Daniel. Je suis à Londres pour quarante-huit heures. Je pensais que vous aimeriez peut-être m'accompagner à un concert ce soir.

— Ce serait avec plaisir, mais...

— Parfait, je viens vous chercher dans une heure.

— Non, désolée, je suis prise ce soir.

— Oh. » Silence, puis : « Vous ne pouvez pas changer vos plans ?

— Impossible.

— Et demain ?

— Demain soir, ça me conviendrait.

— Je voulais dire : plus tôt dans la journée. Je dois être rentré à Pipers dans l'après-midi, et je serai en réunion toute la matinée. Nous pourrions déjeuner ensemble. Où travaillez-vous ?

— Je ne travaille pas.

— Très bien. Dans ce cas, rendez-vous à l'entrée de la station de métro Covent Garden à une heure. À demain. »

J'ai raccroché, sidérée par l'ironie de la situation : après six mois durant lesquels je n'étais pas sortie une seule fois, je recevais soudain deux invitations pour la même soirée. Cela m'a rappelé l'histoire des deux voitures qui se percutent en plein désert du Sahara.

Daniel Finch. Entendre le son de sa voix dans mon appartement vide et solitaire avait accéléré mes battements de cœur. Mon incursion dans la vie de Carla avait été très brève, mais à présent son univers gagnait le mien. Il me faudrait du temps avant de rencontrer son mari sur mon propre territoire. Je ne pouvais m'empêcher de m'interroger sur le motif de cette invitation inattendue. Ma première réaction a été de penser que Daniel trouvait utile d'avoir en réserve une baby-sitter, et donc de garder le contact avec moi, puis je me suis reproché mon cynisme. Peut-être avait-il appris par Leonie que je posais des questions au sujet de Carla et qu'il avait décidé de me parler. À moins qu'il ne veuille simplement me remercier de m'être occupée de ses enfants lors du fameux week-end à Pipers. Six mois plus tôt, je lui aurais peut-être prêté d'autres intentions, mais ces derniers temps, avec mes cheveux coupés très court, mon visage dépourvu de tout maquillage, mes vêtements inélégants et informes, je n'avais rien de séduisant.

Puis une pensée m'est venue à l'esprit — une pensée qui m'a glacé la moelle et m'a figée sur place pendant quelques secondes. Terrorisée, j'ai retenu mon souffle.

Et si Daniel ne voulait ni me remercier ni me raconter sa version des événements ? S'il était resté, lui aussi, avec des questions sans réponse ? Peut-être avait-il rendu Carla malheureuse ; cela ne l'empêchait pas d'avoir envie de savoir ce qui lui était arrivé ; les tyrans sont souvent des maris extrêmement possessifs. Par ailleurs, à part le témoignage d'Angela, rien n'attestait de sa cruauté envers Carla. Et il est bien connu que les informations fournies par un ex-conjoint ne sont guère fiables. Tout à coup, j'ai pris conscience de mon erreur : aller à Pipers n'avait pas été la meilleure idée de l'année. En me revoyant, Daniel s'était peut-être souvenu des anomalies dans les rapports de la police : la chemise à carreaux, par exemple, ou le yachtman allemand qui avait pu signaler la présence d'une Anglaise nageant en robe bleu marine en direction du large, manifestement désemparée. «Helen, me dirait-il peut-être, je sais que la police a clos l'enquête en concluant à un accident. Il y a quand même certains détails que je ne parviens toujours pas à comprendre. Peut-être aurez-vous des explications...»

Tout en me croyant à l'abri, la peur que la vérité n'éclate au grand jour ne m'avait jamais quittée. Mais j'ai décidé de remettre au lendemain le problème Daniel Finch, et de me préparer mentalement à rencontrer celui à cause de qui j'avais dû repousser l'invitation de Daniel : le frère de Carla et de Leonie, Michael Fanshaw.

Il y avait si longtemps que j'avais été coupée de toute vie sociale que j'avais presque oublié les usages. Tenaillée par la crainte de faire l'objet des soupçons de Daniel, j'étais obsédée par le besoin de paraître le plus normale possible : une femme avec un travail, une vie ordinaires.

Dans la salle de bains, j'ai décollé la photo des Rocheuses canadiennes que j'avais scotchée sur le miroir au-dessus du lavabo ; c'était l'unique miroir de l'appartement, et je m'efforçais autant que possible d'éviter mon propre reflet. J'évitais même de me regarder dans les vitrines des magasins, de peur de découvrir, au milieu des chaussures ou de la porcelaine, l'image d'une jeune femme blême et hagarde, une fugitive.

Je me suis forcée à étudier le visage qui me faisait face : les cernes sous les yeux dénotaient d'innombrables nuits sans sommeil, la tension se lisait dans le pli de la bouche. Pas étonnant si les gens avaient pitié de moi. Il ne fallait pas que je présente ce visage à Michael Fanshaw.

Après une douche rapide, j'ai fouillé dans mes tiroirs à la recherche de la trousse de maquillage que j'avais emportée en Grèce. Curieusement, la première chose que j'ai aperçue fut le fard à paupières bleu électrique de Carla, celui-là même qu'elle m'avait exhortée à utiliser le dernier soir. Despina avait dû le ranger dans ma trousse quand elle avait ôté les affaires de Carla de notre chambre. Je l'ai tenu dans la paume de ma main et l'ai contemplé un long moment, le cœur serré par l'habituel sentiment de culpabilité. Fard à paupières, ecchymoses, mascara, sang séché.

Face au miroir, je me suis mise à l'ouvrage avec détermination. J'ai appliqué sur mon visage une épaisse couche de fond de teint, du fard à joues, de la poudre. En souvenir de Carla, j'ai fait largement usage du fard à paupières bleu électrique, et j'ai complété avec une couleur plus claire au-dessous de l'arcade sourcilière. J'ai souligné le contour de mes yeux avec du khôl, j'ai passé du mascara sur mes cils. Ensuite, j'ai dessiné mes lèvres avec un crayon rouge foncé, et complété par plusieurs couches de rouge à lèvres écarlate, la couleur la plus violente que j'ai trouvée. J'ai reculé pour examiner le résultat. L'effet était saisissant. J'avais sans doute inconsciemment cherché à lancer un avertissement, en me donnant l'apparence d'une personne dont il vaut mieux se méfier, mais cela avait produit l'effet inverse : j'avais l'air vulnérable d'une gamine qui a joué avec les produits de maquillage de sa mère. Il était trop tard pour y remédier, et je me suis consolée en pensant que nous prendrions juste un verre ensemble et que nous partirions ensuite chacun de nôtre côté. Michael Fanshaw n'avait sûrement pas envie de perdre toute une soirée à parler de sa défunte sœur avec une inconnue.

« J'ai réservé à midi, a-t-il précisé. C'est un restaurant très branché, il vaut mieux ne pas s'y prendre à la dernière minute. Tous les serveurs me connaissent, ils m'ont gardé une des meilleures tables. »

Il a regardé autour de lui d'un air visiblement satisfait. J'ai rectifié la position de mes couverts sur la nappe blanche et je me suis efforcée de paraître normale et détendue. L'appréhension me serrait la poitrine. Alors que je m'attendais à une rencontre rapide autour d'un verre, Michael Fanshaw m'avait annoncé tout de go qu'il avait retenu une table dans un restaurant. Dans un premier temps, je me suis dit qu'un dîner en tête à tête lui permettrait de me parler longuement de sa sœur. Dans un second temps, j'ai repensé avec anxiété à mon rendez-vous du lendemain avec Daniel Finch. Peut-être les deux hommes s'étaient-ils déjà parlé. Peut-être Michael Fanshaw avait-il des questions à me poser. J'ai essayé de jauger l'homme brun assis en face de moi dans ce restaurant très fréquenté.

Indéniablement, j'avais sous les yeux le frère de Carla et de Leonie, mais, alors que ses sœurs étaient toutes deux minces, nerveuses et débordantes d'énergie, Michael était corpulent et flegmatique. Beau, dans son genre, avec un teint coloré mais des traits empâtés. J'avais du mal à croire qu'il était le benjamin, je l'aurais plutôt pris pour l'aîné.

« J'étais le chouchou de la famille, m'a-t-il avoué

313

avec un rire affectueux quand j'ai mentionné ses sœurs. Voilà pourquoi j'ai toujours eu beaucoup de facilité à nouer des relations avec les gens. Si vous vous attendez que les autres vous aiment, c'est généralement ce qui se produit. Toutes les deux m'adoraient, surtout Carla. Je dis souvent que j'ai eu l'impression d'avoir eu deux mères en plus de la mienne, plutôt que deux sœurs. J'ai été gâté pourri. Bien sûr, Leonie partait souvent, à cause de ses activités ; Carla, beaucoup plus casanière, était aux petits soins pour moi, ce qui ne me dérangeait pas le moins du monde, je le reconnais.

— Vous deviez être très proches, Carla et vous. »

Il a réfléchi un instant. « Elle m'idolâtrait, c'est sûr, mais comme la plupart des gens. Je suis né avec le don fabuleux de m'entendre avec mes semblables, hommes et femmes. » Ses yeux pétillaient dans son visage bouffi. « Voilà pourquoi je réussis tellement bien dans la vie ; du moins est-ce une des raisons ; l'intelligence aide aussi, évidemment. » Il a gloussé et je me suis forcée à sourire. Il se décarcassait pour me mettre à l'aise, mais je me méfiais de son bavardage.

Nous avons commandé, puis j'ai risqué : « Quelqu'un m'a dit que Carla était assez malheureuse.

— Ah bon ? Quelle drôle d'idée ! Elle semblait plutôt gaie chaque fois que je la voyais, sans doute parce qu'elle était toujours contente de retrouver son frangin chéri. À ses yeux, je n'avais jamais commis la moindre erreur. Il faut reconnaître que j'ai effectué un beau parcours : j'ai été le plus jeune employé de mon entreprise à obtenir le statut de cadre en trois ans.

— Vous ne pensez donc pas que Carla ait pu être déprimée après sa fausse couche ?

— Elle avait fait une fausse couche ?

— En mars, oui. Vous n'étiez pas au courant ?

— Hum. Elle l'a peut-être mentionné, mais j'étais

314

débordé à cette époque. On me confie toujours les clients difficiles parce que c'est moi qui m'en sors le mieux. Maintenant que j'y repense, elle paraissait avoir un peu le cafard ; seulement, avec le stress de mon travail, j'ai bien été obligé de l'envoyer balader... Une fausse couche ? Carla a toujours été un peu bête, question contraception ; pourquoi n'a-t-elle pas utilisé la pilule du lendemain ? Aujourd'hui, les femmes n'ont aucune excuse pour tomber enceintes si elles ne le veulent pas.

— Mais elle désirait être enceinte, elle voulait absolument un bébé, voilà pourquoi elle était désespérée.

— Ça lui ressemblait bien. Pauvre Carla, toujours à côté de la plaque. Elle finissait par être furieuse en permanence, pour toutes sortes de choses. Je n'y prêtais jamais attention, j'estime qu'il ne faut pas encourager les gens à parler sans cesse d'eux-mêmes, c'est malsain. Tenez, moi par exemple, je ne me laisse jamais aller à broyer du noir, sans doute parce que j'ai naturellement un heureux caractère. Rien ne peut me perturber. Je parie que vous êtes comme moi, Helen, pas vrai ? » Il m'a dévisagée avec attention. Il avait les mêmes yeux que Carla, des yeux noirs enfoncés dans leurs orbites, mais rusés, calculateurs. « Vous me donnez l'impression d'être une personne insouciante, qui n'a pas eu trop de problèmes dans la vie. Je me trompe rarement, je suis excellent psychologue. »

J'ai hésité. Michael Fanshaw faisait le pitre, mais quelque chose me disait que je ne devais pas m'y laisser prendre. Leonie et Carla, chacune à leur manière, étaient des comédiennes-nées, pourquoi leur frère aurait-il été différent ? « Cela doit être très utile dans la vie, ai-je répondu prudemment.

— Je vous ai cernée dès que j'ai posé les yeux sur vous.

— Vraiment ?

— Oui. J'ai pensé : Voilà une fille qui s'occupe d'elle, qui prend soin de sa personne et qui ne se pose pas trente-six mille questions. Exact ?

— Continuez.

— Je savais que ça vous intéresserait. » Il s'est renversé sur son siège et m'a regardée avec un sourire entendu. « Eh bien, je dirais que vous êtes le genre de fille qui aime s'amuser. Attention, je ne dis pas que vous êtes superficielle, Helen, mais vous prenez du bon temps chaque fois que vous le pouvez, c'est évident. Il n'y a pas grand-chose qui doit vous déprimer, hein ? »

J'ai éclaté de rire — un rire qui a sonné horriblement faux à mes oreilles. « Comment décririez-vous le caractère de Carla ?

— Hum, difficile à dire. Carla était Carla, voilà tout. »

Évitait-il délibérément de répondre à ma question, ou n'était-il pas à l'aise avec ce genre de sujet ? J'ai essayé une autre tactique : « Qu'a-t-elle fait après avoir terminé sa scolarité ?

— Oh, un peu de tout. Ses projets étaient plutôt vagues. Il aurait mieux valu qu'elle ait un but précis dans la vie, comme moi. Gagner de l'argent et prendre du bon temps, voilà ce que j'ai décidé dès le départ. Il s'est trouvé que mon oncle avait un poste vacant dans son entreprise, et j'ai sauté sur l'occasion. »

Au bout d'un moment, je me suis rendu compte que chaque fois que je l'interrogeais au sujet de Carla, il finissait par parler de lui-même. J'ai commencé à me décrisper. S'il faisait le clown, alors c'était l'un des meilleurs acteurs que j'avais jamais rencontrés.

De plus en plus confiante, je l'ai interrogé sur Daniel. Il a paru gêné. « Un type bien. Très intelligent, aussi. Je ne comprends pas pourquoi Carla est partie sur cette île sans lui, ils avaient l'air de si bien s'entendre. »

J'étais certaine à présent qu'il ne jouait pas la comédie, mais il ne me fournissait pas beaucoup d'informations. Manifestement, Michael Fanshaw faisait partie de ces gens si imbus d'eux-mêmes qu'ils sont aveugles à tout ce qui se passe dans leur entourage. Au lieu de continuer à lui poser des questions sur Carla, je l'ai interrogé sur son métier. Il m'a appris que le monde des assurances dans son ensemble tirait grand profit du zèle réformateur de Michael R. Fanshaw. J'ai regardé ma montre à la dérobée, impatiente de pouvoir payer ma part et prendre congé.

Puis, au moment du café et des chocolats, j'ai eu honte de l'avoir condamné si vite. Après tout, c'était moi qui avais sollicité ce rendez-vous, et Michael Fanshaw, malgré ses défauts, était assez généreux pour accepter de dîner avec une parfaite inconnue. Soudain, je me suis sentie mesquine et méchante. D'accord, il passait le plus clair de son temps à parler de lui, mais d'une certaine façon il m'en révélait autant sur la famille au sein de laquelle avait grandi Carla que s'il m'avait parlé directement de sa sœur. Et qu'importait s'il était égocentrique et incapable de se rendre compte du ridicule de son attitude ? Au moins, il n'était pas violent, il n'avait tué personne. Qui étais-je, pour me croire supérieure ?

De plus, il était le frère cadet de Carla ; d'après lui, elle l'avait adoré. Je me suis donc efforcée de le regarder avec les yeux de Carla ; je l'ai imaginé petit garçon, dans le sillage de ses sœurs. Il avait dû être un enfant rondouillard et facile à vivre, pas particulièrement sensible mais prêt à pas mal de concessions pourvu qu'on s'intéresse à lui.

Un changement a commencé à se produire en Michael; était-ce l'effet du vin ou bien la modification de ma propre perception qui était à l'origine de ce changement? je l'ignore. Il parlait toujours exclusivement de lui, mais le ton de son soliloque n'était plus le même.

«À vrai dire, Helen, puisque vous me posez la question, autant vous avouer que c'est sacrément difficile depuis que Carla est morte. C'est dur de ne plus l'entendre au bout du fil quand j'ai un problème. J'ai découvert que la femme avec qui je sortais avait une liaison avec un autre homme — qu'est-ce qu'elle pouvait bien lui trouver, je me le demande, c'était un de mes subordonnés, bon sang! Évidemment, elle ne mérite pas que je me tracasse à cause d'elle, mais malgré tout on ne peut pas s'empêcher d'être contrarié par ce genre de choses. Ça m'a embêté, ça m'a rendu malade, pour tout dire. Depuis, j'ai du mal à me concentrer sur mon travail. Et voilà que maintenant, mon patron n'arrête pas de faire allusion à des réductions d'effectifs.

— C'est bien ennuyeux.

— En effet.

— Vous ne pouvez pas vous confier à Leonie?

— Oh, nous parlons, bien sûr, mais elle ne s'intéresse pas à moi de la même façon que Carla. Avec Carla, je pouvais discuter pendant des heures, alors que Leonie est toujours occupée. Non que je sois un anxieux, loin de là; je suis du genre décontracté, comme vous, Helen. Jamais le moindre souci...»

Dans l'immédiat, il avait plutôt l'air d'un homme complètement déboussolé, brutalement privé de son centre de gravité. Cela m'a sauté aux yeux, d'un seul coup: de toutes les personnes avec qui j'avais discuté, Michael était sans doute celle qui souffrait le plus de la disparition de Carla, sous des airs trop

318

égocentriques pour pleurer sa sœur. Cela me rapprochait curieusement de cet homme grassouillet et un peu ridicule.

Il s'est frotté le ventre d'un air songeur. « J'ai des maux d'estomac, depuis quelque temps.

— Vous devriez consulter un médecin. »

Il m'a adressé un sourire confiant et affectueux. « C'est ce que m'aurait conseillé Carla. »

Une fois dehors, tout en agitant avec impatience son parapluie devant les taxis qui passaient, Michael a suggéré : « Vous ne voulez pas venir chez moi pour... prendre un café, boire un dernier verre ou... je ne sais pas ?

— D'accord, Michael, ça me ferait très plaisir. »

J'ignore encore pour quelle raison exactement j'ai accepté d'aller chez lui. Je n'aurais pas supporté son expression meurtrie si j'avais refusé, ma propre solitude m'avait rendue éminemment sensible à celle des autres. Peut-être que j'avais juste envie de chaleur animale ; cela faisait une éternité, me semblait-il, que personne ne m'avait prise dans ses bras — depuis la nuit avec Glen, sous l'ampoule nue de la bergerie.

Bizarrement, je pensais qu'il n'y aurait pas de danger à faire l'amour avec Michael. Il ne savait rien de moi, je ne l'intéressais pas spécialement, même s'il croyait avoir percé ma personnalité. C'était incroyable qu'il ne se soit pas donné la peine — comme, d'ailleurs, presque tous les gens à qui j'avais affaire depuis quelque temps — de me poser une seule question sur moi. À partir de quelques maigres indices, il s'était construit une image totalement fausse de ma personne — l'image qui lui convenait. Il ferait donc l'amour à une femme née de son imagination, qui n'aurait rien à voir avec Helen North.

Cela me convenait tout à fait. Dieu merci, pas un

instant il ne se douterait de la vérité. Avec ces chimères, il ne se mettait pas en danger, et puisqu'il n'y avait aucun risque que je désire le revoir par la suite, il n'avait rien à craindre de moi non plus. Depuis la Grèce, je m'étais interdit toute intimité, je m'étais coupée de tous mes amis et n'avais gardé le contact avec ma famille que pour ne pas éveiller les soupçons. Une liaison amoureuse était hors de question, j'étais trop dangereuse et, de plus, je ne voulais pas m'engager dans une relation où je serais tentée d'être moi-même. Mais une ou deux heures en compagnie de Michael, pour briser momentanément sa solitude et la mienne, ne pouvaient nous faire de mal ni à l'un ni à l'autre. À défaut de combler le vide laissé par Carla, cela occuperait le temps.

Voilà les raisons qui m'ont poussée à accepter sa proposition. Elles étaient mauvaises. Quant au sexe, mieux vaut ne pas en parler.

Après, comme je m'habillais pour partir, il s'est allongé sur le dos.

« C'était comment, Helen ?

— Bien.

— Bien seulement ?

— Génial.

— J'en étais sûr, a-t-il dit avec un petit rire satisfait. Je devine toujours. »

17

Daniel avait dix minutes de retard et je m'apprêtais à renoncer. Debout devant l'entrée du métro, le col de mon manteau relevé à cause du vent, je tremblais autant d'appréhension que de froid. Ma soirée avec Michael m'avait perturbée; j'étais rentrée chez moi vers deux heures du matin et j'avais dormi encore plus mal que d'habitude. Maintenant, mon cerveau semblait fonctionner au ralenti, dans une espèce de confusion; pourtant, j'aurais besoin de tous mes esprits pour ce déjeuner.

Le bon sens me disait que j'aurais dû refuser l'invitation de Daniel. Mon comportement devait paraître bizarre, je m'en rendais compte; Daniel ne tarderait sans doute pas à m'interroger sur mes motivations. La raison voulait que je tourne le dos à l'univers de Carla et que je trouve un autre moyen, moins risqué, de résoudre mes problèmes. Mais la raison n'avait pas grand-chose à voir dans cette histoire. Je désirais cette rencontre avec Daniel Finch autant que je la redoutais. Daniel était un lien avec Carla et, si douloureux que ce fût, je m'y accrochais comme à une bouée. Tout le temps que nous serions ensemble, lui et moi, la présence de Carla flotterait entre nous. Je n'avais aucune envie de faire marche arrière.

De toute façon, le voilà qui arrivait à grandes enjambées, son manteau voltigeant au vent.

« Dieu merci, vous êtes encore là, a-t-il déclaré en déposant sur ma joue un baiser rapide. La réunion a duré beaucoup plus longtemps que prévu ; en réalité, nous n'avons pas terminé. Les autres sont allés déjeuner dans un restaurant, près d'ici, et j'ai dit qu'on les rejoindrait. D'accord ? »

Il avait l'air préoccupé, et j'ignorais de quoi il parlait au juste. « Naturellement, ai-je répondu.

— Ils ont promis de ne pas parler boulot pendant le déjeuner. Pour vous, ce sera casse-pieds, mais on n'y peut rien ; ça pourrait s'avérer une excellente opération.

— Quelle opération ?

— Autant que je vous mette au courant. » En chemin, il m'a expliqué : « La *Chanson pour Carla* a remporté un énorme succès, tout à fait inattendu, ce qui est évidemment une très bonne nouvelle pour moi. » Il paraissait gêné en disant cela — pas du tout l'attitude d'un musicien dont le disque remporte un fabuleux succès. « Une compagnie de disques européenne veut en faire une version allemande. Le texte de Leonie devra être interprété par une actrice allemande et nous n'avons pas encore décidé qui contacter. J'ai passé la matinée à écouter mon producteur batailler avec un gros bonnet de la compagnie de disques. Les marchés européens recèlent pas mal de pièges ; Jamie pense toutefois que leur offre est valable. Il a déjà traité avec la maison König. Il faudra assurer la promotion, mais... » Daniel a poussé un soupir et son front s'est creusé. Puis, comme s'il venait juste de se rappeler quelque chose, il m'a effleuré le bras et a ajouté : « À propos, merci pour vous être si bien occupée des enfants, ils étaient très contents.

— Vraiment ? » Quelle version édulcorée des événements avaient-ils bien pu lui servir ? « Tant mieux.

— Certaines personnes les trouvent difficiles. » Il avait l'air étonné, comme s'il ne comprenait pas d'où pouvait venir ce jugement. « Janet prétend ne pas

322

pouvoir tenir plus d'une heure ou deux. Vous, en revanche, vous leur avez plu tout de suite. Je suis content que ç'ait été réciproque.»

Je ne me souvenais pas d'avoir dit cela. Si ces gamins m'avaient offert un échantillon de leur conduite quand ils aimaient bien quelqu'un, je n'osais penser à ce que c'était quand ils éprouvaient de l'hostilité. Lily, notamment. «Ce sont des enfants très *intéressants*, ai-je avancé.

— Ils sont géniaux, non? Bien sûr, je suis partial. Si ce marché se conclut, je veux leur offrir de vraies vacances l'été prochain, naviguer sur les canaux du sud de la France, par exemple. Les vacances ont été plutôt rares depuis le divorce. Dans le domaine de la musique, ou on gagne des fortunes ou on vit dans la misère.» Tandis qu'il continuait à parler, nous étions arrivés devant un restaurant bondé d'où filtraient des odeurs de nourriture et un brouhaha de voix. «Nous y voilà», a annoncé Daniel en me regardant, et un sourire a éclairé soudain son visage sombre — un sourire infiniment séduisant, qui m'a rappelé celui d'Angela, le genre de sourire qui a le don de vous faire croire que vous bénéficiez d'une faveur spéciale. Quel était leur secret, à tous les deux? S'étaient-ils exercés l'un sur l'autre à l'époque où ils formaient encore un couple? Et pourquoi souriait-il ainsi? Je me suis aussitôt méfiée.

«Dommage que ces deux requins viennent perturber notre déjeuner. J'avais très envie de vous emmener dans un endroit sympa pour vous remercier de votre aide; je ne sais pas ce que j'aurais fait si vous n'étiez pas arrivée à point nommé, ce fameux week-end.»

Ainsi, ce repas était destiné à me remercier, tout simplement. Je pourrais donc m'autoriser à me détendre un peu, et saisir cette occasion pour voir comment se débrouillait le mari de Carla dans son environnement professionnel. Nous sommes entrés dans le restaurant, un serveur a pris nos manteaux, un autre nous a conduits à une table où deux hommes assis côte à côte, le dos au mur, ont levé les yeux à notre approche. Le plus âgé s'est mis debout aussitôt ; l'autre l'a imité, mais beaucoup plus mollement, sans se redresser tout à fait.

« Helen, je vous présente Jamie Fried, mon producteur, et Bernard Schmidt, de la compagnie de disques König.

— Enchanté de faire votre connaissance », a déclaré Bernard en me serrant la main et en inclinant la tête avec courtoisie. La cinquantaine environ, il portait une veste de cuir noir sur un pull en cachemire ; il avait des bagues en or à presque tous les doigts, des cheveux gris très épais et un visage aux traits vigoureux, ridé mais encore beau.

Jamie Fried, quant à lui, m'a juste effleuré le bout des doigts. À peine plus âgé que moi, il me faisait irrésistiblement penser à un poisson, avec son visage allongé et blême au bout d'un long cou tout aussi blême, et ses yeux humides dont le regard glissait sur moi avec une vague lueur d'intérêt.

« 'jour », a-t-il lâché en se rasseyant.

Au début, tous les trois — surtout Bernard — ont fait un effort pour m'inclure dans la conversation, mais après une matinée passée à mettre sur pied une opération qui promettait d'être juteuse pour eux tous, ils avaient du mal à fixer leur attention sur autre chose.

« Vous travaillez dans le domaine de la musique, Helen ? m'a demandé Bernard.

— Non. » Daniel s'était tourné vers moi et scrutait mon visage, comme si ma réponse l'intéressait. J'ai mesuré alors toute la scandaleuse fausseté de ma position. J'étais une usurpatrice — pis que cela, même. Daniel voulait me remercier de m'être occupée de ses enfants. J'ai serré les poings sous la table et j'ai cru sentir les aspérités d'une pierre tranchante. Le mari de Carla était là, assis à mon côté, et il éprouvait de la reconnaissance pour moi ! C'était indécent. Bernard attendait toujours ma réponse. Je n'avais pas d'autre solution que de continuer à jouer jusqu'au bout ma comédie. « Je travaille en intérim. Surtout du secrétariat. »

L'étincelle de curiosité qui s'était allumée dans le regard de Jamie Fried a aussitôt disparu. Simple secrétaire. J'ai songé aux difficultés que j'avais dû surmonter pour obtenir mon diplôme, au métier que j'avais aimé et abandonné. Et à présent je faisais tout mon possible pour me fondre dans la masse, pour me rendre invisible.

« Mais vous êtes musicienne ? a insisté Bernard.

— J'aime écouter de la musique, c'est tout.

— Ne vous sous-estimez pas », m'a reproché Daniel, puis il a expliqué : « Helen est trop modeste pour se vanter, pourtant elle joue super-bien du basson.

— Vous jouez du basson ? » s'est étonné Bernard.

Trop compliqué d'entrer dans les détails. « Pas très bien.

— Elle a besoin de pratiquer davantage, a poursuivi Daniel, agacé par ma réserve.

— Ça n'en vaut guère la peine, ai-je répliqué de mon ton le plus plat. Je n'ai vraiment aucun talent dans ce domaine. »

Au bout d'un moment, constatant que tous ses efforts se heurtaient à un mur, même le courtois Bernard a laissé tomber. Quant à Daniel, par chance il avait renoncé à essayer de me tirer de ma réserve. Parfait, ça m'arrangeait qu'il croie que sa femme avait

325

passé les derniers jours de sa vie en compagnie d'une personne totalement effacée.

« Je vais commander du champagne, a déclaré Bernard, pour célébrer le succès futur du *Lied für Carla*. » Il s'est penché vers moi et a risqué une dernière tentative : « Vous étiez très amie avec la femme de Daniel ?

— Je la connaissais, oui, mais pas depuis longtemps. » Toujours cette voix monotone, qui me venait de plus en plus facilement. « Je ne peux pas dire que nous étions amies intimes. »

Les yeux délavés de Jamie faisaient l'aller et retour entre Daniel et moi. Je le confirmais dans ce qu'il imaginait : j'étais une femme insignifiante avec qui Daniel sortait temporairement, en attendant de trouver mieux — une femme qu'il ne tarderait pas à jeter, comme elle le méritait.

On nous a apporté le champagne, on a rempli nos verres, nous avons trinqué au succès de la version allemande de la *Chanson pour Carla*. Mais quand il s'est agi de boire, impossible d'avaler, j'avais la gorge nouée.

Que moi, je m'en offusque, c'était un comble ; et pourtant, je ne pouvais m'empêcher de penser que la façon dont ces trois hommes évoquaient Carla réduisait celle-ci à une simple marchandise. Comme si Daniel monnayait la mort de sa femme. Quand elle était en vie, leur couple marchait cahin-caha et il la faisait souffrir — je me souvenais de Janet me racontant que Carla avait plus d'une fois pleuré à chaudes larmes lors de ses visites au cottage. Mari et femme s'entendaient si mal que Carla avait passé la dernière nuit de son existence dans les bras d'un quasi-inconnu, au lieu de partir en vacances avec Daniel. Maintenant qu'elle était morte, le mari impossible se transformait en veuf au cœur brisé, dont le chagrin

— voyez-vous ça! — se révélait une mine d'or. L'hommage touchant qu'il lui avait rendu en privé, le jour de la cérémonie funèbre, était désormais un produit commercial qu'il exploitait fort habilement.

«Votre disque va faire fureur dans les enterrements», a commenté Jamie. Malgré son air un peu sombre, Daniel a semblé content. «Il vient combler un manque et, franchement, la concurrence n'est pas nombreuse sur ce créneau. Ce morceau va sûrement devenir un classique.» Daniel a paru de plus en plus content.

On nous a apporté les plats et on a remporté la bouteille de champagne vide. J'avais commandé un assortiment de poissons de mer. Ils étaient si jolis, disposés sur l'assiette telles des fleurs dans une tapisserie médiévale, que c'était dommage de détruire cet arrangement artistique pour les manger. De toute façon, je n'avais pas faim. Les trois hommes discutaient maintenant de l'actrice à contacter pour la version allemande. Je n'écoutais que d'une oreille.

«J'ai parlé de l'enregistrement avec notre directeur musical, disait Bernard. Nous pensons tous les deux que la version anglaise est un peu pauvre pour le marché européen. Nous voulons ajouter des cordes.

— Des cordes? s'est récrié Daniel, soudain moins content. J'ai toujours cru que l'orchestration serait exactement la même.

— On a affaire à un marché différent en Europe, a répondu Bernard en hochant la tête. Pour une oreille continentale, la version originale paraîtra trop populaire. Croyez-moi, Daniel, je sais de quoi je parle. Un son plus riche sera beaucoup plus commercial.

— Mais c'est précisément ce que je cherche à éviter! La musique doit rester pure.

— Les cordes peuvent être pures.

— Et après, vous rajouterez des voix éthérées, je

suppose. C'est moi qui garde le contrôle artistique de bout en bout, non ?

— Euh..., a bafouillé Bernard.

— Justement, est intervenu Jamie, nous pensons qu'un accompagnement vocal apportera une touche très intéressante. Les gens aiment ça et on peut faire quelque chose de bon goût, tout est dans la manière. C'est déjà assez excentrique d'avoir juste un texte parlé et une musique, on ne peut pas dire que ce soit grand public. Vous n'avez pas songé à mettre les paroles en musique ? La mélodie est tellement magnifique.

— Non ! Cent fois non ! a crié Daniel, furieux. Toute la question est là : ce morceau est *différent* ! »

La discussion s'est emballée. M'efforçant de les ignorer, je me suis concentrée sur mon assiette : j'ai rangé les poissons selon leur taille, puis je les ai disposés de manière à former un visage souriant. Je ne tarderais pas à inventer une excuse pour partir. Quelle hypocrite je faisais, à éprouver l'envie de protéger la mémoire de Carla ! Me rappelant les allusions de Paul aux relations peu harmonieuses entre Daniel et sa femme, je commençais à comprendre en quoi le musicien pouvait être dangereux. Sa cruauté n'avait rien de délibéré, simplement, sa façon de se focaliser sur un problème qui le préoccupait pouvait facilement le rendre aveugle au malheur des autres.

Le portable de Bernard a sonné. L'Allemand s'est excusé pour cette interruption et a plongé la main dans la poche de sa veste.

« Salut, Stéphane », a-t-il lancé en souriant, puis il s'est mis à parler dans une langue que j'ai reconnue sur-le-champ. J'ai écouté vaguement au début, savourant le rythme et les inflexions que je n'avais pas entendus depuis des mois, même s'ils étaient un peu gâchés par le fort accent de Bernard.

Puis, peu à peu, j'ai écouté avec attention.

Daniel s'est adressé au producteur : « Jamie, il faut vous assurer que mon droit de veto est inscrit dans le contrat. Cette clause doit être inattaquable. Je ne veux pas qu'ils fassent n'importe quoi avec l'orchestration et qu'ils ajoutent des voix à la con, ça ficherait tout en l'air. Ce morceau mérite beaucoup mieux.

— Pas de problème, Daniel », a assuré Jamie.

Bernard a éteint son portable et l'a rangé dans sa poche. « Mon collègue, a-t-il expliqué. Il est très heureux que nous avancions, il faxera le contrat cet après-midi et la fabrication pourra commencer vers la fin du mois.

— Parfait, a commenté Jamie.

— Excusez-moi », ai-je dit en allongeant le bras pour prendre le sel. Ma main a heurté le verre de Daniel, et le champagne a coulé dans son assiette. « Oh, non ! » En essayant de rattraper le verre, j'ai bousculé l'assiette ; les médaillons de veau qui nageaient dans le champagne ont atterri sur les genoux de Daniel.

« Mon Dieu, Helen ! s'est exclamé ce dernier en reculant sur sa chaise.

— Oh, je suis vraiment désolée ! » Je me suis levée d'un bond et me suis penchée sur lui pour réparer les dégâts avec ma serviette. Le dos tourné vers les deux autres, j'ai murmuré à son oreille : « N'acceptez rien, surtout. J'ai compris ce que disait Bernard au téléphone. Ils cherchent à vous rouler.

— Quoi ? » Son regard a croisé le mien. Il a pigé tout de suite. Avec une apparente spontanéité, il s'est mis debout, a secoué son pantalon pour éliminer le plus gros de la nourriture, puis m'a saisi le bras.

«Merde, ce que vous pouvez être maladroite, Helen!
a-t-il crié. Regardez mon pantalon, il est fichu!

— Ça partira au lavage, ai-je répliqué d'un air
faussement consterné. Il faut le nettoyer à l'eau froide.

— Vous pourriez m'aider, au moins!»

Bernard et Jamie nous ont observés avec stupeur
quand nous avons quitté la table, flanqués de plusieurs serveurs empressés. Daniel et moi avons continué, lui de m'accabler de reproches, moi de me
confondre en excuses, jusqu'à ce que nous nous
retrouvions au sous-sol, entre les toilettes *Gentlemen*
et les toilettes *Ladies*; il s'était débarrassé des serveurs
et nous étions seuls.

«Qu'est-ce que c'est que cette histoire, bon sang?
a-t-il grommelé, encore furieux.

— Je vous l'ai dit, ils veulent vous arnaquer. J'ai
compris ce que Bernard racontait au téléphone.

— J'ignorais que vous connaissiez l'allemand.

— Il parlait tchèque. Je comprends le tchèque.»

Il m'a dévisagée, sa colère envolée. «Voilà qui est
extraordinaire.» Faisait-il allusion à moi ou à mes
révélations à propos du contrat? «Je trouvais qu'il
avait un drôle d'accent, pas du tout comme dans
Schubert. Alors, de quoi s'agit-il?

— Je ne sais pas exactement, mais ils sont en train
de vous escroquer, ça, c'est sûr, et Jamie est dans le
coup. Bernard a annoncé à son associé qu'il l'avait
acheté et que vous ne vous doutiez de rien.

— Extraordinaire, a répété Daniel. Vous n'êtes pas
une espionne, Helen?

— Bien sûr que non.» Daniel n'a guère paru
convaincu. «Il a dit: "Cet idiot a tout gobé sans sour-
ciller." Il a parlé de royalties et de l'usine de réserve,
ça vous évoque quelque chose?

— Plus ou moins. Vous croyez donc que Jamie est
impliqué là-dedans?

330

— J'en suis certaine.

— Ce type m'a toujours fait une sale impression. Il ne travaille dans la maison de production que depuis quelques mois. Harry, le patron, a passé beaucoup de temps à l'hôpital depuis le début de l'année ; il va falloir que j'aille le trouver pour qu'on découvre ce qui se trame. Je me demande... »

Il s'est tu. Bernard descendait l'escalier, l'air préoccupé.

« Ça va, Daniel ?

— Pas vraiment, non. » Daniel lui a jeté un regard glacial. J'ai cru qu'il allait s'expliquer avec lui sur-le-champ mais il a dû changer d'avis, car il a désigné son pantalon. « Toute cette eau froide, c'est extrêmement désagréable.

— On vous apporte un autre plat, et je vais commander un cognac pour vous réchauffer.

— Commandez-en pour vous, Bernard, a répliqué Daniel d'un ton aimable. Moi, je prends le volant cet après-midi.

— Comme vous voulez. » Bernard est entré dans les toilettes *Gentlemen* en m'ignorant tout à fait : non seulement je n'étais pas musicienne, mais en plus j'étais ennuyeuse et maladroite.

« Je vais aux *Ladies*.

— Quel salaud ! a murmuré Daniel. Helen, vous sauriez dire en tchèque : "Vous pouvez garder votre contrat et vous le mettre où je pense" ?

— Je devrais réussir à trouver une traduction assez grossière.

— Plus elle sera grossière, mieux ce sera.

— Que pensez-vous faire ?

— Aucune idée. Si seulement je savais de quoi il retourne ! Dans l'immédiat, ma priorité est d'enfiler un pantalon propre. Merde. »

Ce dernier mot concernait-il le contrat ou le pantalon? Les deux, sans doute.

Quand je suis sortie des toilettes, Daniel m'attendait dans le couloir. «Bernard est remonté, m'a-t-il informée. Inutile de poursuivre ce déjeuner, fichons le camp d'ici.

— Avec plaisir.

— Mais d'abord, on va leur donner à réfléchir. Vous pouvez leur servir un petit speech en tchèque? Juste assez pour qu'ils sachent que vous avez compris les paroles de Bernard. Que ces salauds passent un mauvais moment.

— Devrai-je leur suggérer ce qu'ils doivent faire de leur contrat?

— C'est tentant, mais ça manque de subtilité.

— Ne vous inquiétez pas, je sais quoi dire, laissez-moi faire.»

Il m'a souri. «Helen, a-t-il déclaré d'un ton résolu, je me fiche que vous soyez une sorcière, une espionne ou autre chose. Vous êtes géniale et je vous adore. Allons-y.»

Son enthousiasme était contagieux. Toute l'affaire avait pris la tournure d'un jeu. C'était tellement facile de me sentir heureuse et flattée, facile d'oublier mes doutes, de suivre le courant et de m'amuser.

Nous sommes remontés. Une fois en haut de l'escalier, Daniel a posé la main sur mon bras. «Attendez. Bernard est de nouveau au téléphone. Peut-être pourrez-vous saisir quelques détails supplémentaires. Ne parlez pas avant mon signal.»

Nous sommes allés nous rasseoir à la table. Les deux hommes n'ont pas prêté attention à moi mais ont regardé Daniel avec une expression de sympathie si visiblement fausse qu'il était surprenant que nous ne les ayons pas démasqués dès le début. Un autre plat de médaillons de veau attendait Daniel. Mes poissons formaient toujours un visage souriant sur mon assiette. Bernard a fait une grimace d'excuse et a continué sa conversation téléphonique. Jamie fumait nonchalamment ; c'était le genre de fumeur qui mouille toujours le bout de sa cigarette.

Daniel l'observait, à la manière d'un léopard à l'affût d'une gazelle blessée.

« Alors, Jamie, votre travail vous plaît ? » a-t-il questionné d'une voix suave.

Jamie a retiré sa cigarette humide de sa bouche juste le temps de répondre : « Il est très varié...

— J'imagine. »

Au ton de Daniel, Jamie a remué nerveusement sur son siège.

Sa communication terminée, Bernard a rangé son portable. « Désolé, Daniel. Eh bien, où en étions-nous ?

— C'est précisément ce que j'aimerais savoir. » Daniel s'est tourné vers moi, mais j'ai levé les mains dans un geste qui indiquait que le coup de fil n'avait apporté aucun élément significatif. Il a souri. « À vous, Helen. »

J'ai avalé une gorgée de champagne et j'ai senti les bulles pétiller dans ma tête et mon corps, comme au moment de sauter du haut du plongeoir. Puis j'ai déclaré en tchèque à *Herr* Schmidt que j'avais été ravie de faire sa connaissance, avant de passer à des sujets d'ordre plus général. J'ai peut-être commis quelques erreurs grammaticales mais, curieusement, il n'a pas eu l'air de les remarquer. Au fur et à mesure que je parlais, son visage changeait de couleur avec une rapidité digne d'un caméléon. À la fin, il était écarlate et éructait de rage.

Il a craché un juron tchèque que ma mère ne m'avait jamais appris et s'est tourné, furieux, vers Daniel. « Qui est cette femme, nom de Dieu ?

333

— La baby-sitter de mes enfants », a répliqué Daniel.

La cigarette humide de Jamie pendait à ses lèvres ; il avait la bouche grande ouverte et les yeux exorbités.

« On y va ? m'a proposé Daniel.

— Pourquoi pas ? »

Nous nous sommes levés d'un seul mouvement et avons traversé la salle bondée. Pendant qu'on cherchait nos manteaux, j'ai jeté un coup d'œil dans la glace, et j'ai vu Bernard et Jamie qui se disputaient âprement.

Une fois dehors, l'air glacé et le tumulte de la circulation nous ont assaillis. « Génial ! s'est exclamé Daniel d'un air triomphant. Qu'ils crèvent ! » a-t-il ajouté avec méchanceté. À ces mots, une dame en manteau de fourrure qui descendait d'un taxi a sursauté.

Daniel a mis son bras autour de mes épaules. « Helen, quoi que vous ayez dit, c'était fantastique. Ces escrocs n'ont pas compris ce qui leur arrivait. » Il a saisi la porte du taxi au moment où la dame en manteau de fourrure allait la refermer, et il m'a poussée dans le dos. « Montez. » J'ai obéi sans réfléchir. Il est monté à son tour et a indiqué une adresse au chauffeur.

« Où allons-nous ? ai-je questionné.

— Chez Angie. Il faut que j'enfile un pantalon propre avant d'empester trop. Je n'en ai pas pour longtemps... Quel était le contenu de la seconde conversation de Herr Schmidt ? Avez-vous appris quelque chose d'intéressant ?

— Juste que sa femme se fait faire actuellement d'importants travaux dentaires.

— Très bien. J'espère qu'elle va perdre toutes ses dents. Lui aussi, d'ailleurs.

— Il lui a dit de se réjouir car, grâce à l'affaire qu'il a conclue aujourd'hui à Londres, il pourra lui acheter le hors-bord dont elle rêve et rembourser leurs emprunts.

— Le salaud ! Que lui avez-vous raconté ? Je veux que vous me rapportiez tout en détail, sans rien omettre.

— D'accord. Ensuite, vous pourrez me déposer à Green Park.

— Pourquoi cette précipitation ? Vous n'avez encore rien mangé.

— Ce n'est pas grave, je n'ai pas faim.

— Pour l'amour du ciel, arrêtez de vous faire passer pour une femme austère. J'ai une dette envers vous, Helen. Donnez-moi le temps de me changer, et on va déjeuner.

— Mais... » Je me suis tue. Au diable, après tout, ai-je pensé. Je sais que ce n'est pas le cas, mais s'il estime me devoir quelque chose, autant que j'en profite. Cette confrontation totalement inattendue, au restaurant, avait ouvert une brèche dans mon quotidien misérable et je continuais d'éprouver dans mon corps une excitation inhabituelle : jamais depuis plusieurs mois je ne m'étais sentie aussi vivante que maintenant. Cette exaltation, ce plaisir ne dureraient pas, de toute façon — c'était impossible.

Daniel me scrutait d'un œil critique. « Attention, Helen, vous courez un grave danger, à vous amuser, pour une fois.

— Ça ne durera pas. » Il a souri, persuadé sans doute que je plaisantais.

La maison d'Angela faisait partie d'une rangée de belles maisons à trois étages dans une impasse de Fulham. Angela passait quelques jours chez ses parents dans le Somerset avec les enfants, et Daniel

335

m'a invitée à me mettre à l'aise. En montant se changer, il m'a suggéré de préparer du café. «Vous trouverez tout ce qu'il faut dans la cuisine.»

Je commençais à m'habituer à ce que lui et son ex-femme me demandent de faire du café — autre particularité commune. Dans des circonstances normales, j'aurais jugé exaspérante cette manière souveraine de croire que le monde regorgeait de personnes empressées à leur préparer du café et à les tirer d'embarras.

La cuisine et l'entrée étaient peintes dans des couleurs primaires — rouge vif et jaune —, ce qui m'a rappelé la cuisine de Pipers, peinte en bleu ; peut-être cette couleur datait-elle du temps d'Angela, et n'avait-elle pas été choisie par Carla. Cette pensée m'a troublée.

Pendant que je m'affairais à la cuisine, Daniel arpentait l'étage et parlait au téléphone. D'après le ton de sa voix, j'ai supposé qu'il avait réussi à joindre Harry, l'infortuné patron de Jamie, auquel cas la conversation risquait de se prolonger. Je me suis versé du café dans un *mug* très raffiné et je suis passée au salon.

Contrairement aux autres pièces, plutôt en désordre et peintes de couleurs vives, celle-ci était rangée et décorée dans des tons de gris et de vert. Elle comportait un bureau et deux meubles de rangement placés près de la fenêtre, un canapé et deux chaises disposés harmonieusement en demi-cercle au centre de la pièce. C'était sans doute là qu'Angela recevait ses clients, ceux qu'elle voyait depuis longtemps et avec qui elle travaillait «sur les problèmes de dépendance», selon ses dires. Sur la bibliothèque, des photos encadrées d'Angela, très *glamour* avec ses cheveux blonds, son sourire éblouissant, et cet air de star qui s'apprête à recevoir un oscar. Également quelques photos dédicacées par des célébrités qui affirmaient que leur vie avait changé grâce à elle. Enfin, à la place d'honneur, sur une table basse en bois d'érable, une immense photographie d'Angela et Daniel enlacés, la tête brune de Daniel contre la tête blonde d'Angela, tous deux riant face à l'objectif. Cette photo avait l'air récente, elle semblait remonter à un ou deux ans — preuve, s'il en fallait, que Daniel n'aurait pas dû s'embarquer dans un second mariage alors que, divorcé ou pas, il était encore embringué dans le premier. Autre preuve : il avait toujours la clé du domicile d'Angela, et conservait des vêtements chez elle.

L'euphorie suscitée par la scène du restaurant s'estompait rapidement. Daniel continuait à arpenter l'étage et à discuter au téléphone. Il avait une voix sonore, bien timbrée, le genre de voix qui était agréable à écouter, même lorsqu'on ne comprenait pas ce qu'il disait, même s'il faisait les cent pas et qu'il était en colère.

Maintenant, toutefois, je ne la trouvais plus si agréable : ses inflexions sentaient l'artifice de l'homme habitué à tromper les autres. Je me suis demandé si Carla était venue souvent ici avec lui, ou s'il la laissait dans le Devon avec les enfants pendant ses éventuels tête-à-tête avec Angela. Pour la première fois, j'ai compris la solitude qu'avait dû éprouver Carla dans sa relation avec Daniel, la façon dont ce dernier pouvait concentrer toute son attention sur quelqu'un pendant un moment et, le moment d'après, être complètement absorbé par autre chose — ou quelqu'un d'autre. C'était déroutant même pour moi, une parfaite inconnue qui ne le reverrait sans doute jamais ; pour sa seconde femme, incertaine de son pouvoir sur lui, cela avait dû être insupportable. Eh bien, j'avais appris quelque chose, au moins. Pendant quelques instants, j'avais totalement oublié Carla, et en même temps je me sentais plus proche d'elle que jamais auparavant, au point d'en éprouver un malaise. Il était temps que je parte.

Je suis retournée dans la cuisine, j'ai arrosé un chlorophytum assoiffé, puis j'ai rincé ma tasse et enfilé mon manteau. Là-haut, Daniel disait à son interlocuteur : «Tu crois que c'est ça qu'ils manigancent? Les salopards! Réglons ce problème et finissons-en avec eux une bonne fois pour toutes.»

Du bas des marches, j'ai crié : «Daniel, je m'en vais. Ne vous dérangez pas, je connais le chemin.

— Quoi? Une seconde, ne quitte pas...

— Il faut que je parte, il y a du café prêt dans la cuisine. Au revoir.»

Je suis sortie, et la porte a claqué derrière moi. Le vent de novembre était froid. J'ai remonté le col de mon manteau et je me suis éloignée rapidement, de mon pas de promeneuse solitaire.

Fini le jeu, terminée la fiction. Retour à ma réalité, qui consistait à déambuler seule dans les rues de Londres avec mon secret et ma culpabilité, à rentrer dans mon appartement vide, à reprendre mon existence vide. Exclue de la société, je ne pourrais plus jamais devenir intime avec personne, puisque le fait le plus important me concernant devait demeurer caché. J'ai repensé à la boutade de Daniel : «Vous n'êtes pas une espionne, Helen?» Comment se débrouillaient-ils, ces agents dont les épouses ne devinaient jamais qu'ils menaient une double vie? Au moins, ils croyaient en ce qu'ils faisaient et trouvaient parfois un réconfort auprès de camarades qui connaissaient leur vérité intérieure — un luxe qui m'était refusé.

Une voix masculine a crié dans mon dos : «Seigneur, Helen, vous vous entraînez pour un marathon ou quoi? Désolé d'être resté si longtemps au téléphone.

— Oh, Daniel!

— Ça va?

— J'ai dû attraper une poussière dans l'œil. Avez-vous découvert ce que trament les deux autres?

— Harry pense que Schmidt a conclu un accord avec une fabrique de disques tchèque qui va inonder le marché de copies. Nous toucherons des royalties uniquement sur les quelques exemplaires produits légalement par l'usine allemande. N'en parlons plus, ces escrocs ont eu plus que leur compte, aujourd'hui... Taxi!»

Une voiture peinte en motifs façon peau de léopard a effectué un demi-tour et s'est arrêtée à notre hauteur. Daniel a ouvert la portière.

«Pas de problème, ai-je dit, je peux prendre le métro pour rentrer chez moi.

— Mais je vous ai promis un déjeuner au restaurant.

— Franchement, je suis incapable d'avaler quoi que ce soit.

— Mais... Bon, je sais : on va au Victoria & Albert Museum. Je veux vous montrer quelque chose.

— Quoi?

— Attendez, vous verrez.» Il souriait en montant dans le taxi à ma suite. Je me suis pelotonnée dans un coin. Pourquoi donc étais-je incapable de me tenir à une décision, en présence de Daniel?

«Vous ne deviez pas retourner à Pipers?

— Changement de programme. Je passe la nuit dans le Somerset et je ramène les enfants à la maison demain matin. Vous ne m'avez toujours pas expliqué par quel hasard vous parlez couramment tchèque.

— Vous ne m'avez pas posé la question.

— Eh bien?

— Sans doute parce que j'ai ça dans le sang. »

Son regard s'est éclairé et il m'a adressé un sourire ravi. « Comme de jouer du basson ?

— Exactement », ai-je répondu après une légère hésitation.

Il a éclaté de rire et, au moment où le taxi s'arrêtait devant le musée, quelque chose d'inhabituel s'est produit : mes lèvres ont esquissé un semblant de sourire.

Nous avions déjà passé plus d'une demi-heure dans la salle des instruments de musique anciens quand Daniel a déclaré : « Juste une dernière chose, et ensuite je vous promets que c'est terminé. » Nous avons gravi un large escalier qui conduisait à une galerie tout en longueur où étaient exposées des grilles en fer forgé très travaillées, des treillis aux motifs complexes, des portes richement décorées, des coffres anciens avec serrures et charnières en fonte, des balustrades de balcon d'une grâce et d'un raffinement extraordinaires.

« Je n'étais jamais venue dans cette partie du musée.

— Peu de gens la connaissent, apparemment. » La galerie était déserte, tranquille, peu éclairée. « J'y viens de temps en temps pour me ressourcer. Ici, et dans la salle des instruments de musique. Ça me remet en mémoire ce qu'est le véritable artisanat, lorsque j'éprouve le sentiment d'avoir vendu mon âme au diable.

— C'est ce que vous ressentez ?

— Bien sûr. Impossible qu'il en soit autrement quand on gagne sa vie en composant des jingles pour des pubs de lessive ou des bandes sonores pour des vidéos promotionnelles. Au début, on pense pouvoir séparer les deux, le boulot alimentaire et le travail de création, mais ça ne se passe jamais ainsi, le gagne-pain prend toujours le dessus. Et puis, un jour, on se rend compte qu'on a perdu son âme, comme les autres. Vous aurez peut-être du mal à me croire, mais à une époque on me considérait comme un jeune compositeur à suivre. Aujourd'hui, j'ai presque quarante ans et il y a longtemps que plus personne ne me suit. » Daniel s'est arrêté devant un banc aux lignes pures et fluides. « Asseyons-nous sur ce banc. Il est non seulement beau, mais confortable. »

Je me suis installée à côté de lui. « C'est d'un calme, ici.

— Je pensais que ça vous plairait. » Il s'est tu quelques instants, puis a dit d'un ton prudent : « Leonie m'a raconté que vous l'aviez questionnée au sujet de Carla.

— En effet, ai-je répondu, aussitôt sur mes gardes. J'ai beau avoir passé du temps avec elle sur l'île, j'ai l'impression de ne rien connaître de sa personnalité.

— Est-ce si important ?

— Je l'ignore. Après sa mort, je pensais que ça comptait ; maintenant, je n'en suis plus si sûre.

— Est-ce la raison qui vous a amenée à Pipers ? a interrogé Daniel en me regardant bizarrement.

— Sans doute. En partie, du moins.

— Quel autre motif aviez-vous ?

— Je... » Mon cœur battait la chamade. Je savais depuis le début que Daniel me poserait cette question tôt ou tard, j'aurais dû y être préparée. « La curiosité, je suppose. » J'ai fixé mon attention sur une porte en fer forgé très ouvragée suspendue au mur en face de moi, ce qui ne m'empêchait pas d'être éminemment consciente du regard scrutateur de Daniel.

À la fin, il a dit : « Vous avez quelque chose de changé, mais quoi, je n'arrive pas à mettre le doigt dessus.

— J'ai les cheveux plus courts.

341

— Non, ce n'est pas ça.

— Alors, je crains de ne pouvoir vous aider. »

Il est resté songeur un moment, sans cesser de m'observer, comme s'il cherchait à lire sur mon profil les réponses à ses questions. Puis il a changé de position et a adopté un ton enjoué. « Mais vous ne cessez de m'aider. Je ne sais pas comment je me serais débrouillé si vous n'aviez pas débarqué à Pipers pour les petites vacances. » Finies les questions, retour au charme. « Et vous venez encore de m'aider : je n'oublierai jamais l'expression de ce type quand vous vous êtes mise à lui parler en tchèque. C'était fantastique.

— Je me suis bien amusée.

— Tant mieux. Parfait. Et vous vous êtes bien débrouillée avec les enfants, aussi.

— Tout s'est bien passé, oui.

— À la vérité, je me demandais si vous aimeriez revenir à Pipers quelque temps... un jour ou l'autre. Rowan m'a dit que vous aviez réalisé quelques croquis de l'estuaire. En hiver, c'est un endroit fabuleux pour un artiste, ça devrait vous plaire.

— Euh...

— En fait, je pensais que peut-être vous pourriez descendre au nouvel an. Les enfants passeront Noël avec Angie et leurs grands-parents, après quoi ils reviendront à Pipers. Le problème, c'est que je joue de temps à autre avec un groupe de musiciens — on se connaît depuis l'université —, et j'ai promis de participer avec eux à un concert, le soir de la Saint-Sylvestre. »

Je me suis tournée vers Daniel. « Vous avez besoin d'une baby-sitter le soir du 31 décembre ?

— Le concert a lieu en Écosse, à Aberdeen. Je serai parti trois jours.

— Il vous faut une baby-sitter pour trois jours au

moment du nouvel an ? » J'étais stupéfiée par l'audace de sa requête.

« Oui. Je sais que c'est beaucoup demander, mais...

— D'accord.

— Quoi ?

— D'accord, je viendrai.

— Vous voulez dire... » L'incrédulité qui se lisait sur son visage indiquait qu'il avait tenté sa chance probablement en désespoir de cause, mais sans imaginer que j'accepterais. Nul doute que son trio infernal avait fini par user la patience de toutes ses amies et relations.

Il n'en revenait pas de sa chance et j'ai senti la nécessité de lui expliquer pourquoi j'étais si empressée à m'occuper des enfants des autres pendant la période des fêtes. Je lui ai dit que je détestais passer le nouvel an à Londres et que la perspective d'une escapade à la campagne me séduisait. Il m'a répondu que, dans ce cas, il faudrait que j'en profite pour prendre des vacances et rester plus longtemps que les trois jours où il serait absent. Je lui ai promis d'y réfléchir, mais en mon for intérieur j'étais décidée à ne rester que le strict minimum.

Quand nous nous sommes séparés, Daniel devait penser que le père Noël était passé en avance cette année. Il ne se doutait pas que j'étais au moins aussi soulagée que lui, en partie parce que mon intuition du début, très cynique, était juste : son désir de me revoir n'avait pas d'autre motif que le besoin de garder le contact avec une baby-sitter potentielle. Il ne me soupçonnait de rien, il n'était pas attiré par moi. Inutile qu'il sache à quel point j'étais heureuse d'être invitée à me replonger dans l'univers de Carla, ne serait-ce qu'une seule fois.

J'ai mis plus d'une heure pour rentrer chez moi à pied du Victoria & Albert Museum, ce qui ne m'a guère dérangée. J'étais extrêmement satisfaite de ma journée. Même si je n'avais pas eu vraiment l'occasion d'interroger Daniel à propos de Carla, j'avais glané beaucoup plus d'informations durant ces quelques heures en sa compagnie que je n'en aurais jamais récolté au cours d'une conversation en bonne et due forme. Je savais que je n'avais pas le droit de le juger, mais à présent au moins je comprenais pourquoi Carla était tombée amoureuse de lui, et pourquoi il l'avait rendue malheureuse.

Pauvre Carla! Je ne cessais de me répéter cela. Pauvre Carla. Elle n'avait jamais eu de chance. Elle avait grandi coincée entre sa sœur aînée Leonie, belle, brillante, qui connaissait le succès, et son jeune frère Michael, dénué de toutes ces qualités mais sûr d'en être pourvu, ce qui revenait au même. Puis, comme si ça ne suffisait pas, elle avait passé sa vie de femme mariée entre Daniel et Angela, tous deux si égocentriques qu'ils ne s'étaient sans doute même pas rendu compte du mal qu'ils faisaient. Pas étonnant qu'elle ait été malheureuse. Elle m'avait avoué que les siens la traitaient comme une bonne à tout faire : je n'avais aucune peine à le croire ; qu'elle avait l'impression d'étouffer : rien de surprenant, n'importe qui aurait éprouvé la même chose à sa place ; que personne ne prêtait attention à elle : aucune complaisance, aucun apitoiement sur elle-même, juste la vérité claire et crue.

Pauvre Carla. Quand elle était partie seule en Grèce, elle avait dû penser qu'elle pourrait enfin, ne serait-ce que pendant une ou deux semaines, exister pour elle-même. Je la revoyais marcher sur le port, heureuse, pleine d'assurance, avec sa robe jaune et ses sandales dorées à hauts talons, engager la conversation avec Glen et KD. «Glen est pour moi», avait-elle décidé. Pour une fois dans sa vie, elle était résolue à mener le jeu, à occuper le devant de la scène. Et que s'était-il produit? Glen avait clairement fait comprendre que c'était moi qu'il préférait. À l'époque, la rage de Carla m'avait paru hors de proportion, maintenant elle s'expliquait parfaitement.

Pauvre Carla, elle avait dû avoir l'impression de ne pas pouvoir échapper à son destin.

Troisième partie

L'estuaire

18

Il n'y a pas eu de neige à Noël, cette année-là, mais de la pluie et du vent. À la fin du mois de décembre, des tempêtes et des inondations ont frappé le bas de l'Angleterre. Le trajet en voiture de Londres au sud du Devon, l'avant-dernier jour de l'année, a été deux fois plus long qu'en temps normal, et quand je suis arrivée, le ciel et l'estuaire étaient noyés sous une pluie grisâtre.

Daniel m'avait réitéré son invitation à venir à Pipers pour un «vrai séjour», et pas seulement pour m'occuper des enfants, mais notre déjeuner «tchèque» et notre visite au musée m'avaient déstabilisée à plus d'un titre, et il me semblait préférable d'éviter une nouvelle rencontre. Si j'avais souhaité revoir Daniel, c'était uniquement à cause de Carla. À mon arrivée à Pipers, j'ai donc été soulagée d'apprendre qu'il était déjà parti pour l'Écosse et que Janet avait été enrôlée pour assurer la permanence durant quelques heures.

La pluie a continué de tomber pendant deux jours. Habituée à me dépenser, j'ai trouvé pénible de rester cloîtrée dans la maison avec trois enfants; nous sommes donc allés au cinéma, à la piscine, et je les ai conduits un peu partout en voiture avec leurs copains. Durant mes rares moments de solitude, je cherchais des traces de Carla dans la maison, malgré le peu d'indices qui restaient d'elle. Puis, le 2 janvier vers midi, alors que l'activité reprenait dans le pays, le vent s'est calmé, la pluie a cessé et le soleil a fait son apparition.

À Pipers, on se serait cru au printemps. Des moutons bêlaient sur la colline derrière la maison et quantité d'oiseaux se posaient, tels des flocons de neige, sur l'eau où se reflétait le bleu du ciel. Après plusieurs jours de réclusion, les enfants se sont précipités au jardin et ont couru jusqu'au rivage. Leurs chamailleries incessantes ont connu une trêve momentanée. Rowan mourait d'impatience d'essayer la batte de cricket qu'il avait reçue en cadeau à Noël. À ma grande surprise, non seulement Violet, mais aussi Lily ont daigné participer au jeu, qui s'est déroulé dans un pré non loin de l'estuaire. Même Tigre, le chien arthritique, unique spectateur de notre démonstration sportive, est sorti à l'air pur en chancelant sur ses pattes. Lily et Rowan se relayaient à la batte, tandis que Violet, zélée mais peu efficace, renvoyait la balle ; quant à moi, j'étais affectée au service.

Quel soulagement d'être à nouveau dehors, de me concentrer sur un objectif unique, clair : marcher le long du terrain, me tourner vers l'enfant qui attendait — soit Rowan, qui, le front plissé par la concentration, tapait l'extrémité de sa batte sur le sol, soit Lily, à qui il fallait rappeler de ne pas agiter en l'air sa batte à la manière d'une raquette —, puis tenir fermement la balle et me mettre à courir. Ramener le bras en arrière, décrire un grand cercle et lancer la balle, pas trop fort mais pas trop doucement non plus, pour ne pas faire insulte aux jeunes joueurs. Servir avec la plus grande précision possible pour assurer un contact optimal de la balle avec la surface lisse de la batte.

Nous jouions depuis plus d'une heure, et j'aurais volontiers continué jusqu'à la tombée de la nuit cette activité qui, pour moi, s'inscrivait hors des contraintes du calendrier, hors des limites du temps.

C'était ma dernière journée à Pipers. Daniel devait rentrer dans la soirée, et je comptais partir dès son retour et rouler de nuit jusqu'à Londres. J'avais clairement précisé ce point quand nous avions discuté des détails, et j'avais même inventé de toutes pièces un entretien d'embauche le lendemain matin pour renforcer ma décision. Daniel n'avait d'ailleurs pas protesté : pourquoi aurait-il usé de son charme alors qu'il avait déjà obtenu mon accord pour ces trois jours ? D'autre part, d'après une ou deux remarques de Lily, Carla n'allait pas tarder à être remplacée.

Je ne pensais à rien de tout cela en jouant avec les enfants dans la prairie détrempée, car j'étais concentrée sur le jeu.

Depuis le fameux déjeuner avec Daniel, ce séjour à Pipers m'avait donné un objectif dans la vie ; une fois ces quelques jours passés, l'avenir s'annonçait vide. Ce soir, je quitterais pour toujours cette maison au bord de l'eau. Dans un mois, deux au maximum, les trois enfants auraient oublié mon nom, ils finiraient bientôt par oublier jusqu'à mon existence. Carla n'avait laissé presque aucune trace dans leur vie, je n'en laisserais aucune. C'était ainsi.

Je vivais mes derniers et précieux instants au sein de l'univers de Carla. Pour moi, l'avenir n'existait pas, le présent seul comptait : de grandes étendues de ciel et d'eau, les cris des enfants, le bêlement des moutons, la balle de cricket, ronde, dure, précise, qui fendait l'air et...

Tchac !

« Bien envoyé, Lily !

— À moi, maintenant ! »

L'activité était devenue pour moi une forme de méditation. Je me déplaçais en état d'apesanteur, légère et aérienne comme la brise. J'avais enfin réalisé mon ambition : devenir une non-personne. Je n'étais plus Helen North, accablée par le poids du chagrin et de la culpabilité, ni Carla, mais juste une ombre furtive qui comblait momentanément le vide laissé par sa mort.

Après cela, plus rien.

« Attrape-la ! Attrape-la !

— Maladroite ! »

Violet s'est avancée vers la balle, les mains tendues, mais au dernier moment elle a effectué un mouvement de côté et a écarté les doigts. La balle, lancée avec force par Rowan, est passée près d'elle et a roulé jusqu'au rivage. Violet a couru pour la ramasser. La première fois qu'elle avait rattrapé la balle, elle avait reçu un tel choc contre ses paumes de mains qu'elle l'avait relâchée aussitôt, comme s'il s'agissait de charbons ardents. Depuis, malgré une tactique d'approche remarquable, la prudence finissait par l'emporter et, à la dernière seconde, elle ratait la balle.

« Oh, Vi, t'es vraiment nulle ! » a grommelé Rowan.

La fillette a ramassé la balle et est revenue vers nous en courant.

« Eh bien, vas-y, envoie-la, qu'est-ce que t'attends ? » a crié Lily d'un air moqueur.

Mais Violet connaissait ses limites ; elle a attendu de se trouver à environ quatre mètres de moi pour jeter doucement la balle en l'air, et j'ai dû me précipiter en avant pour l'attraper. Rowan a émis un grognement.

« Bien envoyé », ai-je commenté.

Heureuse de ce compliment, Violet a posé ses mains au sol et agité ses jambes en l'air — une manière à elle de faire le poirier. Lily a effectué une

roue parfaite, tandis que Rowan tapait impatiem-
ment sa batte sur l'herbe.

« Prêt ! » a-t-il crié.

J'ai reculé pour prendre position. Entre-temps,
Violet s'était juchée sur une butte, à quelque distance
du terrain de jeu.

« Qu'est-ce que tu fais là ? lui ai-je demandé. Ce
sera beaucoup plus difficile d'attraper la balle.

— Je vois mieux la route, a-t-elle répondu. Je
guette papa.

— Il n'arrivera pas avant une éternité, a dit
Rowan.

— Tu seras déjà en train de dormir, a renchéri Lily.

— Peut-être qu'il arrivera plus tôt, a insisté Violet.
On ne sait jamais... J'entends un bruit de moteur, a-
t-elle ajouté en regardant la route, pleine d'espoir.
C'est peut-être lui.

— C'est un tracteur, a riposté son frère. Bon, alors
on joue ou quoi ?

— Prête, Lily ? »

Lily a pris position derrière lui. « Prête ! »

J'ai commencé à courir, le bras balancé en arrière,
toute mon attention concentrée sur la surface de la
batte, sans regarder ni Rowan ni Lily. J'ai envoyé la
balle ; sans la quitter des yeux, Rowan a levé légèrement le bras et, à l'instant précis où la surface de la
batte allait toucher la balle, j'ai entendu Violet pousser un cri perçant :

« Voilà papa ! Le voilà, le voilà ! Je savais bien que
c'était lui, je le savais ! »

La balle a heurté la batte avec un bruit net. Bien
joué. Rowan a hurlé de joie, mais je n'ai pas eu l'occasion d'admirer la façon dont il lançait la balle : je
m'étais retournée pour regarder la route et, à cet instant, j'ai entendu un autre cri perçant — une voix

353

aiguë, affolée, si proche qu'elle semblait provenir de l'intérieur de ma tête.

«Helen! Attention!»

J'ai ressenti une douleur violente à l'arrière du crâne. J'ai vu un break maculé de boue apparaître au détour de la route, et l'expression horrifiée de Daniel qui me regardait à travers la vitre. J'ai vu l'estuaire, la maison, le ciel dans une espèce de tourbillon au moment où je me suis retournée pour savoir qui avait jeté ce cri d'alarme.

«Helen! Attention!»

D'où venait cette voix? D'où? Mon visage a heurté l'herbe humide, et j'ai fait un dernier effort pour voir à qui appartenait cette voix qui me mettait en garde — elle arrivait d'ailleurs, d'un autre lieu, d'une autre époque, comme surgie d'entre les morts.

«Helen! Attention!»

La voix de Carla.

«Carla?»

Puis un hurlement. Le sien, le mien. Le hurlement d'un enfant terrifié.

Un voile noir a obscurci mes yeux.

J'ai entendu d'autres voix, qui criaient, qui exprimaient la colère et la peur.

Des voix.

Après quoi, l'obscurité a tout englouti.

«Lily, va chercher un oreiller et une couverture dans l'armoire. Vi, je sais que tu veux te rendre utile mais... C'est bon, Rowan, ce n'était pas ta faute, j'ai vu ce qui s'est passé. Elle va revenir à elle. On appellera quand même le médecin, au cas où...»

Daniel. Qu'est-ce qu'il faisait là? L'obscurité déferlait sur moi telles les vagues de la mer. J'étais sur une route déserte; j'entendais des cris, un hurlement, une voix d'homme, et Daniel qui parlait d'oreiller et de couverture...

Si je réussissais à ouvrir les yeux, je comprendrais peut-être la situation, mais la douleur atroce à l'arrière de mon crâne m'en empêchait. J'ai essayé d'articuler. Il fallait que je sache.

« Carla... ?

— Doucement, Helen, tout ira bien. »

Daniel, encore une fois. Pourquoi Daniel ?

J'avais conscience d'un mouvement — un balancement qui me rappelait mon enfance, un tissu qui me grattait la joue, des bras qui me tenaient. Quelqu'un me portait, comme un enfant sans défense... Le danger était proche, si proche que je le sentais physiquement. J'ai voulu soulever la tête : impossible.

« Où est Carla ? Où... ?

— Tout va bien, Helen. »

L'effort était trop exténuant, j'ai replongé dans l'obscurité. Il n'y avait pas d'avenir, c'était la fin. Pourtant...

« Elle reprend connaissance ?

— Restez en arrière, ne vous pressez pas contre elle.

— C'est toi qui te presses contre elle, et tu prends plus de place que nous. » J'ai reconnu le ton accusateur de Lily. « Si quelqu'un se presse contre elle, c'est toi, et...

— Tais-toi, Lily. »

Quand j'ai ouvert les yeux, le visage de Daniel était à quelques centimètres à peine du mien. J'ai eu l'impression de le voir pour la première fois.

« Helen ?

— Qu'est-il arrivé ?

— La balle de cricket.

— Oh. »

J'étais allongée sur le canapé du salon, un oreiller sous la tête. Daniel, assis à côté de moi, me couvrait avec un plaid. Lily et Violet, penchées sur le dossier du canapé, m'observaient d'un air fasciné. Avec toutes ces personnes si près de moi, j'avais l'impression d'étouffer.

« Tu crois qu'elle délire ? a demandé Lily à son père.

— Je ne pense pas.

— Elle a parlé de Carla ; à mon avis, elle délire. »

Violet a allongé le bras pour tapoter ma couverture. « Est-ce que t'as vu trente-six chandelles ? a-t-elle murmuré.

— Je ne me rappelle pas.

— Ne l'embête pas, Vi.

— Elle ne se souvient pas, a souligné Lily. C'est sûrement l'amnésie. Je parie qu'elle ne sait même plus son nom, on sera obligés de...

— Lily, tais-toi, lui a enjoint Daniel sans me quitter des yeux. Comment vous sentez-vous, Helen ? Je vais les envoyer jouer dehors, que vous ayez un peu de tranquillité.

— Ça va, je vous assure. Je... » J'ai essayé de soulever la tête, mais la douleur était trop intense.

« Ne bougez surtout pas. Vous avez très mal ?

— À vrai dire...

— Je vais vous préparer une poche de glace. Lily et Vi, venez m'aider. » Daniel s'est penché sur moi et m'a effleuré le front du bout des doigts. Je me sentais aussi vulnérable qu'un cadavre sur une table d'autopsie. Exactement comme Carla. Tous mes muscles se sont tendus. Je n'avais pas prévu de rester ici après le retour de Daniel, il fallait que je reparte le soir même, dès que les élancements dans mon crâne se seraient calmés.

« Franchement, ne vous donnez pas tant de mal, ai-je dit en détournant la tête.

— Vous allez vous remettre, a répondu Daniel, mais j'ai quand même envie d'appeler un médecin.

— Si on téléphonait à Paul ? a suggéré Lily. Il dit que les vétérinaires peuvent aussi soigner les gens.

— À mon avis, Helen mérite un vrai médecin, tu ne penses pas ? Venez avec moi, vous deux ! »

Mais les deux sœurs n'ont pas bougé.

— Où est Rowan ? ai-je questionné.

— Il boude, m'a informée Lily. Il croit que tu es fâchée contre lui.

— Fâchée ? Pourquoi ?

— Tu vois, j'en étais sûre ! Une commotion provoque souvent l'amnésie, a expliqué Lily à Violet, puis, s'adressant à moi : Tu te souviens de quelque chose ? »

J'ai refermé les yeux. Oui, je me souvenais de toute une série d'événements insensés, cauchemardesques, d'une atmosphère de terreur et de cris. Il y avait Carla, et aussi Daniel, mais, de toutes les images qui se mêlaient confusément dans mon esprit, aucune n'expliquait pourquoi je me retrouvais allongée sur un canapé, dans une maison inconnue, avec deux gamines qui me faisaient subir un interrogatoire serré. Quand j'ai rouvert les yeux, elles étaient quatre à m'observer, penchées sur le dossier du canapé : deux Lily et deux Violet.

« Quoi ? ai-je dit.

— Tu te rappelles la partie de cricket ? m'ont demandé les deux Lily.

— De cricket ?

— Et maintenant, tu les vois, les trente-six chandelles ? » Les deux Violet parlaient en même temps.

« Je n'en vois qu'une, les autres ont disparu.

— Qu'est-ce que je te disais ! » Le visage de Lily

357

s'estompait dans la brume. «Elle est amnésique. Comment tu t'appelles?

— Helen.

— Helen comment?

— Helen Markovic North.

— Markovic, quel drôle de nom.

— C'est le nom de ma mère.» Le visage de Lily émergeait du brouillard. Elle était pâle et grave.

«Lily! a crié Daniel de très loin. Arrête d'enquiquiner Helen et viens m'aider.»

Lily n'a pas obéi. Son visage s'estompait à nouveau, mais sa voix restait distincte.

«Où est-ce que tu habites, Helen?»

Je lui ai indiqué une adresse et elle a froncé les sourcils. «Tu travailles où?

— Hampden Unit. J'y travaille depuis des années.

— Tu sais où tu es en ce moment?

— Bien sûr, je suis...» Mes mots ont été engloutis dans le silence. Je sais que je suis étendue sur un divan et qu'il y a des enfants dans la pièce. Deux enfants, peut-être trois. Dans une autre pièce, un homme prépare une poche de glace et... Mais non, je me trompe. Je perçois une odeur d'aiguilles de pin et de plantes aromatiques. Tout près, il y a des oliviers; au loin, j'entends le murmure de la mer. Je sens des cailloux sous mes bras nus, un roc dur contre mes jambes. Et tout autour rôde le danger. J'ai du mal à respirer. Danger. Au secours! Il faut faire quelque chose. Elle... je dois l'aider. Avant qu'il soit trop tard. Carla...

«Papa, viens vite!

— Papa!»

«Je vous en prie, ne vous inquiétez pas pour moi. J'ai juste reçu un coup sur la tête, demain ça ira mieux.»

Des visages m'entouraient et me scrutaient. J'étais toujours sur le canapé, la tête et les épaules calées par une demi-douzaine d'oreillers, une couette d'enfant posée au-dessus de la couverture qui m'enveloppait. Une bûche brûlait dans la cheminée, et j'apercevais par la baie vitrée les reflets mordorés du couchant sur les eaux de l'estuaire.

La panique m'a envahie quand je me suis vue au centre de l'attention de tant de gens. Pourquoi me dévisageaient-ils de cette façon ? Avais-je révélé quelque chose pendant que j'étais inconsciente ? « Je me sens bien, je vous assure. » Seulement, quand j'ai tenté de me redresser, des tenailles de fer m'ont enserré la nuque. Je suis retombée sur les oreillers, le souffle coupé par la douleur.

« J'appelle le cabinet médical, a déclaré Daniel.

— Inutile », a répondu Paul. Paul ? À quel moment était-il arrivé ? « Ils vont te dire de l'emmener aux urgences. Elle est beaucoup mieux ici. Au moindre signe alarmant, je la conduis immédiatement à l'hôpital.

— Comment peux-tu être aussi affirmatif ?

— Je connais les symptômes. Je te jure qu'elle ne court aucun danger. Je procéderai à des tests et des analyses pour être sûr.

— Quelle chance que vous soyez passé », a commenté Janet. Elle aussi était là ?

« Je voulais prendre des nouvelles de Tigre. »

J'ai rouvert les yeux. Violet, assise sur les genoux de Janet, les bras autour de son cou, m'examinait avec son expression des jours de catastrophe, c'est-à-dire les yeux écarquillés. Quant à Lily, la curiosité ne l'avait pas quittée.

« Tu te rappelles qui tu es, à présent ?

— Je crois, ai-je répondu en esquissant un sourire.

— Lily, cesse de l'embêter. »

359

— Mais elle ne se souvenait même pas de sa vraie adresse. Et puis, elle a dit qu'elle travaillait à Hampden quelque chose, alors qu'elle travaille en intérim. » La voix perçante de Lily, son insistance alimentaient ma panique. Hampden Unit ? Qu'avais-je révélé d'autre ? Carla, j'avais rêvé de Carla. Avais-je revécu la scène de sa mort, une fois de plus ? Avais-je murmuré ou crié son nom, et savaient-ils à présent ce que j'avais fait ? Était-ce pour cette raison qu'ils m'entouraient à la manière d'un tribunal ? « C'est important de savoir si elle est amnésique, a continué Lily avec gravité, parce que si c'est ça, il faudra qu'elle marche de long en large jusqu'à ce que ça passe.

— Je risque l'overdose, ai-je répliqué.

— C'est quoi une overdose ? a questionné Violet.

— Ne t'inquiète pas de ça, ma chérie, a dit Janet en la serrant contre elle.

— Helen a eu une overdose de balles de cricket, a ironisé Lily.

— Je vais vous emmener dans votre chambre, Helen, a décrété Daniel en se levant. Vous n'aurez pas une minute de tranquillité ici.

— Non, je vous en prie. » Il veut m'éloigner pour pouvoir parler de moi avec les autres, ai-je pensé. Si Lily commence à répéter à tout le monde ce que j'ai raconté dans mon délire, il faut que je l'entende. « J'aime la compagnie, et j'ai juste la migraine, je n'ai besoin de rien d'autre qu'une aspirine et de quoi boire.

— Je vais te chercher ça », a déclaré Lily.

Paul s'est levé à son tour. « Attends, Lily, j'ai apporté de la codéine... Vous seriez vraiment mieux là-haut, Helen.

— Je préfère rester ici.

— Je vous apporte un verre d'eau », a dit Daniel.

Janet a fait descendre Violet de ses genoux. «Voulez-vous du thé? m'a-t-elle proposé.

— Du thé?» Quelque chose me tracassait, mais je ne réussissais pas à mettre le doigt dessus. Je me suis rappelé le couple de touristes âgés qui avaient expliqué à Manoli que le thé réconfortait les Anglais dans les moments de crise; pourtant, il s'agissait d'autre chose. L'enterrement de Carla. Carla. Un vague souvenir effleurait ma conscience. Carla. Un souvenir en rapport avec Carla. Mais chaque fois que je m'en approchais, la douleur à l'arrière de mon crâne faisait éclater mes pensées en mille fragments lumineux.

J'ai refermé les yeux. «Je boirais volontiers du thé.»

Janet a chassé les enfants du salon. Leurs voix ont résonné dans le vestibule. J'avais des élancements dans la tête, un goût amer dans la bouche.

Tandis que le silence s'installait, j'ai pris conscience d'un mouvement à hauteur de mon visage. J'ai ouvert les yeux juste à l'instant où Paul posait la main sur mon front, comme pour protéger mes yeux de la lumière. J'ai remué légèrement, pour mieux voir. Il était assis au bord du canapé et m'observait d'un air plein de sollicitude.

«Pauvre Helen, a-t-il murmuré gentiment, vous avez reçu un choc sévère.

— Je vais m'en remettre.»

J'ai aperçu Daniel, accoudé au dossier du canapé, les sourcils froncés.

«Lily dit que vous avez déliré.

— Ah bon? s'est étonné Paul en écartant doucement de mon front une mèche de cheveux.

— Elle a exagéré, ai-je affirmé. Vous savez comment sont les enfants.

— Elle dit que vous avez mentionné Carla», a insisté Daniel.

Paul s'est tourné vers lui, l'air interrogateur. «Carla?

— C'est possible que j'aie parlé d'elle.» Ma gorge s'est nouée. «Je ne me rappelle pas.

— Vous avez dit quelque chose de particulier au sujet de Carla?» a questionné Paul, s'adressant de nouveau à moi.

J'ai fermé les yeux une fois de plus. Carla. Les souvenirs se bousculaient dans ma tête, mais toujours hors d'atteinte de ma conscience. «Nous étions sur la route, ai-je murmuré. Sur la route quand elle est morte.» J'avais tort de parler ainsi, je le savais, mais je ne me souvenais plus pourquoi. «Nous étions ensemble.

— Vous étiez avec Carla? a interrogé Daniel.

— Oui.

— Quand elle est morte?

— Oui. C'est-à-dire...» Je me suis tue brusquement. *Tout ce que tu diras sera retenu contre toi... Ne te compromets pas.*

«Mais ça n'a aucun sens!» La voix de Daniel exprimait la colère, maintenant. «Vous avez déclaré que vous étiez partie dans la direction opposée, vous étiez en train de vous baigner au moment de l'accident.

— J'étais là. Je...» Je me baignais, exact. Je plongeais dans le danger. Le soleil se couchait sur la mer et traçait une large allée rouge dans l'eau; c'était là que Carla avait disparu, je nageais dans le sang. La peur avait un goût âcre à mon palais.

«Je ne me rappelle pas.

— Pour l'amour du ciel, Helen, qu'est-ce que vous racontez?

— Arrête, Daniel, a proposé aussitôt Paul. Laisse-la tranquille. Tu ne vois pas dans quel état elle est? Ce n'est vraiment pas opportun de lui poser des questions.

— Mais...

— Laisse tomber, d'accord ? » Daniel a poussé un soupir exaspéré et Paul m'a rassurée : « Tout va bien, Helen, reposez-vous à présent, ne vous fatiguez pas. » Il parlait d'une voix apaisante mais je n'avais pas confiance en lui. Je n'avais confiance en personne. J'ai détourné la tête.

« Voici le thé, a annoncé Janet de ce ton enjoué qu'on réserve aux malades. Et des biscuits au chocolat. Rowan va tout dévorer si vous n'en mangez pas. » Suivaient Lily avec une assiette de gâteaux et Violet qui tenait un verre d'eau à deux mains.

« Prenez d'abord la codéine », a ordonné Paul.

Il a sorti un petit flacon d'une trousse de médecin en cuir. Tous ses gestes étaient calmes, posés — les gestes d'un homme qui soigne et guérit. Il a secoué le flacon et fait glisser un gros comprimé blanc dans la paume de sa main. Il m'a tendu le médicament avec précaution, comme s'il offrait de la nourriture à une bête sauvage. Je me suis forcée à le regarder dans les yeux, puis j'ai jeté un coup d'œil à Daniel ; lui aussi m'examinait avec attention, mais son expression était indéchiffrable. Existait-il une connivence entre les deux hommes ? Daniel avait-il comploté tout cela pour m'obliger à parler, de manière à découvrir la vérité et venger Carla ? Il fallait que je sache ce qui se tramait ; hélas, mon cerveau ramolli fonctionnait au ralenti.

J'ai pris le comprimé, qui m'a paru énorme. J'ai essayé de voir si c'était bien de la codéine, et non une autre substance que Paul et Daniel auraient décidé d'un commun accord de m'administrer afin de briser ma résistance. *Comporte-toi normalement.* « Merci », ai-je dit.

Daniel a pris le verre des mains de Vi et me l'a tendu. J'ai posé le comprimé sur ma langue. Tout le monde m'observait. J'ai bu une gorgée d'eau et me suis forcée à avaler, mais le cachet est resté coincé dans ma gorge ; j'ai failli m'étouffer. Dans le silence de la pièce, les autres me regardaient me débattre.

« Buvez un peu de thé, m'a conseillé Janet avec une gentillesse apparente. Vous serez peut-être mieux si vous vous redressez davantage.

— D'accord. » Je me suis relevée un peu, j'ai saisi la tasse qu'elle me tendait et l'ai fait passer dans mon autre main.

« Excusez-moi, a-t-elle dit, j'ignorais que vous étiez gauchère.

— Il n'y a pas de mal.

— Tu es gauchère ? s'est exclamée Lily. Alors, tu fais des bavures en écrivant, comme ma copine Marcia ? Elle a toujours des problèmes en classe.

— Ça m'arrive parfois.

— Ça vous arrive parfois d'être gauchère ? a questionné Paul.

— Non, je le suis tout le temps.

— Je ne savais pas », a constaté Daniel en s'approchant pour me regarder avec curiosité.

Je n'ai rien trouvé à répliquer. Cela avait-il de l'importance que je sois gauchère ? Il me semblait que oui, mais pour quelle raison, je n'en avais pas la moindre idée. Il y avait entre ces personnes qui m'entouraient une complicité dont j'étais exclue. J'ai tourné la tête et fermé les yeux ; je ne pouvais plus supporter tous ces regards qui me scrutaient, m'évaluaient, me jugeaient, ces gens qui attendaient le bon moment pour attaquer. J'avais l'impression de me trouver devant un jury : le salon était la salle d'audience ; le canapé, la barre des témoins. Impossible de tenir plus longtemps, de continuer à jouer la comédie. Tout ce dont j'étais encore capable, c'était de feindre de dormir. Peu après, bercée par les chuchotements et le bruit des bûches qui craquaient dans la cheminée, je me suis endormie pour de bon.

Des sons filtrent à l'intérieur du gouffre de sommeil dans lequel je flotte. J'ai conscience d'une douleur à l'arrière de mon crâne — une douleur à la fois présente et lointaine, comme une sorte d'excroissance de mon corps, dont je ne parviens pas à me débarrasser. De la même façon, j'entends les bruits du soir à Pipers.

Janet part, puis Paul. Le téléphone sonne et Daniel répond, mais j'ai beau tendre l'oreille, je ne comprends pas ce qu'il dit ; pourtant, je suis certaine qu'il prononce mon nom. Ensuite, ce sont des bruits d'assiettes et de casseroles, la préparation du repas, le dîner, la table qu'on débarrasse. Après cela, le son du piano et de la flûte depuis la salle de musique, des bavardages, des questions, des récriminations. Flux et reflux des voix dans la maison ; quand elles se rapprochent de l'endroit où je suis allongée, elles diminuent d'intensité ; les chuchotements sont ce que je perçois le mieux.

« Est-ce qu'elle va guérir ?

— Oui, elle dort pour le moment, ne reste pas là.

— C'était pas la faute de Ro.

— Je sais, Vi, c'était un accident.

— Carla a eu un accident.

— C'était un accident grave. Helen ne va pas mourir.

— T'es sûr, papa ?

— Tout à fait sûr. »

Quand enfin j'ai émergé du gouffre et ouvert les yeux, la pièce n'était éclairée que par une lampe tamisée et le rougeoiement du feu de cheminée. Daniel était assis près du divan, tel un chien de garde, ou un surveillant ; mais il s'était endormi, sa tête s'était affaissée contre le dossier du fauteuil, ses mains pendaient de chaque côté des accoudoirs.

J'avais besoin d'aller aux toilettes. Je me suis assise et j'ai repoussé la couette. Tous mes gestes étaient lents, d'une part parce que je ne voulais pas réveiller Daniel, d'autre part parce que j'étais incapable de mouvements plus rapides. J'avais des élancements dans la tête, mais la douleur s'était atténuée. J'ai bougé les jambes et posé les pieds par terre ; quelqu'un avait dû me retirer mes chaussures, Daniel peut-être ?

Il a ouvert brusquement les yeux.

« Où allez-vous ?

— Aux toilettes.

— Vous tiendrez debout ?

— Bien sûr. »

Seulement, quand j'ai voulu me lever, j'ai eu l'impression d'avoir des os en caoutchouc. Il m'a retenue par le bras.

« Ça va, je me sens bien.

— Je vois. » Il ne m'a toutefois pas lâchée, et j'étais trop faible pour me dégager. Nous sommes sortis à pas lents du salon, il m'a accompagnée jusqu'aux toilettes du rez-de-chaussée et il m'a attendue dans le couloir. Au moins, on me laisse un minimum de dignité, ai-je pensé en m'asseyant sur le siège des toilettes. J'avais la bouche pâteuse, le front moite de sueur ; je me suis passé le visage à l'eau, j'ai agrippé le rebord du lavabo et j'ai respiré à fond.

« Vous avez une tête épouvantable. » Tel a été le verdict de Daniel quand je suis ressortie. « Je vous ramène au lit immédiatement. »

Un étau me serrait la poitrine. Encore une nuit à Pipers. J'aurais voulu être à mille kilomètres de là, mais cette fichue faiblesse me prenait au piège. « J'ai soif.

— Je vous apporterai tout ce que vous voulez dès que vous serez allongée. »

Avant que je comprenne ce qui m'arrivait, il m'a soulevée dans ses bras sans effort et a commencé à grimper l'escalier. « Heureusement, vous êtes très menue.

— Je peux marcher, reposez-moi par terre.

— Nous sommes presque arrivés. »

Soudain, je n'ai plus eu la force de lutter. J'ai fermé les yeux, posé ma joue contre son épaule et, pour la seconde fois de la journée, je me suis laissé bercer au rythme de son pas. Un homme porte une femme dans ses bras et émerge de la Méditerranée sous le ciel étoilé. J'observe, je ris et je n'ai aucune idée du danger imminent. Peut-être était-ce une conséquence du choc, mais l'espace d'un instant j'ai vu la scène présente comme si je la regardais d'un point situé au plafond : Daniel portait une femme dans ses bras et l'emmenait à l'étage de sa maison. Seulement, cette femme avait d'épais cheveux auburn et j'ai pensé : Maintenant, enfin, je suis devenue Carla. Helen North a disparu dans le néant, comme elle le mérite, et Carla est revenue. Cette fois, ils ne se méprendront pas. Cette fois, ce sera différent.

Tout cela semblait si naturel, si évident. Daniel m'a conduite à ma chambre et s'est retiré pendant que je me déshabillais et enfilais un T-shirt trop grand en guise de chemise de nuit. Il a attendu à l'extérieur, ce mari attentionné, quand je suis allée faire ma toilette à la salle de bains, puis il a rabattu les couvertures et m'a aidée à me glisser entre les draps frais.

« Je remonte dans quelques minutes avec une petite collation », a-t-il dit.

Dès qu'il est sorti de la pièce et que j'ai entendu ses pas dans l'escalier, mon instant de folie a pris fin. J'ai été envahie de sueurs froides. Pendant un moment, j'avais réellement cru que c'était Carla que Daniel tenait dans ses bras. Je commençais à divaguer. J'avais toujours cru que le danger me guettait à l'extérieur, alors qu'il était tapi à l'intérieur de moi. La démence me guettait.

Daniel est revenu avec un verre d'eau, une boisson chaude et une tartine de pâté.

« Vous voulez autre chose ?

— Non, merci, je n'ai besoin de rien.

— Vous ne cessez de répéter ça. Si seulement je pouvais vous croire ! » Il s'est assis au bord du lit. « Vous m'avez fichu un sacré choc ce matin. Il n'y a rien de pire que de rentrer chez soi au moment précis où la baby-sitter se fait assommer par une balle de cricket. Vous êtes sûre que tout va bien ?

— Il faut que je dorme, c'est tout.

— Naturellement, je vais vous laisser tranquille. » Mais il est demeuré là, à contempler ses mains en silence. « Vous êtes une personne étrange, Helen. »

Je me suis raidie. « Étrange ?

— Vous semblez ne pas chercher à attirer l'attention sur vous, et pourtant vous n'êtes pas franchement effacée. Je n'arrive pas à comprendre.

— Il n'y a aucun mystère.

— Vraiment ?

— J'ai du mal à parler là tout de suite, Daniel. Demain matin, peut-être. » Demain matin je serai partie, ai-je pensé.

« Bien sûr. » Il s'est tu quelques instants. Même derrière mes paupières mi-closes, je savais qu'il m'étudiait avec attention. Il fallait que je sois sur mes gardes, je ne devais pas me laisser aller — ni avec lui ni avec personne, jamais. Cependant toute énergie m'avait désertée, j'étais vidée, il ne me restait que ma faiblesse et ma peur.

Silence toujours. Seul le battement de mon sang à mes tempes.

« Que se passe-t-il, Helen ? a demandé Daniel soudain. Vous cachez quelque chose, et je ne parviens pas à savoir quoi.

— Il n'y a rien.

— Alors, pourquoi pleurez-vous ?

— Je vous en prie, Daniel, j'ai mal à la tête, c'est tout. »

Il a soupiré, et le lit a craqué quand il s'est penché pour m'effleurer le front d'un baiser. Ses lèvres étaient chaudes et sèches. Un frisson m'a parcourue tout entière. J'ai serré les poings sous les draps et enfoui mon visage dans l'oreiller.

« Bonne nuit, Helen », a-t-il murmuré en se levant et en éteignant la lumière.

Je n'ai rien répondu. Peu après, je l'ai entendu sortir à pas feutrés.

19

Le lendemain matin, je me suis réveillée oppressée par un rêve dont je ne parvenais pas à me débarrasser ; ma migraine s'était pourtant réduite à de vagues élancements dans la tête.

C'était toujours le même rêve, celui qui ne cessait de me hanter, mais cette fois la torture était encore plus raffinée. Dans cette version, Carla et moi n'étions pas seules au moment de notre lutte ; quelqu'un nous observait dans l'ombre des arbres du bord de la route. J'étais sûre d'avoir déjà vu la personne — un homme —, mais son visage demeurait flou, incertain, comme voilé par un nuage de fumée. Quand j'ai levé le bras pour frapper avec la pierre le crâne sanglant de Carla, j'espérais plus ou moins que la silhouette mystérieuse se précipiterait pour m'en empêcher. Au plus profond de moi, c'était ce que je désirais ; je n'avais pas l'intention de blesser Carla, mais une espèce de folie s'était emparée de moi, et ma volonté n'avait plus aucun pouvoir sur mon bras. Juste au moment où la pierre atteignait la tempe de Carla, l'homme a surgi de l'obscurité et je l'ai distingué très clairement. « On fait le travail à ma place, Helen ? » Daniel. Pendant que je le regardais, ses traits ont changé peu à peu, son teint est devenu plus clair, son nez plus fin, sa bouche a esquissé un sourire cruel, et je me suis rendu compte que ce n'était pas Daniel, mais Paul. « Bravo, Helen, a dit ce dernier, je n'ai jamais aimé cette garce. » Cependant, lorsqu'il s'est tu, son visage s'est derechef confondu avec celui de Daniel. Je voyais maintenant les deux visages superposés. J'ai hurlé : «Pourquoi me laissez-vous faire ? Au secours !» Les deux hommes, debout au bord de la route, riaient en me regardant.

J'ai ouvert les yeux et scruté ce qui m'entourait. Je me trouvais dans la chambre d'amis, à Pipers, et il faisait déjà jour. Ç'avait été un rêve, seulement un rêve... pourtant il m'avait paru étrangement réel. J'ai entendu des voix sous ma fenêtre — il m'a semblé que c'étaient celles de Daniel et de Paul qui discutaient ; l'un des deux a prononcé mon nom, et je me suis mise à trembler de peur. Il fallait que je quitte cette maison immédiatement.

Alors que je me levais et m'habillais à grand-peine, j'ai été prise de nausées. Vas-y doucement, me suis-je dit, ensuite, tu prendras ta voiture et tu partiras d'ici pour ne jamais revenir. Mais le moindre geste me demandait un temps considérable et, une fois au bas de l'escalier, j'ai compris qu'il me serait impossible de quitter Pipers dans la matinée. Ç'aurait été de la folie...

Une nouvelle crainte s'était ajoutée aux autres : je me rappelais l'instant où dans l'escalier, la veille, j'avais imaginé que c'était Carla, et non moi, que Daniel portait dans ses bras. Il fallait être idiote pour ne pas tenir compte d'un signe pareil. La tension des derniers mois, plus ce coup sur la tête et, de surcroît, le fait de me trouver ici, dans cette maison où Carla avait vécu en compagnie de l'homme qu'elle aimait, tout cela m'avait sérieusement ébranlée : j'étais en train de craquer.

Je devais quitter les lieux avant de m'effondrer totalement. Si je profitais de la matinée pour reconstituer mes forces, j'avais de bonnes chances d'être d'attaque pour partir dans l'après-midi. Personne à la cuisine ; apparemment, Daniel et les enfants se tenaient dans la salle de musique. Sous l'œil de Tigre à moitié endormi, je me suis préparé une tasse de thé et suis allée le boire au salon, installée dans l'un des grands fauteuils près de la fenêtre.

J'étais toujours là quand, une demi-heure plus tard environ, Janet est arrivée avec le portrait de Carla qu'elle avait achevé, et elle m'a rappelé ma promesse de lui montrer mes propres dessins. Je n'ai pas eu l'énergie d'aller chercher mon carnet de croquis ; en revanche, je l'ai félicitée pour son œuvre par amitié pour elle plus que par admiration ; le portrait était bon, sans plus : on y retrouvait ce mélange d'impertinence et de vulnérabilité qui caractérisait Carla, mais pas l'énergie fébrile qui la définissait à mes yeux. Janet a disparu dans la cuisine pour se faire du café, laissant le tableau posé contre le tabouret du piano, et j'ai changé de place de manière à regarder par la fenêtre l'estuaire aux eaux grises. Malgré cela, j'ai eu la bizarre impression de me retrouver seule avec Carla pour la première fois depuis sa mort ; le retour de Janet m'a soulagée.

Au bout d'un moment, toujours hantée par les images de mon rêve, j'ai amené la conversation sur une question qui me tracassait. « Parlez-moi de Paul, Janet. A-t-il une petite amie ?

— Si oui, il est très discret à ce sujet. D'après moi, il ne s'est jamais remis de la mort de sa femme.

— J'ignorais qu'il avait été marié. À quoi ressemblait-elle ?

— Difficile à dire. Elle a quitté la région peu après mon arrivée. De l'avis de tout le monde, ils formaient un couple bizarre ; personne n'a donc été surpris. D'abord, elle était plus âgée que lui et n'a jamais fait le moindre effort pour s'intégrer ici. Ce qui n'a pas empêché le pauvre Paul d'être désespéré quand elle est retournée dans les Midlands ; on a été très inquiets pour lui durant cette période, il venait souvent me rendre visite. Et voilà que, juste au moment où il commençait à remonter la pente, sa femme est morte, et le pauvre homme a plongé une nouvelle fois.

— Était-elle malade ?

— Le cœur, apparemment. Il y a eu pas mal de racontars à l'époque. » Janet a jeté un coup d'œil du côté de la porte et a baissé la voix. « Vous imaginez ce que les gens, dans un petit pays comme Burdock, peuvent inventer à partir d'une tragédie banale. Toutes ces rumeurs ont dû rendre la situation insupportable pour lui.

— Des rumeurs ?

— Oh, le genre d'histoires qu'on lit dans la presse à scandale : pratiques sexuelles spéciales et Dieu sait quoi. » Janet a fait une grimace. « Moi, j'ai toujours refusé d'écouter ceux qui parlaient de ça, par loyauté envers Paul. C'est déjà assez dur de perdre sa femme, sans entendre dire, en plus, qu'elle était une perverse sexuelle. D'ailleurs, c'était une personne très effacée. Pas étonnant qu'elle n'ait jamais eu d'amies, à part Angela.

— Elle était amie avec Angela ?

— Je crois. » Janet a pincé les lèvres, comme chaque fois que le nom d'Angela surgissait dans la conversation.

J'ai souri. « Vous ne l'aimez pas beaucoup, n'est-ce pas ?

— Non. Je n'ai jamais vu quelqu'un de plus égoïste, de plus égocentrique, de plus sûr de soi... Oh ! » Elle s'est tue brusquement lorsque Daniel est entré dans la pièce.

« Encore en train de parler de moi ? a-t-il plaisanté.

— Comment avez-vous deviné ? » Le visage de Janet s'est éclairé aussitôt. On devinait facilement à qui était allée sa sympathie dans ce premier mariage. J'ai observé Daniel avec méfiance. Il a regardé le portrait de Carla, qu'il découvrait pour la première fois, et a félicité Janet, littéralement aux anges.

Puis il s'est tourné vers moi. «Comment vous sentez-vous, ce matin?» Je lui ai répondu que j'allais beaucoup mieux. «Parfait. Les enfants faisaient un tel boucan que je les ai installés dans la salle de musique pour qu'ils vous fichent la paix. Je pensais bien que le sommeil serait le meilleur remède.

— Merci. Je suis certaine d'être suffisamment en forme pour rentrer à Londres cet après-midi.»

Il a pris un air dubitatif. «Il vaudrait peut-être mieux attendre demain.

— Paul est passé ce matin?

— Oui, il voulait vérifier votre état, mais je lui ai dit que vous dormiez encore. Je n'ai pas de temps à perdre avec les médecins amateurs, même s'ils ont les meilleures intentions du monde.

— Pourtant, Paul est un médecin dans l'âme, a protesté Janet. Il a été formidable avec mes chiens, et quand j'ai eu un torticolis, l'hiver dernier, il m'a fait économiser une fortune en me soignant gratuitement.

— Vous êtes plus charitable que moi, a commenté Daniel avant de s'adresser de nouveau à moi : Je ne voulais pas vous ennuyer avec ça, Helen, mais je n'ai pas réussi à joindre votre agence d'intérim.»

Je l'ai regardé avec de grands yeux. «Mon agence?

— Au sujet de votre entretien d'embauche d'aujourd'hui. Sans vouloir vous embêter, je crois que ça fait mauvais effet quand on ne se montre pas.

— Mon Dieu, j'avais complètement oublié.» Avec tous les événements survenus depuis l'arrivée de Daniel, mon entretien fictif m'était sorti de la tête. Comment Daniel avait-il trouvé le nom de mon agence ? S'en était-il servi comme prétexte pour se renseigner sur moi ?

« Lily m'a dit que le nom était Hampden quelque chose mais, quand j'ai appelé les renseignements, on m'a mis en relation avec une clinique.

— Que vous ont-ils dit ? ai-je questionné en m'efforçant de cacher mon anxiété.

— Il y a eu un quiproquo. Je suis tombé sur une secrétaire qui n'était là que depuis quinze jours ; elle a cru que je lui parlais d'une conseillère qui avait travaillé chez eux. Puis j'ai réalisé que Lily avait dû mal comprendre. À partir de là, tout est devenu très confus.

— Je suis désolée que vous vous soyez donné tant de mal. » À l'idée d'avoir frôlé de si près la catastrophe, j'avais des sueurs froides. « D'où Lily a-t-elle bien pu sortir ce nom, je me le demande. Qu'importe, je vais leur téléphoner immédiatement. Que je suis sotte d'avoir oublié ! » Dans mon affolement, je parlais avec une précipitation exagérée. Quand Lily m'avait soumise à son test puéril sur l'amnésie, j'avais répondu sans réfléchir à plusieurs de ses questions ; je m'en souvenais, maintenant. Que lui avais-je révélé d'autre ?

« Tenez, voici le téléphone sans fil. »

Daniel m'a tendu l'appareil. J'ai composé un numéro familier et, tandis que la sonnerie résonnait dans mon appartement vide, j'ai appuyé l'appareil tout contre mon oreille. « Bonjour, ici Helen North. Je ne peux pas venir à l'entretien, en fin de compte. Je suis toujours dans le Devon. J'ai eu un accident hier et je crois que je souffre d'une légère commotion... Non, non, ne vous inquiétez pas, je serai rétablie d'ici à un jour ou deux... Le problème, c'est que je n'ai pas apporté leur numéro de téléphone avec moi. Cela ne vous ennuie pas de les appeler pour leur expliquer ce qui se passe? Je vous recontacte dès mon retour à Londres. Merci.»

Juste avant d'appuyer sur la touche «Off», j'ai entendu un petit déclic. Quelqu'un avait-il écouté ma conversation depuis un poste fixe?

Un instant plus tard, Lily entrait nonchalamment dans la pièce.

«J'espère que tu vas mieux ce matin, Helen.» J'ai remarqué qu'elle évitait mon regard.

«Beaucoup mieux, je te remercie, Lily.» Je l'ai examinée attentivement. Elle a hoché la tête et souri d'un air cachottier en enfonçant les mains dans les poches de son jean, puis, avec un regard méprisant au portrait de Carla, elle est allée se placer à côté de son père.

Ma décision était prise. Je me suis levée, sans prêter attention au fait que tout vacillait autour de moi, et j'ai dit d'un ton ferme : «En réalité, je me sens tellement mieux que je pense partir dès à présent. Mes affaires seront prêtes en une minute et je pourrai rentrer avant la nuit.

— Ne soyez pas ridicule, Helen, a protesté Daniel en s'interposant avant que j'atteigne la porte. Vous êtes aussi faible qu'un chaton nouveau-né.

— Non, je vous assure que je me sens bien.

— J'aimerais que vous cessiez de répéter ça, de toute évidence ce n'est pas vrai.

— C'est à moi d'en décider, ai-je répliqué en m'obligeant à lâcher le dossier du fauteuil auquel je me retenais. De toute façon, je m'en vais.» J'ai sorti mes clés de voiture de ma poche mais Daniel a réagi avec la rapidité d'un magicien et, avant que je comprenne ce qui se passait, il m'a saisi le poignet et s'est emparé de mes clés.

«Vous ne partez pas, point final.»

Il m'a jeté un regard triomphant et la panique m'a envahie. Avait-il l'intention de me garder prisonnière à Pipers ? Cela avait-il un rapport avec ce que j'avais révélé dans mon délire ? Était-il résolu à me coincer ici jusqu'à ce qu'il découvre la vérité au sujet de moi et de Carla ?

J'ai relevé le menton, je me suis forcée à regarder Daniel dans les yeux et j'ai lancé d'un air de défi : «Comment osez-vous ? Rendez-moi mes clés immédiatement !

— Non !» Il m'a dévisagée un instant et j'ai cru qu'il allait se mettre en colère, mais son expression s'est radoucie. «Regardez-vous, Helen, vous n'êtes même pas en état de manœuvrer une tondeuse à gazon.

— Je pense que je suis le meilleur juge en la matière. Maintenant, rendez-moi mes clés, s'il vous plaît.

— D'accord, ne vous fâchez pas, mais vous devez me promettre...

— Pas de promesses. »

Il m'a tendu les clés. «Du moment que vous ne les utilisez pas avant demain. Vous seriez un danger sur les routes actuellement. » Pour souligner son propos, il a ajouté en me regardant d'un air sévère : «Vous risqueriez de tuer quelqu'un. »

La force de ces mots m'a frappée au point que j'ai été obligée de m'asseoir. *Vous risqueriez de tuer quelqu'un*... Pourquoi avait-il dit cela ?

De très loin, je l'ai entendu poursuivre d'un ton conciliant : «Si vous ne vous souciez pas de votre sécurité, moi, je m'en préoccupe. Par ailleurs, nous nous sommes habitués à votre présence, nous avons envie que vous restiez, n'est-ce pas, Lily ? »

J'ai levé les yeux mais Lily nous tournait le dos et toute son attitude exprimait un désaccord profond.

J'ai dormi presque tout l'après-midi, et à mon réveil je me sentais beaucoup plus forte et impatiente de partir ; mais, une fois de plus, Daniel m'en a dissuadée. Il s'est mis en quatre pour moi et a insisté pour que je m'installe près de la cheminée pendant qu'il préparait le dîner. J'ai essayé de lire mais mon esprit vagabondait sur d'autres sujets, notamment sur Daniel. Le peu que je connaissais de lui m'avait appris que sa gentillesse était intéressée ; je souhaitais de tout mon cœur que, cette fois-ci encore, il me bichonne pour m'inciter à accepter de refaire du baby-sitting.

J'avais complètement oublié Lily.

« J'espère que je ne te dérange pas, Helen, m'a-t-elle dit en entrant au salon et en se juchant sur le bord du fauteuil, face à moi.

— Pas du tout, Lily, ai-je répliqué, aussitôt sur mes gardes. Que se passe-t-il ?

— Oh, rien de spécial. » Elle a ramené ses cheveux derrière ses oreilles et a posé ses mains jointes sur ses genoux. « À propos, j'ai parlé avec ma mère ce matin.

— Angela ? Je la croyais aux États-Unis.

— Elle préfère qu'on l'appelle Angel.

— Angel, donc.

— Ça lui va beaucoup mieux, tu ne trouves pas ? » Ne sachant que répondre, je me suis tue. Lily a repris : « Elle a passé le nouvel an à Manhattan, et elle est rentrée hier à Londres. Elle est très fatiguée à cause du décalage horaire mais elle va venir demain.

— Ah bon ? » Daniel n'avait pas mentionné l'arrivée imminente de sa première femme. « Vous ne reprenez pas l'école ?

— Si, après-demain. Elle a envie d'être avec nous. Nous quatre. Pour qu'on forme de nouveau une vraie famille.

— Ton père est au courant ?

— C'est ce qu'il a toujours voulu, au fond. Il a tout le temps dit que le divorce était une grosse erreur. »

Je me suis abstenue de tout commentaire et Lily m'a observée très attentivement avant de continuer, sur ce ton précis et un peu guindé qu'elle adoptait souvent : « Ils ont toujours été très passionnés. Tu sais, le genre de couple qui ne peut pas vivre ensemble mais qui ne peut pas non plus vivre séparé. Ils ont beaucoup évolué, ces derniers temps, tous les deux, leurs ennuis les ont rapprochés.

— C'est Angel qui t'a raconté tout ça ?

— Oui. Avant, elle disait souvent que le mariage, c'est une camisole de foire. » J'ai réprimé un sourire. Lily répétait comme un perroquet les paroles de sa mère, mais son interprétation personnelle rendait l'expression cocasse. « Papa ne comprenait pas ses besoins, a-t-elle poursuivi d'un ton grave. Son potentiel intérieur, son épanouissement, etc. Elle pense que, malgré ça, les choses se seraient arrangées beaucoup plus tôt s'il n'y avait pas eu Carla.

— Carla ?

— Oui. Tu comprends, elle est arrivée juste au mauvais moment et elle a voulu mettre le grappin sur papa dès le début. Angel dit que c'était comme un papillon de nuit attiré par la lumière. Tu sais ce que ça signifie ?

— Tu pourrais peut-être m'expliquer.

— Eh bien, Carla était le papillon de nuit, évidemment, parce qu'elle était terne et ordinaire, et papa était la lumière, parce qu'il est attirant et fascinant. Carla n'avait aucune chance, alors elle s'est brûlé les ailes. »

Excédée d'entendre Lily traiter Carla avec tant de mépris, j'ai remarqué d'un ton ferme : « Les papillons de nuit peuvent être très beaux, Lily.

— Ceux que j'ai vus étaient gris et moches, a-t-elle répliqué en haussant les épaules. De toute façon, ça convenait à papa que Carla soit une personne ordinaire, du moins pendant un certain temps, parce qu'il en avait assez des drames et de la passion, mais en fait leur couple était condamné dès le départ. Ma mère a toujours été la seule femme de sa vie. Ce sont de vraies âmes sœurs, ils ont dû être amoureux dans une vie antérieure ou quelque chose comme ça, et leur relation dure toujours. Alors, tu vois, aucune autre femme ne fait le poids. » Elle m'a regardée droit dans les yeux. « Tu sais qu'il habite chez elle quand il va à Londres ? Et quand elle vient ici, ils dorment dans le même lit — mais seulement depuis la mort de Carla, bien sûr. J'ai pensé que ça t'intéresserait de le savoir. »

Tu parles ! J'étais furieuse de la manière dont Angela avait sapé constamment auprès de ses enfants la position de Carla. Je repensais au mal que s'était donné Carla afin de trouver le cadeau idéal pour Lily tout en sachant que, de toute façon, il serait dédaigné du simple fait que c'était elle qui l'offrait. La loyauté envers sa mère avait empêché Lily de voir Carla autrement que comme une intruse. « Lily, ai-je déclaré au bout d'un moment, je comprends ce que tu tentes de me dire ; cependant, je pense que tu ne devrais pas parler ainsi de tes parents. D'autre part, il n'y a rien entre ton père et moi, et il n'y aura jamais rien, pour toutes sortes de raisons. Je rentre à Londres demain, point final.

— Pourquoi ? Tu ne l'aimes pas ?

— Bien sûr que si, mais comme un ami. »

Elle a fait une grimace. « On dit toujours ça. En général, ça signifie que "ce que tu sais" n'est pas encore arrivé.

— Et rien n'arrivera, crois-moi.

— Tant mieux, parce que papa et toi, vous n'avez pas beaucoup de choses en commun. D'abord, il déteste les gens qui racontent des mensonges. »

Lily a détourné les yeux et a contemplé ses pieds. Ainsi, c'était elle qui avait écouté ma conversation fictive au téléphone, le matin.

J'aurais dû être en colère contre elle mais, en réalité, j'étais furieuse contre moi-même de m'être laissé piéger par un mensonge aussi anodin. Ce sont toujours les petits mensonges qui vous trahissent, je ne l'ignorais pas. Et j'étais furieuse contre Angela d'avoir raconté toutes ces bêtises à sa fille. Quant à Lily, j'admirais son courage ; elle faisait vraiment tout son possible pour comprendre l'étrange relation de ses parents et pour trouver un moyen de les réunir. J'ignorais si son optimisme était justifié, mais j'espérais que Daniel et Angela appréciaient les efforts héroïques qu'elle déployait pour eux. Si j'avais été plus charitable, j'aurais même souhaité qu'elle réussisse ; toutefois, ma magnanimité s'arrêtait là : je ne supportais pas l'idée que cela confirmerait Angela dans son jugement que Carla avait été quelqu'un qui « ne faisait pas le poids ». Je voulais que Carla ait été bien plus que cela.

« Je quitte Pipers demain, Lily, et je ne reviendrai plus jamais.

— Oh, je vois. » La tension a disparu de ses traits et elle a abandonné son air d'adulte précoce pour redevenir une enfant. « Ce n'est pas que je ne t'aime pas, Helen. Par certains côtés, tu es très gentille. Seulement, tu ne fais pas partie de la famille.

— Je le sais. »

Elle a hésité, puis elle a esquissé un sourire. « Tu voudras jouer avec nous au jeu de la SPA après le dîner ?

— Au jeu de la SPA ?

— C'est un jeu de société que j'ai inventé. Enfin, papa m'a aidée un peu. C'est très amusant. »

Il s'agissait en quelque sorte d'une offrande de

381

paix ; ma récompense en échange de la promesse de quitter les lieux. J'ai accepté cette trêve. « D'accord, Lily, avec plaisir. »

Après le dîner, Daniel a annoncé qu'il voulait me faire écouter une nouvelle musique sur laquelle il travaillait. « Ce sera un morceau sérieux, basé sur la *Chanson pour Carla*. Comme c'est grâce à vous si je peux le réaliser, j'aimerais que vous soyez la première à l'entendre.

— Pourquoi grâce à Helen ? a questionné Lily avec un regard hargneux dans ma direction.

— Parce que, sans elle, je serais encore lié par ce contrat européen et je travaillerais comme un fou pour que d'autres se mettent de l'argent plein les poches. C'est quand tout a capoté que j'ai décidé de mettre à exécution mon propre projet. On verra bien ce qui arrivera.

— Moins d'argent mais plus d'intégrité artistique ?

— Exact, Lily. Et puisque Helen a contribué au "moins d'argent", autant qu'elle entende la partie "intégrité artistique".

— Peut-être plus tard, ai-je suggéré. J'ai promis à Lily de jouer avec elle au jeu de la SPA. »

Daniel a paru déçu, puis une lueur est passée dans son regard. « J'espère que vous vous rendez compte à quoi vous vous engagez.

— Je n'en ai pas la moindre idée.

— Tu peux jouer aussi, papa, c'est plus sympa avec cinq chiens. »

Daniel a accepté de se joindre à nous ; son expression ravie indiquait qu'il avait hâte de voir comment je m'en sortirais mais, pendant que Lily installait le jeu près de la cheminée, il a été appelé au téléphone. Au moment où il quittait la pièce, j'ai poussé un soupir de soulagement : dans mon état de faiblesse, la tension que me causait sa présence m'épuisait; seule avec les enfants, je pouvais me laisser aller davantage.

« Tant pis, a dit Lily, philosophe. Tigre n'aura qu'à passer le premier tour.

— Tigre?

— Je vais t'expliquer. »

Le jeu de la SPA, en effet, mettait en scène des chiens. Sur un immense tableau étaient tracées six allées sinueuses comportant des cases; les cases de départ s'intitulaient, par exemple : «Né dans un camp de bohémiens» ou : «Trouvé errant sur le bord de l'autoroute». Le but du jeu était de parvenir à l'une des cases finales synonymes de triomphe : «Vedette de cirque», «Compagnon de garde-chasse», «Chien d'aveugle» ou — le summum — «Animal de compagnie de la famille Finch, à Pipers». Au centre figurait une espèce de bourbier formé de cases marquées «SPA», où il fallait piocher une carte spéciale sur laquelle Lily avait laborieusement inscrit à la main des formules telles que : «Enfermé dans une maison vide par un homme cruel, sans eau ni nourriture. Passez un tour», ou : «Chien policier blessé dans une explosion. Reculez de trois cases», ou encore : «Recevez une récompense pour votre bravoure. Rejouez». Les jetons représentaient des chiens. Il y avait deux petits bibelots en porcelaine dont les noms exprimaient les dommages qu'ils avaient subis : «Sans Museau» et «Trois Pattes»; un chien de berger en plastique provenant d'éléments d'une ferme; une broche en forme de lévrier; et une reproduction en argile de la tête de Tigre, peinte en noir avec des yeux jaunes, œuvre de Lily exécutée à l'école primaire. Les règles du jeu étaient relativement claires et auraient été assez simples à comprendre, n'étaient quelques petits détails qui n'existaient que dans l'esprit de Lily; vers le milieu de la première partie, Rowan n'était pas le seul à soupçonner qu'ils étaient sujets à des variations spontanées.

«Comment ça? me suis-je insurgée quand Lily m'a informée que je devais ramener Sans Museau à la fourrière sous prétexte que j'avais obtenu un quatre.

— Parce que tu as fait deux et deux, m'a-t-elle expliqué. Double deux. Ça veut dire : Reculez de quatre cases.

— Mais toi aussi tu as fait un double deux tout à l'heure, a souligné Rowan, et tu n'as même pas reculé d'une case.

— Parce que c'était un double deux sur une case verte. Tu ne te souviens pas de la règle des doubles chiffres? Le double deux d'Helen est tombé sur une case rose. Tu comprends?

— Mais toutes les cases d'Helen sont roses. C'est pas juste.

— Si, c'est juste. Regarde, double deux pour le rose, double un pour le bleu. Si je fais un double trois, comme je suis sur le vert, je devrai reculer de six cases. Vi, pourquoi tu as enlevé ton chien du tableau de jeu? Comment veux-tu qu'on joue, si tu n'arrêtes pas de le prendre et de le sucer?

— Pardon, Lily, s'est excusée Violet en redescendant sur terre. Il était ici... je crois. Ou peut-être là. Oh, c'est pas grave, ça m'est égal, je vais retourner à la fourrière tenir compagnie à Helen. Ouaf, ouaf, salut, Sans Museau!»

J'ai mis mon bras autour des épaules de Violet. J'étais tellement absorbée par les subtilités du règlement de Lily que toute la tension de la vie réelle avait disparu.

«Oh! là! là! t'es vraiment nulle, Vi, a ronchonné

Rowan. Le jeu consiste à essayer de *gagner*. C'est le tour de qui maintenant ?

— Le mien, a répliqué Lily.

— Attends, ai-je protesté dans un effort pour contrôler la situation avant que l'hystérie ne me gagne, si c'est moi qui ai joué en dernier, alors ça doit être le tour de Violet.

— Elle a joué, puisqu'elle est retournée à la fourrière, et de toute façon, quand on est à la fourrière on doit passer un tour, donc je joue deux fois, sauf si je fais un double six : dans ce cas, je joue trois fois, mais si je fais trois doubles six, je dois revenir au point de départ et... » Lily s'est tue et m'a dévisagée. « Qu'est-ce qu'il y a de si drôle ?

— C'est ton jeu. Quel cauchemar ! Il est super, Lily, je l'adore, n'empêche que... » Le fou rire m'a prise.

Lily me contemplait, tiraillée entre l'envie de rire et la crainte de voir sa dignité mise à mal. Rowan a commencé à faire courir son lévrier à toute allure sur le bord du tableau, telle une voiture de course, en faisant « Vroum ! Vroum ! », et Violet a changé de position pour se placer presque nez à nez avec moi.

« C'est super quand tu ris, a-t-elle remarqué en me regardant de si près qu'elle en louchait. Je t'ai encore jamais vue rire. T'es très jolie comme ça. T'as toujours l'air tellement triste...

— Oh... » J'en ai eu le souffle coupé, et mon rire s'est évanoui aussi vite qu'il était apparu. Violet m'a lissé les cheveux et les a rabattus derrière mes oreilles. Ses mots avaient été comme un coup de poing à l'estomac. Plongée dans le jeu de Lily, j'avais oublié toutes les horreurs ; à présent, elles me dégringolaient dessus telle une avalanche.

« Sois pas triste encore, Helen, a murmuré la fillette en frottant son nez contre ma joue. T'es belle, et j'aime bien quand t'es contente.

— Il ne faut pas dire ça.

— Mais c'est vrai, t'as les yeux tout brillants, avec plein de petites rides autour.

— Oh...

— Tu pleures ? J'ai dit quelque chose de mal ? Il faut pas pleurer à cause du jeu idiot de Lily, elle gagne toujours. »

J'avais envie à la fois de la repousser et de la serrer contre moi. En levant les yeux, j'ai aperçu Daniel dans l'embrasure de la porte ; il nous observait attentivement, les sourcils froncés, comme s'il venait juste de remarquer un fait qui le troublait. J'ai aussitôt détourné les yeux. Depuis combien de temps nous regardait-il ? Je n'en avais aucune idée.

La musique, étrange, réclamait toute mon attention. J'avais entendu la *Chanson pour Carla*, ainsi qu'une ou deux de ces compositions commerciales dont vivait Daniel, et je ne m'attendais nullement à un tel degré de complexité. Il s'est assis au piano et a esquissé l'œuvre à grands traits. Tout en jouant, il m'a expliqué que les différents thèmes seraient exprimés par les violoncelles, puis les violons, puis les cors bouchés. Il y avait quelque chose d'inquiétant dans la manière dont les sons se heurtaient et luttaient pour avoir le dessus. La musique était menaçante et fascinante à la fois, et on y reconnaissait des fragments d'une autre mélodie plus familière — la *Chanson pour Carla* —, mais déformée, transformée, comme reflétée sur une eau mouvante. Parfois, le fil de la mélodie semblait perdu sous la musique du thème, mais chaque fois il resurgissait et poursuivait sa progression. La première partie s'est terminée brutalement sur un accord brisé, si ambigu que le silence qui a suivi était lourd de tension.

Daniel est resté silencieux un moment, puis il m'a

regardée. « Eh bien ? Vous trouvez ça comment, jusqu'ici ? »

Je me tenais à l'autre bout de la pièce, près de la
cheminée. J'ai hésité. Je n'avais pas souhaité ce tête-
à-tête final avec Daniel ; je lui avais dit que j'étais fatiguée et que je voulais partir de bonne heure le lendemain, à quoi il avait riposté que si j'avais assez de
forces pour jouer trois parties de SPA avec Lily, je
pouvais certainement supporter un court intermède
musical. J'avais jugé plus simple de ne pas discuter.

Et maintenant, impossible de lui avouer l'intensité
de mes réactions. D'un ton volontairement désinvolte, j'ai répondu : « Vous savez, je n'y connais pas
grand-chose en musique, mais je trouve ça très joli.

— Joli ? » Sa déception était manifeste. Dehors,
dans le noir, un vent violent se levait sur l'estuaire.
« Joli ? a-t-il répété, une nuance de colère dans la voix.

— Je peux entendre la suite ? »

Il a poussé un soupir, puis a remis en place la
partition avant d'annoncer : « Contraste total. J'ai
cherché un moyen de combiner le caractère intem-
porel de la musique avec un son contemporain, la
musique de la rue. On risque toujours d'aboutir à
quelque chose d'hybride qui n'a la force d'aucun des
deux genres. Je refuse aussi bien le genre Bach revi-
sité jazz que ces musiques religieuses où les gens
tapent joyeusement dans leurs mains. Ce que j'ai
essayé de faire dans la deuxième partie mêle le plain-
chant et le blues traditionnel, deux types de musiques
qui suivent des règles strictes mais qui, à l'intérieur
de ces conventions, sont capables d'exprimer un
désir d'absolu. Vous me direz ce que vous en pensez. » Il s'est tu, puis il a marmonné : « Joli ! Mon
Dieu... »

Il a contemplé le clavier un instant, puis a recommencé à jouer. Au bout de quelques mesures, j'ai

compris qu'il n'avait pas de souci à se faire : sa musique était parfaitement originale, elle réunissait la simplicité classique du blues et du plain-chant, avec en plus un troisième élément qui n'appartenait qu'à lui.

Vous me direz ce que vous en pensez.

Pourtant, je savais que je ne pourrais jamais exprimer, ni à lui ni à personne d'autre, ce que je pensais. Car, malgré toute la force de sa musique, c'était l'homme lui-même qui me touchait le plus, et je songeais qu'il serait facile de tomber amoureuse de Daniel Finch. Facile... et absolument impossible.

Je suis allée m'asseoir sur l'accoudoir d'un fauteuil, près du piano, pour pouvoir mieux examiner Daniel. Il était désormais si absorbé dans son jeu qu'on l'aurait cru seul au salon. En dépit de tout, un étrange sentiment de bonheur me gagnait ; le passé et l'avenir ne comptaient plus, l'unique chose qui importait dans l'immédiat était de me trouver dans cette pièce pour un concert privé donné exclusivement à mon intention. J'avais la liberté de contempler cet homme sans être vue, d'étudier ses subtils changements d'expression à chaque variation de la musique, de scruter les moindres détails de ses doigts vigoureux, de ses mains musclées, d'observer la façon dont il serrait les lèvres et semblait regarder juste dans le vague au-delà du piano, un espace où la musique existait dans sa perfection à jamais inaccessible.

Vous me direz ce que vous en pensez... J'ai failli éclater de rire. Les images qui se bousculaient dans ma tête étaient toutes de nature érotique, maintenant, et n'avaient pas grand-chose à voir avec la musique. Je n'avais rien éprouvé de semblable depuis très longtemps, peut-être même jamais. Ce que je ressentais...

J'ai refoulé cette pensée avant qu'elle ne devienne claire dans mon esprit. La situation était éminemment dangereuse. Pourquoi m'étais-je montrée si naïve ? Comment avais-je pu m'aveugler sur une vérité aussi évidente ?

Durant des mois, j'avais été obsédée par le vide qu'avait créé la mort de Carla. En marchant le long de la plage dans la bourrasque, je m'étais imaginé suivre la route qu'elle avait peut-être elle-même empruntée. En me déplaçant dans les différentes pièces de la maison de Pipers, j'étais consciente à chaque instant de me tenir à l'endroit où elle s'était tenue, de voir ce qu'elle avait vu, de faire ce qu'elle avait l'habitude de faire et qu'elle aurait fait encore si elle n'était pas morte, à l'aube, sur la route de l'île. Cela m'avait facilité la tâche, d'apprendre qu'elle n'était pas la mère des enfants, donc pas irremplaçable dans leurs vies, mais juste quelqu'un qui s'était trouvé à s'occuper d'eux et qui était resté, comme moi... et pendant tout ce temps j'avais ignoré cette vérité aveuglante : les pas de Carla menaient droit au lit de Daniel.

Sauf que, pour moi — pour moi plus que pour n'importe qui d'autre —, cette route était barrée.

La deuxième partie s'est terminée sur un accord d'une nostalgie douloureuse. Daniel s'est arrêté de jouer et a regardé dans ma direction ; on lisait dans ses yeux qu'il revenait d'un monde de perfection musicale.

« Eh bien ? »

J'avais envie de lui dire que son œuvre était belle, pleine de sentiment, de lyrisme, de force. J'avais la bouche sèche. Avec un haussement d'épaules, j'ai fixé le sol. « Ça tient de la musique populaire, n'est-ce pas ? J'aime bien.

— C'est tout ?

— Vous devriez plutôt demander l'avis d'un vrai musicien.

389

— C'est votre opinion qui m'intéresse.

— Pourquoi ?» À peine cette question m'avait-elle échappé que j'ai compris que je n'aurais jamais dû la poser.

«Parce que vous êtes un lien avec Carla et avec la période qui a précédé sa mort. Et parce que je crois que vous vous y connaissez plus que vous ne le prétendez.

— Qu'est-ce qui vous fait croire ça ?

— Je vois dans vos yeux la façon dont vous réagissez à la musique.

— Ah oui ? En tout cas, je ne peux pas répondre pour Carla.

— Évidemment, a-t-il répliqué d'un ton irrité. Mais vous pourriez au moins parler en votre nom, pour une fois, au lieu de jouer à l'idiote du village.

— Je vous ai donné mon avis, ai-je répliqué en me levant. Je trouve votre musique très jolie. Et maintenant, si vous avez fini...

— Rasseyez-vous, bon sang ! Il y a encore une autre partie, qui sera chantée ; il faut que ce soit une vraie mélodie, le genre de chanson qu'elle aimait chanter. Écoutez ça. »

Je me suis rassise mais j'avais du mal à me concentrer sur la musique. *Le genre de chanson qu'elle aimait...* Elle. Carla. Qui d'autre ?

Carla, toujours Carla.

Quand Daniel a commencé à jouer, il m'est venu à l'esprit que ce devait être la vengeance ultime de Carla : elle m'avait amenée à un point à partir duquel je ne pouvais plus ni aller plus loin ni retourner en arrière ; la dernière chose qu'elle me laissait en héritage, c'était le tourment de désirer Daniel et d'être obligée de m'écarter de lui.

Tue la femme, puis baise avec le mari.

J'avais tenté de racheter mon crime, pas de le rendre dix fois pire.

La mélodie était empreinte de lyrisme, c'était presque une danse. Une chanson idéale pour Carla. J'entendais sa voix rauque, envoûtante ; je me rappelais la nuit où nous étions installés, tous les quatre, sur la terrasse de l'hôtel, et où Carla avait chanté pour nous. Tout en jouant, Daniel fronçait les sourcils ; pourtant, l'air était gai, plein d'entrain. Lui aussi devait se souvenir d'elle, il se rappelait sans doute les soirées où elle était assise à ma place, quand il jouait un morceau pour la première fois et qu'elle chantait avec lui. Sa musique était si captivante. Nuit après nuit, ils avaient dû se séduire mutuellement grâce au piano et à la musique. J'imaginais les scènes qui s'étaient sûrement déroulées dans ce salon, d'autres soirs d'hiver : à la fin du morceau il se levait, s'approchait d'elle, la prenait dans ses bras, et ils s'embrassaient avec tendresse et passion. Carla, moi, Daniel... Avaient-ils fait l'amour ici, devant la cheminée, sur le canapé ou sur le tapis ? Ou bien avaient-ils grimpé l'escalier sur la pointe des pieds pour ne pas réveiller les enfants, avant d'entrer dans cette chambre que je n'avais jamais vue ? Quand la musique s'arrêterait et que Daniel esquisserait son premier geste — un geste que j'attendais depuis le début —, où ferions-nous l'amour ?

Mais rien de tout cela ne se produirait, ni maintenant ni jamais.

« Eh bien ? » Sa question a troué le silence.

Je me suis levée et je me suis éloignée du piano.

« Comment ça se termine ?

— La dernière partie est encore inachevée.

— Je veux l'entendre.

— D'accord. » Il a réglé le tabouret, a fixé le clavier

d'un air concentré, puis a relevé la tête et m'a regardée.

« Helen...

— Jouez. »

Il a hésité un instant, puis ses mains ont de nouveau couru sur les touches du piano. La dissonance de la première partie demeurait, on retrouvait aussi des éléments du plain-chant et du blues, ainsi que la simple mélodie dansante, mais rien d'attendu, plutôt une exploration de ces différentes inspirations. Chaque thème, pris individuellement, comportait les germes de l'harmonie future, mais il n'était pas question de précipiter la conclusion. De temps en temps, tout en jouant, Daniel me jetait un coup d'œil.

Pauvre idiot, avais-je envie de lui dire, tu crois avoir trouvé une autre Carla, une femme qui débarque dans ta vie, tombe sous ton charme et sera à ta disposition lorsque la musique se taira. Pourtant, cela ne se passera pas ainsi, à cause de ce que j'ai fait et de ce que je suis en réalité, et tu ne sauras jamais à quel point je souffre.

Soudain, j'ai senti de la colère. Pourquoi étais-je obligée de me refuser le seul plaisir que je désirais plus que tout au monde ? D'accord, c'était peut-être scandaleux de coucher avec le mari de ma victime, mais pour quelle raison aurais-je dû m'en préoccuper ? Ne savais-je pas déjà quel genre de personne j'étais ? N'en avais-je pas reçu assez de preuves sur l'île ? Rien de ce que je ferais à l'avenir ne pourrait changer la réalité ni ramener Carla à la vie, alors à quoi bon continuer de feindre et de me réprimer ? Pourquoi m'empêcher de prendre du bon temps si l'occasion se présentait ?

Au diable Carla ! Elle avait eu sa chance avec Daniel, et elle l'avait gâchée. Si elle avait eu le cran de tenir tête à Angela, si elle avait été assez forte pour affronter ses problèmes au lieu de les fuir, si elle ne s'était pas laissée aller à une vengeance mesquine en couchant avec un inconnu sur une île grecque, cette idiote, cette garce serait encore en vie aujourd'hui. Elle avait toujours tout fait de travers. Quel besoin avait-elle eu de me provoquer et de m'agresser ? Je n'avais jamais causé de mal à personne jusque-là, j'avais sans doute agi uniquement pour me défendre ; elle avait bien cherché ce qui lui était arrivé.

Carla m'avait entraînée trop loin pour que je m'arrête en si bon chemin. Quand la musique serait terminée, si Daniel me désirait, eh bien, je n'hésiterais pas une seconde ; je ferais l'amour avec lui comme jamais je n'avais fait l'amour jusqu'à à ce jour et au matin, lorsque Angela arriverait, je lutterais avec toutes les armes à ma disposition pour empêcher Daniel de renouer avec elle. Je voulais cet homme, et je l'aurais.

Lentement, de façon presque imperceptible, la musique a commencé à changer. J'aurais dû empêcher Daniel de continuer avant que ne revienne le thème de Carla, avant que la mélodie familière ne rassemble tous les autres éléments de la composition, ne leur donne sens, ordre, justification, et ne les amène à leur conclusion. J'aurais dû l'en empêcher à ce moment-là, mais je ne l'ai pas fait et, cette fois, quand la musique s'est arrêtée, je me sentais vulnérable, la sensibilité à fleur de peau, et j'étais malade de désir.

« Alors ? a-t-il interrogé en relevant la tête.

— C'est excellent. » J'avais beau m'efforcer de garder un ton neutre, ma voix tremblait et résonnait bizarrement. « Je suis certaine que cela aura beaucoup de succès.

— Ce n'est pas ce que je vous demande, Helen, bon sang, vous le savez bien. »

Il s'est levé et s'est avancé vers moi sans me quitter des yeux. Je me suis dit qu'il fallait que je parte tout de suite, avant que cela ne devienne beaucoup trop difficile, mais mes jambes refusaient de bouger.

«Je vous ai prévenu, ai-je répondu en redressant le menton d'un air de défi. Je ne connais rien à la musique.

— Ah oui, vraiment?» Il était en colère, à présent. «Qu'est-ce que vous connaissez, Helen?» Il se tenait à quelques centimètres de moi et la tension entre nous était palpable. «Ça, vous connaissez?»

Je me suis figée. Il s'est penché vers moi et j'ai fermé les yeux. Soudain, je ne désirais rien d'autre au monde que d'être Carla, ne serait-ce que pour une heure, une heure précieuse, après quoi je m'en irais pour toujours, je ne demanderais plus rien, je ne chercherais pas à le revoir, jamais. Qu'on m'accorde seulement une heure d'illusion.

Sa bouche était collée à ma bouche, ses bras m'enlaçaient. C'était à quelqu'un d'autre que cela arrivait — quelqu'un qui n'était ni moi ni Carla, mais un hybride des deux, une non-personne. Pourtant, je me sentais beaucoup plus vivante et plus reliée à mon corps que tous ces derniers mois. Je ne pouvais m'empêcher de répondre au désir de Daniel, plus aucun scrupule ne me retenait car, dans l'immédiat, rien d'autre ne m'importait.

Il m'a embrassée encore une fois avec tendresse, avec passion, mais, juste au moment où visiblement il commençait à être tout à fait excité, il a posé les mains sur mes épaules et s'est écarté de moi avec beaucoup de douceur. J'ai rouvert les yeux. Il souriait, à la manière d'un homme qui s'est prouvé quelque chose et qui en est extrêmement satisfait.

«Quand pourrai-je aller vous voir à Londres?

— Quoi ? » Il m'a fallu quelques secondes pour enregistrer ses paroles.

« Il y a trois enfants qui dorment là-haut. C'est une règle que je me suis fixée. Je suis désolé. »

Il n'en avait pourtant pas l'air le moins du monde ; il paraissait au contraire très content de lui. En proie à la confusion la plus totale, je me suis approchée de la cheminée. Les bûches s'étaient consumées pendant qu'il jouait son *Requiem* et les braises rougeoyaient, mais dehors le vent soufflait de plus en plus fort et gémissait de façon lugubre.

« Inutile de vous excuser, Daniel, je comprends parfaitement.

— Vous êtes fâchée contre moi.

— Pas du tout.

— Vraiment ? Alors, quand pouvons-nous nous revoir à Londres ? »

Après un moment d'hésitation, j'ai respiré à fond. Les battements de mon cœur avaient presque retrouvé leur rythme normal. J'ai essayé de remettre de l'ordre dans mes idées. Le mirage se dissipait et retournait au néant d'où il avait surgi. J'étais consciente d'avoir frôlé le bord de l'abîme ; si j'avais suivi Carla et pénétré dans le cercle de l'amour de Daniel, cela m'aurait détruite, je le savais maintenant.

« Nous ne nous reverrons pas.

— Quoi ? » C'était son tour d'être stupéfait. « Pour quelle raison, grands dieux ?

— Toutes sortes de raisons. C'est difficile à expliquer mais, croyez-moi, ça ne marcherait jamais.

— Comment pouvez-vous en être si sûre ? De toute façon, j'ai dit simplement que j'aimerais vous revoir ; il n'y a pas de mal à ça, je pense. Vous paraissiez plutôt partante, il y a un instant.

— C'était une erreur. »

Il a plissé les yeux. « Vos paroles n'ont pas grand sens, Helen.

— Je sais simplement que... »

Il m'a coupée. « C'est Carla, non ? » Abasourdie, j'ai été incapable de répliquer. Il a avancé vers moi mais, en voyant mon expression, il s'est arrêté. « Nous n'avons jamais parlé de Carla, n'est-ce pas ? » Il y avait de la colère dans sa voix.

« Je ne crois pas que...

— Le problème, pour moi, c'est que je crains de ne pas savoir comment parler d'elle. La situation était tellement embrouillée.

— Oui, cela s'entend dans votre musique.

— Pas entièrement. » Après une hésitation, il a ajouté, presque à voix basse : « Difficile de faire passer la culpabilité dans la musique. » Il s'est tu, le temps que ses paroles produisent leur effet. Le vent se transformait en bourrasque et tapait contre les fenêtres. Daniel a repris d'un ton plus brusque : « Écoutez, il vaudrait mieux qu'on en finisse avec ça. J'ai eu plus que ma part de regrets en ce qui concerne ma relation avec Carla, mais cela n'a rien à voir avec vous, ni avec ce qui se passe entre vous et moi, j'en suis persuadé.

— Peu importe, de toute manière c'est sans espoir.

— Pourquoi ?

— Je ne peux pas vous expliquer.

— Vous pourriez au moins essayer, pour une fois. Pourquoi ne parlez-vous jamais de vous ?

— Il n'y a rien à dire.

— Ce sont des conneries, et vous le savez. »

Bien sûr, je le savais. *Je suis un parchemin vierge.* N'était-ce pas ce que j'avais déclaré, sur l'île ? J'entendais la réponse cinglante de Carla : *Pour qui tu te prends, bordel ? Pour Mona Lisa ?*

« Écoutez, inutile de discuter, je pars demain à la

première heure et je ne souhaite pas vous revoir, c'est aussi simple que cela.

— Ce n'est pas simple du tout! a-t-il protesté, furieux. Je vous avertis, Helen, je peux être extrêmement tenace.»

J'ai flanché. Je n'étais pas sûre d'être assez forte pour lui résister s'il décidait de jouer la ténacité. Il fallait trouver un moyen d'arrêter cette histoire avant que la situation ne devienne incontrôlable. Je n'osais pas me retourner et le regarder. Des paroles de Carla me trottaient dans la tête : *Jouer les insaisissables, bon sang, c'est un truc archiconnu... N'importe qui peut voir clair dans ton jeu.* Peut-être avait-elle raison : je voulais Glen pour moi, ce soir-là, sur la plage, et maintenant je voulais Daniel, et je créais des problèmes uniquement pour être sûre de l'avoir bien ferré. Était-ce mon jeu depuis le début?

J'ai fini par lui faire face. «Je regrette, Daniel, ai-je déclaré en prenant une expression dure, mais pour être tout à fait franche, vous n'êtes pas mon type.

— Votre type? Comme l'Américain en Grèce?

— Il était très bien.

— Et Michael Fanshaw?»

J'ai accusé le coup. Qui l'avait mis au courant, pour le frère de Carla? «C'était une erreur.

— Alors dites-moi, Helen, c'est quoi, exactement, votre type?

— Ça me regarde.

— Il a téléphoné ici ce matin, à propos, j'ai oublié de vous en parler. Peut-être n'avais-je pas envie que vous le sachiez.

— Michael?

— L'Américain. Le brun. Son nom m'échappe. Celui avec qui Carla avait passé la nuit.

— KD?» La peur m'a saisie. Pourquoi KD avait-il décidé de téléphoner à Daniel ce jour-là?

«Il était à Londres pour le nouvel an et il désirait vous contacter. Je lui ai dit que je vous demanderais d'abord.

— Naturellement, je serais heureuse de le revoir, il était amusant.

— Pas comme moi?

— Non.

— Je ne vous crois pas, Helen. Pourquoi faut-il que vous jouiez tout le temps un rôle?»

Mon Dieu, je n'aurais jamais cru que ce serait si difficile. Continue, ai-je pensé, tu ne peux pas t'arrêter à présent, et cette fois, quand tu partiras, arrange-toi pour ne jamais revenir. J'ai adopté un ton neutre. «Je ne vous ai jamais raconté ce qui s'est réellement passé cette nuit-là, n'est-ce pas? Peut-être pourriez-vous écouter mon récit, à présent.

— Ne vous donnez pas cette peine, Paul m'a déjà fourni pas mal de détails.

— Paul?» Paniquée, je me suis pourtant efforcée de paraître calme. «Que vous a-t-il dit?

— Pourquoi reparler de cette histoire maintenant?

— Il faut que vous sachiez quel genre de personne je suis en réalité.

— J'en sais peut-être plus que vous ne pensez. Paul m'a dit que c'est vous qui aviez dragué les deux Américains; vous dessiniez sur le port et vous les avez abordés contre le gré de Carla. Il a eu l'impression qu'elle avait cédé uniquement pour éviter une dispute avec vous.»

Pendant un moment, je suis restée sans voix. Qu'avait pu voir Paul de la scène en question, et pourquoi avait-il servi à Daniel cette version distordue des événements?

«Vous voyez bien, j'ai dévoyé votre innocente épouse.

— Ne racontez pas de bêtises. Carla était parfaitement capable de se débrouiller toute seule, et par ailleurs les amours de vacances ne sont pas interdites par la loi.

— Ah non? Qu'est-ce que Paul vous a raconté d'autre?

— Il vous a remarqués tous les quatre à la taverne ce soir-là. Vous et Carla aviez beaucoup bu. Il a entendu que vous proposiez aux autres de finir la soirée chez les Américains. Il cherchait un moyen de soustraire Carla à votre groupe, mais il a finalement décidé de ne pas intervenir.

— Quand vous a-t-il raconté tout cela?

— Le jour de la mort de Carla. Nous attendions de savoir si la police mènerait une enquête; apparemment, certaines blessures semblaient indiquer qu'elle avait été agressée...» Daniel s'est arrêté pour observer mon visage. Pourquoi mettait-il cette histoire sur le tapis à cet instant? Il a repris : «Mais, comme vous ne l'ignorez pas, cela n'a abouti à rien. D'après Paul, Carla n'avait pas envie d'aller chez les deux Américains mais vous l'avez convaincue. Vous avez fait pression sur elle, c'est l'expression qu'il a utilisée.

— Paul vous a dit ça?»

Daniel a acquiescé d'un signe de tête.

«Le salaud!

— En fait, j'ai pensé sur le moment qu'il déformait la vérité pour ménager mes sentiments.» Après une pause, Daniel a continué d'une voix chargée d'émotion : «C'est dur d'apprendre que votre femme a passé sa dernière nuit à s'envoyer en l'air avec un parfait inconnu.»

Bien sûr. Voilà pourquoi Paul avait menti. Mentalement, je l'ai remercié. Je me suis souvenue de ce que Janet avait dit à son sujet : les rumeurs concernant la mort de sa femme n'avaient fait qu'accroître son chagrin. Pour avoir souffert lui-même, Paul avait peut-être été sensible à la douleur de Daniel et avait tenté, de façon maladroite, de rejeter la faute sur moi ; et tant pis si Daniel avait une moins bonne opinion de moi. Au fond, cela servait mes desseins, je le réalisais maintenant.

Je me suis approchée du piano ; la partition était restée ouverte, et mes capacités de déchiffrage me permettaient de repérer le thème de Carla et de le suivre du doigt. « Vous ne voulez pas savoir ce qui s'est réellement passé ? ai-je interrogé d'une voix calme.

— Est-ce nécessaire ? » Pour la première fois, j'ai décelé de la crainte dans l'expression de Daniel.

« Oui, je crois. En gros, le récit de Paul est exact. Les vacances tiraient à leur fin et j'avais envie de m'amuser un peu. Cela n'intéressait pas Carla de draguer. Elle avait compris pas mal de choses concernant ses sentiments envers vous et les enfants, et elle avait hâte de rentrer en Angleterre ; sortir avec deux inconnus ne la tentait absolument pas. J'ai cependant essayé de la convaincre et je l'ai laissée boire plus que de raison. Nous ne sommes pas allées tout de suite chez les deux Américains : d'abord, on s'est tous baignés nus ; Carla n'était pas enchantée — vous savez à quel point elle était prude —, mais elle était complètement soûle et nous l'avons entraînée. Une fois sur la plage, je me suis aussitôt mise à l'eau et j'ai nagé en compagnie de Glen et de KD ; Carla était contrariée mais je ne me suis pas occupée d'elle. J'avais oublié qu'elle était une piètre nageuse ; j'ai nagé assez loin, et je chahutais avec les deux autres quand nous l'avons entendue crier : elle n'avait plus pied et, avec l'alcool et l'obscurité, elle avait dû paniquer. J'ai cru qu'elle jouait la comédie, et j'ai dit aux deux Américains de ne pas prêter attention à elle, mais KD est revenu vers le rivage pour lui porter secours. »

Daniel se tenait debout à l'autre extrémité du piano. «Pourquoi me racontez-vous tout ça? a-t-il demandé en respirant péniblement.

— Je pensais qu'il fallait que vous le sachiez», ai-je répondu avec désinvolture. Cela devenait beaucoup plus facile maintenant, et je lisais la suspicion dans les yeux de Daniel. Paul m'avait fait un beau cadeau, et je croyais presque à cette version des événements subtilement modifiée. «Je n'ai pas vu ce qui s'est passé ensuite, mais je l'imagine sans peine. Carla était réellement secouée : elle était ivre, elle avait cru se noyer; KD l'a emmenée à l'endroit où il logeait avec son ami, et je suppose qu'ils ont fait l'amour. Ils avaient fini quand je suis arrivée avec Glen; à ce moment-là, Carla était très contrariée et elle voulait que je retourne à l'hôtel avec elle, mais je lui ai dit qu'elle devrait attendre. Je savais qu'elle ne rentrerait pas seule, parce qu'elle avait trop peur du noir.

— Elle a donc été obligée de vous attendre pendant que vous baisiez avec le blond?

— Évidemment, je n'avais pas l'intention de changer mes plans.»

Un long silence a suivi.

J'ai repris : «Glen d'abord, KD après. Je vous l'ai dit, j'avais envie de m'amuser.»

Daniel crispait les poings comme s'il voulait me frapper. Il n'a pas bougé.

J'ai continué : «Ensuite, les deux ensemble.»

Silence. «Et Carla?

— Elle n'était pas là. Je ne me rappelle plus très bien, mais à un moment donné, elle s'est endormie sur le lit du séjour; je crois qu'elle ne se doutait même pas de ce qui se déroulait dans la pièce à côté. Puis, juste avant l'aube, elle est entrée dans la chambre; elle a été choquée de nous voir tous les trois. Je lui ai proposé de se joindre à nous, et là elle est devenue hystérique ; cette idiote est partie en courant vers la route de la côte. Voilà pourquoi elle ne s'est pas rendu compte que le camion approchait : elle devait être dans tous ses états et pleurer comme une folle. Alors, vous voyez, moi aussi je m'en veux, comme tout le monde...

— Nom de Dieu, Helen ! a crié Daniel en tapant du poing sur le piano. Pourquoi faites-vous ça ?

— C'est la vérité.

— Non ! Ça ne s'est pas passé de cette façon, vous mentez.

— Qu'en savez-vous ? J'y étais, j'ai tout vu. Regardez la vérité en face, Daniel. Je vous avais prévenu que vous n'apprécieriez pas.

— Vous êtes malade, Helen. Si vous n'étiez pas aussi perverse, j'aurais presque pitié de vous. Seigneur, il faut avoir l'esprit vraiment tordu pour inventer une histoire pareille ! »

J'ai haussé les épaules. J'approchais du but. « Vous croyez que je suis venue à Pipers à cause de vous, n'est-ce pas ? Eh bien, vous vous trompez. Je suis venue à cause d'elle, à cause de Carla, parce que je voulais comprendre pourquoi elle avait fui loin de vous. Maintenant, je sais.

— Mon Dieu, vous êtes vicieuse ! » s'est écrié Daniel avec une expression hagarde. Le poison commençait à faire son effet. C'est plus doux ainsi, ai-je pensé.

« Croyez ce que vous voulez, de toute façon je m'en vais.

— Eh bien, partez. » Il a avancé vers moi, puis s'est arrêté. Il lui a fallu un effort de volonté colossal pour se maîtriser. « Sortez d'ici ! Fichez le camp avant que je vous étrangle ! »

Je suis arrivée chez moi vers trois heures du matin. Mon appartement était froid, vide, triste. J'avais mal à la tête et au cœur, il me restait à peine assez d'énergie pour me glisser entre les draps glacés et poser ma tête sur l'oreiller.

Une série d'événements s'est mise à défiler dans mon cerveau. J'ignore si j'étais éveillée ou endormie ; en tout cas, les images étaient aussi claires que si j'avais vécu les faits en direct.

Cela a débuté, comme d'habitude, par la route côtière. Le jour se levait. Je marchais et, dans le silence, j'ai entendu la voix de Carla qui m'appelait : «Helen, attends-moi!»

Je me suis arrêtée et elle m'a rattrapée. Elle était plus grande que dans mon souvenir. Plus menaçante, aussi. Nous nous sommes disputées et je l'ai frappée. Elle a bondi sur moi, m'a craché au visage et m'a griffée. J'ai perdu l'équilibre et trébuché. Elle s'est précipitée sur moi et nous sommes tombées toutes les deux. Maintenant, j'avais peur : elle s'était transformée en vraie furie. Elle avait saisi une pierre et me frappait à la tête. Je savais qu'il fallait que je me défende. Je lui ai lancé un coup de poing juste au-dessous de l'œil. Elle a poussé un cri, a basculé sur le côté, a lâché la pierre. J'ai ramassé la pierre, j'ai repoussé Carla et je l'ai frappée avec la pierre. Sa tête a heurté le sol, il y avait du sang. J'ai recommencé à la frapper.

«Non!» C'était moi qui criais. «Non, non, NON!»

«Helen, attention!»

Des cris — mes cris et les siens, mêlés en un long hurlement strident, pareil à une alarme ou une sirène.

Ou à une sonnerie de téléphone. Une sonnerie et un hurlement.

Une sonnette de porte.

Je me suis réveillée, je me suis assise dans le lit, en sueur, haletante. Le réveil près de mon lit indiquait neuf heures moins le quart.

Encore cette sonnette. La mienne.

Allez-vous-en.

La sonnette retentissait toujours. Je me suis levée et j'ai enfilé un survêtement par-dessus mon T-shirt.

« C'est bon, j'arrive. »

J'ai ouvert la porte.

« Salut, Helen. Surprise de me voir ? »

Debout sur le seuil, en manteau d'hiver, une valise à ses pieds, se tenait KD.

20

«Ne t'inquiète pas, je n'ai pas l'intention de m'installer.» KD a posé sa valise au milieu de la pièce et s'est débarrassé de son manteau. «Je suis en route pour l'aéroport d'Heathrow, je repars pour les États-Unis cet après-midi.

— Ce n'est pas un peu tôt pour les mondanités?

— Qui a parlé de mondanités?» Il y avait comme un avertissement dans sa voix. «Je voulais te voir avant que tu ne partes au travail.

— Je ne travaille pas aujourd'hui.

— Parfait. Ça t'évitera de téléphoner pour dire que tu es malade.

— Mais...

— Il faut qu'on parle, Helen.»

La panique m'a envahie. Le KD que j'avais devant moi était différent du jeune homme que j'avais rencontré en Grèce. Plus dur, plus mince, il n'avait pas l'air commode. Il portait un costume sombre, une chemise à col boutonné, sombre également, pas de cravate, des chaussures impeccablement cirées — un look très BCBG et très américain. Je me suis rappelé la première fois où je l'avais vu, en bermuda et T-shirt marin à rayures; ce garçon brun et trapu, aux yeux de renard, avait été inévitablement éclipsé par la beauté de Glen, le blond. Je me suis souvenue des moments que nous avions passés tous les quatre à jouer au billard, manger des pizzas, boire de la bière, et j'ai éprouvé un douloureux sentiment de perte en pensant à la femme qui avait profité dans la détente de ces plaisirs simples, sans imaginer un instant que c'était pour la dernière fois de son existence. Et voilà que KD voulait qu'on parle. L'esprit encore engourdi par mon rêve-souvenir de la nuit, j'avais besoin de gagner du temps.

Il veut qu'on parle. Je dois garder une attitude neutre. Je frotte mes yeux encore pleins de sommeil et je décide de commencer par les questions banales.

« Tu es en Angleterre depuis longtemps ?

— Huit jours. Mon cousin s'est marié dans le Derbyshire. D'où une grande fiesta familiale. J'ai pensé que c'était l'occasion rêvée pour passer te voir et prendre de tes nouvelles.

— Comment as-tu trouvé mon adresse ?

— Finch, a-t-il répondu d'un ton méprisant.

— Il m'a dit que tu avais téléphoné.

— C'est à cause de ça que vous vous êtes disputés ?

— Disputés ?

— Il était furieux quand il m'a appelé hier soir. Je ne te répéterai pas ce qu'il m'a dit à ton sujet : à l'entendre, tu serais une vraie psychopathe. De toute façon, je suppose que tu savais ce que tu faisais en t'attaquant à lui.

— De quoi parles-tu, pour l'amour du ciel ?

— Ce n'est pas évident ? »

Ses yeux intelligents me fixaient avec une lueur de mépris. J'ai compris brusquement pourquoi je m'étais sentie nerveuse dès qu'il avait franchi le seuil de mon appartement : KD était en colère — plus que cela, il était sur le point d'exploser. Il avait l'air d'un homme dont la rage couvait depuis longtemps, depuis plusieurs mois, depuis les événements de l'île peut-être.

Il fallait que je tente de maîtriser la situation. « Écoute, je suis rentrée tard la nuit dernière, tu m'as réveillée. J'ai besoin de prendre une douche et d'avaler un café. Tu ne veux pas descendre au troquet du coin et revenir dans une demi-heure, ensuite on pourra parler aussi longtemps que tu le souhaites ?

— Ah non, tu ne m'échapperas pas comme ça !

— Pourquoi voudrais-je t'échapper ?

— C'est précisément ce que j'ai l'intention de savoir.

— Quoi ?

— On a tout le temps, Helen. » Comme pour souligner cette affirmation, il a posé avec soin son manteau sur un cintre accroché derrière la porte et s'est assis sur le siège le moins inconfortable que je possédais. « Ne te presse pas pour faire ta toilette, je peux attendre.

— *Tu* peux attendre ? J'espère bien, oui ! Comment oses-tu débarquer chez moi, me réveiller, et me dire ce que je dois faire et ne pas faire ?

— Ne le prends pas sur ce ton, je ne suis pas d'humeur à le supporter.

— Écoute-moi, maintenant...

— Non, c'est toi qui vas m'écouter, bordel ! » Il s'est levé d'un bond et a foncé sur moi. « Tu veux qu'on discute tout de suite ? Dans ce cas, je suis prêt... »

Discuter de quoi ? « Non, non, c'est bon. » Instinctivement j'ai reculé. « Laisse-moi dix minutes, KD, d'accord ? Fais comme chez toi, il y a du café dans le placard, je n'en ai pas pour longtemps. »

En tremblant, j'ai attrapé quelques vêtements et me suis enfermée dans la salle de bains. La peur ralentissait tous mes gestes. Je me suis déshabillée et j'ai ouvert le robinet. *Il sait.* Debout sous la douche, j'ai offert mon visage au jet d'eau chaude. Mon cerveau tentait d'échafauder une stratégie. *KD sait.* Sur l'île, il ne savait pas encore mais, depuis, il avait reconstitué les faits, il avait découvert la vérité à mon sujet — la vérité concernant la mort de Carla.

Cela peut sembler bizarre, pourtant, la perspective d'être démasquée par KD n'était pas aussi effrayante que je le redoutais. J'étais terrifiée, bien sûr, mais soulagée aussi — un incroyable soulagement que je ressentais dans tout mon corps. Après de longs mois d'isolement, j'avais besoin qu'une personne au moins sur la terre me regarde dans les yeux et sache qui j'étais. Si j'avais la possibilité de tout révéler à KD — mes doutes, ma confusion, ma culpabilité —, quel soulagement ce serait! Quel luxe.

Oui, un luxe impossible. Cette perspective m'affolait parce qu'elle m'affaiblissait. KD n'était guère le confesseur de mes rêves. S'il apprenait que j'étais coupable, alors le monde entier l'apprendrait. Je devais le convaincre de mon innocence. Carla était morte quand le camion l'avait heurtée, ainsi que la version officielle l'avait établi. Il n'y avait pas eu de témoins. L'affaire était close. Fin de l'histoire.

Je suis sortie de la salle de bains bien décidée à défendre ma position. *Tu n'es pas coupable*, me suis-je dit. KD est juste un ami qui est passé à l'improviste et se comporte un peu bizarrement. Adopte une attitude normale. J'avais enfilé un pantalon gris et un pull noir, mes cheveux encore humides étaient plaqués sur mon crâne, je n'avais aucun maquillage.

«Tu as trouvé le café?

— Juste cet affreux truc soluble.

— C'est bien le café, et il y a du lait en poudre.

— Je me passerai et de l'un et de l'autre.»

KD avait dû faire les cent pas dans la pièce pendant que je me douchais; face à la fenêtre, il contemplait le mur de brique de l'autre côté de la rue.

Il s'est retourné pour m'examiner pendant que je

remplissais la bouilloire et mettais du café et du lait dans ma tasse.

« C'est étrange, a-t-il dit, j'ai essayé d'imaginer le genre d'endroit où tu habitais.

— À quoi t'attendais-tu ?

— À rien de ce style, en tout cas. » Il a parcouru des yeux les murs blancs, les étagères vides de livres, de photos, du moindre objet reflétant ma personnalité. « J'ai entendu parler du minimalisme, mais ici c'est encore autre chose. Je suppose que tu n'y es pas souvent.

— C'est ici que je vis. »

Son silence trahissait son incrédulité. *Adopte une attitude normale, bavarde de façon décontractée, ne dis rien et ne fais rien qui puisse dénoter de l'anxiété ou des secrets.* « Comment va Glen ? ai-je questionné d'un air enjoué.

— Bien, je suppose. On ne se voit plus beaucoup depuis quelque temps.

— Je vous croyais très bons amis.

— En effet, c'est le meilleur ami que j'aie jamais eu. Seulement, ce n'est plus pareil depuis la mort de Carla. Il ne s'est rien passé de particulier, on s'est juste perdus de vue.

— Quel dommage. » Réponse banale, destinée à cacher ma peur. Cependant, la manière dont KD avait évoqué la fin de son amitié avec Glen suggérait clairement qu'il m'en tenait pour responsable.

Il m'a observée sans ciller pendant que je versais l'eau dans ma tasse. J'ai posé la bouilloire et me suis forcée à soutenir son regard.

« Tu es vraiment incroyable, Helen. Je me demande comment tu peux me regarder dans les yeux, après ce que tu as fait. »

J'avais des sueurs froides, et l'impression que le sol se dérobait sous mes pieds. Je n'ai toutefois pas baissé les yeux. « Que veux-tu dire ?

— Il valait la peine, Helen ? Tu l'aimais ?

— Glen ?

— Pas Glen, bordel ! Le mari de Carla.

— Daniel ? Je ne comprends pas.

— Bon Dieu, tu n'abandonnes jamais, hein ? Mais je ne partirai pas d'ici avant que tu m'aies raconté ce qui s'est passé. Écoute-moi bien... » Il a avancé vers moi, et soudain je me suis retrouvée face à un personnage menaçant, au visage déformé par la rage. « Écoute-moi bien, Helen. J'ai passé six heures de ma vie accusé de meurtre, dans un pays étranger où, la moitié du temps, je ne comprenais même pas de quoi on me parlait. Accusé d'un meurtre dont j'ignorais tout. Tu imagines ce qu'on peut ressentir dans une situation pareille ? Ça change complètement la vie d'un homme, ce genre d'expérience. Ça a chamboulé la mienne. Jusque-là, je pensais que la justice protégeait les gens comme moi. Merde, j'étudie pour devenir avocat, et voilà que je me suis retrouvé accusé de meurtre, moi, un type qui n'avait jamais rien fait de mal !

— Mais, KD, c'était une erreur. » J'avais reculé contre le mur. « Carla est morte quand le camion l'a heurtée. »

Il n'a pas tenu compte de mon intervention. « Les premiers rapports de l'hôpital indiquaient qu'elle était morte avant même l'arrivée du camion, ce qui impliquait que quelqu'un l'avait tuée. La police m'est tombée dessus. J'avais beau savoir que j'étais innocent, tout à coup ça ne comptait plus. Seulement, il y avait quelqu'un d'autre, ce jour-là, qui savait que j'étais innocent. » Il s'est tu. Ma peur devait être palpable. « Toi, Helen. Toi, tu le savais.

— Euh, oui, évidemment, je savais que tu n'aurais jamais tué personne, et c'est bien ce qu'ils ont conclu, en fin de compte. L'hôpital s'était trompé, voilà tout, la mort de Carla était accidentelle.

— Arrête de mentir! Je me rappelle chaque seconde de ces heures que j'ai passées en attendant d'être inculpé. J'y ai repensé des centaines de fois. Tu avais une attitude un peu bizarre, mais toute cette histoire était tellement dingue que j'ai eu toutes les peines du monde à piger ce qui clochait. J'imaginais que nous étions tous trop bouleversés pour nous comporter normalement; pourtant, je ne réussissais pas à oublier cette expression que tu avais, comme si tu te sentais coupable.

— C'est ridicule, KD, ai-je articulé avec peine. Moi aussi j'étais bouleversée. Et en plus, j'avais la gueule de bois. Pourquoi me serais-je sentie coupable, grands dieux?

— Parce que tu savais ce qui était arrivé à Carla, voilà pourquoi. Il te suffisait d'ouvrir la bouche et de parler, seulement tu ne l'as pas fait. Tu es restée là sans rien dire, à me regarder me débattre pendant que je traversais un véritable enfer, et tu n'as pas levé le petit doigt pour m'aider.

— Je ne savais rien, KD, je t'assure.

— Tais-toi! J'ai compris pourquoi tu ne disais rien : tu avais peur, comme moi. Et puis, un type haut placé a classé l'affaire et nous sommes tous rentrés chez nous. Mais je n'ai pas pu m'empêcher d'y repenser, et tu sais ce qui m'a vraiment fait péter les plombs? C'est de savoir que tu avais délibérément monté le coup contre moi. Tu te rappelles cette chemise à moi qu'ils ont retrouvée près du cadavre de Carla, la chemise avec son sang? Tu l'avais prise dans la bergerie et tu l'avais posée là pour que les soupçons de la police se portent sur moi. Bon Dieu, rien que d'y penser, ça me donne envie de dégueuler!

— Mais tu te trompes!

411

— Ne me mens pas !» Ses mains puissantes m'ont saisie aux épaules et plaquée contre le mur.

«Arrête, KD ! Tu es fou ? Arrête !»

Son visage touchait presque le mien. Je me suis faite toute molle. KD cherchait la bagarre, une vraie bagarre ; la colère, la souffrance, la frustration qui couvaient depuis des mois avaient éclaté, et j'avais affaire à un homme costaud, beaucoup plus fort que moi. J'étais cependant à peu près sûre qu'il n'userait pas de violence, si je ne faisais pas monter la pression. Un long silence a suivi. Sans me lâcher, il a baissé les yeux — des yeux brûlants de haine —, puis la tête, très lentement. Ses doigts agrippaient toujours mes épaules, sa respiration était rauque.

Il m'a lâchée d'un seul coup, a fait quelques pas dans la pièce avant de se tourner à demi vers moi. «J'aurais pu te tuer, a-t-il dit dans un souffle. Jamais je n'ai été aussi près de tuer quelqu'un, et pourtant je n'ai jamais fait de mal à personne.

— Moi non plus, KD, il faut que tu me croies.

— Oh, je te crois. Tu laisses ce soin aux autres.» Il s'est affalé sur un siège, loin de moi, loin de la tentation de la violence. «Je me demande ce que j'attendais en venant ici. Il n'y a guère de chances qu'on rouvre une enquête. Mais je ne supporte pas l'idée que vous vous en tiriez comme ça, tous les deux.

— Tous les deux ?

— Toi et Finch le séducteur. J'avais encore des doutes mais, quand il m'a dit que tu avais passé le nouvel an là-bas, j'ai bien vu que tout concordait. Il faut que j'aille le trouver immédiatement et que je m'explique avec lui face à face.

— Mais Daniel n'a rien à voir là-dedans ! Tu ne peux pas l'impliquer dans cette histoire.»

KD s'est levé d'un bond, sa colère soudain ranimée. «Pourquoi est-ce que tu continues à le protéger ?

— Je ne le protège pas ! »

Il m'a saisie par les bras. « Espèce d'idiote ! As-tu la moindre idée de ce qu'il a dit à ton sujet hier soir ?

— Je ne veux pas le savoir !

— Ce type ne peut pas te blairer, il te déteste, et toi, pauvre imbécile, tu mens pour le protéger !

— Mais il n'a rien à voir dans cette histoire !

— Qu'est-ce que tu en sais ?

— Il n'était même pas là !

— Tu y étais, toi ?

— Oui.

— Tu as vu ce qui s'est passé ?

— Oui.

— Et tu sais qui a tué Carla ?

— Oui.

— Qui est-ce ?

— Je... je ne peux pas le dire.

— Évidemment que tu ne peux pas le dire, parce que c'est Finch et que tu l'as couvert. Peut-être même que tu lui as donné un coup de main. C'est ça qui s'est produit ? À moins qu'il t'ait poussée à le faire à sa place, tu es assez stupide pour ça. Oui, voilà, c'est toi qui as tué Carla et... » Il s'est interrompu. Ses yeux intelligents scrutaient mon visage. J'avais du mal à respirer. Un jour, KD serait un brillant avocat, un avocat de tout premier ordre, sensible à chaque geste, chaque nuance. Je jure que mon expression a à peine changé ; pourtant il a affirmé : « Tu as tué Carla », et ces mots, prononcés tout haut pour la première fois depuis le drame, m'ont coupé le souffle.

Il y a eu un long silence. « Tu as tué Carla ? »

J'étais incapable de parler. Il a relâché mes bras. Je me suis effondrée sur une chaise.

« Helen, est-ce une façon de me dire que c'est toi qui l'as tuée ?

413

— Sa mort était accidentelle ; elle a été heurtée par un camion.

— C'est Finch qui t'a poussée à le faire ?

— Daniel ? Tu te trompes complètement à son sujet. Je ne l'avais jamais rencontré avant ce fameux après-midi, chez Manoli. Glen et toi, vous étiez assis au bar. Il n'a jamais été mon amant, et il ne le sera jamais. » *Ce type ne peut pas te blairer, il te déteste.* Tout à coup, ça m'était complètement égal.

« Je ne te crois pas, je ne crois pas que ce soit toi qui as tué Carla. »

J'ai haussé les épaules. Je ne me souciais plus de ce qu'il pensait. Cela durait depuis si longtemps, plus rien n'avait d'importance, maintenant.

« Helen, il faut que tu me racontes ce qui s'est passé.

— Pourquoi ?

— Parce que cette histoire me ronge depuis des mois. Je me forme pour être avocat, bon sang, et voilà qu'une affaire comme celle-là me tombe dessus, menace de foutre ma vie en l'air, et je n'arrive même pas à savoir ce qui est arrivé. Jamais je ne me suis senti aussi impuissant. Je suis incapable d'étudier, incapable de me concentrer, j'ai perdu tous mes amis, je deviens fou. »

J'ai hoché la tête. Je comprenais. Un très grand calme m'a envahie. N'avais-je pas pressenti, au cours de ma terrible scène avec Daniel, que mon avenir était totalement vide ? J'ai parcouru des yeux mon minuscule appartement, si nu, si impersonnel. Je n'avais plus rien à perdre, de toute façon. Je vivais depuis six mois dans une prison que j'avais moi-même édifiée, il ne pouvait rien y avoir de pire.

« Assieds-toi, KD, je vais tout te raconter. »

Il savait remarquablement écouter, je dois le reconnaître. Assis en face de moi, les bras croisés sur la poitrine, il ne me quittait pas des yeux et ne perdait pas un mot de ce que je disais. De temps à autre il m'interrompait pour obtenir des précisions sur un point qui ne lui paraissait pas tout à fait clair. Il avait cette attention aux détails qui caractérise les avocats.

Quant à moi, après avoir vécu plusieurs mois repliée sur mon secret, le simple fait de parler sans retenue me procurait une sensation proche du vertige. Après tant de mensonges, la vérité, tel un excès d'oxygène, me tournait la tête. Je suppose que le temps m'a aidée : c'était un de ces matins d'hiver qui donnent l'impression que le jour ne se lèvera jamais, et une masse de nuages gris semblait peser sur la ville. À un moment, KD s'est levé pour allumer la lumière mais je l'en ai empêché. Les confessions s'accommodent mieux de l'obscurité. D'ailleurs, c'était l'obscurité qui avait favorisé nos confidences, à Carla et à moi, quand je lui avais parlé de Gabriel, lui offrant ainsi l'arme qu'elle allait utiliser contre moi, une fois la jalousie installée entre nous. KD et moi étions donc assis dans la pénombre, et les images de l'île affluaient à ma mémoire.

J'ai commencé par lui raconter simplement que Carla m'avait suivie sur la route côtière, que nous nous étions disputées et que je l'avais frappée avec une pierre, mais ce récit ne l'a pas satisfait. Il voulait tout savoir depuis le début, il désirait comprendre comment c'était arrivé. Je suis donc remontée plus loin, je lui ai expliqué le pourquoi de mes vacances en solitaire, les problèmes que j'avais rencontrés les trois premiers jours sur l'île, et mon soulagement en tombant par hasard sur Carla en ville. Je lui ai tout raconté, même les épisodes qu'il connaissait déjà : notre rencontre avec lui et Glen, la soirée que nous avions passée tous les quatre ensemble. Et puis la fameuse nuit. La façon dont Carla avait plaisanté au sujet de la mort de Gabriel, mon incapacité à faire l'amour avec Glen, mon départ de la bergerie à l'aube, Carla qui m'avait suivie. La bagarre. La chute. La perte de conscience. Le réveil, avec la pierre dans ma main, et mon bras en travers du corps de Carla — du corps mort de Carla.

« Tu ne te rappelles pas l'avoir tuée, en fait ?

— Je suppose que j'ai dû effacer ce moment de mon esprit. C'est ce que font les gens, non, quand ils ont commis un acte trop atroce pour s'en souvenir ?

— En général, ils mentent.

— Je ne mens pas, KD.

— Continue. »

Il m'observait avec une expression neutre, sans colère maintenant, sans jugement, sans sympathie non plus. Il avait dit qu'il voulait connaître la vérité, mais il n'avait pas promis de garder le secret ni de m'aider par la suite. Dans l'immédiat, ces considérations n'avaient pas lieu d'être, la seule chose qui importait était de raconter l'histoire.

« Depuis, j'ai fait des rêves — du moins, je crois qu'il s'agissait de rêves — où je me rappelais l'avoir frappée. Comme si je ne pouvais affronter mes actes que dans le sommeil, une fois ma vigilance relâchée.

— Parfois, l'esprit utilise les rêves pour donner sens à des événements qui paraissent inexplicables. Ces rêves-souvenirs sont-ils toujours semblables ?

— Non. Quelquefois, je rêve de Carla, mais il m'est arrivé aussi de rêver que je tuais d'autres personnes.

— Tu t'étais déjà montrée violente, avant ?

— Jamais.

— Tu avais des pensées violentes ?

— Pas spécialement. Mais peut-être que j'ai également refoulé tout cela.

— Quand tu as réalisé que Carla était morte, qu'as-tu fait ?

— J'étais paniquée, incapable d'une pensée cohérente. J'ai jeté la pierre au milieu des arbres, puis j'ai essayé d'enlever de la route le corps de Carla. J'ai dû croire que je pourrais le cacher, lui aussi, mais c'était insensé. Quand j'ai entendu le camion approcher...

— Attends une seconde, Helen. Qu'est-ce que tu viens de faire avec tes mains ?

— Quoi ?

— Ça. » Il a imité le geste de quelqu'un qui lance une balle d'une main dans l'autre. « Tu fais toujours ça quand tu es stressée ?

— Je ne crois pas... »

Je me suis tue et j'ai répété le geste, ce qui m'a permis de remonter à la pensée qui l'avait suscité. Ce n'était pas une balle que je lançais d'une main dans l'autre. Dans mon esprit, c'était la pierre — la pierre qui se trouvait dans ma main droite quand j'avais repris connaissance, mais que j'avais fait passer dans ma main gauche pour la jeter dans les arbres. Parce que je suis gauchère.

« Qu'y a-t-il, Helen ?

— Je ne sais pas, je n'arrive pas à comprendre.

— Comprendre quoi ?

— Je suis gauchère.

— Et alors ?

— La pierre était dans ma main droite quand je suis revenue à moi. J'ai dû utiliser ma main droite pour tuer Carla, mais...

— Pourquoi donc ?

— Je l'ignore.

— On t'a obligée à te servir de ta main droite quand tu étais enfant ?

— Non, jamais.

— Tu es peut-être ambidextre.

— Non.

— Peut-être que... » KD s'est levé. « Peut-être que c'était un coup monté.

— Quoi ?

— De la même façon que j'ai cru que tu avais placé la chemise tachée du sang de Carla de manière à ce que les soupçons pèsent sur moi.

— J'ai en effet emprunté ta chemise. Elle a dû tomber pendant que je courais et, dans ma panique, je ne m'en suis pas aperçue.

— Là n'est pas la question, Helen. Ce que je dis, c'est que quelqu'un d'autre a pu tuer Carla et mettre la pierre dans ta main pour laisser croire que c'était toi la meurtrière. »

Je l'ai regardé fixement. Un grondement rugissait dans ma tête.

KD s'est soudain animé. « De quel côté du visage avait-elle été frappée ? »

J'ai revu le visage de Carla, le mélange de sang, de fard à paupières et de terre — une image que je n'oublierais jamais. « Près de l'œil gauche.

— Ce qui indiquerait qu'elle a été frappée par un droitier.

— Ou par quelqu'un qui utilisait sa main droite et...

— Helen, a dit KD avec douceur, as-tu jamais envisagé l'hypothèse que ce soit quelqu'un d'autre qui ait tué Carla, pas toi ? »

À nouveau ce grondement dans ma tête, le fracas étourdissant des certitudes qui s'écroulent.

« Mais qui d'autre aurait voulu la tuer ?

— Finch, évidemment. Réfléchis, quand une femme est assassinée, le suspect numéro un est toujours son mari ou son amant.

— Mais... mais... » Je perdais pied. « Je sais que c'est moi.

— Comment le sais-tu ?

418

— Et tous ces rêves que j'ai faits ?

— Puisque tu ne trouvais pas d'explication logique aux événements, ton subconscient a tenté d'y donner un sens. Admets-le, Helen, l'attitude de ce type était plutôt bizarre : sa femme le quitte pour partir seule en vacances pendant deux semaines, il attend plus de dix jours avant de décider de la rejoindre, et il ne cherche à la rencontrer que le lendemain de son arrivée, *après* qu'elle est bel et bien morte. Est-ce plausible qu'il ait entrepris ce voyage juste pour passer les dernières vingt-quatre heures de vacances avec elle ? Pourquoi diable aurait-il fait ça ? S'il désirait une réconciliation, pourquoi ne pas attendre le retour de Carla et l'accueillir à l'aéroport avec un énorme bouquet de roses et une bouteille de champagne ?

— Il ignorait qu'elle rentrait déjà.

— C'est ce qu'il a affirmé. Personnellement, je n'en crois pas un mot.

— Il avait pourtant prévu de la rencontrer ce soir-là.

— Qu'est-ce qui l'en a empêché ?

— Il était fatigué, il imaginait qu'ils allaient se disputer, il a donc décidé d'attendre le lendemain matin.

— Ah oui, vraiment ? Excuse-moi, mais je ne gobe pas ça. Être fatigué l'arrangeait bien. Il s'est probablement débrouillé pour qu'on le voie rentrer tôt à son hôtel le soir, je parierais même qu'il a déclaré qu'il prendrait un somnifère et ne voulait pas être dérangé. Ensuite, il est ressorti sans que personne le remarque et il est allé directement là où il savait trouver Carla. Mon Dieu, on éprouverait presque de la pitié pour lui. Accès de jalousie, voilà le mobile le plus banal du monde.

— Mais tu ne peux pas être sûr que c'est lui.

— Qui d'autre, dans ce cas? À part toi, je veux dire.

— Cela aurait pu être...» J'essayais de trouver quelque chose à répondre mais l'idée que je pouvais ne pas être coupable m'avait trop secouée pour que j'y voie clair. Qui d'autre y avait-il sur l'île? «Cela aurait pu être Paul.

— L'ami qui a téléphoné à son mari?» KD semblait dubitatif. «Pour quel motif?

— Il la suivait, je sais qu'elle avait peur de lui.» Cette hypothèse me séduisait. «D'après ce qu'il m'a dit, elle le fuyait parce qu'elle savait qu'il rapporterait ses faits et gestes à Daniel, mais il a pu mentir.

— Tu essaies encore de protéger Finch?

— Tout cela, ce ne sont que des suppositions. Toi qui es juriste, tu sais bien qu'il faut des preuves solides pour déclarer quelqu'un coupable.

— Oui, mais pas pour avoir des convictions. Et, pour ma part, je soupçonne fortement Finch.

— Il y avait le Grec, aussi. Il n'a pas cessé de nous épier toute la soirée.

— Le Grec?»

Je lui ai parlé de mon Roméo qui louchait, KD n'a cependant guère paru convaincu. «Possible, mais peu probable.

— Et on n'a pas la certitude absolue que ce n'est pas moi la coupable. J'ai très bien pu commettre ce crime.

— À vrai dire, je ne le crois pas.» Il a consulté sa montre. «Merde, il faut que je file si je ne veux pas rater mon avion.

— Tu pars déjà? Mais tu viens juste d'arriver!

— Je ne peux pas échanger mon billet. Je n'avais pas l'intention de venir te voir, je pensais que ça ne servirait à rien; seulement cette histoire me minait, et hier soir, j'ai pensé : Tant pis, je tente le coup.

Maintenant, je me félicite d'être passé. Je te téléphonerai dès mon retour.

— Non, attends. Je t'accompagne à Heathrow, on pourra discuter dans la voiture. Je... je n'arrive pas encore à réaliser... Comment peux-tu être si sûr que ce n'est pas moi qui ai tué Carla ? »

Il m'a regardée soudain avec un grand sourire. «Voyons, Helen, regarde-toi dans la glace. Tu n'as rien d'une meurtrière. »

Ce n'est pas par générosité que j'ai proposé à KD de le conduire à l'aéroport, ni même parce que je lui étais reconnaissante d'avoir jeté un rayon de lumière dans ma prison, mais par intérêt personnel : j'avais besoin de lui. J'avais le sentiment de flotter en pleine irréalité, le doute bouleversait toutes mes croyances. Peut-être n'avais-je pas tué Carla. Peut-être... Pourtant, je n'osais pas m'affranchir de cette responsabilité avant d'en être absolument certaine car, si je me trompais, jamais je ne pourrais me confronter une seconde fois à l'horreur de ma culpabilité, sous peine de perdre la raison.

La circulation était dense mais il n'y avait pas de bouchons. Il était à peine plus de midi, et pourtant la plupart des voitures roulaient codes allumés, tant il faisait sombre.

« Parle-moi de Finch, a dit KD. À quoi ressemble-t-il ?

— Je ne le connais pas bien, mais je suis sûre que ce n'est pas un assassin.

— Pourquoi ? Ce n'est pas inscrit sur la figure, qu'on est un assassin. La plupart du temps, il s'agit de gens ordinaires qui ont été poussés au-delà des limites du supportable, si bien que quelque chose a craqué en eux. Un type qui voit sa femme ivre baiser avec un inconnu a un sacré bon mobile.

421

— Sans doute.

— Tu préférerais pourtant que ce ne soit pas la vérité. Tu le trouves séduisant ?

— Il n'y a rien entre nous.

— Ce n'est pas ce que je te demande. »

J'ai poussé un soupir. « Oui, j'avoue qu'il me plaît. Il peut être charmant quand il veut, il se décarcasse pour s'occuper de ses trois enfants, et c'est un musicien brillant. Il travaille en ce moment sur une composition ambitieuse, une sorte de requiem pour Carla... » Je me suis tue, et KD est resté silencieux. Il devait croire que je me concentrais sur la conduite — nous abordions le rond-point de Chiswick — alors que, en réalité, je réfléchissais au fait que, si c'était Daniel qui avait tué Carla, la *Chanson pour Carla* et le début du *Requiem* qu'il m'avait joué la veille au soir étaient la marque d'un cynisme et d'une hypocrisie consommés. Puis, avec un frisson, je me suis rappelé sa remarque : *Difficile de faire passer la culpabilité dans la musique.*

J'ai constaté d'un air songeur : « Paul prétend qu'il est dangereux.

— Il sait probablement de quoi il parle.

— À moins qu'il n'ait cherché délibérément à noircir Daniel.

— Parce que Paul aurait tué Carla ? Il n'a pas de mobile, Helen.

— Nous n'en savons rien. »

KD et moi avons échafaudé puis démonté toutes sortes d'hypothèses : KD exposait les raisons pour lesquelles Daniel aurait assassiné Carla, du meurtre soigneusement prémédité à la crise de jalousie furieuse ; je lui objectais ce que je connaissais du caractère de Daniel. Malgré tous ses défauts, ce n'était pas un meurtrier, j'en étais convaincue.

« Pourtant, tu étais prête à croire que toi, tu avais

tué Carla ? Comment se fait-il que tu sois beaucoup plus sévère envers toi que vis-à-vis de lui ?

— Je pensais qu'il existait une preuve de mon crime.

— Et si tu découvrais une preuve contre Finch ?

— Dans ce cas, je serais bien obligée de me rendre à l'évidence. » J'ai compris soudain que, si je découvrais la preuve de la culpabilité de Daniel, ma vie retrouverait son sens. Le marché paraissait terrible, mais je savais que ce que je souhaitais le plus au monde, c'était recommencer à vivre.

Il tombait de la neige fondue quand nous sommes arrivés à Heathrow. J'ai garé ma voiture dans le parking à durée limitée et j'ai accompagné KD à l'enregistrement des bagages.

« J'ai encore une heure devant moi, a-t-il constaté quand sa valise a disparu sur le tapis roulant. Allons manger un morceau. »

Nous avons continué à discuter tout en déjeunant. Je n'avais pas faim, mais KD a dévoré son plat. « Mon dernier repas de *fish and chips* anglais avant longtemps, a-t-il commenté.

— Tu n'as donc pas l'intention de revenir t'expliquer avec Daniel ? ai-je questionné, obscurément soulagée.

— C'est peu probable. J'imagine assez bien ce qui a dû se produire. Quand j'ai cru que tu m'avais fait porter le chapeau et que tu étais restée sans rien dire à me regarder me débattre, ça m'a foutu en l'air. Je ne comprenais pas comment j'avais pu me tromper à ce point sur quelqu'un, même quelqu'un que je venais juste de rencontrer. J'avais l'impression que tu m'avais trahi délibérément, et j'en étais arrivé à ne plus faire confiance à personne. Mais Finch... il ne représente rien pour moi. J'aimerais le voir puni, en mémoire de Carla, mais si je n'y parviens pas, ça ne m'empêchera pas de vivre.

— Alors, que vas-tu faire maintenant?

— Rentrer chez moi, effectuer tout le travail que j'ai laissé en plan depuis l'automne, puis j'irai trouver Glen et je le mettrai au courant. Je me suis toujours demandé s'il ne me soupçonnait pas. On n'en a jamais parlé, c'était sans doute un sujet trop difficile à aborder.

— Pourquoi Glen t'aurait-il soupçonné?»

KD scrutait l'écran au-dessus de nos têtes. «Mon vol est annoncé.» Il s'est levé et a hissé sur son épaule son bagage de cabine.

«Je t'accompagne.

— Et toi, Helen, qu'est-ce que tu vas faire à présent?

— Je n'y ai pas encore réfléchi.»

En approchant des portes d'embarquement, nous avons ralenti le pas pour retarder le moment de la séparation. «Je t'appelle dès mon arrivée, a de nouveau promis KD. Ne commets aucun acte irréfléchi. En fait, n'entreprends rien avant qu'on en ait discuté.

— D'accord.» Mais quelque chose me troublait encore. «Pourquoi as-tu dit que Glen te soupçonnait?

— Parce que c'est le cas.» KD a cherché dans sa poche intérieure son passeport et sa carte d'embarquement. «Après tout, la police m'avait interrogé; Carla et moi venions juste de coucher ensemble, j'étais son dernier amant en date; tout le monde ignorait ce qui s'était passé cette nuit-là, même toi, même Glen.» Le passager qui le précédait a tendu ses papiers à l'hôtesse. KD a mis les mains sur mes épaules et a déposé un bref baiser sur ma joue. «Cherche toi-même la solution, Helen. En théorie, il y a quatre suspects possibles: le dragueur grec, Paul Waveney, Daniel Finch, et moi.»

Tout à coup, il m'a souri en découvrant ses dents. « Je plaisante, Helen. Au revoir, je te téléphone. »

La neige dans d'autres aéroports lointains provoquait des annulations et des retards de vols. Des familles entières bivouaquaient sur les sièges des salles d'attente et des hommes dormaient par terre, recroquevillés en position fœtale. Je suis restée là à regarder tous ces gens sans savoir que faire. Je n'étais nullement pressée de quitter le confort impersonnel du terminal de l'aéroport; l'atmosphère de ces voyages différés avait quelque chose de rassurant. Tout le monde partageait la même incertitude et attendait la suite des événements; j'étais une personne parmi d'autres, rien de plus.

Après la grisaille de la journée, le crépuscule s'est installé. J'ai bu une tasse de thé, puis je suis allée aux toilettes et là, pour la première fois depuis des mois, j'ai observé mon visage dans le miroir. J'étais pâle, j'avais les yeux cernés, une expression lasse et tendue, mais... coupable? KD avait dit : *Regarde-toi dans la glace. Tu n'as rien d'une meurtrière.* Pourtant, juste après, il avait affirmé qu'on ne reconnaissait pas les assassins à leur figure. Alors, les apparences comptaient-elles ou pas?

Le vertige m'a saisie. J'ai baissé la tête et je me suis pincé la main droite jusqu'à ce que la douleur soit intolérable : j'avais besoin de sentir cette douleur pour me prouver que j'existais. Depuis six mois, je m'étais crue une meurtrière; à présent, j'étais potentiellement la victime d'une machination de l'assassin, mais je n'avais aucune certitude. Je flottais, plus légère que l'air, sans savoir qui j'étais. Ma personnalité se modifiait à chaque instant.

Je me raccrochais aux faits incontestables. Carla était déjà morte quand le camion l'avait heurtée; sa mort n'était pas accidentelle, donc, quelqu'un l'avait tuée, et ce quelqu'un était peut-être moi : pendant six mois, j'en avais été persuadée, et le passé ne se laisse pas démolir et reconstruire aussi aisément. Pour KD, cela avait été plus facile de changer de point de vue : il avait cru que Daniel était l'assassin de sa femme et que je l'avais couvert ; maintenant, il croyait toujours à la culpabilité de Daniel, mais au lieu de voir en moi sa complice, il pensait que j'avais été sa dupe. Seulement, l'enjeu était bien trop important pour que je puisse me contenter de suppositions. Il fallait que je connaisse la vérité une bonne fois pour toutes. Et le seul moyen d'être absolument certaine que je n'avais pas tué Carla dans une crise de rage incontrôlée, c'était de découvrir qui était l'assassin véritable. Je devais savoir ce qui s'était réellement passé, afin de savoir qui j'étais.

Je suis restée assise un long moment, regardant sans la voir une vieille femme au physique d'Orientale qui tenait un chapelet à la main ; les yeux fermés, elle faisait glisser les grains entre ses doigts et remuait les lèvres. Elle priait. J'avais envie de lui demander de prier pour moi : après tout, je luttais pour retrouver mon âme.

Je me suis levée. Si ce n'était pas moi qui avais tué Carla, il existait bien quatre autres coupables potentiels. J'ai écarté l'hypothèse d'un meurtre commis par un inconnu qui serait passé par là, quelqu'un d'étranger pour moi.

KD m'avait recommandé de ne rien faire sans en discuter au préalable avec lui ; seulement, KD se trouvait pour l'instant à dix mille mètres au-dessus de l'Atlantique et, d'autre part, je ne lui faisais pas confiance. Ce qu'il avait dit au moment de partir n'était peut-être qu'une plaisanterie mais, dans ce monde nouveau et insensé où l'on ne pouvait se fier à rien ni à personne, il n'était pas impossible que sa visite ait juste été une manœuvre tordue destinée à me bluffer totalement. Je ne parvenais pas encore à me fier à moi, comment aurais-je pu faire confiance à quelqu'un d'autre? Cependant, avant de partir, je suis allée dans une cabine téléphonique, j'ai composé le numéro que KD m'avait donné et j'ai laissé un message sur sa boîte vocale. Il fallait que quelqu'un soit au courant de mes intentions.

Quand je suis sortie de l'aéroport, le froid m'a piqué les joues. J'ai payé une petite fortune pour récupérer ma voiture au parking à durée limitée. Il était un peu plus de minuit.

Une fois sur l'autoroute, au lieu de suivre les panneaux pour Londres et de rentrer chez moi, j'ai pris l'embranchement de Bristol, en direction du sud-ouest de l'Angleterre.

21

Je savais précisément où le trouver.

Tandis que je roulais dans l'obscurité de la nuit, au milieu des rafales de neige de plus en plus violentes, un espoir insensé me faisait battre le cœur. La possibilité que KD ait raison et que la pierre ait été placée dans ma main par l'assassin véritable de Carla était exaltante. J'avais beau tenter de me protéger d'une désillusion future, je ne pouvais m'empêcher de penser : Dieu merci, ce n'est pas moi la coupable ! Faites que ce soit quelqu'un d'autre, n'importe qui, et que je sorte de ce cauchemar ! Peu importe qui c'est — même Daniel, je m'en fiche —, dès l'instant où ce n'est pas moi.

Un peu avant quatre heures du matin, je me suis arrêtée sur une aire de stationnement et j'ai sommeillé jusqu'à ce que le froid me réveille. J'ai trouvé un restaurant de routiers ouvert, j'ai bu une grande tasse de thé et mangé des toasts dégoulinants de beurre. À huit heures et demie, j'attendais dans ma voiture, en face de l'école de Burdock.

En ce jour de rentrée des classes après les vacances de Noël, quelques enfants sont arrivés à pied et ont voulu ramasser la neige dans la cour pour en faire des boules, mais il n'y en avait pas suffisamment. Un peu plus tard se sont garées devant l'école de jeunes mères au volant de breaks rouillés, avec à l'arrière des bébés sanglés dans leurs sièges spéciaux, puis deux ou trois femmes un peu plus âgées qui

428

conduisaient des quatre-quatre d'où émergeaient des tripotées d'enfants chaudement emmitouflés. Enfin, à neuf heures moins une, le break gris métallisé s'est arrêté. Daniel en est descendu et a ouvert la porte arrière pour laisser descendre Rowan et Vi. Toute son attention était concentrée sur ses enfants, si bien qu'il n'a pas remarqué la femme seule assise dans sa voiture de l'autre côté de la route enneigée. Rowan a traversé la cour d'école sans un regard en arrière et a rejoint aussitôt un groupe de copains qui raclaient la neige avec leurs chaussures. Vi semblait moins enthousiaste ; elle sautillait à côté du véhicule et fouillait d'un air affairé dans son petit sac à dos bleu. Daniel s'est penché sur elle pour lui parler ; l'enfant a essuyé ses larmes de sa petite main gantée d'une mitaine et elle a fini par entrer dans l'école. La tête dans les épaules à cause du froid, Daniel a attendu que sa fille ait disparu par une porte latérale avec les autres enfants et qu'il n'y ait plus personne dans la cour. Des flocons de neige constellaient ses cheveux et sa veste. Il est remonté en voiture et a repris la direction de Pipers. Quelques instants plus tard, j'ai démarré et je l'ai suivi lentement.

« Qu'est-ce que vous foutez ici, nom de Dieu ? »
La formule de KD m'est revenue à l'esprit. « Il faut qu'on parle, Daniel.

— Je regrette, mais nous n'avons absolument plus rien à nous dire. Sortez, Helen, fichez-moi la paix.

— Je vous promets de partir dès que j'aurai découvert la vérité.

— Je croyais que vous la connaissiez déjà. » La lumière claire et froide qui inondait la cuisine révélait son visage sombre et ses traits tirés à cause du manque de sommeil. Il portait un vieux pull élimé et n'était pas rasé. L'air dur, il me dévisageait avec une expression de profonde hostilité. J'ai essayé d'imaginer à quoi il devait ressembler quand il était vraiment en colère contre quelqu'un, furieux au point de tuer.

«Écoutez, je regrette de vous avoir menti au sujet de ce qui s'est passé ; je ne l'ai fait que parce que je voulais que vous me détestiez et... oh, Seigneur ! c'est tellement compliqué, je ne sais comment vous dire... » Aucune des entrées en matière que j'avais préparées durant le trajet ne me paraissait appropriées. J'aurais dû avoir peur, pourtant je ne pensais qu'à une chose : trouver un moyen de l'empêcher de me regarder avec tant de haine. «Je vous en prie, Daniel, je comprends que vous soyez fâché, mais donnez-moi une chance de m'expliquer... Je vais préparer du café, et ensuite nous pourrons... »

J'ai attrapé la bouilloire, et je m'apprêtais à la remplir — il fallait que je fasse quelque chose, n'importe quoi, pour éviter de voir l'expression rageuse de Daniel — quand il s'est précipité pour me l'arracher des mains.

«Non, Helen. Visiblement, je n'ai pas été assez clair. Je vous le répète pour la dernière fois : je ne veux pas discuter avec vous, je ne veux pas que vous prépariez du café, je veux que vous sortiez de ma cuisine et de ma vie. Dehors, immédiatement ! »

Il n'avait même pas élevé la voix — ce n'était pas nécessaire.

«Mais, Daniel...

— Dehors !

— Non ! Il faut que je vous parle ! Vous pouvez me mettre à la porte et vous boucher les oreilles, je reviendrai jusqu'à ce que vous m'écoutiez, alors autant m'écouter maintenant, une bonne fois pour toutes. Après, je vous jure de vous laisser tranquille à tout jamais.

— Franchement, vous vous imaginez que je vais

croire un seul mot de ce que vous pourrez me raconter?

— Nous devons parler de Carla.

— Pourquoi? Vous n'avez pas déjà causé assez de mal?

— Je n'ai jamais eu l'intention... je n'ai jamais voulu blesser personne.

— Excusez-moi, mais ça me paraît difficile à croire.

— O.K., j'ai eu tort de mentir à propos des événements de l'île. Cela me semblait le meilleur moyen d'en finir, mais j'ai été stupide et maladroite, et...

— Arrêtez avec les remords, Helen! C'est très touchant, mais vous perdez votre temps. Comment puis-je vous faire comprendre que je me fous pas mal de tout ça? Je veux simplement que vous vous tiriez d'ici.

— Mais Carla...

— Carla était ma femme, merde! Ce qui s'est passé entre elle et moi ne vous regarde pas, occupez-vous de vos affaires! Et maintenant...

— Écoutez-moi! ai-je crié en tapant du poing sur la table. Vous allez m'écouter! Il *faut* que je vous parle! Il faut que je sache ce qui s'est passé. Carla a été assassinée!»

Il m'a regardée fixement pendant quelques secondes, puis il a éclaté de rire. «Ah, ah! Bravo, Helen, bien joué! Et après? Qu'est-ce que votre esprit malade va encore inventer? Carla a été assassinée, vraiment? Où êtes-vous allée chercher cette histoire? Quelqu'un a offert de l'argent au chauffeur du camion pour qu'il la renverse? C'est ça?»

Daniel avait perdu son sang-froid, il hurlait et crispait les poings de rage. J'ai inspiré à fond et j'ai lâché d'une seule traite: «Carla était déjà morte quand le camion l'a heurtée, c'est ce qu'ont suspecté

431

les médecins de l'hôpital, ce qui a éveillé les soupçons de la police.

— Oui, mais les policiers ont classé l'affaire parce qu'ils se sont rendu compte qu'ils s'étaient trompés et que c'était en fin de compte un simple accident de la route. J'étais là, Helen, ils me l'ont dit eux-mêmes. À présent, remballez vos sales petits mensonges et fichez le camp d'ici.

— Cette fois, je ne mens pas, Daniel. Je sais que ce n'est pas le camion qui l'a tuée. J'y étais...

— Moi aussi, alors...

— ... sur la route. J'étais avec elle quand elle est morte. Je l'ai vue allongée sur la route avant même l'arrivée du camion, et elle était déjà morte.»

Je me suis tue. Daniel me regardait avec une expression de stupeur. Soudain, j'ai pris conscience de mon imprudence; je n'avais jamais eu l'intention de dévoiler les choses aussi brutalement, mais, devant son refus obstiné de me parler, je m'étais lancée sans réfléchir. Tout, même la confrontation avec un meurtrier éventuel, valait mieux que la torture de l'incertitude.

«Encore des mensonges, Helen? a-t-il répliqué d'un ton glacial. À quoi bon? Vous êtes descendue à la plage par le sentier, non? Vous aviez la gueule de bois après votre sordide soirée de débauche et vous avez décidé d'aller nager, c'est ce que vous avez déclaré à la police. Vous n'étiez pas sur la route... ou bien avez-vous menti, là encore?

— Je ne pouvais pas raconter à la police ce qui s'était réellement produit.

— Pourquoi?

— Parce que...» Je me suis interrompue. Jamais je n'avais prévu de prendre un tel risque, pourtant cela semblait soudain l'unique solution. Il fallait que je trouve un moyen de convaincre Daniel que je ne

jouais plus la comédie. Dans un murmure, j'ai avoué :
« Parce que j'ai cru l'avoir tuée.

— Quoi ? »

Cette fois, j'avais capté son attention — toute son attention —, et cela m'effrayait.

« Ça me paraissait la seule explication, mais je n'en suis plus si sûre.

— Ma pauvre fille, a-t-il commenté en plissant les yeux, vous êtes vraiment cinglée.

— Non, je vous jure que c'est la vérité.

— La vérité, vous seriez incapable de la reconnaître même si elle vous crevait les yeux. Si réellement vous étiez avec Carla au moment de sa mort, et si vous croyiez l'avoir tuée, pourquoi me racontez-vous tout ça maintenant ? Je pourrais vous faire mettre en prison.

— Parce que je ne le crois plus. » J'ai marqué une pause pour laisser mes paroles prendre toute leur signification. C'était vrai, je ne croyais plus que j'avais tué Carla. Tout à coup je flottais, légère et libre tel un ballon gonflé à l'hélium. Mes yeux se sont remplis de larmes. « KD est venu me trouver chez moi, hier, nous avons discuté longuement, et désormais je ne me crois plus coupable de ce meurtre.

— Pourquoi donc ? » Daniel scrutait mon visage et soupesait mes paroles. « Qu'y a-t-il de changé ?

— Hier, en parlant avec KD, j'ai réalisé que la pierre qui a tué Carla se trouvait dans ma main droite quand j'ai repris connaissance. » J'ai observé Daniel pour voir s'il comprenait ce que cela impliquait, mais son visage ne trahissait rien. « Je suis gauchère. Je pense qu'on a utilisé la pierre pour que les soupçons se portent sur moi.

— Pourquoi aurait-on voulu assassiner Carla, bon sang ?

— Je n'en ai aucune idée, je sais cependant qu'elle était morte avant l'arrivée du camion.

— Mon Dieu... » Il a poussé un long soupir. « O.K., Helen, vous avez gagné. Racontez-moi votre version des faits. Mais si vous me mentez cette fois encore, je jure que je vous tords le cou. »

À cette menace, la peur m'a noué le ventre. Mine de rien, j'ai reculé de deux ou trois pas en direction de la porte, de manière à mettre la table entre nous, et j'ai tâté mes clés de voiture dans la poche de mon manteau.

Sans le quitter des yeux, j'ai expliqué : « Depuis ma conversation avec KD, j'ai passé en revue tous les détails de cette dernière soirée. Je suis persuadée que nous étions suivies. Quand nous avons traversé l'oliveraie pour nous rendre à la plage, Carla était convaincue qu'il y avait quelqu'un derrière nous. Plus tard, pendant que je nageais, j'ai cru entendre un plongeon ; j'ai pensé que c'était Glen ou KD qui plongeait du haut des rochers, mais je me souviens d'avoir été surprise parce qu'ils ne connaissaient pas assez bien les lieux pour avoir escaladé ces rochers dans le noir. D'ailleurs, presque au même moment, je les ai entendus au bord de l'eau, là où se trouvait Carla, et je me suis fait la réflexion qu'ils n'avaient pas pu nager aussi vite. Ensuite, j'ai oublié tout ça.

— Pourquoi ?

— Parce que Glen m'a embrassée. J'avais bu, tout était un peu flou, et je n'imaginais pas qu'il y avait le moindre danger.

— Qu'est-ce qui s'est passé ensuite, d'après votre version ?

— Glen et moi sommes rentrés à l'appartement où il logeait avec KD. Carla et KD nous avaient précédés. Ils avaient fait l'amour. » Malgré son scepticisme, Daniel m'écoutait avec attention maintenant. J'étais consciente que, si j'espérais le pousser à dévoiler sa culpabilité, je m'y prenais plutôt mal, mais il était trop tard pour revenir en arrière. Par ailleurs, le risque ne me déplaisait pas, d'une certaine manière ; si j'étais vulnérable à présent, c'était uniquement parce que quelqu'un d'autre avait assassiné Carla, pas moi. Ce premier frisson grisant du danger me démontrait qu'aucune menace extérieure ne pouvait être aussi terrifiante que les démons intérieurs qui avaient failli m'anéantir totalement. Alors, pour la seconde fois en l'espace de quarante-huit heures, j'ai raconté la série d'événements qui avaient abouti à la mort de Carla et bouleversé mon existence. Je n'ai pas eu besoin d'entrer dans les détails, comme avec KD ; Daniel posait très peu de questions, ce qui m'a permis de passer rapidement sur les motifs de ma dispute avec Carla. Je n'ai pas été obligée de lui parler de Gabriel, ni de la raison pour laquelle je n'avais pas pu faire l'amour avec Glen ; je lui ai simplement dit que nous n'avions pas fait l'amour, même si nous avions dormi dans le même lit, dans le séjour-cuisine. Je lui ai expliqué que j'étais partie au lever du jour et que Carla m'avait suivie ; nous nous étions disputées et je l'avais giflée ; elle m'avait agressée, elle criait, et...

« Qu'y a-t-il, Helen ? Pourquoi vous arrêtez-vous ?
— Je n'arrive pas à me souvenir, je... »

J'ai mis la main sur mes yeux. Peut-être était-ce parce que je répétais ce récit à quelques heures d'intervalle ; peut-être parce que, avec si peu d'interruptions, les mots s'écoulaient librement et me faisaient revivre le passé plus intensément que jamais. Ma bouche était sèche et j'avais soif, conséquence de la gueule de bois. J'avais une migraine atroce. J'ai senti la rage bouillonner dans mes veines au moment où j'ai giflé Carla, j'ai vu le choc dans son regard quand elle s'est ruée sur moi, mais, à l'instant précis où je suis tombée, j'ai entendu une voix — sa voix, ma voix, une voix d'enfant —, un cri, un hurlement de terreur : *Helen, attention !*

Je me suis massé la nuque, j'éprouvais une douleur persistante. J'avais cru que c'était à cause de la gueule de bois. J'avais imaginé que c'était à cause de la balle de cricket. Maintenant, je me demandais s'il ne s'agissait pas de tout autre chose. Carla avait peut-être tenté de m'avertir parce que quelqu'un — une troisième personne que je n'avais pas remarquée — avait surgi des buissons en bordure de la route. Quelqu'un qui m'avait flanqué un coup derrière la tête pour que nul ne puisse voir ce qu'il faisait à Carla. De cette façon, il y aurait une coupable toute désignée quand on retrouverait le cadavre de Carla.

Un voile noir obscurcissait mes yeux, un voile noir semblable à celui qui m'avait enveloppée sur la route côtière. Et, dans le noir, j'entendais ou je me rappelais entendre un mélange confus de mots et de cris, que j'avais pris pour des éléments d'un cauchemar quand je m'étais réveillée : le hurlement de terreur de Carla, le cri brutal d'un homme qui s'était jeté sur elle, leur lutte, les sanglots, les gémissements, puis la respiration et les grognements de l'homme quand il m'avait traînée sur le sol et avait placé mon bras en travers du cadavre de Carla. Et moi qui croyais depuis le début que...

« Helen, que se passe-t-il ? »

J'ai reculé pour m'éloigner davantage de Daniel. « Elle a essayé de me prévenir. Elle a voulu m'aider.

— Qui ça ? Carla ?

— Elle l'a aperçu et elle a tenté de m'avertir... »

Mes yeux se sont remplis de larmes.

« Ça suffit, Helen ! Pour l'amour du ciel, elle a aperçu qui ? »

Je n'ai pas répondu. Je n'avais pas confiance en lui. Je n'avais confiance en personne. Sauf en Carla. Parce que je comprenais tout à coup que sa dernière action avait été de me mettre en garde contre la silhouette qu'elle avait vue surgir de l'ombre derrière moi. Jusqu'à cet instant, j'avais considéré Carla comme mon agresseur et ma victime; maintenant, pour la première fois, je la voyais comme quelqu'un qui avait peut-être essayé de me sauver la vie.

Je ne pleurais pas seulement pour Carla. Je ne pleurais même pas essentiellement pour Carla. Mes larmes étaient avant tout des larmes de joie et de soulagement. L'image était encore floue; pourtant, à présent, l'histoire de la mort de Carla était une histoire que je pouvais raconter sans honte.

Ma terrible haine de moi-même appartenait désormais au passé.

J'ai relevé la tête. Daniel me fixait intensément. Soudain, je n'avais plus envie de rester dans cette pièce, plus envie de demeurer face à face avec cet homme que KD tenait pour responsable de la mort de Carla. C'était insensé d'avoir survécu aux épreuves des derniers mois et de me mettre en danger juste au moment où j'avais toutes les raisons de vivre.

J'ai respiré à fond et j'ai dit : « C'est bon, Daniel, je m'en vais. Vous en savez autant que moi à présent. »

Mais quand je me suis retournée pour sortir de la cuisine, il s'est aussitôt placé entre moi et la porte. « Pour l'amour du ciel, Helen, vous n'allez pas partir comme ça ! » s'est-il écrié. Puis, devant mon expression horrifiée, il a souri et a continué d'une voix plus douce : « Voyons, pourquoi vous montrer si insensible ? Vous ne pouvez pas vous pointer, jeter votre bombe et repartir tranquillement. Il faut qu'on parle de tout ça en détail. Ou bien vous êtes la folle la plus convaincante que j'aie jamais rencontrée de toute mon existence ; ou bien vous dites la vérité, et nous devons réfléchir à ce que nous allons en faire. Et ce café que vous proposiez tout à l'heure ? Vous avez sans doute passé la nuit à conduire, et bravé la neige, le vent, les congères et Dieu sait quoi encore, pas étonnant que vous ayez l'air défaite. Venez ici, que je vous enlève votre manteau. Pourquoi ne pas vous asseoir au salon ? Je vous rejoins dans une minute. »

Il m'a décoché un sourire enjôleur, m'a retiré mon manteau, a rempli la bouilloire, a allumé le gaz. Il déployait sa panoplie de charme pour m'empêcher de m'en aller. J'ai hésité : j'avais joué cartes sur table et lui ne m'avait rien dévoilé. Le bon sens me disait de me méfier de lui, la curiosité m'a incitée à rester.

« D'accord, mais je ne m'attarderai pas, je ne veux pas risquer d'être bloquée par la neige.

— Non, bien sûr. La météo annonce un dégel, vous n'avez pas à vous inquiéter. »

Le salon était sale et en désordre. J'ai contemplé l'estuaire par la fenêtre. Dehors, la neige avait cessé de tomber ; elle tenait juste assez pour donner une touche de blanc à l'ensemble du paysage : prés verts tachetés de blanc, boue marron mouchetée de blanc. Seule la rivière, qui formait pour l'instant un mince filet, demeurait grise sous le ciel menaçant. Daniel avait-il deviné ce qui me préoccupait réellement ? Pourquoi m'avait-il chassée de la cuisine pendant qu'il préparait le café ? Ma curiosité ne risquait-elle pas de se retourner contre moi ?

« Eh bien, a-t-il déclaré en entrant dans la pièce avec deux tasses fumantes, si vous avez raison et si Carla a été assassinée, à votre avis qui l'a tuée ? »

J'ai noté les « si » et j'ai répondu : « C'est précisément ce que je dois découvrir.

— Vous avez bien une idée ? » Nos regards se sont croisés. Sa bouche souriait mais ses yeux restaient durs et froids, calculateurs même. Avec une décontraction étudiée, il s'est assis dans un fauteuil. « Apparemment, la police grecque pensait que c'était KD. Ça vous paraît probable ?

— On ne peut pas exclure totalement cette hypothèse.

— Parlez-moi de lui.

— À ce que je sais, c'est un simple étudiant en droit de Pennsylvanie, et je ne l'imagine pas en train de tuer quelqu'un. » Tout en prononçant ces mots, je repensais à la rage de KD vingt-quatre heures plus tôt. Il aurait pu me tuer, avait-il avoué. Jamais il n'avait été aussi près de tuer quelqu'un. J'avais bien vu la violence qui couvait en lui. « Tout ce que je connais de lui, c'est ce qu'il m'a raconté.

— Vous avez mentionné que Carla préférait son ami. D'après vous, ça aurait pu mettre KD en colère ?

— Non, j'ai eu l'impression que c'était lui qui avait choisi Carla, et qu'en général il obtient ce qu'il veut.

— Vous vous êtes donc retrouvée avec le blond parce que vous n'aviez pas le choix ?

— En quelque sorte.

— Vous organisez toujours votre vie privée de cette façon ?

— Ce n'est pas de moi que nous parlons.

— Vraiment ? » Je n'ai rien répondu. Au bout d'un moment, il s'est levé et s'est dirigé vers la cheminée. « C'est incroyable. Pourquoi, au nom du ciel, aurait-on voulu tuer Carla ? » Son interrogation paraissait forcée, presque comme s'il jouait le rôle du mari bouleversé alors qu'il n'ignorait sans doute pas que le conjoint d'une femme assassinée est toujours le suspect numéro un.

Vas-y doucement, me suis-je dit. La peur me

tordait l'estomac. « D'après KD, en général la victime connaît son meurtrier.

— Lui, par exemple ?

— Il n'était pas l'unique personne qu'elle connaissait sur l'île.

— Qui d'autre, alors ? Paul ?

— Possible. Que savez-vous de lui ?

— Pas grand-chose, Dieu merci. Ce n'est pas quelqu'un que j'ai envie de fréquenter. La plupart des gens du coin le considèrent comme une espèce de héros parce qu'il recueille des animaux errants. Janet le trouve merveilleux et Carla l'a invité une fois ici à manger, mais j'ai souhaité qu'on s'en tienne là. Angela ne pouvait pas le supporter ; il faut dire qu'elle était amie avec sa femme — en fait, Sylvie avait passé quelques mois en thérapie avec Angela —, elle portait donc un regard plutôt négatif sur leur couple.

— Angela vous a raconté quelque chose à ce sujet ?

— D'après elle, Paul serait un sale type et un pervers, et elle ne voulait pas qu'il approche les enfants.

— Elle a affirmé que Paul était un pervers ?

— Plutôt accablant, non ? Mais il faut replacer les choses dans leur contexte : à cette époque, Angela condamnait tous les hommes de sa connaissance, moi le premier ; par conséquent, je ne prenais pas au pied de la lettre tous ses propos. N'empêche que, chaque fois que Paul invitait Lily ou Rowan à lui donner un coup de main avec ses animaux, je l'envoyais balader. Et quand Carla a commencé à se lier d'amitié avec lui, je lui ai transmis l'avertissement d'Angie.

— Elle vous a écouté ?

— Non, ça a même produit l'effet contraire. Carla était persuadée qu'Angie s'acharnait à lui rendre la vie impossible à Pipers ; selon elle, Angie inventait des calomnies contre Paul pour l'empêcher de se faire un ami dans le coin.

— On peut comprendre son point de vue ; j'ai eu l'impression qu'Angela sabotait tous les efforts de Carla.

— Peut-être, a répondu Daniel en haussant les épaules d'un air dédaigneux. Donc, l'assassin aurait pu être KD ou Paul. Qui d'autre ?

— Il y avait aussi un Grec qui m'avait importunée. » J'ai évoqué mon Casanova qui louchait, mais quand j'ai ajouté que je ne le croyais pas coupable, Daniel m'a approuvée.

« On ne peut toutefois pas l'exclure entièrement, a-t-il ajouté. En définitive, si la mort de Carla n'était pas accidentelle, ainsi que vous le prétendez, il y a donc trois meurtriers éventuels.

— Non, quatre.

— Qui d'autre ? »

Je n'ai pas répondu. Il me regardait fixement. Peu à peu, j'ai vu son expression changer et je me suis sentie oppressée. Après un long silence, il a déclaré : « Vous pensez que c'est *moi* qui ai tué Carla ?

— Non, non, bien sûr que non, ai-je répondu précipitamment, dans une tentative maladroite pour dissimuler mes doutes. Mais en théorie c'est possible, de la même façon que cela aurait pu être moi. Aux yeux d'un étranger, votre comportement a été un peu bizarre : vous arrivez sur l'île deux jours seulement avant le retour prévu de Carla en Angleterre et vous n'allez même pas la voir immédiatement, vous ne vous montrez pas avant le lendemain, alors qu'elle est déjà morte.

— Mon Dieu, c'est insensé !

— Rappelez-vous, avant-hier, quand j'ai inventé cette histoire à propos de ce qui s'était passé avec Glen et KD, vous avez affirmé que vous saviez que c'était faux. Comment pouvez-vous en être certain si vous n'avez pas vu ce qui s'est réellement produit ?

— Parce que vous êtes une fieffée menteuse, Helen, a répliqué Daniel avec un rire amer. Voilà pourquoi. Seigneur, je n'en reviens pas de vous entendre dire que j'ai peut-être tué Carla ! Il se peut, c'est vrai, que j'aie cessé de l'aimer, il se peut même que je ne l'aie jamais vraiment aimée comme elle voulait être aimée, mais elle était ma femme, bon sang, j'avais de l'affection pour elle, je n'ai jamais souhaité sa mort. »

J'ai noté qu'il n'avait même pas relevé mes soupçons : parce qu'il les considérait comme négligeables, ou pour une autre raison ?

« Vous aviez peut-être de l'affection pour elle, mais pas assez pour remarquer sa détresse.

— Vous vous livrez à une inquisition ou quoi ? Vous croyez que je ne suis pas affecté par ce qui est arrivé ? Vous imaginez que ça a été facile pour moi de découvrir, une fois qu'il était trop tard pour y remédier, qu'elle était malheureuse avec moi au point de passer sa dernière nuit avec un inconnu ? Vous pensez que ça m'a fait plaisir ? »

Soudain, la vérité m'a sauté aux yeux, et je me suis étonnée de ne pas avoir compris plus tôt : « Vous êtes encore furieux contre elle.

— Et comment ! Je n'ai pas décoléré depuis sa mort. Je suis en colère contre moi, mais aussi contre elle. Quoi d'étonnant à ça ? Si seulement elle avait eu le courage de me parler face à face de ce qui la préoccupait, peut-être que je ne me serais pas conduit de manière si égoïste, mais elle ne m'a jamais rien dit. Elle racontait ses malheurs à tout le monde, mais elle demandait aux gens de se taire. Je l'apprends maintenant qu'il est trop tard pour faire quelque chose. Avec moi, elle a toujours prétendu être heureuse et satisfaite de sa vie.

— Peut-être voulait-elle que vous pensiez qu'elle

s'en sortait bien. Votre opinion comptait énormément pour elle. Et vous ne lui avez peut-être pas témoigné de compassion quand elle avait un problème.

— Par exemple ?

— Vous étiez content qu'elle ait perdu le bébé ?

— Quoi ?

— Vous lui aviez fait clairement comprendre que vous ne désiriez pas d'autres enfants.

— C'est elle qui vous a dit ça ?

— Non, nous n'avons jamais vraiment parlé de vous, sauf le dernier soir, quand elle m'a montré la photo avec vous et les enfants. Mais d'après certaines personnes...

— Quelles personnes ?

— Peu importe. Quelqu'un m'a même déclaré que vous l'aviez obligée à avorter.

— Mon Dieu !» Il s'est assis sur le canapé, les coudes appuyés sur les genoux, dans une pose qui m'a rappelé l'après-midi que nous avions passé dans la galerie du Victoria & Albert Museum. «Parfois, je déteste cet endroit, a-t-il constaté d'un ton amer. Il est parfaitement exact que je n'étais pas enchanté, quand Carla m'a annoncé sa grossesse. Au début de notre relation, et même pendant les six premiers mois de notre mariage, elle m'a affirmé qu'elle ne voulait pas d'enfants, et moi, comme un idiot, je l'ai crue. Lorsqu'elle a commencé à broyer du noir, j'ai supposé que c'était parce qu'elle n'arrivait pas à faire carrière en tant que chanteuse, et je l'ai aidée du mieux que j'ai pu. Eh oui, figurez-vous, la perspective d'être père une fois de plus n'avait rien de réjouissant : comme vous l'avez peut-être remarqué, j'ai déjà trois enfants extrêmement prenants, d'autant plus que leur mère passe le plus clair de son temps sur un autre continent. Pourtant, malgré ce que vous et les commères de Burdock peuvent penser, j'ai essayé, pour le bien de Carla, de me montrer enthousiaste. Le mot "avortement" n'a jamais été évoqué et, quand elle a perdu le bébé, je lui ai témoigné toute la compassion dont j'étais capable. Satisfaite ? »

Il m'a lancé un regard furieux.

« Comme vous l'avez dit tout à l'heure, cela ne me regarde pas.

— C'est là que vous vous trompez.

— Mais...

— Parce que tout ça, c'étaient des conneries, même si j'y ai peut-être cru à l'époque. Carla était plus lucide que moi. Récemment, je me suis rendu compte que je serais ravi d'avoir d'autres enfants avec une femme que j'aimerais suffisamment. Ce qui a peu de chances de se produire. » Il m'a dévisagée avec froideur, le temps que je comprenne la signification de ses paroles, puis il a continué : « Tout cela n'a plus d'importance à présent. Carla savait que je ne voulais pas d'enfants d'elle parce que je ne l'aimais pas assez, et ce depuis le début. Oh, je l'aimais bien, j'avais de la tendresse pour elle, et je croyais à cette époque que le sentiment que j'éprouvais serait un amour plus durable que l'enfer de mon premier mariage. Mais ce n'était pas le cas et, tout au fond d'elle-même, Carla l'a toujours su, voilà pourquoi elle était si malheureuse. En mon for intérieur, je n'ignorais sans doute pas son désarroi, mais je continuais à faire comme si tout allait bien, parce que, quoi qu'il en soit, de toute façon, je ne pouvais rien y changer. C'est la raison pour laquelle je suis rongé de remords depuis qu'elle est morte. Il n'y a rien de pire que d'aimer bien une personne, mais de ne pas être capable de lui donner l'amour qu'elle mérite.

— Vous attendez que je vous plaigne d'avoir rendu Carla malheureuse ?

444

— Sûrement pas, a-t-il riposté en se levant. Je veux juste que vous sachiez que je ne l'ai pas tuée.

— Peu importe ce que je pense. »

Il s'est contenté de me regarder en silence. Debout, le dos à la cheminée, il a croisé les bras et a attendu sans cesser de me dévisager. À la fin, il a interrogé : « Ce n'était pas risqué de venir ici et de me confronter de cette manière ?

— Il fallait que je sache.

— Vous avez vraiment cru que vous aviez tué Carla ? »

J'ai hoché la tête.

« C'est pour ça que vous êtes venue ici la première fois ?

— J'avais besoin d'apprendre qui elle était, le genre de vie qu'elle avait menée, à quoi ressemblait son entourage.

— Je me suis toujours interrogé là-dessus », a murmuré Daniel.

Nouveau silence. Dehors, quelques flocons de neige voltigeaient dans tous les sens mais ne semblaient pas vouloir se poser.

« Vous savez ce que je pense, Helen ? » Sans attendre ma réponse, il a continué : « Je pense que vous êtes malade. Vous avez rencontré Carla en vacances, vous ne vous êtes pas remise de sa mort et vous avez fait une fixation sur elle, voilà pourquoi vous vous êtes rendue ici et immiscée dans nos vies. Ça m'a toujours laissé perplexe, cette façon que vous aviez de ne rien demander pour vous-même ; en réalité je me trompais : vous vouliez tout, vous vouliez entrer dans la vie de Carla.

— Non, ce n'était pas cela », ai-je répondu. Pourtant, alors que je contemplais l'estuaire et la neige qui tourbillonnait derrière la fenêtre, j'arrivais presque à croire que Daniel avait raison. « Ce n'était pas cela,

445

ai-je répété en serrant les poings de toutes mes forces. J'en suis certaine.»

Je me suis levée. J'avais conscience d'un danger, sans réussir à définir quelle sorte de danger.

«Je ferais mieux de partir.

— Pourquoi? Vous êtes-vous si facilement laissé convaincre que ce n'est pas moi le coupable? Que comptez-vous faire à présent?

— Peut-être aller trouver Paul et lui parler.

— Pour l'amour du ciel, Helen, ne soyez pas idiote! Vous ne pouvez quand même pas sillonner la région en demandant aux gens s'ils ont tué Carla.

— Je ne lui poserai pas la question de but en blanc. De toute façon, qu'est-ce que je peux faire d'autre?

— Rester ici avec moi. Juste un moment. Nous trouverons une solution ensemble.

— Non, c'est mon problème, je dois le résoudre seule.

— Vous n'avez toujours pas confiance en moi? Mais c'est insensé!» Il a traversé la pièce. Le bruit de ses pas était amorti par le tapis. «Vous ne croyez tout de même pas sérieusement que je voulais du mal à Carla?

— Quelqu'un lui en voulait.

— Ce n'est pas moi.» Son expression s'est radoucie et il a souri. Daniel le séducteur. «Qu'y a-t-il, Helen? Vous ne désirez pas que je vous aide?»

J'aurais dû m'écarter pendant que je le pouvais encore. Trop tard. Le contact de ses mains sur mes épaules m'a électrisée.

«Pourquoi ne pas m'avoir raconté ça plus tôt? Pourquoi tous ces mensonges?

— Je croyais que c'était moi la coupable.» Sa peau avait un parfum épicé, un mélange de savon et de café, plus une légère odeur de transpiration due à la tension. «Je voulais que vous me détestiez.

— Vous avez bien failli réussir. J'ai cru devenir fou après votre départ, je ne parvenais pas à comprendre à quel jeu vous jouiez. Soudain, j'ai réalisé que je ne savais rien de vous, à part votre don pour les langues. Rien, pas un seul élément. Et j'étais incapable de dire si c'était important ou pas. Par moments, je me sentais plus proche de vous que de certaines personnes que je connais depuis des années. » Il avait posé les mains sur mon dos et m'attirait doucement à lui.

« Vous ignorez tout de moi. » Le frisson du danger n'avait pas disparu, il s'était toutefois subtilement transformé en une sensation érotique.

« Au moins, je comprends à présent pourquoi vous aviez cet air égaré. Je trouvais votre présence reposante parce que vous paraissiez encore plus désemparée que moi. J'en avais marre des gens qui essayaient sans cesse de me remonter le moral. Pourtant, quand je vous ai vue rire avec les enfants l'autre soir, je me suis rendu compte que j'avais envie de connaître aussi cette autre partie de vous. »

Ses mains avaient glissé sur mes reins. J'ai posé les miennes sur sa poitrine, prête à le repousser. Mon cœur battait la chamade. Plus que tout au monde, je souhaitais croire que chaque mot prononcé par Daniel était sincère et vrai, pourtant je n'osais pas.

« Non, Daniel.

— Vous continuez à vous méfier de moi, a-t-il constaté en me lâchant aussitôt.

— Je n'en sais rien. » Je me suis écartée et j'ai commencé à m'éloigner, mais il m'a rattrapée par le poignet.

« Qu'allons-nous faire maintenant, Helen ?

— Je n'en sais rien, ai-je répété.

— Ah, mais moi, je le sais. Ce qui me donne l'avantage sur vous, pour une fois. »

Il s'est penché légèrement en avant, et ses lèvres ont effleuré les miennes.

«Je croyais que vous ne transgressiez pas une certaine règle? ai-je remarqué d'un ton ironique.

— Elle ne s'applique pas quand les enfants ne sont pas là. Pour l'instant, il n'y a personne à la maison.»

Je suis restée immobile. J'entendais la voix de Carla: *Qu'est-ce que tu regardes en premier chez un homme, Helen? Moi, c'est la bouche et les hanches.* Pas étonnant qu'elle soit tombée amoureuse de Daniel. Et maintenant je lui prenais Daniel, de la même manière que je lui avais pris Glen.

Je m'en moquais. J'ai regardé Daniel droit dans les yeux. «Je reste si vous m'embrassez encore.»

Il a entouré ma tête de ses mains, l'a inclinée un peu en arrière, et cette fois il a pris son temps pour m'embrasser, déclenchant une explosion de désir dans tout mon corps. J'ai compris soudain que je ne voulais rien d'autre au monde que m'abandonner au moment présent, et à cet homme. Si la vérité à son sujet était abominable, je ne souhaitais pas la connaître — pas encore. J'ai arc-bouté mon corps contre le sien, il m'a serrée dans ses bras et a posé sa joue contre ma tempe. Puis il a poussé un profond soupir.

«Viens là-haut avec moi, a-t-il murmuré.

— D'accord.»

Il m'a lâchée. Son visage était grave. «Maintenant?»

J'avais la gorge sèche. «Oui.»

Avec un hochement de tête, il a ouvert la porte qui donnait sur le vestibule. En voyant le répondeur qui clignotait, je me suis demandé si KD avait eu mon message, et ce qu'il penserait s'il savait ce que je m'apprêtais à faire. Mon Dieu, me suis-je dit, à quoi je joue? Je dois être cinglée.

Peut-être ai-je prononcé tout haut ces derniers mots, car Daniel a questionné : «Qu'y a-t-il ?

— Je l'ignore, je...

— Laisse-toi aller, Helen, cesse de résister. » Il m'a embrassée encore une fois. Je me sentais pareille à un nageur demeuré trop longtemps sous l'eau, qui émerge soudain à la surface et redécouvre la lumière du monde. Étourdie, éblouie, hors d'haleine, j'en redemandais. «Encore. Encore, je t'en supplie. N'arrête pas.

— Je n'en ai pas l'intention. »

Cette fois, tout se passera bien.

Cependant, quand nous sommes parvenus au pied de l'escalier et que Daniel m'a très doucement poussée dans le dos pour que je monte devant lui, un sentiment de danger s'est à nouveau emparé de moi. Je n'avais pas ressenti cela depuis... depuis... Je me souvenais d'un petit bâtiment en béton non loin de la mer Méditerranée, je me rappelais l'interruption malveillante de Carla, et...

Je ne suis pas ici, je ne suis pas morte...

Combien de fois m'étais-je déplacée dans les pièces de cette maison et avais-je senti la présence de Carla, tel un parfum flottant dans l'air ? Pourtant jamais je n'avais vu sa chambre — la chambre qu'elle partageait avec Daniel, le lit où ils avaient fait l'amour, ce lit où peut-être elle avait eu l'impression d'être une usurpatrice puisqu'elle prenait la place d'Angela, et où moi-même j'allais lui succéder. Le seul endroit de la maison où le danger était aussi grand.

Sur la deuxième marche, je me suis retournée, paniquée, j'ai jeté mes bras autour du cou de Daniel et je l'ai attiré contre moi. «Ici, Daniel, fais-moi l'amour ici, tout de suite. » Je l'ai embrassé avec fougue, après quoi j'ai enlevé mon pull et retiré mes chaussures, puis j'ai recommencé à l'embrasser avec une hâte fébrile — une hâte à chasser le doute —, tout en continuant à me débarrasser de mes vêtements.

L'espace d'un instant, j'ai perçu son hésitation et sa surprise, mais sans doute avait-il subi trop de chocs depuis le début de la matinée pour s'étonner outre mesure de mon brusque changement d'attitude et de mon excitation soudaine et impérieuse. Ou peut-être était-il aussi désireux que moi de mettre un terme à l'incertitude dans laquelle nous étions empêtrés tous les deux depuis trop longtemps. Répondant à mon ardeur, il m'a poussée contre le mur et, tandis que j'essayais de défaire mon pantalon, il a écarté ma main. Au contact de ses doigts, tous mes doutes se sont envolés. J'étais enfermée depuis des mois dans la prison de mes pensées ; maintenant, mon corps exigeait sa libération — libération de la culpabilité et de la souffrance — et réclamait son plaisir, un plaisir dont il avait été privé trop longtemps.

Quand il a entendu mon cri de délivrance et d'extase, Daniel a souri, puis il m'a soulevée dans ses bras et portée jusqu'à sa chambre, où il m'a déposée sur le lit défait. En cet instant, cela m'aurait été bien égal s'il avait autrefois entretenu dans cette pièce tout un harem, et je me fichais pas mal du sort de ses anciennes épouses. Plus rien ne comptait, à part lui et moi.

En définitive, le vrai danger du sexe, de la séduction qu'il exerce, c'est de procurer l'illusion que le contact peut être aussi simple entre deux individus qu'entre leurs épidermes. Durant ces brefs moments où le temps semblait suspendu, j'ai pu aisément me persuader que rien d'autre n'avait d'importance que la montée du plaisir en chacun de nous ; il ne me semblait pas absurde d'imaginer que l'union de nos corps exprimait une vérité qui englobait le reste de nos relations et leur donnait un sens. C'était tellement tentant, d'écarter soupçons, faits gênants et questions, d'éliminer le contexte — familial et autre —, de faire comme si le passé et l'avenir n'existaient pas !

L'illusion a duré bien après que nos corps satisfaits se sont apaisés. J'ai gardé les yeux fermés pour ne pas contempler cette chambre que je n'avais jamais vue et, abandonnée dans les bras de Daniel, je me suis dit que tout allait s'arranger. J'avais vécu pendant six mois avec la certitude d'avoir tué quelqu'un, alors qu'importait ce dont il avait pu se rendre coupable ? Ne pourrais-je pas le supporter, le cas échéant ? La réalité immédiate — la chaleur du corps de Daniel contre le mien — conférait à mon enquête un caractère abstrait ; j'avais envie de me laisser aller, d'arrêter mes recherches.

Ouvrant les yeux et observant les flocons de neige qui tournoyaient paresseusement dans le ciel gris, j'ai pensé que ce serait merveilleux si nous étions tous deux enfermés ici, bloqués par les intempéries pendant vingt-quatre heures — et pourquoi pas une semaine ? J'ai imaginé les enfants obligés de demeurer à l'école, où on s'occuperait d'eux, les lignes de téléphone hors service, et pendant tout ce temps je ferais l'amour avec Daniel et j'échapperais aux tensions et aux dilemmes de ma vie.

Les bras autour de moi, il paraissait endormi.

Je me suis glissée avec précaution hors du lit, ai ramassé par terre une chemise de Daniel que j'ai jetée sur mes épaules, et j'ai traversé la pièce pour me poster devant la fenêtre. Une sorte de voile blanc semblait flotter au-dessus de l'estuaire. La neige tenait-elle vraiment, maintenant ? La réalité resterait-elle en suspens assez longtemps pour permettre à la magie de durer ?

« Helen ? »

Je me suis retournée. Il était appuyé sur un coude. « Reviens te coucher. »

J'ai obéi sans hésiter et il a ramené la couette sur nous.

« Tes seins sont froids, a-t-il remarqué en posant dessus ses mains tièdes. Je vais les réchauffer avec des baisers. »

Je me suis glissée un peu plus sous les couvertures. Il était d'une telle douceur, il devait être incapable de meurtre. Mais à quoi m'attendais-je ? À découvrir la vérité d'après sa façon de faire l'amour ? *Ne pense surtout pas à ça.* Dans un instant, nous plongerions à nouveau dans le plaisir.

Il a déposé un baiser sur mes paupières, s'est ensuite écarté. « Je vais me raser avant que nous recommencions, a-t-il déclaré. Mais avant, il faut que nous décidions de quelle manière découvrir ce qui est réellement arrivé à Carla. Et, encore avant, je veux que tu me dises tout sur toi.

— Et, encore avant, je veux que tu m'embrasses.

— Uniquement si tu parles. Un baiser pour chaque information. Je veux tout savoir à ton sujet : ce que tu fais, où tu es allée, qui est ta famille, ce que tu aimes...

— Pourquoi ? Qu'importe qui on est ou ce qu'on fait dans la vie ? Ceci ne suffit-il pas ?

— Tu ne m'auras pas une seconde fois, Helen. Maintenant, juste pour t'encourager... » Ses lèvres ont effleuré les miennes. « ... raconte-moi en détail quand tu as... » Il s'est interrompu. « Tu n'as rien entendu ?

— Non.

— J'ai cru entendre une voiture. Merde, c'est probablement Janet qui ramène Lily.

— Elle n'est pas à l'école?

— Pas ce matin, elle...» Il s'est tu à nouveau et a prêté l'oreille.

Le bruit d'une porte qui claque au rez-de-chaussée, puis des pas qui montent l'escalier, et une voix féminine — pas celle de Janet, encore moins celle de Lily —, une voix claire et forte, reconnaissable entre toutes.

«Putain, qu'est-ce qui se passe ici?»

22

En dépit de tout ce que je pouvais penser d'Angela, j'étais bien obligée de reconnaître qu'elle avait l'art d'apparaître pile au bon moment. Sans l'ombre d'une hésitation, elle a ouvert en grand la porte de la chambre et s'est plantée sur le seuil — l'image même de la femme outragée, avec sa haute silhouette et ses cheveux d'un blond ardent. Instinctivement, j'ai rabattu la couette sur ma tête, geste d'une totale inutilité puisqu'elle avait dû enjamber la plupart de mes vêtements pour monter l'escalier.

« Qui est cette garce ? a-t-elle attaqué.

— Ça ne te regarde pas, a riposté Daniel. Qu'est-ce que tu fous là ? Tu avais dit dans l'après-midi.

— J'ai décidé de venir avant d'être bloquée par la neige », a-t-elle expliqué sur le ton de la conversation. À ma surprise, la colère avait disparu de sa voix. « Et j'ai bien fait. Écoute, mon chou, je suis partie tellement vite que j'ai sauté le petit déjeuner. Je meurs de faim. Si je nous préparais quelque chose à manger ?

— Helen et moi, on va déjeuner au restaurant, a répondu Daniel avec froideur.

— Tu rigoles ou quoi ? Helen... Ce n'est pas cette amie de Carla qui te courait après, récemment ?

— Angela, retourne en bas. Je descendrai te parler quand je serai prêt.

— O.K. Mais je veux que cette fille vide les lieux dans les cinq minutes chrono. C'est aussi ma chambre, désormais, tu le sais. »

J'ai entendu la porte qui se refermait, les pas dans l'escalier. Une pause, puis le bruit de mes chaussures lancées sur le palier.

« Qu'est-ce que c'est que cette histoire ? » ai-je interrogé.

Daniel était assis au bord du lit, les coudes sur les genoux. « Qu'elle aille au diable ! Pourquoi a-t-il fallu qu'elle débarque maintenant ? a-t-il grommelé, furieux.

— Elle a dit que cette chambre était aussi la sienne. Pourquoi ? »

Il a poussé un soupir, s'est tourné vers moi, m'a attrapée par le cou et m'a attirée à lui. « En ce moment précis, Angela et ses caprices sont le dernier de mes soucis. Avant toute chose, il faut que nous allions au bout de ce que tu m'as raconté au sujet de Carla.

— Nous ?

— J'ai l'intention de t'aider, Helen. » Il a hésité une seconde avant d'ajouter d'un ton léger : « Si toutefois tu as cessé de me croire coupable. » Il me caressait du regard, avec une expression de sincérité. Ah, le charme et le sourire de Daniel Finch... comment pourrais-je jamais y résister ?

Sans répondre, je lui ai souri, ce qu'il a semblé prendre pour un signe d'acquiescement.

Il s'est levé et a rassemblé ses vêtements. « Il faut aussi que tu me promettes de ne pas chercher à confronter Paul. Si tu as raison à son sujet concernant Carla, il risque d'être dangereux. »

Une fois de plus, j'ai noté le « si ». Mentalement, j'ai commencé à prendre de la distance. « J'avais compris ça toute seule, ai-je répliqué.

— Ne monte pas sur tes grands chevaux. Simplement, je ne supporte pas l'idée que tu te mettes en danger.

— Tiens, ai-je dit en lui tendant une chaussette. Je suis touchée par ta sollicitude. Merci. »

D'en bas montait un bruit de vaisselle qu'on jetait littéralement dans l'évier. «Merde! s'est exclamé Daniel. Angela s'impatiente.» C'était peu dire : le fracas a augmenté, accompagné par une voix puissante qui chantait l'air du Toréador dans *Carmen*. «Je descends voir ce qu'elle a, a soupiré Daniel.

— N'est-ce pas évident?

— Pas avec Angie, non.»

Pendant qu'il boutonnait sa chemise, je me suis assise dans le lit, j'ai ramené mes genoux contre ma poitrine et, pour la première fois, j'ai examiné la chambre : murs blancs, stores de couleur claire, plancher en bois naturel recouvert de quelques tapis, draps à rayures bleu marine et blanc.

«Qui a décoré cette pièce? Angela ou Carla?»

Daniel s'est penché et m'a embrassée sur le bout du nez. «Il faut que tu apprennes à éviter les hypothèses sexistes. Quand elle est partie, Angie a emporté presque tout le mobilier. J'ai repeint cette chambre en blanc, histoire de repartir de zéro. Lorsque Carla s'est installée ici, je lui ai proposé de changer la décoration, mais elle a toujours affirmé qu'elle aimait cette chambre telle quelle.» Il a suivi mon regard. «Oui, Helen, j'ai même choisi les draps. Ils te plaisent?»

Je l'ai regardé traverser la pièce. Juste avant de sortir, il a ajouté : «Prends tout ton temps pour te préparer. Je m'occupe d'arranger les choses avec Angie, et ensuite nous irons déjeuner.

— Est-ce que la neige tient?

— De toute façon, on peut toujours aller à pied au pub de Burdock.»

Ce n'était pas pour cela que j'avais posé la question, mais j'ai décidé de ne pas insister. Un grand bruit nouveau montait du rez-de-chaussée, comme si quelqu'un jouait des cymbales avec des casseroles.

Daniel est descendu sauver ce qui restait de sa vaisselle, et moi, après avoir ramassé mes vêtements éparpillés sur les marches de l'escalier, je suis entrée dans la salle de bains, située de l'autre côté du palier, et j'ai pris une douche. Contrairement aux exhortations de Daniel, je me suis dépêchée. La perspective de rester bloquée par la neige à Pipers ne m'enchantait plus le moins du monde. Il fallait que je parte d'ici. Après tout ce que j'avais enduré ces derniers mois, il était impensable de me laisser coincer à présent, soit par la neige, soit par les crises d'Angela, soit par les tentatives de Daniel pour contrecarrer mes plans.

Les cheveux humides plaqués sur mon crâne, une grande serviette drapée autour de moi, j'ai retraversé le palier pour regagner la chambre, puis je me suis immobilisée. J'entendais distinctement les voix rageuses de Daniel et d'Angela. Bizarrement, je me suis imaginée l'espace d'un instant à la place de Violet écoutant les disputes de ses parents, et ça m'a serré le cœur. Furieuse contre eux deux, je me suis précipitée dans la chambre de Daniel, ai refermé la porte derrière moi et me suis habillée en regardant par la fenêtre. La neige s'était arrêtée de tomber, mais maintenant le paysage était encore plus blanc. Il semblait raisonnable de rentrer à Londres immédiatement, avant que les routes ne deviennent impraticables.

Comme j'allais quitter la pièce, j'ai aperçu un petit rectangle de bois peint en noir, rouge et or, posé sur une commode à côté d'une pile de livres : l'icône achetée par Carla pour Daniel juste avant notre rencontre avec Glen et KD.

Je l'ai prise avec précaution, me suis assise sur le lit et l'ai contemplée un long moment.

Les couleurs en étaient criardes. Il ne s'agissait pas d'une œuvre d'art mais d'un produit fabriqué en

457

série, le genre de souvenirs fabriqués et vendus à des milliers d'exemplaires chaque été. Pourtant, celui-ci était irremplaçable car c'était le cadeau que Carla avait choisi pour Daniel, et celui-ci, pour une raison quelconque, l'avait rapporté en Angleterre et le conservait ici en souvenir de sa femme.

La piste de Carla m'avait menée jusqu'au lit de Daniel, jusqu'à cet instant où je l'entendais se disputer dans la cuisine avec son ex-femme. Carla avait assisté à des scènes identiques, j'en étais certaine.

Sa voix a résonné dans ma tête tandis que je contemplais l'icône :

> *Ne reste pas là à pleurer sur ma tombe*
> *Je ne suis pas ici. Je ne dors pas.*
> *Je suis la multitude des vents qui soufflent*
> *Je suis l'éclat du diamant sur la neige...*

Oh, Carla, ai-je pensé, que je suis stupide ! Je n'ai rien compris.

Depuis ma première visite à Pipers, je tentais de découvrir la vérité pour apaiser ma conscience. Maintenant que la culpabilité m'avait quittée, je ne me reprochais plus d'avoir fait l'amour avec Daniel, ni mon indiscrétion involontaire. Tout cela ne comptait pas. Ce qui importait vraiment, c'était de découvrir qui avait tué Carla, de démasquer l'assassin et de le présenter à la justice. Je le devais à Carla.

Soudain résolue, j'ai reposé l'icône sur la commode et suis sortie de la chambre.

Dans l'escalier, j'entendais parfaitement la dispute. Les premiers mots m'ayant procuré une intense satisfaction, je ne me suis pas pressée pour descendre.

« Tu as exprès mal interprété mes propos, criait Daniel. Je ne veux en aucune façon que tu reviennes t'installer ici. Nous sommes divorcés depuis trois ans, Angie. C'est fini.

— Deux ans et demi. De toute manière, tu as toujours dit que tu regrettais notre séparation. Eh bien, à présent, je propose qu'on réessaie de vivre ensemble.

— C'est vrai que je ne désirais pas le divorce, mais désormais c'est de l'histoire ancienne, trop de choses ont changé pour revenir en arrière.

— Quoi, par exemple ?

— Il y a Helen, pour commencer.

— Non, mais je rêve ! Cette fille est insignifiante. Écoute, Daniel, je connais par cœur toutes tes ruses ; cette fois-ci, ça ne marche pas. Tu te sers d'elle uniquement parce que tu as la trouille de t'engager pour de bon avec moi ; tu fais ça chaque fois que la situation menace de devenir sérieuse. Dans le passé j'aurais pu me laisser prendre, mais plus maintenant, je t'assure. Tu ne peux pas me repousser comme ça.

— Tu te trompes, Angie. Si les choses doivent être sérieuses avec quelqu'un, ce sera avec Helen, pas avec toi.

— Arrête, je t'en prie ! Depuis combien de temps ça dure, à propos ? Une semaine ? Un jour ? Quelques heures ? Et tu prétends que c'est sérieux !

— Ça ne te regarde pas.

— Ah non ? Lily m'a dit que c'est une menteuse, à propos. Elles sont bien, les filles que tu choisis en ce moment ! Que sais-tu d'elle, à part comment elle est au lit ? Tu sais ce qu'elle fait, où elle travaille ?

— J'avais l'intention de m'en informer.

— Pour l'amour du ciel, Daniel, je ne peux pas croire que tu sois à ce point irresponsable. Tu ignores tout de cette fille, et tu l'invites ici pour s'occuper de mes chéris. Si tu dois laisser mes petits avec des inconnues, arrange-toi au moins pour faire les choses correctement. Passe par une agence, bon sang : elles demandent des références, elles se renseignent auprès de la police, elles engagent des personnes qualifiées. Tu es tellement radin, je parie que tu cherchais à avoir une baby-sitter à l'œil et à la... »

Le moment était venu de signaler ma présence. Angela rinçait tranquillement la cafetière, et son expression imperturbable indiquait que cette manière de cracher son venin lui était tout à fait habituelle. Daniel, de son côté, paraissait hors de lui.

Mon apparition dans la cuisine ayant provoqué une courte pause dans la diatribe d'Angela, Daniel en a profité pour répliquer d'un ton glacial : « Modère tes propos, Angie. Qu'est-ce qui t'embête, en réalité ? Raoul t'a encore plaquée ? » Ce qui l'a mise dans une telle rage qu'elle a failli lâcher la cafetière.

Puis elle a retrouvé son calme, a rejeté la tête en arrière et a déclaré : « Je déteste t'entendre discuter de notre vie privée devant des étrangers, Daniel. » Cette incongruité m'aurait fait éclater de rire si je ne m'étais contenue.

Daniel s'est tourné vers moi. « On va déjeuner, Helen ?

— Et mes enfants ? a protesté aussitôt Angela. Je viens passer avec mes chéris leur dernier jour de vacances, et tu les chasses de la maison pour rester toute la journée au lit avec une fille.

— Ça suffit ! a explosé Daniel. Les gosses ont repris l'école ce matin.

— Tu m'as dit hier que la rentrée avait lieu mercredi.

— Nous sommes mercredi.

— Merde. Avec ce foutu décalage horaire, mardi est passé à l'as...

— Lily reprend demain, mais en ce moment elle est chez Janet et elle a emmené Tigre. Elle doit absolument finir un dossier d'arts plastiques pour lequel elle a pris du retard parce qu'elle a mal évalué le temps que ça lui demanderait.

— La pauvre choute, elle est perturbée parce que tu ne lui apportes aucun soutien. Eh bien, tout ça va changer désormais : je reviens à la maison auprès de ma famille qui a besoin de moi. » Angela s'est alors adressée à moi avec un aplomb extraordinaire : « Par conséquent, Helen, je pense qu'il est temps que vous partiez. »

Daniel lui a tourné le dos et m'a dit d'un ton tranquille : « À propos de ce dont nous parlions tout à l'heure, Helen, je me demande ce qu'il faut faire en priorité. Un de mes amis a travaillé dans la police, je lui passerai un coup de fil pour savoir comment nous pourrions avoir accès au premier rapport d'autopsie. Nous devons être prudents sur la façon de procéder, il ne faut pas éveiller les soupçons des gens.

— De quoi s'agit-il ? a questionné Angela.

— De quelque chose entre Helen et moi, a répliqué Daniel.

— Les autopsies, beurk ! » Elle a frissonné. « Toute la matinée, j'ai éprouvé un sentiment très bizarre, et maintenant voilà que tu parles d'autopsie. Je n'aime pas ça. Je veux voir les enfants, je veux qu'ils reviennent ici tout de suite. Il y a quelque chose qui cloche, je le sens, mon instinct m'avertit qu'ils sont en danger.

— Lily se trouve chez Janet et les deux autres à l'école de Burdock. Aucun de ces deux endroits ne me paraît franchement dangereux.

— Ne te moque pas de moi, Daniel. Tu ne comprends pas ce que c'est d'être mère ; c'est instinctif, je le sens là. » D'un geste théâtral, elle a mis les mains sur son ventre. « Je sens le danger. Il faut que tu ailles

chercher mes petits et que tu les ramènes immédiatement à la maison.

— Je refuse de retirer Vi et Rowan de l'école à
l'heure du déjeuner uniquement parce que, pour une
fois, tu as décidé de donner libre cours à ton instinct
maternel.

— Va chercher Lily, alors, je veux la serrer dans
mes bras.

— J'irai, ai-je déclaré. De toute manière, j'avais
l'intention de rendre visite à Janet. Dès que Lily saura
que vous êtes ici, Angela, je suis certaine qu'elle voudra rentrer tout de suite. » Je faisais un effort colossal
pour ne pas laisser transparaître mon scepticisme,
mais Angela ne s'est aperçue de rien.

« Helen... », a commencé Daniel.

Je l'ai interrompu. « Ensuite, je repartirai pour
Londres avant que l'état des routes ne s'aggrave. Tu
peux toujours me téléphoner chez moi, Daniel », ai-je
ajouté d'un ton décidé. Je n'avais aucune envie de
demeurer coincée entre Daniel et Angela et, par
ailleurs, je n'étais pas prête à renoncer à ma liberté
d'action. C'était l'unique avantage qui avait résulté
de mes longs mois de solitude.

Angela exultait à l'idée d'avoir triomphé avec une
telle facilité de sa rivale et elle a failli lancer une autre
assiette dans l'évier pour célébrer l'événement.
« Bacon et œufs, Daniel, mon chou ? a-t-elle roucoulé.
Le fameux petit déj' spécial d'Angela sera servi dans
cinq minutes. »

Daniel lui a jeté un regard mauvais et m'a suivie
dehors. J'ai remonté le col de mon manteau pour me
protéger du froid.

« Je ne veux pas que tu partes, m'a-t-il dit. Pas
comme ça.

— Il le faut. Il n'est pas question que je reste ici et

que tes enfants nous entendent nous envoyer des injures à la tête, tous les trois.

— Angie ne restera pas longtemps. »

J'ai regardé les valises empilées à l'arrière de la voiture de sport garée près de la mienne et qui me bloquait presque le passage. « À mon avis, elle prévoit un long séjour.

— Elle déteste cet endroit. Je ne comprends pas ce qui lui a pris.

— Ça vous regarde, toi et elle. Je t'appellerai ce soir, dès que je serai rentrée.

— Et je contacterai cet ami pour qu'on décide de la marche à suivre.

— D'accord. »

Il a arrangé mon col, et j'ai senti la fraîcheur de ses doigts contre ma peau. Il a froncé les sourcils, puis son regard s'est adouci et il s'est penché légèrement pour m'embrasser. La chaleur de ses lèvres sur les miennes, l'espace d'un instant, m'a presque fait oublier mes vœux d'indépendance.

Je me suis écartée de lui et j'ai introduit la clé dans la serrure de ma portière. « Au revoir, Daniel.

— Helen... »

J'ai refermé aussitôt la portière pour ne pas entendre ce qu'il s'apprêtait à dire et j'ai démarré en marche arrière pour dégager ma voiture. Je n'avais pas l'intention de regarder derrière moi, mais la tentation était trop forte. Une fois au bout du chemin, avant de m'engager sur la route bordée de haies couvertes de neige, j'ai jeté un coup d'œil dans le rétroviseur et j'ai vu Daniel, toujours debout, l'air songeur, le bras levé — en signe d'adieu ?

La neige m'a obligée momentanément à redoubler de prudence sur la route menant chez Janet. J'ai essayé d'oublier Angela et Daniel, ce qui ne m'a pas coûté un gros effort, sans doute parce que j'avais bien d'autres choses plus importantes en tête.

Je continuais d'éprouver une étrange sensation de flottement, d'apesanteur. L'euphorie était là, mais, tout au fond de moi, je craignais encore de m'y abandonner. Cette longue période durant laquelle je m'étais crue une meurtrière m'avait changée en profondeur ; mes repères habituels avaient disparu et je ne savais plus sur quoi m'appuyer. À la place des anciennes certitudes régnaient le flou et la confusion. C'était une des raisons qui me poussaient à agir seule.

L'énergie a pris le dessus, une farouche détermination à me libérer des mensonges dont j'étais prisonnière depuis trop longtemps. En premier lieu : Qu'était-il réellement arrivé à Carla ?

Une fois de plus, j'ai passé les faits en revue. J'avais cessé de me croire coupable du meurtre de Carla. Je ne pensais pas non plus que c'était KD l'assassin. Quant au Grec, il m'avait paru hors de cause depuis le début. Je me suis efforcée de mettre l'émotion de côté, et j'ai bien dû reconnaître que KD avait raison : si l'on considérait le mobile, Daniel restait le coupable le plus plausible. Je ne voulais pas y croire, mais quoi d'étonnant ? Quelle femme admettrait volontiers que l'homme avec qui elle vient de faire l'amour a peut-être assassiné sa propre épouse ? Un frisson m'a parcourue. Ce qui avait eu lieu peu auparavant à Pipers pouvait bien être une double trahison vis-à-vis de Carla.

Néanmoins, ce n'était pas forcément Daniel. Mais qui alors ? Paul se trouvait également sur l'île au moment du crime. Il m'avait même déclaré avoir suivi Carla, et j'ignorais si la raison qu'il avait invoquée était exacte ou non. Il avait prétendu que Daniel était dangereux, mais peut-être avait-il dit cela pour se protéger. J'ai décidé qu'il était temps de demander à Janet si elle se rappelait d'autres confidences de Carla. Même le plus infime détail était susceptible de m'aider à découvrir la vérité.

Je me suis arrêtée devant la petite maison de plage, qui paraissait encore plus misérable et fragile sous la neige, avec sa peinture blanche jaunie et sale. La voiture de Janet, un break bordeaux, était garée comme d'habitude derrière la maison. J'ai frappé.

Pas de réponse.

J'ai frappé une deuxième fois. La neige étouffait tous les bruits familiers. Le mugissement des vagues sur le rivage était devenu un son caverneux, soudain menaçant; la brise soufflait de plus en plus fort. Écume et embruns tournoyaient au-dessus du sable, se mêlant aux flocons de neige. Les oiseaux, qui faisaient habituellement grand tapage, se taisaient; ils devaient être blottis les uns contre les autres : la nuit promettait d'être longue et glaciale. Un frisson d'appréhension m'a parcouru l'échine.

J'ai frappé une troisième et dernière fois.

Toujours pas de réponse.

Janet et Lily faisaient sans doute une pause, elles se promenaient peut-être sur la plage, ou alors Janet avait décidé de raccompagner Lily chez elle à pied; dans ce cas, je n'aurais pas pu les croiser car le chemin était caché de la route par des dunes de sable.

Ne voulant pas laisser passer la moindre chance d'obtenir d'autres informations ce jour-là, j'ai emprunté le sentier qui menait à la plage. Près du rivage, au milieu d'un léger tourbillon de neige, j'ai soudain aperçu une promeneuse solitaire, un chien bâtard sur les talons : Janet.

D'un pas vif, je me suis dirigée vers elle.

«Helen!» Son visage rond, tout rosi par le froid, s'est éclairé d'un sourire chaleureux. «Je vous croyais rentrée à Londres. Quelle agréable surprise!

— Où est Lily ? Daniel m'a dit qu'elle était avec vous. Elle est retournée chez elle ?

— Je suppose. Son dossier ne nous a pas pris beaucoup de temps, et nous nous apprêtions à revenir à pied à Pipers quand Paul est arrivé sans prévenir. Il avait apporté un nouveau médicament aux plantes pour l'arthrite de Gros Chien ; Lily lui a demandé si ça marcherait pour Tigre et... » À ce stade de ses explications, Janet a pris un air penaud. « Paul a proposé d'emmener Tigre chez lui afin de l'examiner à fond, lui faire faire des tests, et Lily était tout à fait d'accord. Je... je sais que Daniel a toujours eu un préjugé absurde contre Paul, et c'est la faute d'Angela. Franchement, cet homme a un cœur d'or, et je n'ai vu aucun mal à ce que... » Janet a laissé sa phrase en suspens.

« Lily est partie avec Paul ? Quand ?

— Il y a une heure environ, peut-être plus. Quelle heure est-il ?

— Une heure et demie.

— Alors, ça fait deux heures. » Les sourcils froncés, Janet réfléchissait. « Elle est partie à onze heures et demie, je me souviens de ce qui passait à la radio. Elle était tellement contente que Paul puisse examiner ce pauvre Tigre, j'ai pensé que ça ne ferait de tort à personne. Mais il vaudrait peut-être mieux ne rien dire à Daniel... Vous ne voulez pas entrer ? J'allais me préparer quelque chose à manger. »

Nous étions parvenues au cottage. Gros Chien, le museau contre la porte, tremblait de froid ; dès que Janet a ouvert, il s'est précipité à l'intérieur pour se réchauffer.

« D'accord, mais je ne peux pas rester longtemps. Il y a deux ou trois questions que j'aimerais vous poser, ensuite je filerai sur Londres avant d'être bloquée par la neige.

— Vous avez raison. La météo n'était pas trop mauvaise ce matin, mais on ne sait jamais. »

J'ai suivi Janet dans la maison. La première chose que j'ai aperçue était le portrait de Carla, posé sur un fauteuil en osier. Devant ce visage allongé et ces yeux sombres, j'ai retenu mon souffle. *Pourquoi as-tu attendu si longtemps ?* me reprochait son regard. *Pour l'amour du ciel, Helen, dépêche-toi !*

Janet bavardait avec amabilité tout en s'affairant dans le coin cuisine, mais je n'entendais pas un traître mot de ses paroles.

« Janet, l'ai-je interrompue, qu'est-ce que c'était que ces rumeurs sur la mort de la femme de Paul ?

— Des choses pas bien belles, vous savez. Des choses que vous n'auriez pas envie d'entendre. Ce que font les gens dans l'intimité...

— Je vous en prie, Janet, dites-les-moi. C'est important.

— Pourquoi ?

— Je ne peux pas vous expliquer maintenant. Vous avez fait allusion à des jeux sexuels pervers.

— Oui, mais...

— Quelle sorte de jeux exactement ? »

Elle m'a regardée avec un air de dégoût. « On dit — mais je n'ai jamais prêté l'oreille à ces racontars... enfin, on entend des réflexions malgré soi, quelquefois... —, eh bien, on a dit que... De toute façon, c'est sûrement faux. Les gens ont l'esprit complètement tordu, et je suppose qu'il s'agissait de quelque chose de très ordinaire, en fait, mais... » Voyant que j'allais l'interrompre à nouveau et la presser de s'expliquer, elle a fini par lâcher : « Eh bien, on a dit qu'elle était morte étouffée.

— Comment ?

— Franchement, Helen, j'avoue que vous me surprenez. On a parlé de cuir, mais...

— Un masque, par exemple, ou un capuchon ? »

Elle a piqué un fard. «Peut-être bien. Maintenant que j'y repense, on a dit qu'il y avait pratiqué des trous, pour respirer. Ce qui n'aurait pas empêché Sylvie d'étouffer en vomissant... Pouah, tout ça me donne la chair de poule. Croyez-moi, ce n'est pas le genre d'histoires auxquelles on aime penser quand on vit seule.

— Je peux utiliser votre téléphone ?

— Bien sûr, mais...

— Merci. »

J'ai composé à la hâte le numéro de Pipers. Grâce à Dieu, la ligne n'était pas occupée. Ça a sonné, sonné, sonné. *Répondez, bon sang !* J'imaginais le téléphone résonnant dans la maison vide. Où était Daniel ? Et Angela ? Il était encore trop tôt pour qu'ils soient partis chercher les enfants à l'école. Peut-être étaient-ils allés se promener, ou bien...

Soudain je me suis figuré la scène. Ils n'étaient pas partis se promener. Angela ne me paraissait pas du genre à apprécier les balades à pied, surtout par un temps pareil. «Ne réponds pas», disait-elle. Ils étaient là-haut, dans la chambre où je me trouvais à peine deux heures plus tôt. *C'est aussi ma chambre, désormais.* Elle revendiquait Daniel pour elle et éliminait de son lit toute trace de ma présence. Quant à Daniel...

«Helen, quelque chose ne va pas ? s'est inquiétée Janet.

— Ça se pourrait bien», ai-je répondu en raccrochant.

Un sentiment de panique m'étreignait. Peu auparavant, dans la cuisine, à Pipers, j'avais été écœurée par le numéro de la mère anxieuse auquel s'était livrée fort opportunément Angela ; maintenant, je me demandais si elle n'avait pas manifesté un instinct très sûr, en fin de compte. La femme de Paul avait été la cliente d'Angela, certaines de ses révélations avaient incité Angela à ne pas laisser Paul approcher ses enfants. Et Lily était en ce moment chez Paul...

« Voilà, a annoncé tranquillement Janet, le café est prêt. Pourquoi ne pas me raconter de quoi il s'agit pendant que j'ouvre une boîte de conserve et...

— Pas le temps, Janet. Je file en voiture chez Paul et je ramène Lily à ses parents. Pendant ce temps, téléphonez à Pipers, insistez jusqu'à ce que vous ayez Daniel au bout du fil, et avertissez-le que je suis allée chercher Lily chez Paul.

— C'est vraiment nécessaire ? Il va être fâché, alors que je ne vois pas où est le mal, et...

— Janet, je vous en supplie, il faut que vous fassiez ce que je vous demande ! Je n'ai pas le temps de vous expliquer, mais je le ferai plus tard, je vous promets. En échange, promettez-moi d'appeler jusqu'à ce que vous ayez Daniel en ligne.

— D'accord, c'est promis, mais... »

J'avais déjà refermé la porte derrière moi.

23

Paul vivait dans une maison moderne en brique, à environ cinq kilomètres de Burdock à l'intérieur des terres. Je me souvenais de l'itinéraire, étant venue avec Janet chercher le corps de Petit Chien. La maison — une construction carrée en bordure des champs, à presque un kilomètre du voisin le plus proche — était facile à trouver. À la pensée de la petite Lily seule avec un meurtrier potentiel dans un endroit aussi isolé, j'ai accéléré l'allure plus que ne l'exigeait la prudence sur ces routes glissantes. Deux fois, j'ai légèrement dérapé ; j'ai réussi à redresser le volant et je me suis juré de rouler plus lentement, puis l'anxiété m'a poussée à augmenter de nouveau ma vitesse.

Le quatre-quatre vert foncé de Paul était garé près de la maison, apparemment depuis un moment : le toit et le capot étaient couverts d'une mince couche de neige, et il n'y avait aucune trace de pneus dans l'allée.

Je me suis rappelé la première fois où j'avais vu le véhicule de Paul, quand il s'était rangé derrière ma voiture, le jour de l'enterrement de Carla, me bloquant le passage. Lorsqu'il était venu me parler, j'avais supposé que c'était par gentillesse ; à présent, sa façon de ne pas me quitter d'une semelle durant la cérémonie s'expliquait autrement. Peut-être avait-il voulu me tenir à l'œil ; il avait besoin de savoir pourquoi j'étais là, et de quoi je me souvenais

exactement, il avait besoin de savoir si j'étais dangereuse ou non.

Dangereuse, je ne l'étais guère à l'époque. Maintenant, c'était tout à fait différent.

J'ai serré le frein à main, j'ai coupé le contact.

Dans ce paysage de blancheur et de silence, je me
suis rappelé les paroles de Daniel : *Pour l'amour du
ciel, Helen, ne soyez pas idiote ! Vous ne pouvez quand
même pas sillonner la région en demandant aux gens s'ils
ont tué Carla.*

Eh bien non, ce n'était plus nécessaire. Désormais,
j'avais l'intuition — plus que cela, la quasi-
certitude — que la clé de l'énigme concernant la mort
de Carla se trouvait dans le rapport de police sur la
mort de Sylvie, la femme de Paul. Autre indice :
l'histoire sordide que m'avait racontée Carla sur l'île.
Par conséquent — répondais-je mentalement à
Daniel —, je n'étais pas ici pour discuter avec Paul,
encore moins pour l'accuser ; je venais simplement
prévenir Lily que sa mère était arrivée et désirait la
voir, et la ramener saine et sauve à Pipers. Je n'avais
même pas besoin de parler à Paul.

Malgré tout, j'avais le souffle court et les jambes en
coton quand je suis descendue de voiture. Il me fallait absolument convaincre Paul que rien n'avait
changé depuis la dernière fois que nous nous étions
vus : je ne savais rien, je ne soupçonnais rien. Il n'aurait de ce fait aucune raison de se sentir menacé.

Sois naturelle, décontractée, aimable... telle une amie
des parents de Lily qui serait passée par hasard et
aurait offert d'aller récupérer la petite. Cela ne
devrait pas prendre plus de deux minutes.

La sonnette ne fonctionnait pas. J'ai donc frappé, et
presque aussitôt j'ai entendu la voix flûtée de Lily :
« Vous avez de la visite, Paul. J'y vais ! »

J'ai éprouvé un immense soulagement et je me suis

exhortée à cesser de voir des horreurs partout. À quoi est-ce que je m'attendais ? La porte s'est ouverte.

« Oh, c'est toi. » Lily n'avait jamais su cacher ses sentiments réels derrière un masque de politesse. Elle tenait tendrement contre son épaule un petit chaton roux, mais en m'apercevant elle a pris une expression nettement désapprobatrice. « Qu'est-ce que tu fais là ? »

Une voix masculine, pas très forte, un peu aiguë, a interrogé du fond de la maison : « Qui est-ce, Lily ?

— Seulement Helen.

— Helen ? Je la croyais rentrée à Londres.

— Angela est arrivée à Pipers, ai-je déclaré en projetant ma voix pour me faire entendre aussi bien de Paul que de Lily. Elle a hâte de te retrouver, Lily, voilà pourquoi j'ai proposé de venir te chercher.

— Son prénom, c'est Angel. Pourquoi tu l'appelles toujours autrement ?

— Cela n'a guère d'importance pour le moment. On y va ?

— On ne peut pas laisser Tigre, a rétorqué Lily en me jetant un regard méfiant. Paul est en train de lui faire un traitement spécial. C'est la seule personne en Angleterre qui sait comment s'y prendre, il a appris la technique en Californie ; c'est une question d'électromagnétisme, je crois. Tu veux voir ?

— Non, Lily, pas maintenant. Nous n'avons pas beaucoup de temps.

— Helen ! Qu'est-ce qui nous vaut cette charmante visite ? » La silhouette élancée de Paul est apparue au bout de l'étroit couloir. Il s'est essuyé les mains à une serviette-éponge violette puis l'a lancée au passage sur une sacoche posée sur la table de l'entrée. Ses manches relevées découvraient ses poignets minces. Il m'a tendu la main ; j'ai dû me forcer pour répondre

472

à son geste et, quand ses doigts ont serré les miens, un frisson de peur m'a parcourue.

Reste normale, souris. « Bonjour, Paul. Désolée de vous déranger, je viens chercher Lily.

— Ah bon ? a-t-il dit en esquissant un sourire. Mais elle s'amuse bien ici. N'est-ce pas, Lily ? »

Celle-ci avait le nez dans la fourrure du petit chat. « Il s'appelle Sparky, m'a-t-elle informée. Je vais demander à papa si je peux le garder. Sa sœur s'appelle Cinders, elle est marron et blanc, et toute douce. Tu sais, ils ont failli mourir brûlés dans une horrible maison où personne ne s'occupait d'eux. Tiens, regarde ses poils, là. » Je ne m'étais pas rendu compte jusque-là que, derrière une façade d'intelligence et d'agressivité, Lily n'était encore qu'une fillette immature.

« Pourquoi ne pas l'emmener à Pipers dès maintenant ? ai-je suggéré d'un ton aussi décontracté que possible. Il est tellement mignon, quand Daniel le verra, je suis sûre qu'il acceptera que tu le gardes. Et peut-être même aussi sa sœur.

— Oh non, a protesté Paul. Ce n'est pas une bonne idée, Helen. Adopter un chaton est une décision importante, il faut que le père de Lily réfléchisse d'abord aux responsabilités que cela implique.

— Dans ce cas, plus vite on lui en parlera, mieux ce sera. Viens, Lily, Angel est impatiente de te voir. Je crois qu'elle t'a apporté une surprise, ai-je ajouté imprudemment. Tu avais un manteau ? »

Je regardais autour de moi, cherchant à rassembler les affaires qu'aurait pu apporter Lily pour accélérer notre départ, quand j'ai davantage prêté attention à l'objet sur la table de l'entrée, et en partie caché par la serviette que Paul avait lancée dessus. C'était une grosse sacoche en cuir noir avec un fermoir en métal. Soudain, plus encore que de ramener Lily chez elle, j'ai eu envie de savoir ce qu'elle contenait.

473

Mon regard s'est attardé un tout petit peu trop longtemps sur la sacoche. Il y a eu un silence, puis, quand j'ai levé les yeux, j'ai vu que Paul m'étudiait avec beaucoup d'attention. Deux taches rouges coloraient ses joues pâles. Était-ce mon imagination, ou une sourde menace planait-elle dans l'air ?

Je me suis adressée à Lily : « Ça y est, tu es prête ?

— Pourquoi cette précipitation ? a questionné Paul en posant légèrement la main sur l'épaule de la fillette. Je n'ai pas encore fini le traitement de Tigre. Je peux raccompagner Lily à Pipers quand ce sera terminé, disons dans une heure environ.

— Je ne pense pas que ce soit une bonne idée, Angel désire qu'elle rentre tout de suite.

— Bon, bon, a grommelé Lily en s'écartant de Paul. Il vaut mieux que je parte avec Helen, maman trouvera que c'est mal poli si elle est venue exprès. Qu'est-ce qu'elle m'a apporté ?

— C'est un secret, mais je suis sûre que ça te plaira... On y va ? Il n'y a pas moyen de savoir dans quel état seront les routes dans quelques heures, avec toute cette neige.

— Et Tigre ? s'est enquis Paul.

— Il faudra finir les soins une autre fois. Désolée, Paul, a répondu Lily en déposant le chaton au sol.

— Ça risque de ne pas être possible », a rétorqué Paul. Il s'adressait à Lily mais continuait de m'observer, les yeux plissés. « Le traitement en est à un stade critique ; cela pourrait être dangereux de transporter Tigre maintenant, peut-être même fatal.

— Dans ce cas, Daniel viendra le chercher demain matin, ai-je suggéré en m'obligeant à ne pas regarder la sacoche.

— Quoi ? s'est exclamée Lily, horrifiée. Mais on ne peut pas laisser Tigre tout seul ici !

— Pourquoi ? a interrogé Paul sans me quitter des yeux. Tu ne me fais pas confiance ? »

J'ai retenu mon souffle.

Les yeux de Lily se sont remplis de larmes. « Il se sentirait trop seul, loin de sa famille. Il faut qu'on le ramène à la maison.

— Ne t'inquiète pas, Lily, il peut venir avec nous, ai-je proposé. Je le prendrai sous ma responsabilité. J'ai une grande expérience des malades, et les animaux sont comme les gens, en réalité. » Je m'efforçais de parler d'une voix rassurante, tout en lui faisant comprendre la nécessité de partir vite. « On l'installera sur le siège arrière à côté de toi.

— Bon, d'accord », a-t-elle acquiescé.

Paul semblait incapable de me quitter des yeux. « C'est beaucoup trop risqué, a-t-il décrété, et je me suis demandé s'il faisait allusion au transport du chien ou à quelque chose de bien plus sinistre.

— Mais... »

Son expression a changé brusquement, comme s'il venait de prendre une décision. « Je vous accompagne. Nous prendrons votre voiture, Helen, afin que je puisse surveiller Tigre.

— Comment rentrerez-vous de Pipers ? »

Il souriait maintenant. « Cela ne vous dérangera pas de me raccompagner, n'est-ce pas, Helen ? »

Je me suis figée. Me retrouver seule au volant de ma voiture avec Paul à côté de moi ne faisait nullement partie de mon plan — pas s'il se doutait un seul instant que je le soupçonnais du meurtre de Carla. Il fallait que je ramène Lily chez elle et que je me tienne à l'abri du danger ; ce second objectif était absolument incompatible avec un trajet en voiture, seule avec Paul, sur de petites routes enneigées, par une nuit d'hiver. Puis j'ai pensé : Daniel. Quand je déposerais Lily à Pipers, Daniel serait là, et il imaginerait une solution. Au pis, je pourrais tout simplement refuser de raccompagner Paul ; Daniel au moins comprendrait mes raisons.

«Bien sûr que non, ai-je répondu dans un souffle. C'est pratiquement sur ma route.

— Entendu, alors.» Paul s'est tourné vers Lily. «Viens me donner un coup de main. Tigre est encore sous l'effet du calmant que je lui ai donné, on va devoir le porter.

— D'accord.»

Paul m'a jeté un coup d'œil puis, d'un geste résolu, il a attrapé la serviette violette et la sacoche en cuir noir, et les a emportées dans la pièce du fond. Lily le suivait docilement.

«Je vais faire de la place dans la voiture», ai-je annoncé.

Dehors, l'air était glacial. Des nuages de neige obscurcissaient le ciel et un mince éclat de lumière brillait à l'ouest, là où bientôt le soleil allait disparaître. J'ai consulté ma montre : un peu plus de trois heures. Le temps que j'arrive à Pipers, Daniel serait peut-être déjà parti chercher les enfants à l'école. À l'idée de déposer Lily chez elle et que Daniel ne s'y trouve pas pour m'aider à résoudre le problème Paul, des frissons m'ont parcouru le dos. La seule solution consistait à passer par Burdock ; ainsi, je serais certaine de rencontrer Daniel, soit à Pipers, soit devant l'école, soit sur la route entre les deux. Daniel saurait quoi faire.

Paul est sorti de la maison, portant dans ses bras Tigre qui semblait un peu déconcerté par toute cette agitation. Lily, l'air très sérieux, les accompagnait, la sacoche en cuir noir sous le bras. J'ai été soulagée de constater qu'elle avait déjà mis son manteau et son écharpe.

J'ai ouvert la portière arrière, et Paul, avec des

gestes méticuleux, a posé le chien et la couverture sur la banquette ; il procédait avec beaucoup de douceur et d'attention. Mes anciens doutes ont soudain resurgi : n'était-ce pas insensé d'imaginer ces longs doigts fins, sensibles, ces mains guérisseuses, frapper de rage et donner la mort ? Pourtant, si ce n'était pas lui... Tous mes espoirs présents étaient fondés sur la certitude que Paul — ni moi, ni Daniel, ni personne d'autre mais Paul Waveney — était responsable de la mort de Carla. La simple éventualité de son innocence me replongeait dans le cauchemar.

Il fallait à tout prix que je découvre la vérité.

« Ne t'inquiète pas, mon pauvre Tigre, a murmuré Lily d'un ton rassurant. On va te ramener à la maison, avec tes rhumatismes. » Le chien a fermé les yeux quand elle a enroulé la couverture autour de lui.

Lily avait posé par terre près de la voiture, sur la route en béton couverte de neige, la sacoche en cuir noir. Paul a fermé à clé la porte de la maison et nous a rejointes ; il affichait un sourire, mais ses yeux lançaient des éclairs. Il s'est baissé pour ramasser la sacoche.

« Tu t'installes à côté de Tigre, a-t-il ordonné à Lily. Moi, je monte devant avec Helen. »

Malgré le froid et le fait qu'il ne portait pas de manteau, Paul avait le front luisant de sueur. Des frissons me parcouraient le dos et mes mains tremblaient quand j'ai inséré la clé de contact.

« Brrr, on gèle, là-dedans », ai-je dit avec une exagération voulue. *Ne lui laisse surtout pas croire que, si tu trembles, c'est pour une autre raison.*

Paul m'a lancé un regard bizarre. Assis à côté de moi, il serrait la sacoche contre sa poitrine.

J'ai mis le contact, et je commençais juste à reculer pour dégager la voiture de l'endroit où elle était

477

garée, près du quatre-quatre de Paul, quand Lily a poussé une exclamation.

« Attends, Helen ! Stop ! Arrête la voiture ! J'ai oublié quelque chose !

— Quoi ?

— Mon dossier d'arts plastiques. Je l'ai laissé chez Paul.

— On reviendra le chercher plus tard. » J'avais passé la première, braqué le volant à fond, et j'étais prête à m'engager dans l'allée. « Ton père pourra toujours passer demain ou...

— Il faut absolument que je l'emporte maintenant ! Mme Thresher va me tuer si je ne lui rends pas ce travail demain ! Arrête-toi immédiatement !

— Mais, Lily...

— Pourquoi cette hâte, Helen ? a lancé Paul en mettant ses doigts minces sur le volant et en m'effleurant la main. Cela ne prendra pas plus d'une minute.

— Oui, oui, naturellement. » J'ai stoppé la voiture, qui se trouvait à présent en travers de l'allée. « C'est juste que je m'inquiète à cause de la neige et parce que je dois rentrer à Londres.

— Ne vous tracassez pas, a répondu Paul d'un ton léger. Dans le pire des cas, vous pourrez toujours passer la nuit ici. » Son regard a croisé le mien une fraction de seconde. J'ai détourné les yeux. Il s'est ensuite adressé à Lily : « C'est bon, je viens avec toi, j'ai fermé la porte à clé. »

Tous deux ont disparu dans la maison. Je suis restée un moment figée sur mon siège, le cœur battant. Est-ce que je devenais folle ? Cet homme doux et attentionné, qui soignait les animaux et se souciait des devoirs d'une enfant, pouvait-il être capable d'une violence sauvage ? Carla avait-elle été assassinée par un homme qui pensait que l'adoption d'un chaton abandonné représentait un engagement sérieux ? Cette idée semblait complètement incongrue. Cela paraissait...

Mes yeux sont tombés sur la sacoche en cuir noir que Paul avait posée sur le plancher de la voiture avant d'aller ouvrir la maison à Lily. J'ai repensé aux confidences que nous avions échangées, Carla et moi, à la faveur de l'obscurité, dans la chaleur de la nuit méditerranéenne. Elle m'avait raconté que, tandis qu'elle embrassait « Mark », dans un cottage du pays de Galles, il lui avait caché les yeux avec la main, avait fouillé dans une sacoche noire placée derrière le canapé, et en avait sorti une cagoule ou un masque en cuir qu'il avait tenté de lui rabattre sur la tête. Sauf que l'homme ne s'appelait pas Mark et que cela ne se passait pas dans un cottage du pays de Galles. N'avions-nous pas l'habitude de modifier les détails significatifs de nos vies ? Cela ne faisait-il pas partie du jeu entre nous, de déguiser la vérité afin de pouvoir parler plus librement ? C'était Paul que Carla avait évoqué, et la villa de sa tante sur l'île grecque...

Je me suis penchée pour attraper la sacoche. La lumière déclinait et j'avais du mal à y voir clair. Il fallait que je garde un œil sur la porte de la maison. J'ai trituré le fermoir, un mécanisme à ressort apparemment ; peut-être était-il fermé à clé. J'avais la bouche sèche. Un instant plus tôt, je souhaitais que Lily se dépêche de récupérer son dossier et remonte vite en voiture ; maintenant, malgré la neige qui tourbillonnait, je priais pour qu'elle prenne tout son temps...

De plus en plus fébrile, j'ai appuyé des deux mains sur le fermoir, qui s'est ouvert brusquement. Sans cesser de regarder du côté de la maison, j'ai fouillé de la main gauche à l'intérieur de la sacoche. Mes doigts touchaient du verre et du plastique, des flacons, des étuis en carton, des seringues, des tuyaux en plastique ; puis, tout au fond, ils ont senti un sac en plastique qui paraissait contenir quelque chose de mou, éponge ou serviette.

Toujours à tâtons, folle d'impatience de découvrir ce que c'était, j'ai secoué le sac en plastique, et un objet sombre et flasque est tombé sur mes genoux. Je l'ai saisi ; il était souple, flexible, pareil à un ballon dégonflé, et ressemblait à première vue à une bourse ou à un réticule — sauf qu'une bourse ou un réticule n'a pas de trous pour la bouche et les yeux...

J'en transpirais d'effroi et de soulagement.

La porte de la maison s'est ouverte. Lily est sortie la première, avec un porte-documents jaune vif. Le sourire aux lèvres, elle bavardait gaiement avec Paul qui, le dos tourné vers moi, refermait à clé. J'ai juste eu le temps de remettre la cagoule et le sac en plastique dans la sacoche et de réenclencher le fermoir pendant que tous deux revenaient à la voiture.

Je me suis redressée au moment où Paul ouvrait la portière arrière. «Grimpe, Lily», a-t-il dit d'un ton enjoué. Tandis qu'il tenait la portière pour permettre à Lily de monter, il a jeté un coup d'œil à la sacoche et une expression inquiète a assombri ses traits. J'ai regardé à mon tour : un petit bout de plastique dépassait de l'ouverture. Nos yeux se sont croisés.

Sans regarder Lily, il a refermé la portière arrière de toutes ses forces. Lily a poussé un cri affreux, le genre de cri à vous glacer le sang.

«Oh, mon Dieu !

— Qu'est-ce que...

Le visage blême, Paul a rouvert la portière pour libérer la main de Lily. La fillette, le souffle coupé par la douleur et le choc, est tombée sur Tigre.

«Oh, mon Dieu ! c'est ma faute... »

Paul, horrifié, tremblait et restait figé, mais j'avais déjà bondi hors de la voiture et je ramassais de la neige fraîche dans l'allée. J'ai ouvert la porte arrière de mon côté et je me suis penchée pour saisir la main blessée de Lily par le poignet. «Tiens-la à hauteur de ton épaule», lui ai-je recommandé en plaçant sa main sur la plage arrière. Elle avait les doigts écrasés, en sang, et deux d'entre eux semblaient brisés. «La neige t'aidera à supporter la douleur. Regarde, je vais en mettre tout autour, comme ça.» Lily tremblait de tous ses membres, trop choquée pour enregistrer ce que je disais; elle me fixait avec de grands yeux et cherchait à retirer sa main, si bien que j'ai dû répéter trois fois mes instructions. Quand elle a tourné la tête pour regarder sa main et qu'elle a vu le sang et les doigts taillés, elle s'est mise à hurler.

«Mon Dieu! a répété Paul. Je vais chercher de la glace.

— Non!» J'ai refermé la portière arrière, je suis remontée en voiture et j'ai allumé le contact. «Pas le temps! Je la ramène chez elle!

— Mais vous ne pouvez pas...» Paul criait pour se faire entendre, malgré les beuglements de Lily.

Pour toute réponse, j'ai mis la voiture en marche arrière, j'ai braqué et je me suis penchée pour refermer la portière avant; mais, juste au moment où je venais de passer en première et m'apprêtais à rejoindre la route, Paul s'est dépêché de grimper.

«Tournez à gauche! On l'emmène à l'hôpital.»

Lily continuait à brailler de plus belle.

«Elle rentre chez elle, ai-je répliqué en tournant à droite.

— Plus vite! La pauvre petite! Je ne supporte pas ça!

— Les routes sont trop glissantes.»

Courbée sur le volant, j'essayais de voir devant moi malgré l'obscurité et la tourmente de neige, tout en m'efforçant de ne pas entendre les cris de Lily. Je ne cessais de me répéter : Ramène-la à Pipers, là-bas tu pourras la soigner.

« Elle a la main écrasée ! s'est exclamé Paul, affolé. Je ne peux pas croire que j'aie fait une chose pareille. Emmenez-la à l'hôpital !

— Non !

— Comment pouvez-vous être aussi cruelle ?

— Je sais ce que je fais. »

Il s'est bouché les oreilles. « Ça suffit, arrête de crier, je ne supporte pas ça ! a-t-il imploré, l'air hagard.

— Maîtrisez-vous, Paul, ai-je lancé d'un ton sec. Vous ne rendrez pas service à Lily si vous vous effondrez.

— Il faut que je l'aide ! »

Paul était dans tous ses états. Tigre a commencé à hurler, et le vacarme dans la voiture est devenu épouvantable.

« Tiens bon, Lily. Dans dix minutes nous serons à Pipers et je te donnerai un cachet contre la douleur. »

Elle m'a répondu par un hurlement.

« Dix minutes ! s'est exclamé Paul, horrifié. Elle ne tiendra jamais dix minutes, c'est trop ! » Il s'est retourné vers la fillette. « C'était un accident, Lily. Mon Dieu ! je ne voulais pas te faire mal, il faut que tu me croies. Qu'est-ce que tu as à me regarder comme ça ?

— Cessez de crier, Paul, vous l'effrayez.

— Qu'elle arrête de me regarder fixement, je ne peux pas le supporter.

— Dans ce cas, descendez de voiture.

— Je suis tellement désolé, Lily, je ne voulais pas te faire du mal... » Tourné vers l'arrière, il s'agitait comme un beau diable et, à un moment donné, il a heurté si violemment mon coude que j'ai failli perdre le contrôle de la voiture.

«Attention!» lui ai-je hurlé.

Mais il n'écoutait pas, il parlait à Lily, il l'implorait.

«Seigneur, Lily, je suis navré. Je n'ai pas vu ta main, c'était un accident, je ne l'ai pas fait exprès. Arrête de me regarder comme ça! Ce n'était pas ma faute, je te dis! Pourquoi me regardes-tu fixement? Je ne l'ai pas fait exprès, tu m'entends?» Sa voix devenait de plus en plus stridente, son ton n'était plus implorant, mais rageur. «Ce n'était pas ma faute, merde! Pourquoi est-ce que tu me regardes avec ces yeux-là? Je ne peux pas le supporter!

— Pour l'amour du ciel, Paul, cette enfant est en état de choc! Laissez-la tranquille, vous aggravez les choses, par cette attitude!»

Les cris de Lily avaient redoublé, autant à cause du comportement insensé de Paul que du fait de la douleur.

«Ça suffit, je te dis!» Paul, à genoux sur son siège, était penché vers la banquette arrière. «Tais-toi, je ne supporte pas ça! Tais-toi! Tais-toi! Tais-toi!»

Tout à coup, les hurlements ont cessé, mais le silence était encore plus oppressant que les cris.

«Qu'est-ce que vous...» J'ai levé le pied de l'accélérateur un instant pour jeter un coup d'œil derrière moi. Paul, les bras tendus, les mains sur le visage de Lily, lui cachait entièrement les yeux et la bouche.

La minute d'après, il poussait un cri strident et retirait sa main. «Elle m'a mordu!» Scandalisé, il s'est retourné vers moi. «Vous avez vu? Cette petite garce m'a mordu!»

Lily s'était remise à hurler de plus belle; elle était complètement hystérique maintenant.

Ramène-la chez elle. Concentre-toi sur la route. Mon Dieu, faites que Daniel soit là quand nous arriverons à Pipers! Je vous en prie, mon Dieu, je vous en supplie.

Paul, quant à lui, était frénétique. «Je sais! Je sais

comment l'empêcher de crier, comment arrêter ce bruit. Je ne supporte pas le bruit. »

Dans la pénombre, j'ai vu qu'il avait pris la sacoche sur ses genoux et essayait de l'ouvrir. D'un coup brusque, j'ai fait tomber la sacoche par terre. « Vous êtes fou, Paul ! Ne la confondez pas avec un de vos chatons. »

Encore un kilomètre et demi avant Burdock.

Paul, sans tenir compte de mon intervention, s'est penché pour ramasser la sacoche, tout en répétant, à la manière d'un mantra : « Faire cesser le bruit. La faire taire. Je peux l'aider. Plus de bruit. Retrouver la paix. Lui couvrir les yeux. La faire taire. »

Il s'est remis à genoux sur son siège et s'est penché de nouveau vers Lily, dont les cris devenaient assourdissants.

« Cesse de bouger, espèce d'idiote ! Tiens-toi tranquille, bon sang, tu ne souffriras pas...

— Oh, Seigneur ! »

J'ai freiné brusquement, et la voiture a dérapé. Malgré l'obscurité grandissante, j'estimais que nous nous trouvions à environ trois cent mètres de la petite route qui menait à Pipers.

Je me suis retournée et j'ai ouvert la portière arrière. La lumière intérieure s'est allumée, éclairant le visage terrorisé de Lily. Paul l'avait attrapée par les cheveux et lui appuyait sur la tête ; elle se tordait dans tous les sens pour lui échapper et sanglotait bruyamment.

« Lâchez-la !

— Elle n'arrête pas de me fixer !

— Vous êtes cinglé ! »

Lily poussait des hurlements sauvages.

« Il faut qu'elle cesse ! »

J'ai tenté de faire lâcher prise à Paul, mais nous étions de force égale. Je lui ai tapé sur les bras et il a essayé de me saisir par les poignets. Lily nous regardait d'un air horrifié, tellement effrayée de nous voir nous battre qu'elle en a oublié un instant sa douleur.

J'ai profité de l'occasion pour libérer mes mains, gifler Paul et crier à Lily : «Descends immédiatement ! Tu es presque arrivée. Paul est fou, ne le laisse pas te toucher ! Sors, Lily, va, cours ! » Elle a commencé à protester. «Fais ce que je te dis, Lily ! Vite ! »

Après nous avoir dévisagés tour à tour d'un air éperdu, elle est passée à quatre pattes par-dessus le corps du chien et a plongé hors de la voiture. Elle est tombée sur sa main valide, s'est relevée puis retournée. «Tigre ! a-t-elle beuglé.

— Rentre chez toi ! »

Elle hésitait. Elle semblait si frêle et si seule, abandonnée sur le bas-côté de la route couvert de neige... J'ai refermé la portière avant qu'elle n'ait le temps de prendre une décision.

«J'y vais, je la ferai taire ! a décrété Paul en saisissant la poignée de sa portière.

— Non ! » J'ai redémarré en trombe. Il ne tenterait pas de descendre d'une voiture en marche. Mon unique obsession était de l'éloigner de Lily. J'ai effectué un demi-tour à toute vitesse et j'ai repris la route par laquelle nous étions venus.

«Où allez-vous ?

— Je vous raccompagne chez vous.

— Et Lily ?

— Ses parents s'occuperont d'elle.

— Oh !... »

Il s'est affalé dans son coin. Après les hurlements hystériques de Lily, le silence était étrange, tout à coup. Nous avions beau suivre la nationale, il n'y avait pas de circulation, sans doute à cause de la neige. J'aurais préféré rouler dans une rue animée, avec des voitures, des lumières, des piétons, des magasins. Ici, rien ni personne ne me viendrait en aide. Au bout d'un moment, j'ai remarqué que Paul m'observait. La nuit était tombée, mais, à la lueur des phares d'un camion qui arrivait en sens inverse, j'ai constaté qu'il me dévisageait et que ses yeux brillaient. Il avait posé la cagoule sur ses genoux et la caressait d'un air songeur.

« Je ne supporte pas la vue de la souffrance, a-t-il murmuré.

— Ne vous inquiétez pas pour Lily.

— Cette expression dans ses yeux...

— Elle se remettra.

— Vous pensez que c'est ma faute ?

— C'était un accident. »

Il s'est tu. Nous approchions de la route qui menait chez lui. « Tournez à la prochaine à gauche », m'a-t-il indiqué. J'ai appuyé sur l'accélérateur et j'ai enclenché la quatrième. « Qu'est-ce que vous... ? » Il s'est dévissé le cou pour regarder l'embranchement que nous avions dépassé à toute vitesse. Des deux côtés de la route s'étendait la campagne, sombre, déserte, menaçante.

Des lumières, je voulais voir des lumières, des boutiques, des gens. À quelle distance se trouvait la ville la plus proche ? Possédait-elle un commissariat de police ? Un hôpital ? Un garage ? Ou même un supermarché ? Un endroit où je pourrais stopper la voiture et être remarquée, un endroit sûr.

« Vous pouvez vous arrêter ici pour faire demi-tour..., a dit Paul en désignant une petite route qui s'enfonçait quelque part dans la nuit ; puis il a constaté : Vous avez raté la bifurcation... Qu'est-ce qui vous prend ? Ralentissez, vous conduisez beaucoup trop vite. Il y a une aire de stationnement un peu plus loin, nous nous y arrêterons... Bon Dieu, je vous ai demandé de ralentir !

— Je dois aller chercher quelque chose.

— Quoi ?

— Peu importe.

— Qu'est-ce que c'est que cette histoire ? Ralentissez, pour l'amour du ciel !

— Non.

— Pourquoi ? »

Incapable d'inventer une raison, je n'ai rien répondu. Il est devenu silencieux, mais ses mains s'agitaient ; apparemment, il triturait la cagoule en cuir qui dégageait une odeur bizarre.

« Que faites-vous ? »

Pas de réponse, pourtant le mouvement de ses mains continuait. Penchée sur le volant, je scrutais l'obscurité dans l'espoir d'apercevoir de la lumière — celle d'une ferme ou les phares d'une voiture, n'importe quoi plutôt que cette étendue déserte et interminable. Je ne me rappelais pas que cette route traversait la campagne sur une si longue distance ; paniquée, je commençais à me demander si je ne m'étais pas trompée et si je ne me dirigeais pas vers les landes désolées plutôt que vers la ville. Mes mains, moites de sueur, glissaient sur le volant.

« Je n'avais pas l'intention de lui faire du mal, Helen, a murmuré Paul. C'était cette expression dans ses yeux. Je ne supporte pas que les gens me fixent de cette façon, je ne supporte pas de les voir souffrir. Je voulais simplement supprimer la douleur. La portière, c'était un accident. »

Il avait changé de position sur son siège pour mieux me voir, il avait replié une jambe sous lui, la cagoule en cuir lui occupait toujours les mains.

« Avez-vous déjà remarqué l'expression paisible des personnes mortes ? Des bêtes, aussi ? C'est tellement beau, ce moment où elles cessent de lutter et trouvent enfin le repos, je me sens toujours très fier de pouvoir les aider à franchir ce passage. Les gens ne comprennent pas. Il sont d'accord pour mettre fin aux souffrances des animaux, pourquoi pas à celles des humains ? Ce n'est pas juste que nous souffrions plus que les bêtes. On devrait considérer cela comme un acte de miséricorde. Vous verrez, ça ne fait pas mal. »

Il respirait de façon saccadée, en proie à une impatience et à une excitation grandissantes.

« Ralentissez, a-t-il ajouté en approchant la cagoule de mon visage. À votre tour, maintenant.

— Non !

— Ralentissez, je vous dis !

— Pourquoi, Paul ? » J'ai aperçu de la lumière devant moi, ce qui m'a donné du courage. « Pourquoi avez-vous tué Carla ?

— Elle vous a raconté, n'est-ce pas ? Je me doutais bien qu'elle finirait par raconter ça à quelqu'un. La mort de Sylvie était accidentelle, vous savez, mais c'était une belle mort. Si vous aviez pu voir son visage ! Elle avait une expression si sereine, j'en ai pleuré. Les gens ont peur de mourir, pourtant ils ne devraient pas, c'est simplement comme franchir une porte et pénétrer dans un jardin merveilleux, inondé de soleil. Vous verrez. Il faut me croire, Helen. »

Sa main effleurait ma joue. L'odeur du cuir et de quelque chose d'autre, aigreur et pourriture mêlées, a rempli mes narines à l'instant où il a refermé ses doigts sur ma nuque. Son corps était pressé contre le mien. Instinctivement, j'ai appuyé sur la pédale de frein et pivoté vers lui pour le repousser. Le volant m'a échappé des mains, les phares des véhicules qui arrivaient en face sont passés soudain à ma hauteur, et la voiture est sortie de la route. Paul a poussé un juron de surprise quand le choc l'a projeté contre la portière ; je suis tombée sur lui, puis la sacoche de cuir noir m'a heurté la tempe lorsque la voiture s'est retournée et a effectué plusieurs tonneaux. Je me suis retrouvée coincée entre le volant et la portière, et Paul a atterri avec brutalité sur moi.

« Merde, merde, merde ! » s'est-il exclamé. Dans ses efforts pour se dégager, il m'enfonçait son coude dans les yeux et appuyait ses mains contre ma joue et mes épaules. Le moteur continuait de tourner et Tigre gémissait, paniqué, mais j'étais incapable du moindre mouvement, prisonnière sous le poids du corps de Paul et sous le métal tordu.

« Je n'y vois rien, haletait Paul. Je n'y vois rien, qu'est-ce qui... »

Son genou m'est rentré dans les côtes tandis qu'il tentait d'ouvrir la portière de son côté — portière qui maintenant se trouvait au-dessus de nous. Il y est enfin parvenu ; quand la lumière intérieure s'est allumée, je me suis aperçue que le rétroviseur en se brisant lui avait fait une énorme entaille au front, juste au-dessus des sourcils, et que du sang lui coulait dans les yeux.

« Merde, je suis aveugle... Espèce de garce stupide ! Je n'y vois rien... Vite ! Sortir de là... »

Au prix d'un immense effort, il a réussi à ouvrir complètement la portière et a grimpé pour quitter le véhicule. Son talon m'a écrasé l'oreille. Tigre continuait de gémir derrière moi. Une rafale de vent glacial et de neige m'a cinglé le visage ; soudain, abandonnée au milieu de ce tas de ferraille, j'ai été prise de panique. Je sentais une odeur d'essence — d'essence qui fuyait — et je ne pouvais pas éteindre le moteur car j'étais incapable de remuer les mains. Une étincelle, et je risquais de brûler vive. *Mon Dieu, je vous en supplie, laissez-moi sortir.*

Je me débattais mais mes genoux étaient coincés ; impossible de les dégager.

«Au secours! Au secours!»

J'ai tourné la tête pour voir où était passé Paul. Tout était à l'envers. Les phares d'un énorme camion entouré de lumières colorées, tel un manège de foire, fonçaient sur nous, surgissant de la nuit et de la neige. Puis j'ai aperçu la silhouette d'un homme qui chancelait, titubait comme s'il était ivre, ou groggy, ou aveugle; il escaladait le talus et s'apprêtait à traverser la route, juste sur la trajectoire du camion. J'ai crié pour l'avertir, mais l'homme, silhouette frêle et légère, pareille à une marionnette, a levé les mains devant l'énorme et puissante masse qui arrivait sur lui dans un vacarme assourdissant. Comme mue par des fils invisibles, la marionnette a soudain sauté en l'air, rebondi sur les phares du camion et disparu dans la nuit et la lumière, dans un crissement de freins, le tintamarre d'un klaxon, le choc du métal contre la chair.

Le choc du métal contre la chair... le choc du métal contre la chair...

24

Tout le monde, au service des urgences, pensait
que j'avais eu une chance folle. J'aurais eu mauvaise
grâce à prétendre le contraire. Ils ne pouvaient pas
savoir que j'avais passé les six mois précédents à me
considérer comme une meurtrière et que, durant
cette période cauchemardesque, j'avais perdu contact
non seulement avec la personne que j'avais toujours
cru être, mais aussi avec mon métier et mes amis.
Tout ce qu'ils savaient, c'est que j'aurais pu être tuée
quand ma voiture avait quitté la route et effectué plusieurs tonneaux avant d'atterrir dans le fossé ; que
peu s'en était fallu qu'elle ne prenne feu, ne dérape
sur l'autre côté de la route, provoquant une collision
dans laquelle nous aurions péri tous les deux. En l'occurrence...

Peut-être avais-je encore plus de chance qu'ils ne
l'imaginaient. Après tout, si Paul n'avait pas été pris
de panique, aveuglé par le sang qui lui coulait dans
les yeux, il se serait sans doute souvenu de ce qu'il
tentait de faire au moment où le véhicule était sorti
de la route, et je n'aurais pas pu me défendre, coincée que j'étais entre la portière et le volant. Il me
tenait enfin à sa merci, mais, sonné par l'accident, il
n'avait songé qu'à s'extraire de la voiture et à se
mettre à l'abri. J'étais donc demeurée seule dans les
débris du véhicule jusqu'à l'arrivée de l'ambulance et
des pompiers ; trop engourdie par le choc et le froid,
j'ignorais si j'étais en train de geler ou de mourir, ou

si j'avais la colonne vertébrale brisée et resterais paralysée à vie.

Pendant ce temps, la neige continuait à tomber et à se déposer sur la carcasse métallique, sur l'herbe du talus, sur les uniformes de mes sauveteurs, sur les épaules du camionneur, qui ne cessait de répéter : « Il a déboulé devant moi, j'ai rien pu faire. » Au bout d'un moment, dans la confusion des voix autour de moi, il m'a semblé que le camionneur parlait en grec.

La première ambulance est partie, pendant que les pompiers tentaient de me dégager.

« Où va-t-elle ? ai-je questionné. Ils emmènent Paul ? »

Une femme avec un casque jaune sur la tête s'est penchée sur moi et a répondu d'un ton calme, avec l'accent du Devon : « Malheureusement, votre ami est mort. »

Mon ami ? Il m'a fallu quelques secondes pour réaliser qu'elle parlait de Paul. « Ce n'était pas mon ami. Il a essayé de me tuer. »

La femme au casque jaune a échangé un regard avec ses collègues. Elle pensait manifestement que je délirais mais, son boulot consistant à m'apaiser et à me maintenir tranquille pendant qu'on découpait la tôle pour me délivrer, elle ne se risquerait pas à discuter. J'aurais pu lui dire que je n'avais pas besoin qu'on me calme et qu'on m'apaise parce que, tout à coup, une paix profonde m'avait envahie. Soudain, tout devenait merveilleusement simple. Incapable de bouger, de rien faire par moi-même, je n'avais qu'à m'abandonner entre ces mains attentionnées. On allait s'occuper de moi, décider pour moi, soigner mes blessures. Fini de courir, fini de douter, fini de souffrir. Je n'étais pas responsable de la mort de Carla. Daniel non plus. Coincée sous une tonne de ferraille et de métal tordu, je me sentais pour la première fois plus libre que depuis six mois.

L'euphorie a duré au moins une partie du trajet jusqu'à l'hôpital. On m'a enveloppée dans des couvertures et, peu à peu, au fur et à mesure que mes bras et mes jambes se réchauffaient, la douleur est apparue, et mon sentiment de calme et de joie s'est peu à peu dissipé. Puis, au moment où l'ambulance s'arrêtait devant le service des urgences, j'ai reconnu le break gris métallisé garé près de l'entrée. Daniel. Tout d'abord, un immense espoir m'a submergée : il avait appris mon accident et il était déjà là, à m'attendre. Ensuite, j'ai compris que, probablement, il était venu pour amener Lily. Ce qui me laissait quand même une chance de le voir.

«Prévenez Daniel Finch que je suis ici, ai-je demandé quand on m'a sortie de l'ambulance sur une civière.

— Il travaille à l'hôpital?

— Non, mais j'ai aperçu sa voiture.

— Chaque chose en son temps. Il faut d'abord qu'on vous examine.

— Mais Daniel...

— On contactera votre famille dès que...

— Bon sang, puisque je vous dis qu'il est là!»

Casque jaune a échangé une fois de plus un regard entendu avec ses collègues, puis elle m'a tapoté la main. «Là, là», a-t-elle susurré d'un air niais tandis qu'on me transportait dans un box entouré d'un rideau vert.

C'est alors qu'ont commencé les : «Vous avez une de ces chances!» Pas d'os brisés, pas de blessures graves, juste des coupures, des bleus et un éventuel coup du lapin, mais léger.

Pas comme Paul. Sauf à considérer que mourir sur le coup est un privilège. «Il n'a rien senti», m'a assuré l'infirmière en me tendant une tasse de thé bien chaud, avant d'arranger la couverture autour de mes épaules. Cette fois, je n'ai pas jugé utile de lui préciser que ma sympathie pour Paul était des plus limitées. Pas la peine de répéter une erreur.

Personne ici ne pouvait comprendre ce qui s'était passé, à part Daniel. Où diable était-il? Mon besoin de lui parler augmentait de minute en minute. Dissimulée aux regards derrière l'espèce de tente verte où l'on m'avait laissée seule avec mes couvertures et ma tasse de thé, j'entendais du bruit, des voix, un enfant qui geignait, un homme apparemment soûl qui injuriait les infirmières. Pas de Daniel. Peut-être était-il déjà rentré chez lui, ou sur le point de partir, ignorant ma présence à l'hôpital et...

Je m'efforçais de m'extraire de ma prison quand quelqu'un a ouvert le rideau. Daniel m'a observée d'un air sombre et grave.

«Grands dieux, Helen, qu'est-ce qui t'est arrivé? Tu vas bien?

— Tout le monde ne cesse de me répéter que j'ai de la chance, ai-je répondu en m'affaissant sur les oreillers. Je suppose que c'est vrai.

— Tant mieux.» Il a tiré le rideau derrière lui et s'est approché de moi.

«J'allais partir à ta recherche, ai-je dit. J'ai aperçu ta voiture dehors.

— Lily m'attend dans le couloir. On a vu l'accident en venant. Je n'ai pas imaginé une seconde que ça pouvait être toi.

— Comment va-t-elle?

— Elle est très secouée. Elle a trois doigts cassés, et des bleus sur toute la main; c'est affreux à voir, et elle souffre beaucoup. Malgré ça, elle se remettra.

— J'en étais malade de l'abandonner ainsi, mais je voulais à tout prix la faire descendre de voiture et

494

l'éloigner de Paul. Il devenait fou furieux. » *Ses yeux...
il ne supportait pas la façon dont elle le regardait.* « Elle a
dû être terrorisée. Je suis désolée...

— Ne dis pas de bêtises, Helen. Tu n'as rien à te
reprocher. » Daniel s'est assis avec précaution au
bord du lit. « Tu lui as sans doute sauvé la vie.

— Pauvre gosse, elle était en état de choc.

— Elle l'est encore, mais ça aurait pu être bien pire.
Je lui ai promis que je n'en aurais pas pour longtemps
et qu'ensuite je la ramènerais à la maison. Veux-tu
m'expliquer ce qui s'est passé ? »

Je le lui ai raconté, aussi brièvement que possible.
Surtout, j'ai pu lui parler de la sacoche noire, de la
cagoule en cuir, et du lien probable de cette cagoule
avec la mort de Sylvie d'une part, avec ce que m'avait
dit Carla à propos de ses prétendues vacances au
pays de Galles d'autre part.

« Il avait l'intention de te faire endosser le meurtre,
Daniel. Voilà pourquoi il a attendu que tu aies quitté
l'Angleterre avant d'attaquer. Seulement, bien sûr, il
y avait toujours le risque que Carla ait révélé à quelqu'un pourquoi elle le fuyait, et il était plus que
probable qu'elle s'était confiée à moi. Si bien que, au
dernier moment, il a vu là le moyen de me mettre le
crime sur le dos.

— Et tu t'es crue coupable ?

— Jusqu'à l'intervention de KD.

— Il y avait de quoi rendre fou.

— C'est peut-être ce qui s'est produit », ai-je
répliqué après un instant de réflexion.

Daniel a pris ma main, entourée d'un léger
bandage. « J'ai envie de te serrer contre moi, a-t-il
murmuré, mais j'ai peur de te faire mal. »

Un sentiment familier m'a étreint la poitrine,
mélange d'espoir, de crainte, de tendresse et de souffrance. « Dans ce cas, abstiens-toi. »

Nous sommes restés un moment sans parler. Il a contemplé longuement ma main bandée et, à la fin, il l'a reposée avec beaucoup de délicatesse sur le drap. «J'ai téléphoné à Janet. Elle va passer te chercher et t'emmener chez elle. J'ai pensé que tu ne voudrais pas venir à Pipers tant qu'Angela serait là. Et demain...»

Je l'ai interrompu : «Demain, je rentre à Londres. J'ai des tonnes de choses à faire.

— Oui.» Il a observé un silence, les yeux toujours fixés sur ma main bandée qu'il tenait de nouveau dans la sienne. «Helen...

— Oui ?

— Excuse-moi. Je suis vraiment désolé de te laisser comme ça, mais je n'ai guère le choix. Lily est dans tous ses états, elle a besoin de moi. Je ne peux pas les abandonner en ce moment.» Il a levé les yeux et m'a dévisagée, comme s'il attendait mon pardon. «Tu comprends, n'est-ce pas ?

— Oui, Daniel, ai-je répondu en retirant ma main. Je comprends parfaitement.

— J'ai envie de t'embrasser avant de partir.

— Non. Pas maintenant.» *Ni jamais.*

Il s'est levé lentement. «Alors, au revoir. Je t'appellerai.

— Au revoir, Daniel.»

Mais il ne partait toujours pas. Il avait l'air las et accablé, tout à coup. Impossible d'éprouver de la colère contre lui ; pourtant, Dieu sait que j'avais mille raisons d'être en colère, à commencer par le désir qu'il avait éveillé en moi, et que lui seul pouvait satisfaire, au lieu de quoi il me quittait ; si je ne me retenais pas, j'allais me mettre à pleurer d'un instant à l'autre.

«Au revoir, Daniel.»

L'infirmière a tiré brusquement le rideau et m'a

annoncé d'un ton guilleret : «Votre amie vient de téléphoner pour dire qu'elle arrive.

— Très bien.» Je n'ai détourné les yeux qu'une seconde pour regarder l'infirmière, mais Daniel s'éloignait déjà dans le couloir, sans un regard en arrière. J'ai suivi des yeux sa silhouette qui disparaissait peu à peu derrière des patients, des visiteurs ou du personnel soignant.

L'infirmière a vérifié les indications portées sur le tableau au pied de mon lit, ensuite elle a pris ma tasse de thé et rajusté mes couvertures. Elle m'a examinée derrière ses lunettes rondes à monture bleu vif. «C'est vous la jeune dame qui a eu tellement de chance?» s'est-elle enquise d'un ton enjoué.

J'ai gardé les yeux rivés sur le couloir jusqu'à ce que Daniel ait complètement disparu, puis mes yeux se sont remplis de larmes, et un sanglot m'est monté à la gorge — un sanglot qui était aussi un rire, et je me suis demandé un instant si je riais ou si je pleurais, avant de comprendre que je faisais les deux à la fois.

«Je ne sais pas», ai-je répondu à l'infirmière. C'était la vérité. Le poids de six mois de culpabilité venait de me quitter d'un seul coup. Daniel aussi. «Je suppose.»

Quand Janet est arrivée, souriante, bouleversée, impatiente d'entendre mon récit, j'avais retrouvé mon calme.

25

Une chaleur étouffante régnait sur Londres en cette journée d'été.

Mon travail terminé, j'ai refermé la porte de mon bureau pour me changer et mettre un tailleur en lin et soie ivoire acheté quelques jours plus tôt — un tailleur léger, élégant, qui me flattait et me donnait l'agréable impression que mon apparence reflétait bien mon état intérieur. J'ai enfilé des sandales en cuir très fin qui m'avaient coûté les yeux de la tête ; pour finir, je me suis brossé les cheveux — ils m'arrivaient à présent presque aux épaules — et me suis maquillée légèrement.

« Vous allez à un mariage ? m'a demandé le gardien au moment où je sortais.

— Non, pas ce soir. Je me rends à une cérémonie de caractère privé.

— Pas trop privé, j'espère, a-t-il répliqué avec un grand sourire. Passez une bonne soirée.

— C'est tout à fait mon intention. »

Me sentir belle et bien habillée tandis que je marchais dans les rues animées m'a procuré un plaisir extrême, même si j'avais l'intention ce soir de demeurer simple spectatrice. Pour la première fois depuis des mois, je sortais seule et j'avais organisé ma soirée de manière à le rester. L'élégance de ma tenue n'était destinée qu'à moi et se voulait l'expression d'une énergie et d'un optimisme ressuscités.

J'en avais parcouru, du chemin, depuis six mois — raison suffisante pour fêter l'événement.

La soirée aurait cependant un goût doux-amer, car il y avait tout juste un an que Carla était morte. La tristesse peut être un luxe : j'avais découvert cela, maintenant que mon chagrin n'était plus entaché de confusion et de remords. Il m'était possible de pleurer la mort de cette femme qui, malgré tous ses défauts, continuait de me manquer de temps à autre, même si ma vie était de nouveau bien remplie.

De retour à Londres après la mort de Paul, j'avais recontacté mon ancien employeur et on m'avait reçue à bras ouverts. J'étais tellement heureuse qu'il m'avait fallu plusieurs semaines avant de reconnaître que cela ne marchait pas. J'avais cru qu'il me suffirait de me remettre dans les rails de mon ancienne vie et de continuer comme avant, mais je me trompais. Les événements consécutifs à la mort de Carla avaient provoqué en moi des changements profonds, et je n'étais plus la jeune femme insouciante décidée à passer seule des vacances en Grèce après sa rupture avec Mike Barrett. Mes collègues avaient du mal à s'adapter à cette évolution, elles étaient désorientées quand je ne réagissais pas selon leurs attentes, et leurs efforts pleins de bonne volonté mais inadéquats pour « retrouver l'ancienne Helen » m'agaçaient.

Cette Helen-là avait disparu à tout jamais : vivre pendant six mois dans la certitude d'avoir tué quelqu'un ne laisse pas indemne. Savoir que je m'étais trompée ne modifiait en rien les sentiments que j'avais éprouvés, persuadée que j'étais de découvrir un moi obscur, hideux, capable de commettre un crime. Que cette tendance existât sans doute en chacun de nous n'y changeait rien. L'ancienne Helen ne pouvait plus exister.

J'ai donc cherché un autre poste et, à ma surprise,

on m'en a offert un presque aussitôt. Malgré une légère baisse de salaire, les perspectives d'avenir étaient en définitive beaucoup plus intéressantes que dans le précédent : de nouveaux défis, des occasions de voyager plus nombreuses, une équipe différente. Et surtout, la possibilité de repartir de zéro.

Autre avantage de ce travail, mon bureau était situé tout près du domicile de mon amie Miriam. J'avais emménagé chez elle dès mon retour du Devon, car je ne voulais pas passer une nuit de plus dans ma prison aux murs immaculés. Nous avions vite découvert que cet arrangement nous convenait à toutes les deux, du moins pour un certain temps ; Miriam devant s'absenter souvent, cela l'arrangeait d'avoir quelqu'un pour nourrir ses chats, arroser ses plantes, et de trouver un appartement accueillant quand elle rentrait de voyage.

À elle seule, j'avais tout raconté. À mes autres amis ainsi qu'à ma famille, étrange et compliquée, j'avais simplement expliqué que j'avais fait un genre de dépression nerveuse après avoir été témoin de la mort atroce d'une amie pendant les vacances. Ce qui était parfaitement exact, au demeurant.

Daniel était l'unique autre personne qui connaissait à peu près toute la vérité, et je ne l'avais revu qu'une ou deux fois — la première presque immédiatement après l'accident. Chacun de notre côté, nous avions décidé qu'il ne servirait à rien de révéler la vérité au sujet de Paul. Les rapports sur la mort de sa femme Sylvie n'étaient d'ailleurs pas formels ; il s'était peut-être agi d'un accident — jeu sexuel, désir de la punir ou de l'effrayer — qui avait fini de façon tragique. Peu importaient les détails : Paul avait causé la mort de Sylvie et, quand il s'était rendu compte qu'il avait fourni à Carla des armes contre lui, il l'avait supprimée à son tour. Pourquoi dévoiler tout cela maintenant ? Il semblait plus important de protéger Lily, ce qui signifiait donner le moins de détails possible concernant la mort de Paul.

Par conséquent, lors de l'enquête, il fut déclaré simplement que, en raison de conditions météorologiques exécrables, ma voiture avait dérapé et quitté la route, et que Paul, désorienté et aveuglé par le sang qui lui coulait dans les yeux, s'était jeté au-devant du camion. Le coroner a beaucoup insisté sur le fait que ni moi ni le chauffeur du camion ne devions nous sentir responsables de ce qui était arrivé. Je ne pouvais pas parler au nom du chauffeur mais, quant à moi, j'aurais pu rassurer le coroner : j'avais la conscience parfaitement tranquille.

L'enquête a eu lieu par un jour triste et gris du mois de mars. Ensuite, Daniel a voulu que nous allions manger un sandwich au pub du coin. J'aurais dû refuser, mais c'était difficile de lui résister quand il avait décidé quelque chose. J'ai éludé ses questions me concernant, il m'a parlé des enfants, des progrès de son *Requiem* et, comme je m'y attendais, il a suggéré qu'on se revoie à Londres plus tard dans la semaine.

« Angie est retournée aux États-Unis, m'a-t-il informée. C'était juste une question de temps. Pourquoi ne pas recommencer tous les deux, Helen ? Pourquoi ne pas tout recommencer ? »

J'ai réussi à tenir bon, et je lui ai affirmé que cela ne marcherait jamais. Au moment où nous nous sommes quittés au parking, debout sous la pluie, il a dû penser que, si je refusais de le revoir, c'était parce que dans mon esprit il était mêlé à mes longs mois de cauchemar et que j'étais résolue à rompre avec tout ce qui me rappelait cette période. Peu m'importait l'explication qu'il imaginait, dès l'instant où il acceptait ma décision.

Comme une idiote, j'ai pleuré pendant tout le trajet jusqu'à Londres : des larmes de chagrin, et non de regret. Mon refus de revoir Daniel avait uniquement pour but de me protéger. J'avais marché trop longtemps dans les pas de Carla, je ne pouvais risquer de le refaire et, par ailleurs, j'avais déjà assez de mal à reconstruire ma vie. M'engager dans une relation avec un homme pour qui certes j'éprouvais, pour la première fois depuis mes dix-sept ans, des sentiments profonds mais qui était encombré de trois enfants difficiles et d'une ex-première épouse encore attachée à lui et extrêmement manipulatrice aurait été catastrophique. Si cela avait été plus superficiel, une liaison avec Daniel n'aurait pas été désagréable. En l'occurrence, je me suis arrangée pour ne lui laisser ni ma nouvelle adresse ni aucun moyen de me contacter. C'était beaucoup mieux ainsi.

KD et moi étions restés en relation. Je lui avais envoyé un e-mail en janvier afin de lui raconter, pour Paul. Manifestement, il était déçu que Daniel soit lavé de tout soupçon ; cela dit, il se sentait soulagé d'en avoir terminé avec cette histoire. Il poursuivait sans anicroche sa formation de juriste, et Glen et lui projetaient de voyager ensemble à l'automne. Nos messages commençaient déjà à se raréfier, nous ne tarderions pas à perdre le contact.

Ayant une demi-heure d'avance, je suis entrée dans un café climatisé et j'ai commandé un thé glacé. Je ne voulais arriver à la salle de concerts qu'à la dernière minute. Les préparatifs minutieux de ma soirée incluaient la réservation d'une place au fond de la salle, en bout de rangée, afin de pouvoir gagner mon siège une fois les lumières éteintes, pour éviter d'être vue.

En sirotant mon thé, j'ai sorti de mon sac deux coupures de journaux ; j'avais beau en connaître par cœur les principaux passages, je les ai relues en entier. Les photos qui accompagnaient ces articles étaient si différentes qu'on avait du mal à imaginer qu'elles représentaient la même personne. Sur l'une, celle de l'*Evening Standard*, sans doute prise une dizaine d'années plus tôt, avec un éclairage très doux, Daniel avait l'air d'un jeune premier ; sur l'autre, celle du *Guardian*, beaucoup plus récente, il présentait un visage sombre, aux traits taillés à la serpe — la physionomie d'un homme qui demande à être pris au sérieux. Ce que faisaient les deux articles le concernant. Le premier s'interrogeait :

Existe-t-il une vie après les jingles publicitaires ? Telle est la question que le monde de la musique posera ce soir à Daniel Finch, lors de la première exécution de sa nouvelle œuvre, Requiem. *Après le succès inattendu de sa* Chanson pour Carla, *envoûtante mais d'un sentimentalisme exacerbé, Daniel Finch tente une fois encore de conquérir l'establishment musical...*

Quant à l'autre :

Il y a vingt ans, Daniel Finch était considéré comme l'un des jeunes talents les plus prometteurs de sa génération. Par la suite, on a pu croire que la musique commerciale allait l'absorber entièrement. Aujourd'hui, pour la seconde fois, il cherche à démontrer qu'il est un compositeur à prendre au sérieux...

Et ainsi de suite. Quinze jours plus tôt environ, le programme des spectacles au South Bank avait attiré mon attention et j'avais aussitôt téléphoné afin de réserver. Pas seulement pour honorer la mémoire de Carla ; cette soirée, un an jour pour jour après sa mort, était aussi à mes yeux l'occasion de faire des adieux définitifs à la femme qui avait complètement chamboulé ma vie, comme à tous ceux à qui elle m'avait involontairement liée. J'avais l'impression de me rendre à une cérémonie commémorative plutôt qu'à un concert. Et je savais que, après cette ultime incursion dans l'univers de Carla, je serais enfin libre de passer à autre chose.

Je suis arrivée à dix-neuf heures trente et une précises dans le foyer de la salle Purcell. Tous les spectateurs n'étaient pas encore entrés. Ne voulant surtout pas courir le risque d'être reconnue, je suis allée acheter un programme à la caisse centrale. Sur la couverture intérieure s'étalait une photo grand format de Carla. Je l'ai contemplée. Désormais j'étais capable d'évoquer l'affection qui avait commencé à croître entre nous, avant que la catastrophe ne balaie tout.

Une partie du foyer avait été délimitée par une corde, et une pancarte indiquait : ESPACE RÉSERVÉ POUR RÉCEPTION PRIVÉE. Daniel avait sans doute prévu un buffet après le concert. Tout à coup, j'ai eu le trac pour lui. Je me suis souvenue de la discussion que nous avions eue au Victoria & Albert Museum ; après avoir, musicalement parlant, vendu son âme au diable, pourrait-il maintenant la racheter ? Sa réputation en tant que compositeur, peut-être même toute sa carrière future, allait se jouer dans les deux prochaines heures.

Des applaudissements m'ont indiqué que les lumières de la salle étaient éteintes et que je pouvais y pénétrer sans crainte. J'ai aussitôt pris conscience de la faille que comportait mon plan pourtant élaboré avec soin : l'unique entrée était située juste devant, entre la scène et la première rangée de fauteuils. Tête baissée, j'ai gagné rapidement ma place, au fond de la salle, à côté d'un homme d'un certain âge au profil d'aigle. J'ai jeté un coup d'œil sur mes voisins immédiats : tous des inconnus ; la famille et les amis de Daniel et de Carla étaient sans doute assis devant, avec la presse. Cela me permettrait de me détendre et de profiter de la musique.

Une deuxième série d'applaudissements, et Daniel en personne est apparu sur scène ; veste blanche et chemise à col ouvert qui mettaient en valeur sa peau mate et ses cheveux bruns, il donnait une impression d'élégance et de professionnalisme. Après un regard farouche en direction du public, il s'est retourné vers l'orchestre. Les musiciens ont levé la tête et attendu son signal. Un frisson d'impatience a parcouru la salle. Silence absolu parmi les spectateurs. L'orchestre se composait d'une douzaine de musiciens, pas plus, des percussionnistes pour la plupart. J'ai reconnu plusieurs des instruments de la salle de musique de Pipers ; un ou deux, j'en étais certaine, avaient servi pour le « musirécit » improvisé par Daniel à l'occasion de l'anniversaire de Vi. J'entendais encore le commentaire de Daniel : « Helen joue super-bien du ballon. »

Sur un geste du compositeur, la musique a commencé. Après les premières mesures, je me suis dit qu'un ballon n'aurait pas été déplacé dans ce morceau, qui n'avait rien à voir avec ce que Daniel m'avait joué à Pipers en janvier. Des bruits étranges, surprenants, des sons aigus, détonnants, de longs gémissements obsédants — tout ce qu'il y avait de plus atonal. J'ai regardé du coin de l'œil mon voisin ; les yeux clos, les sourcils levés, il semblait au comble de la félicité. Manifestement, quelque chose m'échappait.

Me sentant trahie, bernée, j'ai consulté le programme. J'ai ainsi appris que le morceau en question s'intitulait *Archétype* et avait été composé par un Daniel encore étudiant. Il s'agissait de l'œuvre qui l'avait fait considérer comme l'un des jeunes talents les plus prometteurs de sa génération. Le commentaire évoquait le caractère dissonant et saccadé de cette musique, mais aussi son humour. Mon voisin souriait à présent d'un air connaisseur ; quant à moi, je ne saisissais pas l'humour de cette composition. Le programme m'a également appris que le *Requiem* serait joué en seconde partie, après un entracte d'une vingtaine de minutes.

Quand la musique a pris fin, mon voisin a exprimé bruyamment son enthousiasme avec la voix, les mains, les pieds. Les applaudissements ont duré longtemps, et il m'a fallu attendre encore plus longtemps pour que la salle se vide et que je puisse sortir discrètement. Après la seconde partie, il serait prudent que je m'éclipse dès le début des applaudissements.

Il faisait encore jour, et le ciel de Londres était d'un bleu très pur ; par une soirée d'été comme celle-ci, même le bunker de béton du South Bank n'était pas dénué de charme. Les gens s'asseyaient en terrasse, s'éventaient avec leurs programmes, se promenaient, bavardaient, heureux. Des bateaux passaient sur la Tamise. L'atmosphère restait humide et la chaleur oppressante. Je me suis éloignée le plus possible et, une fois sûre que personne ne s'aventurerait jusque-là durant un entracte de vingt minutes, je me suis accoudée à un parapet pour contempler le fleuve.

Puis j'ai fait demi-tour et je suis revenue sans me presser.

J'avais bien calculé mon temps. Je me suis faufilée à ma place juste au moment où Daniel, entré sur scène d'un pas décidé, se penchait pour murmurer quelques mots d'encouragement à ses musiciens ; ces derniers ont souri et levé leurs instruments. Pendant l'entracte, on avait modifié la disposition des sièges et des pupitres, et c'était un orchestre nettement plus traditionnel qui faisait maintenant face à Daniel : violons, violoncelles, bois, et seulement deux tambours et une sorte de carillon. Après un silence, les premières notes de l'ouverture ont résonné et, tout à coup, j'ai été transportée dans le salon de la maison de Pipers, avec Daniel au piano, et la tempête qui rugissait dans l'estuaire.

En organisant avec le plus grand soin ma soirée, j'avais omis de me préparer à l'impact du *Requiem*. J'avais tout prévu — la place où je m'assiérais, le moment de mon arrivée et celui de mon départ, le moyen de ne pas me faire remarquer —, et j'avais espéré mettre un point final à tout ce que Carla et son univers avaient représenté dans ma vie ; seulement, j'avais oublié les répercussions physiques de la musique. Les thèmes m'étaient déjà familiers : Daniel les avait esquissés ce soir-là au piano, en avant-première, pour moi seule. Depuis, il les avait mûris et affinés, leur donnant une force encore plus grande. L'horreur, le chaos et la confusion suscités par la mort prématurée de Carla s'exprimaient dans cette musique. Je me suis rappelé la phrase de Daniel : *Difficile de faire passer la culpabilité dans la musique.* Peut-être, mais il y était parvenu.

La deuxième partie du *Requiem* — ce mélange de blues et de plain-chant qui évoquait la séduisante voix d'alto de Carla — m'a arraché des larmes. Et quand, à la fin, la musique s'est tue et que, après un long silence, les spectateurs ont applaudi avec frénésie, je continuais de pleurer en silence. Malgré ma ferme décision de partir dès que les lumières se seraient rallumées, je suis restée rivée à ma place, incapable de bouger. Peu importait, d'ailleurs : l'attention générale était dirigée vers la scène, où Daniel saluait un peu gauchement le public qui l'acclamait debout, et désignait les musiciens pour partager avec eux ce triomphe.

Les applaudissements ont fini par décroître, Daniel et l'orchestre ont quitté la scène, et la lumière est complètement revenue. Autour de moi, les gens se levaient et échangeaient leurs impressions.

Me sentant toujours incapable de quitter la salle, j'ai laissé passer mon voisin. Il a remarqué mes larmes et a commenté : « Affreux, n'est-ce pas ?

— J'ai trouvé que c'était extraordinaire, merveilleux.

— Trop sentimental. De la vraie guimauve, a-t-il dit avec une expression dédaigneuse. Mais si vous aimez ça... » Puis il s'est éloigné d'un air désapprobateur.

La salle s'est vidée peu à peu, et j'ai décidé d'attendre que les invités de la réception privée soient occupés à manger et à boire pour m'éclipser discrètement.

Sachant qu'elles ne pouvaient pas me voir, je n'ai pu m'empêcher d'observer ces personnes familières. Tout le monde était là. La plus éblouissante, comme toujours, était Angela. L'épouse boomerang, ai-je pensé avec amertume, opérait un retour en force : moulée dans un fourreau bleu métallique qui lui découvrait le dos et les épaules, elle semblait savourer chaque instant du triomphe de son ancien et sans doute futur mari. Les enfants étaient habillés avec une élégance que je ne leur avais jamais connue. Lily et Rowan examinaient les instruments de musique restés sur la scène, tandis que Violet sautillait d'un pied sur l'autre et tentait désespérément de capter l'attention de quelqu'un.

La réception était en fin de compte une fête de famille. J'ai observé en particulier Leonie Fanshaw — Carla, en plus élégante, plus assurée. On avait beaucoup parlé d'elle dans les journaux, ces derniers temps : elle avait abandonné le *Macbeth* monté à Salisbury au bout de trois représentations et était allée «se reposer» dans une clinique privée. Elle avait beaucoup maigri depuis notre promenade hivernale au bord de l'eau, contrairement à son frère Michael, plus gras, lent et mou que jamais. L'avait-on licencié, ainsi qu'il le craignait? Était-ce pure coïncidence si tous les deux étaient déboussolés depuis la mort de leur sœur? À croire que le désarroi et les échecs de Carla avaient eu pour fonction de contrebalancer leurs succès. Janet était là, elle aussi, et j'ai reconnu cinq ou six habitants de Burdock.

Quand la salle a enfin été déserte et mes larmes séchées, un sentiment très intense m'a envahie — tout ce cauchemar était enfin terminé. J'étais venue ce soir pour essayer de tourner la page sur les événements de l'année écoulée, et j'avais réussi au-delà de toute attente.

Il était temps de partir.

Je me suis dirigée vers la sortie. La salle semblait étrangement vide et silencieuse avec, en arrière-fond, les bavardages des invités de la réception privée. Quelqu'un avait laissé son programme par terre; sur la photo en noir et blanc, Carla me regardait. Difficile de supporter l'idée que ce visage singulier, aujourd'hui disparu, soit piétiné, foulé aux pieds. En me baissant pour ramasser le programme, j'ai aperçu un objet en plastique bleu clair sous un des sièges du premier rang : un poney.

«Ah, le voilà! s'est exclamée derrière moi une femme dont la voix m'était familière. Je savais bien qu'il ne pouvait pas être loin. » Puis, comme je me retournais : «Oh, c'est vous! Je ne vous avais pas reconnue. Ma parole, mais vous êtes superbe! Est-ce bien Helen?

« — Bonjour, Janet. Je suppose que ce jouet appartient à Vi?

— Daniel le lui a acheté ce matin, et c'est la troisième fois qu'elle le perd. Ça sera un miracle si on réussit à le rapporter dans le Devon. Vous venez à la réception?

— Non, j'allais partir, il faut que je rentre.

— Quel dommage! La musique était sublime, non? »

Nous avons parlé un moment du *Requiem*, puis la conversation a dévié sur la santé de Gros Chien et sur le temps. J'ai pris congé de Janet dès que cela a été possible sans l'offenser et suis sortie par la porte la plus éloignée du foyer.

Dehors, la chaleur était encore plus lourde et plus étouffante que pendant l'entracte, et le ciel s'était couvert; un éclair a illuminé les immeubles de l'autre côté de la Tamise et, quelques instants plus tard, le tonnerre a grondé.

Parfait, ai-je pensé. L'orage me semblait totalement en accord avec mon état d'esprit. Le *Requiem*, ultime cadeau de Daniel à son épouse défunte, conférait à Carla une sorte d'immortalité, puisque son souvenir durerait aussi longtemps que la musique. Songeant au mal que je m'étais donné pour essayer de savoir qui avait été Carla, je me suis demandé si j'en avais appris davantage en Angleterre que sur l'île. En Grèce, il me manquait peut-être les détails extérieurs de sa vie, mais l'essentiel y était : son insécurité et son besoin désespéré d'être le centre d'intérêt d'un monde imaginaire où elle pouvait briller.

Durant six mois, je m'étais complètement trompée sur moi-même, comment pouvais-je espérer y voir clair sur quelqu'un d'autre? Je me suis rappelé son rire et sa drôlerie. *Nous vivons dans un ancien château, et nous venons justement de faire installer une grille basculante à l'extrémité du pont-levis*, avait-elle raconté en pouffant. Et la dernière soirée, quand elle avait chanté, que les clients du bar s'étaient approchés pour l'écouter, et qu'elle était heureuse. Même sa jalousie et sa méchanceté. J'aurais donné n'importe quoi pour l'entendre me dire : *Ce que tu peux être garce, des fois, Helen*. Garce, peut-être, mais pas meurtrière.

Carla était devenue partie intégrante de ma vie, de moi-même. Peut-être est-ce la seule chose que nous pouvons faire pour les morts : les intégrer dans nos vies, nous souvenir d'eux de temps en temps, ressentir parfois la nostalgie de leur absence. Les aimer, leur rendre hommage, et les laisser partir. Ma rencontre avec Carla avait provoqué en moi un changement radical : maintenant, j'étais prête à continuer ma vie.

J'ai regretté de porter des chaussures élégantes, certes, mais pas pratiques pour deux sous. J'aurais aimé, ce soir, déambuler dans les rues sous la pluie battante, pour me délivrer des dernières traces de l'émotion qui m'avait saisie dans la salle de concerts. Nouvel éclair, nouveau coup de tonnerre. Ce serait sans doute un de ces orages d'été, spectaculaires sur le plan visuel et sonore, mais sans une goutte de pluie. Autant prendre le métro et rentrer directement chez Miriam, elle reviendrait peu après dix heures et je pourrais lui raconter...

«Helen!»

J'avais presque atteint la station de métro.

«Helen, attends!»

Je me suis retournée et j'ai aperçu Daniel qui courait derrière moi, sans veste, et me faisait de grands signes.

«Helen, Dieu soit loué! s'est-il exclamé, hors d'haleine, en arrivant à ma hauteur. Pourquoi ne pas m'avoir prévenu que tu viendrais ? Ce que je suis content de te voir, je ne peux pas y croire !

— C'est Janet qui t'a mis au courant ?

— Vi m'a dit que tu avais retrouvé son poney en plastique, et Janet a précisé que tu venais de partir. J'ai supposé que tu prendrais ce chemin. Quelle chance ! »

Il a esquissé un geste, comme pour me prendre dans ses bras, puis il s'est ravisé et a hélé un taxi.

« Partons d'ici », a-t-il repris en ouvrant la portière et en indiquant au chauffeur une adresse dans Charlotte Street.

J'ai hésité. « Et tes invités ?

— *Mes* invités ? Qu'ils aillent au diable ! Cette bande de chacals n'a pas besoin de moi, je leur gâche leur plaisir. Vas-y, monte. Ils seront bien plus tranquilles sans moi, a-t-il ajouté quand le taxi a démarré. Ils vont pouvoir me mettre en pièces sans le moindre scrupule. Je préférerais passer huit jours à casser des cailloux sous le soleil du désert plutôt qu'une heure en compagnie de cette meute.

— Aurais-tu déjà cassé des cailloux, dans le passé ? » J'avais du mal à croire que j'étais soudain assise dans un taxi avec Daniel et que nous roulions vers une de ces destinations connues de lui seul. Pouvais-je affirmer en toute honnêteté que je n'étais pas d'accord ? *Ce n'est pas une question pertinente, ne te crois donc pas obligée d'y répondre.*

« Tu es superbe, m'a-t-il déclaré. Je ne t'ai jamais vue porter ce genre de vêtements, l'hiver dernier.

— J'ai changé.

— Superbe, vraiment.

— Merci. » Il m'a paru judicieux de changer de sujet. « Quel est le verdict à propos du *Requiem* ?

— Trop tôt pour le dire. » Il s'est calé dans son coin pour mieux m'observer. « À l'évidence, certains le détestent, alors que d'autres crient au chef-d'œuvre. Les deux réactions me conviennent parfaitement, du moment qu'elles sont extrêmes. Je ne supporterais pas que tout le monde s'accorde pour dire que c'est plutôt bien, mais pas extraordinaire. Je préfère qu'on trouve ça très mauvais plutôt qu'ennuyeux.

— Ce n'était pas ennuyeux.

— Tant mieux.

— Mais mon voisin a parlé de guimauve sentimentale.

— Un ami à toi ? » J'ai secoué la tête. « Et toi, qu'en as-tu pensé ?

— J'ai trouvé ta musique merveilleuse. »

Il a paru extrêmement satisfait.

« Et elle m'a fait pleurer.

— Excellent.

— En revanche, je n'ai pas réussi à entrer dans le premier morceau. En réalité, je ne l'ai pas aimé.

— Je ne peux pas te le reprocher. C'est une œuvre terriblement juvénile et datée. À l'époque, bien sûr, je croyais être à la pointe de la modernité ; aujourd'hui, ça me semble affreusement banal. Mais les organisateurs du concert tenaient à l'inclure dans le programme... On est arrivés. » Il s'est penché pour demander au chauffeur de s'arrêter.

Pendant qu'il payait, j'ai dit : « Écoute, je sais que tu dois retourner auprès d'Angela et des enfants, et... »

Une lueur malicieuse est passée dans ses yeux quand il m'a prise par le bras et a poussé la porte du restaurant. « Tu n'es pas au courant ? Angie et Raoul se sont mariés le mois dernier. C'était ce type aux cheveux gris, petit et rondouillard, qui respire la richesse. Un agent de change. Ils sont là pour huit jours seulement, Angela est venue à la requête des enfants.

513

— Ils vont se demander où tu as disparu.

— Ils le savent, parce que je le leur ai dit avant de m'en aller. Ce soir, ils dorment chez Raoul, à son appartement d'Eton Square, et dans deux jours ils prennent l'avion pour partir un mois en vacances dans une petite station chic de Long Island. Angie et Raoul veulent y passer du temps avec eux trois pour maintenir "des liens affectifs de qualité" — ce sont les mots d'Angie, pas les miens. Je suis autorisé à déjeuner demain avec eux pour leur dire au revoir. En attendant, je meurs de faim et je déteste dîner seul.

— Oh.

— Toi et moi, on a beaucoup de temps à rattraper.

— Mais...

— Où est le problème ? Si je t'ai couru après, tout à l'heure, c'est uniquement parce que tu m'offres un excellent prétexte pour abandonner cette bande de rats. Tu me sers d'alibi, alors autant que nous profitions de cette soirée. » Il s'est adressé ensuite au serveur : « Cette table près de la fenêtre sera parfaite. Apportez-nous une bouteille de champagne pendant que nous étudions la carte. » Nous nous sommes installés et il m'a déclaré : « Le champagne, c'est pour le *Requiem*, tu comprends, pas pour fêter nos retrouvailles.

— Je pensais que peut-être tu cherchais une baby-sitter.

— Pas cette fois-ci. Il n'y aura que moi et Tigre à Pipers pendant un mois. Cela dit, Tigre peut être extrêmement prenant.

— Oh, bon, si ce n'est que ça.

— Qu'est-ce que tu crains ? Que je veuille aller chez toi, après ? Passer la nuit avec toi ? Le reste de ma vie ? Ne rêve pas, Helen. N'oublie pas, je ne sais strictement rien de toi... Ah, très bien, voici le champagne.

— La dernière fois que nous avons bu du champagne, je l'ai renversé sur ton pantalon.

— En effet. » Tout à coup il m'a regardée d'un air sérieux. « Mon Dieu, j'ai l'impression que c'était il y a un siècle.

— Ça ne fait que six mois.

— Six très longs mois.

— Buvons au succès du *Requiem*. »

Nous avons levé nos verres. Il ne me quittait pas des yeux. « Pourquoi m'as-tu évité pendant tout ce temps, Helen ? Était-ce à cause d'Angie ?

— En partie.

— Elle n'est même pas restée huit jours à Pipers. Si Lily n'avait pas été si mal en point, elle serait repartie dès le lendemain. Peut-être avions-nous besoin, elle et moi, de ces quelques jours pour comprendre que c'était réellement fini entre nous. Elle avait toujours pensé que, s'il n'y avait pas eu Carla, nous nous serions remis ensemble ; en réalité, notre couple était déjà fichu avant même l'entrée en scène de Carla... Mais tout ça, c'est du passé, ça ne m'intéresse plus le moins du monde.

— Ah bon ? Qu'est-ce qui t'intéresse, alors ?

— Toi.

— Moi ?

— Oui. Je veux tout savoir de toi : tes origines, ta famille, tes amants, ton métier, ce que tu aimes, ce que tu fais, tes endroits préférés. Tout. »

J'ai hésité. Je m'attendais plus ou moins à entendre dans ma tête la voix de Carla : *Daniel est à moi. Bon sang, c'est un truc archiconnu.* Mais non, rien. Le silence avait remplacé les voix.

« Tout ?

— Tout.

— Cela risque de prendre pas mal de temps.

— Plus ce sera long, mieux ce sera.

— Prépare-toi à quelques surprises. »

Il s'est calé dans son siège, a croisé les bras et m'a dévisagée en souriant. « Eh bien, surprends-moi. »

Et c'est ce que j'ai fait.

Remerciements

Je tiens à remercier tous ceux qui ont eu la gentillesse de répondre à mes nombreuses questions : Sheila, Lisa et Stacey, pour leur connaissance des îles, John Knight et Michael Messer qui m'ont beaucoup appris sur la musique, Suzanne et Peter pour le tchèque et Mary Donnelly, qui m'a offert une aide précieuse dans mes recherches.

Achevé d'imprimer par N.I.I.A.G.
en Avril 2002
pour le compte de France Loisirs, Paris

N° éditeur : 36750
Dépôt légal : Avril 2002

Imprimé en Italie